DIDACTIQUE de
l'**univers social au primaire**

Contenus disciplinaires et suggestions d'activités pour les 2ᵉ et 3ᵉ cycles

Sous la direction de MARC-ANDRÉ ÉTHIER ET DAVID LEFRANÇOIS

E RPi éducation · inn

5757, rue Cypihot, Saint-Laurent (Québec)
TÉLÉPHONE : 514 334-2690 TÉLÉCOPIEUR : 514 334-84

Développement de produits
Pierre Desautels

Supervision éditoriale
Sylvain Bournival

Révision linguistique
François Morin

Correction des épreuves
Marie-Claude Rochon (Scribe Atout)

Recherche iconographique
Marie-Chantal Masson
et Chantal Bordeleau

Direction artistique
Hélène Cousineau

Supervision de la production
Muriel Normand

Conception graphique de l'intérieur
Martin Tremblay

Conception et réalisation de la couverture
Martin Tremblay

Infographie
Interscript

Pour la protection des forêts, ce livre est imprimé sur du papier contenant 100 % de fibres recyclées postconsommation, fabriqué au Québec, certifié Éco-Logo, traité avec un procédé sans chlore et fabriqué à partir d'énergie biogaz.

 RECYCLÉ
Papier fait à partir de matériaux recyclés
FSC
www.fsc.org   FSC® C103567

Dépôt légal – Bibliothèque et Archives nationales du Québec, 2012.
Dépôt légal – Bibliothèque et Archives Canada, 2012.

Imprimé au Canada.
ISBN 978-2-7613-3996-4

234567890   MI   17 16 15 14 13
20593 ABCD   ENV94

AVANT-PROPOS

La géographie, l'histoire et l'éducation à la citoyenneté intéressent de nombreuses personnes. Les ouvrages de vulgarisation en histoire, par exemple, occupent d'ailleurs une place importante sur les rayons des librairies québécoises. Toutefois, même si elles sont prescrites par le programme des deuxième et troisième cycles du primaire, ces disciplines, qui permettent de comprendre, d'évaluer ou de produire des discours portant sur les réalités sociales d'hier, d'aujourd'hui ou de demain et d'ici ou d'ailleurs, occupent peu de place à l'école primaire. Elles servent plus souvent à concevoir des produits de consommation divertissants à usage parascolaire qu'à susciter la réflexion, en classe ou non.

Cette réflexion concerne pourtant tous les citoyens et devrait leur être accessible. Elle est au cœur du projet de rédaction du présent ouvrage, qui vise certes à seconder l'enseignement de la didactique des sciences humaines ou de l'univers social, mais aussi à offrir des pistes de réflexion à propos de la géographie et de l'histoire du Québec.

Plusieurs d'entre vous qui nous lisez poursuivent en effet des études de baccalauréat qui leur permettront d'enseigner au primaire. D'autres, cependant, enseignants chevronnés, conseillers pédagogiques ou étudiants en formation à l'enseignement, cherchent d'abord de nouvelles idées d'activités à exploiter immédiatement en classe. Ils veulent aider leurs élèves à prendre connaissance des questions relatives au contexte social, politique, économique et culturel des sociétés qui ont existé ou existent encore sur le territoire du Québec, aux changements et continuités qu'elles ont connus au fil du temps ou à leurs ressemblances et différences avec diverses sociétés comparables. Ils veulent que ces sociétés et ces questions représentent quelque chose aux yeux de leurs élèves, ils veulent faire émerger les représentations que ceux-ci ont de ces sociétés, leur apprendre à chercher l'information pertinente, à la réunir, la traiter, l'évaluer, la classer, la structurer et la synthétiser, puis à tirer des conclusions et à échanger à propos de ce processus et de ces conclusions. Certains, parmi vous, ne se destinent pas à l'enseignement. Vous êtes des parents d'élèves du primaire, des amateurs de géographie et d'histoire, des citoyens désireux de savoir ce que des auteurs en sciences humaines ont à dire à propos de ces sociétés et des ressemblances qui les unissent comme des différences qui les séparent, par-delà l'espace ou le temps. Vous voulez savoir comment des chercheurs ont compris et analysé ces objets d'étude, à partir de quels concepts, démarches, techniques et sources ils ont débattu à propos de leurs interprétations.

Dans le but de satisfaire vos attentes diverses, cet essai collectif se conforme à la structure et aux prescriptions du programme portant sur l'univers social aux deuxième et troisième cycles du primaire, tout en tenant compte de la progression établie par le ministère pour les apprentissages. Il approfondit ces différentes questions en insistant particulièrement sur leur dimension historique.

Tous les chapitres comportent les mêmes rubriques. Des idées de situations d'apprentissage, des tableaux, des cartes et des sources écrites ou iconographiques provenant des archives publiques accompagnent un texte qui synthétise le contenu notionnel touchant les différentes compétences et les savoirs essentiels pour chacune des sociétés à l'étude. Ce texte est suivi d'un aperçu des débats historiographiques concernant cette société, ainsi que d'exercices reflétant la progression des apprentissages et d'une bibliographie commentée qui permet d'en apprendre plus. Les réponses aux questions des exercices se trouvent en général dans les chapitres, mais certaines questions exigeront de votre part des recherches et la consultation de livres signalés en bibliographie.

Le programme ministériel d'univers social s'articule autour de six bornes chronologiques alliant l'étude des éléments de comparaison entre des sociétés de la même époque à celle des changements survenus dans diverses sociétés au fil du temps. Ces bornes sont les suivantes : 1500, 1645, 1745, 1820, 1900 et 1980. À travers l'étude de sociétés et de territoires, elles offrent « une latitude, avant ou après l'année mentionnée » et « contribuent à donner à l'élève une vision d'ensemble du territoire canadien et de certains points de repère de l'histoire du Québec et du Canada[1] ».

Trois sociétés sont étudiées en synchronie aux fins de la découverte de « leur organisation sociale et territoriale » et de « leurs différences d'organisation au regard d'une autre société à une même époque[2] ». Il s'agit des sociétés iroquoienne, algonquienne et inca vers 1500. Les **trois premiers chapitres** rendent compte de recoupements et de contrastes entre ces populations autochtones des Amériques dont l'histoire était déjà plus de dix fois millénaire avant les premières incursions européennes sur le continent.

Les deux premières sociétés, nord-américaines, et la troisième, située dans l'hémisphère Sud, sont étudiées séparément, de manière à pouvoir dégager les relations existant entre les caractéristiques et l'aménagement de leur territoire, mais il sera possible, au terme de la lecture de ces chapitres, de comparer le mode de vie, les activités économiques, la structure politique et l'habitation dans les trois sociétés vers 1500.

---

1. Ministère de l'Éducation du Québec (2001). *Programme de formation de l'école québécoise. Éducation préscolaire et enseignement primaire*, Québec, Gouvernement du Québec, p. 178.

2. *Ibid.*, p. 179.

L'histoire des groupes algonquiens est très mal documentée, même si certains d'entre eux ont joué un rôle déterminant auprès des Européens après leur venue en Amérique, y compris en contribuant à l'accumulation des richesses. Bien que nous disposions d'outils tels que l'histoire, l'ethnologie, l'anthropologie, la linguistique et l'archéologie pour comprendre ces sociétés, les interprétations bâties à partir de données diverses ont toutes leurs faiblesses particulières, dans la mesure où on tente de caractériser des sociétés sans écriture et sans contact avec les groupes qui écrivent.

Cette précaution posée par les auteurs de ces chapitres implique également une mise à distance critique des éléments de contenu de la part de lecteurs conscients des problèmes liés aux sources ou aux interprétations, comme le révèle de façon exemplaire le sens dissimulé des codes de communication imagés des peuples incas, sans correspondance avec les critères narratifs ou descriptifs de l'écriture que nous connaissons.

De manière diachronique, le programme d'univers social insiste sur les changements qu'ont connus la société iroquoienne et la société française en Nouvelle-France à partir de deux bornes chronologiques : 1500 et 1745 pour la première société, et 1645 et 1745 pour la seconde.

En adoptant aussi une approche synchronique, les chapitres permettent de comparer des sociétés anglo-américaines en 1745 avec la société canadienne en Nouvelle-France durant la même période. Plus précisément, le **chapitre 4** explore les origines et la naissance de la Nouvelle-France et décrit le mode de vie des colons français ainsi que les aspects de ce mode de vie qu'ils ont adaptés à leur territoire. Si des personnages importants de l'époque de la Nouvelle-France sont inévitablement cités et présentés, ce chapitre ne manque pas de rappeler aux lecteurs que la mise en scène de ces acteurs et de ces lieux de mémoire, transmise au fil du temps, n'est pas exempt de mythes.

Le **chapitre 5** examine la situation des Iroquoiens de 1745 par rapport à celle de 1500 et les causes expliquant les continuités et les ruptures entre ces deux périodes en ce qui concerne les répercussions sociales, politiques et culturelles des épidémies sur les sociétés iroquoiennes, les relations commerciales avec les colonisateurs français et les effets des changements sur la culture matérielle et la vie quotidienne de ces sociétés.

Le **chapitre 6** non seulement fournit le portrait de la Nouvelle-France vers 1745, mais il explique aussi les causes qui marquent ses différences par rapport à 1645 en ce qui a trait notamment à la démographie et aux conditions de vie. De plus, la présentation de positions polarisées d'historiens relativement au développement de la Nouvelle-France sous le Régime français offre aux lecteurs l'occasion de saisir l'ampleur des débats historiographiques entourant cette période.

Le **chapitre 7**, dans l'esprit du programme, ne s'arrête pas à l'étude historique et socioéconomique des treize colonies britanniques d'Amérique vers 1745. Il fait aussi ressortir des caractéristiques propres aux sociétés anglo-américaines pour faciliter la reconnaissance et la compréhension des différences entre ces sociétés et la société canadienne en Nouvelle-France sur les plans géographique, démographique, politique, économique, militaire, etc.

En étudiant, entre autres, les facteurs qui expliquent les changements territoriaux survenus entre 1760 et 1840, le **chapitre 8** portant sur le Bas-Canada vers 1820 traite de la période suivant le bouleversement que fut la Conquête britannique de la Nouvelle-France, laquelle transforma la société et le territoire qu'occupaient les Canadiens. Il est commun de dire que les efforts d'assimilation des Canadiens français par les Britanniques provoquèrent des résistances et une opposition politique de la part de la bourgeoisie canadienne-française. Ce chapitre en rend compte et se penche notamment sur les débats portant sur les causes profondes de la rébellion patriote. Non seulement relève-t-il des points de rupture et de continuité entre la société présentée dans le sixième chapitre et celle du Bas-Canada, mais il apporte également maints éléments qui permettent de mieux interpréter les changements survenus entre 1760 et 1840 et, à la lecture des chapitres ultérieurs, d'expliquer certaines de leurs influences sur la société québécoise.

En effet, le **chapitre 9** conduit le lecteur à constater l'évolution que la société québécoise vers 1905 a connue par rapport à la situation du Bas-Canada vers 1820, bien qu'il ne s'arrête pas à cela. Il rend compte des dynamiques animant cette province après la Confédération en effervescence : population qui se diversifie, tensions ethniques, luttes des classes sociales, État qui se fait de plus en plus présent par rapport à l'Église, industrialisation effrénée, transformation des modes de production et de consommation des Québécois, émergence de nouvelles idéologies, tel le syndicalisme… Ces contextes de mutation sont-ils identiques, similaires ou tout autres dans les provinces de l'Ouest ? Le **chapitre 10** permet d'établir des comparaisons, car il décrit la situation dans les provinces des Prairies (Alberta, Saskatchewan, Manitoba) et de la côte Ouest (Colombie-Britannique) vers 1905.

Le **chapitre 11** s'intéresse aux changements qu'a subis le Québec depuis la fin de la Révolution tranquille jusqu'à la tuerie de Polytechnique, soit des années 1960 à la fin des années 1980. Il traite des influences réciproques des personnages et des événements sur l'organisation sociale et territoriale, en tenant compte de la pluralité des périodisations et interprétations possibles, selon les questions que l'on se pose et les points de vue que l'on adopte.

Les chapitres suivants, les deux derniers de cet ouvrage, s'intéressent à la situation contemporaine de trois sociétés : Cuba, ainsi que les sociétés mi'gmaque et inuite.

Le **chapitre 12** rend compte de l'expérience originale qu'a été la Révolution cubaine en survolant les événements des années 1960-2000, en dressant un bilan de la Révolution cubaine vers 1990, en discutant de la relation qu'entretient la Révolution avec le nationalisme et le projet social cubain, puis en abordant certaines controverses à propos des caractéristiques d'une démocratie.

Le **chapitre 13** décrit deux sociétés dont les ancêtres ont peuplé le territoire actuel de la province de Québec il y a fort longtemps, lesquelles se trouvent aux marges sud-ouest (société mi'gmaque) et nord-ouest (société inuite) du territoire de la société québécoise actuelle. Peu connues de la majorité des autres habitants du Québec, ces deux sociétés se distinguent considérablement l'une de l'autre par leur histoire et leur culture.

Pour aider les élèves à poursuivre leurs apprentissages en univers social, les enseignants doivent eux-mêmes *s'accoutumer* à la démarche de nature géographique et historique. Bien entendu, le développement des compétences prescrites en univers social «repose sur l'acquisition de connaissances et de concepts qui se rapportent aux territoires et aux sociétés observés[3]». Nous croyons que le présent ouvrage, de par ses récits, son iconographie, ses débats historiographiques, ses références ou ses idées d'activités d'enseignement-apprentissage, saura permettre une meilleure appropriation de cette démarche et son application au fil des questionnements proposés par les auteurs. En somme, ceux-ci présentent et nuancent des éléments de contenu essentiels, fixent des points de repère dans le temps et dans l'espace, manipulent des sources et des concepts propres aux sciences humaines et sociales, construisent et relativisent des interprétations, décrivent des controverses et guident les lecteurs souhaitant aller plus loin dans la problématisation, l'acquisition et la structuration autodidacte des savoirs.

Remerciements

Nous désirons exprimer notre entière gratitude à tous les experts qui ont lu et commenté l'ensemble des chapitres soumis au processus d'évaluation à double insu. Soulignons également la contribution très estimée de Stéphanie Demers, qui a méticuleusement retouché la présentation de certains chapitres et ainsi conféré à l'ouvrage une plus grande uniformité.

Marc-André Éthier et David Lefrançois

---

3. *Ibid.*, p. 171.

NOTICES BIOGRAPHIQUES

Les directeurs

Marc-André Éthier est professeur de didactique à l'Université de Montréal et **David Lefrançois** est professeur en fondements de l'éducation au département des sciences de l'éducation à l'Université du Québec en Outaouais. Ils sont chercheurs au sein du Groupe de recherche sur l'éducation à la citoyenneté et l'enseignement de l'histoire (GRECEH) et du Centre de recherche interuniversitaire sur la formation et la profession enseignante (CRIFPE). Leurs intérêts de recherche portent sur le développement de la pensée historique au primaire et au secondaire, sur l'analyse de contenu d'ensembles didactiques (histoire et éducation à la citoyenneté) et sur la pratique dialogique en classe d'univers social. Ils ont présenté certains résultats de leurs recherches aux enseignants, coanimé des ateliers de formation continue des maîtres, coprésidé des séminaires réunissant des conseillers pédagogiques et coécrit des dizaines d'articles en français, en anglais et en espagnol dans des revues savantes et professionnelles amplement disséminées en sciences de l'éducation.

Les auteurs

Marc Côté est archéologue et directeur général de la Corporation Archéo-08 depuis 1986. Sa formation en anthropologie à l'Université Laval et en archéologie à l'Université de Montréal l'a amené à s'intéresser au passé des Premières Nations du Québec. Il rédige actuellement une thèse de doctorat à l'Université de Montréal. Il est l'auteur de nombreuses publications scientifiques en archéologie et contribue à l'avancement des connaissances acquises à ce jour sur la préhistoire du Bouclier canadien.

Stéphanie Demers est doctorante en didactique des sciences humaines à l'Université du Québec à Montréal, professeure en fondements de l'éducation au département des sciences de l'éducation à l'Université du Québec en Outaouais et membre du Centre de recherche interuniversitaire sur la formation et la profession enseignante (CRIFPE). Elle s'intéresse aux pratiques et aux discours des enseignants en histoire et en éducation à la citoyenneté au Québec. Elle est coauteure de manuels d'histoire et d'éducation à la citoyenneté au deuxième cycle du secondaire.

Martin Fournier est docteur en histoire, spécialisé en histoire de la Nouvelle-France. Depuis 2006, il coordonne la réalisation d'un ouvrage multimédia : l'*Encyclopédie du patrimoine culturel de l'Amérique française*, la plus importante source d'information en ligne sur le patrimoine des francophones d'Amérique. Il a enseigné à l'Université du Québec à Rimouski et publié plusieurs livres et articles historiques, notamment sur le coureur des bois Pierre-Esprit Radisson et sur la vie quotidienne et l'alimentation en Nouvelle-France, ainsi que des ouvrages scolaires et un roman historique intitulé *L'Enfer ne brûle pas*. Il a également collaboré à plusieurs projets de mise en valeur de l'histoire pour les secteurs du tourisme et de la télévision.

Leila INKSETTER possède une maîtrise en anthropologie spécialisée en archéologie. Elle a travaillé comme archéologue pendant six ans pour l'organisme Archéo-08, un organisme de recherche et de diffusion sur l'archéologie en Abitibi-Témiscamingue. En plus d'activités de diffusion publique, elle a publié plusieurs articles à caractère scientifique sur la préhistoire de la région. Elle effectue présentement un doctorat sur l'histoire des Algonquins à l'Université de Montréal. Elle enseigne également comme chargée de cours à l'Université du Québec en Abitibi-Témiscamingue.

Gilles LAPORTE est historien spécialiste de l'histoire du xixe siècle québécois, professeur d'histoire au cégep du Vieux Montréal et chargé de cours à l'Université du Québec à Montréal, où il enseigne le seul cours au Canada consacré aux rébellions de 1837-1838. Gilles Laporte est notamment l'auteur de *Fondements historiques du Québec* (Chenelière, 2008), de *Patriotes et Loyaux* (Septentrion, 2003) et de *Molson et le Québec* (Michel Brûlé, 2009).

Frédéric LEMIEUX est diplômé de l'Université de Sherbrooke. Ses spécialités sont l'histoire parlementaire et politique du Québec aux xixe et xxe siècles ainsi que l'histoire de la ville de Québec.

Sabrina MOISAN est titulaire d'un doctorat en didactique de l'histoire de l'Université de Montréal. Son projet de recherche portait sur les fondements épistémologiques et les représentations sociales des enseignants d'histoire au secondaire à l'égard de l'histoire et de la citoyenneté en tant qu'objets d'enseignement et d'apprentissage. Elle est coordonnatrice des programmes éducatifs au Centre commémoratif de l'Holocauste à Montréal.

Claude MORIN est professeur honoraire au département d'histoire de l'Université de Montréal, où il a enseigné de 1970 à 2006. Ses principaux terrains de recherche ont été le Mexique colonial, puis Cuba, les Caraïbes et l'Amérique centrale au xxe siècle. Il figure comme auteur ou comme rédacteur de six ouvrages et d'une trentaine d'articles ou de chapitres d'ouvrages collectifs. Il a aussi commenté l'actualité latino-américaine dans les médias écrits et électroniques.

Martin PÂQUET est professeur au département d'histoire de l'Université Laval et titulaire de la CEFAN. Il s'intéresse aux multiples expressions des cultures politiques au Québec, au Canada et dans les francophonies nord-américaines depuis les révolutions de la fin du xviie et du début du xixe siècle jusqu'à nos jours. Œuvrant en anthropologie historique, ses intérêts s'étendent aussi aux études migratoires dans une perspective transnationale.

Roland TREMBLAY est archéologue préhistorien spécialiste des populations amérindiennes du Québec méridional depuis plus d'une vingtaine d'années. Il est l'auteur de nombreux articles et d'un livre sur les Iroquoiens du Saint-Laurent, publié en 2006 aux Éditions de l'Homme ; la même année, il a collaboré à une exposition du musée de Pointe-à-Callière de Montréal sur le même thème.

Louis TURCOTTE est titulaire d'une maîtrise en histoire réalisée à l'Université Laval en 2006. Il travaille depuis cinq ans à titre d'historien-consultant auprès du ministère des Ressources naturelles et de la Faune relativement aux questions amérindiennes.

TABLE DES MATIÈRES

AVANT-PROPOS III

NOTICES BIOGRAPHIQUES IX

CHAPITRE 1 La société iroquoienne vers 1500
(*Roland Tremblay et Stéphanie Demers*) 1

Introduction 2

1. L'ethnonymie des Iroquoiens 2

2. L'univers culturel des groupes iroquoiens 4

    2.1   Le passé préhistorique 4

    2.2   Le territoire 5

    2.3   Le mode de vie et l'occupation du sol 8

    2.4   Les réalités politiques à la veille du contact avec les Européens 16

3. L'historiographie des Iroquoiens anciens 18

Conclusion 19

Exercices 20

Pour en savoir plus 20

Bibliographie 21

CHAPITRE 2 La société algonquienne vers 1500
(*Marc Côté et Leila Inksetter*) 23

Introduction 24

1. *Algonquin* et *Algonquien*: des définitions 24

2. L'univers culturel des Algonquiens 25

    2.1   Le passé préhistorique des Algonquiens 25

    2.2   Territoires et adaptations: une proposition de découpage
          de l'espace québécois 27

    2.3   Un cas d'espèce: les Algonquins vers 1500 30

3. Problèmes historiographiques 37

Conclusion 39

Exercices 39

Pour en savoir plus 40

Bibliographie 41

CHAPITRE 3 La société inca vers 1500 (*Claude Morin*) 43

Introduction 44

1. Les Incas: la dynastie, l'ethnie, l'empire 45

2. L'univers culturel des Incas 45

    2.1   Le Pérou avant les Incas 46

    2.2   L'interaction avec le milieu naturel 48

    2.3   L'organisation de la société inca 52

    2.4   La religion chez les Incas 53

    2.5   Le dualisme dans la pensée et ses applications à l'espace 56

    2.6   La fin de l'Empire inca 58

3. Historiographie – De quelques controverses 60

    3.1   Le problème des sources 60

    3.2   Les quipus 61

    3.3   La population du Pérou ancien 63

Conclusion 64

Exercices 67

Pour en savoir plus 68

Bibliographie 69

CHAPITRE 4   La société française en Nouvelle-France vers 1645

    (*Frédéric Lemieux et Martin Fournier*) 71

Introduction 72

1. Les origines et la naissance de la Nouvelle-France 72

2. Un portrait de la Nouvelle-France vers 1645 75

    2.1   Le territoire et la population 75

    2.2   Le mode de vie 77

    2.3   L'occupation du sol 78

    2.4   Les réalités culturelles 80

    2.5   Les réalités politiques : prise de décisions, rôles et pouvoirs des dirigeants 83

3. Richesses, atouts et contraintes du territoire 84

    3.1   Les moyens de transport, le climat et les voies de communication 84

    3.2   Les sols, la forêt et la faune 86

4. L'influence de personnages sur l'organisation sociale et territoriale 87

    4.1   Samuel de Champlain 87

    4.2   Pierre Du Gua de Mons 88

    4.3   Les Jésuites 88

    4.4   Charles Huault de Montmagny et Paul de Chomedey de Maisonneuve 88

5. Débat historiographique 89

Conclusion 90

Exercices 90

Pour en savoir plus 91

Bibliographie 92

CHAPITRE 5   La société iroquoienne vers 1745

    (*Roland Tremblay et Stéphanie Demers*) 95

Introduction 96

1. Bouleversements et résistances 96

    1.1   Le contact (1534-1609) 96

1.2   Les chambardements (1609-1701) 97

1.3   La trêve (1701-1755) 101

2. Les sociétés iroquoiennes vers 1745 101

2.1   Le territoire et la population 102

2.2   Le mode de vie 103

3. Historiographie et controverses 111

Conclusion 112

Exercices 113

Pour en savoir plus 114

Bibliographie 115

CHAPITRE 6   La société canadienne en Nouvelle-France vers 1745

(*Frédéric Lemieux et Martin Fournier*) 117

Introduction 118

1. Portrait de la Nouvelle-France vers 1745 118

1.1   Le territoire 118

1.2   Les caractéristiques de la population : répartition, composition,
      nombre approximatif 120

1.3   Le mode de vie 124

1.4   Les activités économiques : agriculture, élevage, chasse, pêche, commerce,
      premières industries, commerce des fourrures 124

1.5   Les réalités culturelles 129

1.6   Les réalités politiques : prise de décisions, rôles et pouvoirs
      des dirigeants, institutions 136

2. Richesses, atouts et contraintes du territoire 142

2.1   Les moyens de transport et les voies de communication 142

2.2   Les sols, la forêt et la faune 143

3. Personnages influents de la Nouvelle-France 144

4. Historiographie et controverses 147

Conclusion 148

Exercices 149

Pour en savoir plus 150

Bibliographie 150

CHAPITRE 7   Les sociétés anglo-américaines des treize colonies vers 1745

(*Stéphanie Demers et Frédéric Lemieux*) 153

Introduction 154

1. Portrait des treize colonies britanniques vers 1745 154

1.1   Le territoire et la population 154

1.2   Le contexte sociopolitique de la colonisation britannique 155

1.3   Les caractéristiques du territoire occupé 155

1.4   Les caractéristiques de la population et le nombre d'habitants 158

1.5   La religion 162

1.6   Les langues 163

2. Les activités économiques dans les treize colonies 163

   2.1   Les colonies du Nord 164

   2.2   Les colonies du Centre 164

   2.3   Les colonies du Sud 165

3. Le mode de gouvernement 167

   3.1   L'exemple de la Virginie 168

   3.2   L'exemple du Massachusetts 169

   3.3   Des pratiques démocratiques précoces et un désir d'autonomie 169

   3.4   Les liens commerciaux avec l'Angleterre 170

   3.5   La défense des treize colonies 171

4. Historiographie et controverses 172

Conclusion 175

Exercices 176

Pour en savoir plus 176

Bibliographie 177

CHAPITRE 8   La société canadienne vers 1820
   (Gilles Laporte et Stéphanie Demers) 179

Introduction 180

1. Le territoire de la société canadienne vers 1820 180

   1.1   Les éléments de la société qui ont une incidence
         sur l'aménagement du territoire 181

   1.2   L'organisation sociale et territoriale 182

2. Les réalités culturelles 184

   2.1   Les croyances, la religion, les coutumes 184

   2.2   L'alimentation, le divertissement, l'habillement 185

3. Les activités économiques 187

   3.1   L'agriculture 187

   3.2   La chasse et la pêche 189

   3.3   Le commerce du bois 190

   3.4   Les moyens de transport et les voies de communication 191

   3.5   Les techniques et l'outillage 193

**4. Les réalités politiques : prise de décisions, mode de sélection
   des dirigeants, institution (Chambre d'assemblée)** 193

**5. Personnages influents et répercussions d'événements
   sur l'organisation sociale et territoriale** 196

   5.1   Les commerçants anglais 196

   5.2   Les Loyalistes 197

   5.3   Les crises parlementaires 197

   5.4   La révolution de 1838 200

   5.5   L'Acte d'Union 201

**6. Historiographie et controverses historiques : principales interprétations
   à propos des Patriotes et des rébellions de 1837-1838** 202

Conclusion 203

Exercices 204

Pour en savoir plus 205

Bibliographie 206

CHAPITRE 9   La société québécoise vers 1905
                  (*Sabrina Moisan et Louis Turcotte*) 209

Introduction 210

1. Les caractéristiques du territoire québécois 210

2. Les caractéristiques de la vie politique 212

    2.1   La création du Canada en 1867 212

    2.2   La structure du gouvernement canadien 213

    2.3   La question des groupes ethnolinguistiques
           dans l'historiographie québécoise et canadienne 215

    2.4   Le Québec dans le Canada 217

    2.5   La guerre des Boers 218

    2.6   La politique provinciale vers 1905 218

    2.7   Félix-Gabriel Marchand, Simon-Napoléon Parent et Lomer Gouin 219

**3. Les caractéristiques sociales et démographiques
    de la société québécoise** 221

    3.1   La petite bourgeoisie canadienne-française 224

    3.2   La communauté anglophone 225

    3.3   La communauté juive 225

    3.4   La communauté italienne 226

    3.5   Les autochtones 226

    3.6   Le conservatisme social et la modernisation économique 227

    3.7   L'urbanisation 230

    3.8   Des conditions de vie malsaines 231

    3.9   La modernité bouleverse les modèles sociaux traditionnels 231

    3.10   Le travail en milieu urbain 232

    3.11   L'émergence du syndicalisme ouvrier 234

    3.12   La vie dans le monde rural 234

4. Les caractéristiques de l'économie québécoise 235

    4.1   La seconde phase d'industrialisation du Québec 237

    4.2   L'hydroélectricité 238

    4.3   Les pâtes et papiers 238

    4.4   Les industries métallurgique et chimique 238

    4.5   Les mines 239

    4.6   L'essor de l'industrie manufacturière et la diversification de l'agriculture 239

    4.7   L'exploitation forestière 240

Conclusion 240

Exercices 241

Pour en savoir plus 242

Bibliographie 244

CHAPITRE 10   Les sociétés des Prairies et de la côte Ouest vers 1905
                   (*Sabrina Moisan*) 247

Introduction 248

1. **Les Prairies vers 1905** 248
    1.1   Les caractéristiques du territoire et du climat des Prairies 248
    1.2   Les caractéristiques de la vie politique 249
    1.3   Les caractéristiques sociales et démographiques des Prairies 260
    1.4   Culture, langue, religion et population 264
    1.5   Les caractéristiques économiques des Prairies 270

2. **La côte Ouest vers 1905** 274
    2.1   Les caractéristiques climatiques et géographiques de la côte Ouest 274
    2.2   Les caractéristiques de la vie politique de la côte Ouest 275
    2.3   Les caractéristiques sociales et démographiques de la côte Ouest 278
    2.4   Les caractéristiques économiques de la côte Ouest 284

3. **Comparaison entre les sociétés du Québec, des Prairies
et de la côte Ouest vers 1905** 291
    3.1   Les atouts et contraintes des territoires des trois sociétés vers 1905 291
    3.2   La vie politique – le droit de vote 293
    3.3   La société 294
    3.4   L'économie 298

4. **Débats historiographiques** 300
    4.1   Louis Riel : traître à la nation ou héros défenseur des droits des Métis
et des francophones ? 301
    4.2   John A. Macdonald : grand bâtisseur de la nation canadienne
ou raciste rétrograde ? 302

Conclusion 302

Exercices 303

Pour en savoir plus 304

Bibliographie 305

CHAPITRE 11 La société québécoise vers 1980 (*Martin Pâquet*) 307
Introduction 308
1. **Les dynamiques économiques** 309
    1.1   Mondialisation des échanges et déclin des régions :
la fin d'un modèle de développement économique 309
    1.2   La doctrine du néolibéralisme et le désengagement de l'État 312

2. **Les dynamiques socioculturelles** 316
    2.1   Des Yvettes à Polytechnique : les femmes au cœur
du changement social et politique 316
    2.2   De la famille à la planète : les mutations des réalités culturelles 319

3. **Les dynamiques politiques** 321
    3.1   Les politiques de l'identité : les déclinaisons de la question nationale 321
    3.2   Les politiques de la reconnaissance : diversités ethnoculturelles et linguistiques 326

4. **Historiographie et controverses** 330

Conclusion 332

Exercices 333

Pour en savoir plus 334

Bibliographie 335

CHAPITRE 12   La société cubaine vers 1980 (*Claude Morin*) 339

Introduction – Une nécessaire mise en contexte 340

1. Cuba, une île dans la mer des Caraïbes 342

2. La Révolution cubaine et ses orientations 345

   2.1   Pourquoi une révolution à Cuba ? 345

   2.2   Pourquoi une révolution « socialiste » ? 346

   2.3   Pourquoi l'alliance avec l'URSS ? 347

3. Une trajectoire singulière : Cuba de 1959 à 1990 348

   3.1   La décennie 1960 : celle des innovations, des hardiesses 348

   3.2   La décennie 1970 : celle de la consolidation 349

   3.3   La décennie 1980 : celle des rectifications 349

   3.4   La décennie 1990 : la « période spéciale » 350

4. La Révolution cubaine vers 1990 : une tentative de bilan 352

5. Révolution et nationalisme 355

6. De quelques controverses 357

Conclusion 358

Exercices 358

Pour en savoir plus 359

Bibliographie 360

CHAPITRE13   Les sociétés inuite et mi'gmaque vers 1980
                   (*Stéphanie Demers*) 363

Introduction 364

1. La société inuite vers 1980 364

   1.1   Une brève histoire des sociétés inuites du Québec 365

   1.2   L'histoire contemporaine des sociétés inuites du Québec 366

   1.3   Aspects de la société inuite vers 1980 368

   1.4   Les activités économiques 371

   1.5   Les aspects culturels 372

2. La société mi'gmaque vers 1980 377

   2.1   L'histoire des Mi'gmaqs 377

   2.2   Aspects de la société mi'gmaque vers 1980 379

   2.3   Les activités économiques 381

   2.4   Les aspects culturels 383

3. Historiographie et controverses 385

Conclusion 386

Exercices 386

Pour en savoir plus 388

Bibliographie 389

CONCLUSION 393

SOURCES DES IMAGES 395

La société iroquoienne vers 1500

Roland Tremblay et Stéphanie Demers

Introduction

1. **L'ethnonymie des Iroquoiens**

2. **L'univers culturel des groupes iroquoiens**

3. **L'historiographie des Iroquoiens anciens**

Conclusion

Exercices

Pour en savoir plus

Bibliographie

Introduction

Autour de l'an 1500 de notre ère, l'est de l'Amérique du Nord est à la veille d'un chambardement historique de grande envergure qui modifiera à jamais son paysage culturel et politique. Durant les dernières années du XV⁵ siècle et au début du XVI⁵ siècle, des signes précurseurs se manifestent déjà à quelques endroits sur le littoral atlantique. Qu'il s'agisse de représentants officiels des puissances européennes ou de pêcheurs indépendants, des marins découvrent ce qui deviendra pour eux le «Nouveau Monde». Parmi ceux-ci, un Français du nom de Jacques Cartier remontera la vallée du Saint-Laurent pour la première fois en 1535. Ces premières incursions européennes au-delà de l'océan Atlantique en attireront bientôt d'autres au cours du XVI⁵ siècle et, inéluctablement, la table sera mise pour une véritable invasion européenne du continent au cours du XVII⁵ siècle.

En attendant ces événements, les populations amérindiennes des Amériques poursuivent leur histoire, déjà plus de dix fois millénaire, isolées essentiellement de ce qui se passe sur les autres continents. Dans le nord-est du continent, sur le territoire de ce qui deviendra l'État de New York, le sud de l'Ontario et le sud du Québec, vit un ensemble de peuples apparentés par la langue et la culture : les Iroquoiens. Ceux-ci se distinguent de nombreux autres peuples qui les entourent, tous de langues algonquiennes. À la différence de ces derniers qui pratiquent une très grande variété de modes de vie, adaptés à des environnements très divers s'étendant sur un vaste territoire, les Iroquoiens forment un ensemble culturel plutôt homogène, plus restreint géographiquement et adapté aux forêts de feuillus des basses terres laurentiennes et de l'est des Grands Lacs. Tous les groupes iroquoiens pratiquent l'horticulture, habitent dans des villages et partagent les mêmes mythes fondateurs. Vers 1500 de notre ère, quelques décennies avant leur premier contact avec les Européens, on dénombre environ 25 groupes iroquoiens, répartis sur un territoire plus ou moins centré autour du lac Ontario.

1 | L'ETHNONYMIE DES IROQUOIENS

On aura compris que le terme *Iroquoien* s'applique à un ensemble de groupes différents. Il correspond d'abord et avant tout aux locuteurs partageant une réalité linguistique, celle de la famille des langues iroquoiennes. Mais il désigne également une réalité culturelle qui dépasse le seul fait de la langue, et c'est de ce vaste ensemble culturel dont il sera question ici. Il existe une confusion possible entre le terme générique *Iroquoien* et deux ethno-nymes plus spécifiques, soit *Iroquois* et *Iroquoiens du Saint-Laurent*. Il importe donc au départ de bien distinguer ces termes.

Le terme *Iroquois*, dont l'origine provient d'un pidgin[1] basque-algonquien en usage dans le golfe du Saint-Laurent au tournant du XVIIe siècle et qui signi-fiait «les tueurs», a été parfois appliqué de façon indifférente à l'ensemble des locuteurs de langue iroquoienne dans les documents historiques (Bakker, 1990). Toutefois, avec le temps, son usage s'est étendu à un groupe de cinq nations de langue iroquoienne habitant initialement dans le nord de l'actuel État de New York et qui se sont alliées dans une confédération politique vers le début du XVIe siècle : la Ligue des Cinq-Nations. Cette alliance politique, appelée par les Iroquois eux-mêmes *Hodenosaunee*, ou Gens de la Maison-Longue, regroupe les nations mohawk, oneida, onondaga, cayuga et seneca (Fenton, 1998). Dans les documents historiques français, leurs appellations Agniers, Onneyouts, Onontagués, Goyogouins et Tsonnontouans proviennent des noms que leur donnaient les Hurons.

Le terme *Iroquoiens du Saint-Laurent*, quant à lui, s'applique aux locuteurs de langue iroquoienne qui habitaient la vallée du Saint-Laurent avant le XVIIe siècle, de la décharge du lac Ontario jusqu'au cap Tourmente, à 40 km à l'est de Québec. Il s'agit des autochtones que rencontre Jacques Cartier lors de ses voyages, et qui ont leurs villages dans les régions de Québec (par exemple, Stadaconé) et de Montréal (Hochelaga). Comme nous le verrons plus loin, les Iroquoiens du Saint-Laurent auront toutefois déserté la vallée du Saint-Laurent avant l'an 1600 de notre ère, disparaissant ainsi de l'arène politique qui se dessine alors entre les nations amérindiennes et européennes. L'appellation qui les distingue se fonde sur la découverte anthropologique récente de leur particularité par rapport aux autres groupes iroquoiens avec lesquels ils ont traditionnellement été confondus dans les ouvrages historiques (nommément, les Agniers, les Hurons ou les Onontagués). Par conséquent, à défaut d'un terme adéquat dans les sources historiques, il a été convenu de baptiser tout simplement *Iroquoiens du Saint-Laurent* ces Iroquoiens qui en habitèrent la vallée avant 1600 (Tremblay, 1999).

Enfin, le terme générique *Iroquoiens* correspond, comme on l'a vu, à l'en-semble des locuteurs appartenant à la grande famille des langues iroquoiennes. Cette famille comprend deux branches principales, soit les branches du Sud et du Nord. La branche du Sud n'est représentée que par les Cherokees, un groupe qui habite le plateau appalachien dans la région de l'actuel Tennessee

---

1. En linguistique, un pidgin est un langage artificiel réduit qui naît du besoin de communiquer entre deux groupes parlant des langues différentes. Quand un pidgin se complexifie et devient une langue maternelle, on parle alors d'un créole.

et de la Caroline du Nord. Quant à la branche du Nord, elle comprend à la fois un ensemble mal connu de groupes habitant la plaine côtière de la Caroline du Nord, incluant les Tuscaroras (qui viendront joindre la Ligue des Cinq-Nations en 1722) et tous les groupes habitant plus au nord, dans la région qui nous intéresse. C'est sur ces Iroquoiens du Nord, au nombre desquels on compte les Iroquois et les Iroquoiens du Saint-Laurent, mais également les Hurons et plusieurs autres, que nous allons concentrer notre propos.

2 | L'UNIVERS CULTUREL DES GROUPES IROQUOIENS

2.1 Le passé préhistorique

L'origine des Iroquoiens a depuis longtemps fait l'objet d'hypothèses diverses chez les historiens qui croyaient qu'une enclave culturelle iroquoienne au milieu d'un vaste territoire algonquien devait résulter de l'immigration d'un groupe fondateur peu de temps avant l'arrivée des Européens en Amérique du Nord. Ce n'est que vers le milieu du XXe siècle que les données archéologiques ont permis de reconnaître une continuité d'occupation du territoire des Iroquoiens sur de nombreuses générations. Cette nouvelle hypothèse du développement sur place a pu être appliquée tour à tour à chacun des groupes iroquoiens par les archéologues travaillant dans leurs régions respectives (MacNeish, 1952). La preuve archéologique, qui repose d'abord sur l'évolution de la poterie, est convaincante pour les six derniers siècles avant l'arrivée des Européens. En combinant d'autres types de données, les chercheurs ont par la suite émis la supposition que ce développement régional s'est poursuivi sur deux, trois, voire quatre millénaires. Acceptée comme paradigme, cette hypothèse a été indirectement remise en question au début des années 1990 à la suite d'études linguistiques visant à dater la séparation entre les langues algonquiennes du nord du Saint-Laurent et celles du sud (Fiedel, 1991 ; Snow, 1995). L'âge de ce clivage a alors fait naître chez certains archéologues l'idée d'une pénétration récente des groupes iroquoiens du Nord sur leur territoire, vers 900 de notre ère, à partir d'un petit groupe fondateur en provenance de l'actuelle Pennsylvanie. Ce nouveau scénario reste toutefois peu accepté de la plupart des iroquoianistes. Quoi qu'il en soit, tous s'entendent pour dire que les ancêtres des Iroquoiens étaient présents sur place depuis au moins 600 à 800 ans à l'arrivée des Européens.

Vers l'an 800 de notre ère, nous sommes à la fin de la période que les archéologues appellent le Sylvicole Moyen. À ce moment, les groupes ancestraux des Iroquoiens pratiquent encore le nomadisme hivernal, mais passent une bonne partie de la saison chaude aux meilleurs endroits de pêche. Cette stabilité estivale leur donne l'occasion d'expérimenter une nouveauté en provenance des lointaines contrées de l'Ohio et du Mississippi : la culture du maïs. Cette graminée, cultivée et domestiquée depuis des millénaires dans les régions tropicales d'Amérique centrale, est sur le point d'achever sa lente expansion vers le nord de l'Amérique du Nord et d'atteindre la limite nordique où elle peut pousser. Les variétés les plus résistantes ont besoin d'au moins 120 jours consécutifs sans gel, et les zones les plus septentrionales du territoire iroquoien, soit la Huronie et la région de Québec, offrent environ 135 à 140 jours. Durant les deux à trois siècles qui suivent, tous les groupes iroquoiens du Nord troquent contre la production alimentaire leur moyen traditionnel de subsistance basé sur la chasse, la pêche et la cueillette. Du même coup, ils optent pour un mode de vie sédentaire, habitant dorénavant dans des villages de plus en plus gros et occupés à l'année. Les premiers à le faire seront les Iroquoiens de la région du Sud-Ouest ontarien, vers 500-600 de notre ère, bientôt suivis par tous leurs cousins jusqu'à ceux de la région de l'actuelle ville de Québec, vers 1200 de notre ère (Chapdelaine, 1993).

Au début du Sylvicole Supérieur, vers l'an 1000 de notre ère, le territoire iroquoien est occupé par de petits groupes qui ne correspondent pas encore aux nations connues au XVIIe siècle. Grâce à des différences dans la culture matérielle, l'archéologie arrive à discriminer entre elles les traditions culturelles. On en distingue deux au nord du lac Ontario et une autre dans le nord de l'État de New York et dans la vallée du Saint-Laurent. Durant cet épisode, la population iroquoienne, forte de son nouveau mode de vie, accroît sa population, et la pression démographique crée de plus en plus de tensions entre les groupes. Vers les années 1200 à 1300, les gens se regroupent de plus en plus en véritables villages qui, à leur tour, sont de plus en plus entourés de palissades, signe que les relations entre les groupes deviennent plus belliqueuses. Graduellement, les populations encore dispersées du début du Sylvicole Supérieur s'amalgament en ensembles concentrés dans des régions plus restreintes. C'est à ce moment que se forment les nations connues historiquement, lesquelles renforceront leurs identités propres au cours des derniers siècles avant l'arrivée des Européens (Snow, 1996 ; Trigger, 1991).

2.2 Le territoire

La géographie culturelle des Iroquoiens vers l'an 1500 correspond, à quelques détails près, à celle qu'observeront les Européens un siècle plus tard quand ils prendront connaissance de l'ensemble des groupes de langues iroquoiennes. Nous exposerons dans la prochaine section la position des groupes iroquoiens vers l'an 1500 de notre ère, mais à l'intention du lecteur qui veut suivre de près le fil de l'histoire, nous indiquerons également les changements qui ont eu cours avant le début du XVIIIe siècle.

Comme nous l'avons vu précédemment, on dénombre, vers l'an 1500 de notre ère, environ 25 nations iroquoiennes, dispersées pour la plupart dans les basses-terres laurentiennes autour du lac Ontario. Le territoire iroquoien (figure 1.1) s'étend alors sur une superficie d'environ 230 000 km^2 où vivent environ 100 000 individus (Clermont, 1980). Chacune des nations habite un ou plusieurs villages, jamais trop éloignés les uns des autres. Certaines nations sont sur le point de s'allier en confédérations, alors que d'autres restent indépendantes. Voici une brève description de ces nations, en commençant par les Agniers et en tournant dans le sens des aiguilles d'une montre autour du lac Ontario. Le cas échéant, nous indiquons entre parenthèses l'ethnonyme utilisé dans les sources françaises.

Figure 1.1   Le territoire des groupes iroquoiens vers 1500

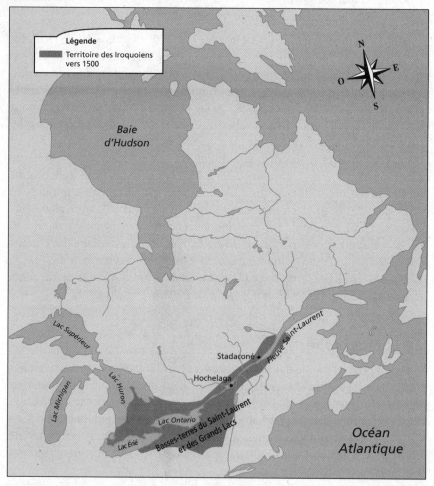

Les cinq premières nations de notre liste correspondent aux Iroquois et forment la Ligue des Cinq-Nations, qui se constitue au début du xvie siècle. D'abord, les *Agniers* habitaient la vallée de la rivière Mohawk, qui coule vers l'est au sud des monts Adirondacks et se décharge sur la rive droite de l'Hudson un peu en amont de la ville d'Albany. Les *Onneyouts* étaient les voisins immédiats à l'ouest des Agniers. Ils occupaient la région située au sud-est du lac Oneida, qui se décharge par la rivière Oswego dans le lac Ontario. Suivent les *Onontagués*, qui habitaient le sud-ouest du lac Oneida. Enfin, alors que les *Goyogouins* occupaient les rives du lac Cayuga, les *Tsonnontouans* habitaient la région comprise entre la rivière Genesee et le lac Canandaigua.

Dans la vallée de la rivière Susquehanna, à la limite de l'État de New York et de la Pennsylvanie, habitaient les *Andastes* (Susquehannocks). Il est possible que ceux-ci aient formé en réalité une confédération de quatre nations distinctes, mais les données à ce sujet restent vagues. Vers 1580, ils se déplaceront vers le sud pour s'établir près de l'embouchure de la rivière Susquehanna dans la baie de Chesapeake. Toujours dans l'État de New York, à l'ouest des Tsonnontouans, près de la rivière Niagara, habitaient les *Wenros*. D'abord alliés avec les Neutres, ils abandonneront ce territoire vers 1638 pour aller se joindre aux Hurons. À l'extrémité orientale du lac Érié se trouvait la confédération des *Ériés* (Chats), regroupant probablement trois nations mal connues.

Au nord du lac Érié, la confédération des *Attiwandarons* (Neutres) était constituée de cinq nations : les *Attiragenregas*, les *Ahondihronons*, les *Antouaronons*, les *Onguiaronons* et le *Kakouagoga*. Plus au nord, sur la rive sud de la baie Georgienne, habitaient les *Khionontateronons* (Pétuns), proches parents des nations huronnes. À quelques dizaines de kilomètres vers le nord-est, s'étend le territoire de la Huronie historique, concentré entre la baie Georgienne et le lac Simcoe. La confédération des *Wendats* (Hurons) n'est toutefois pas encore constituée en 1500. Les cinq nations qui se regrouperont dans les décennies suivantes, mais qui pour l'instant se répartissent au nord du lac Ontario, sont les *Attignawantans*, les *Attigneenongnahacs*, les *Arendaronons*, les *Tahontaenrats* et les *Ataronchronons*.

Enfin, le long de la vallée du Saint-Laurent se situent les Iroquoiens du Saint-Laurent. Ceux-ci ne sont connus que par les descriptions qu'en a faites Jacques Cartier (Bideaux, 1986). Ils disparaîtront de la vallée du Saint-Laurent vers 1580. Il semble assez clair qu'il s'agit de plusieurs nations (quatre ou cinq). Cartier nous a fait connaître ceux de la région de Québec (qu'il rassemble sous le vocable « *Canadians* ») et ceux de la région de Montréal (que l'on peut nommer *Hochelaguiens*). L'archéologie indique qu'un autre groupe se distingue autour du lac Saint-Pierre, de même que dans la région du comté de Jefferson, dans l'État de New York, à la décharge du lac Ontario. Il n'est pas clair s'ils étaient confédérés, mais en tenant compte de l'époque à laquelle se constituent des confédérations chez les autres Iroquoiens, il est possible que le démantèlement des Iroquoiens du Saint-Laurent soit survenu avant que ne puisse avoir lieu la formation d'une telle alliance politique.

2.3 Le mode de vie et l'occupation du sol

Il ne fait aucun doute que les Iroquoiens cultivent la terre. Mais contrairement à ce qu'on est communément porté à en déduire, ils n'ont pas pour autant abandonné la chasse, la pêche et la cueillette. Dans la section qui suit, nous brosserons à grands traits le mode de vie des Iroquoiens, tout en soulignant sa diversité et sa complexité.

2.3.1 Les activités économiques : agriculture, chasse, pêche, cueillette, troc

Vers l'an 1500 de notre ère, depuis plusieurs générations déjà, tous les Iroquoiens assurent leur subsistance grâce à l'horticulture du maïs. Non seulement cette céréale compose la plus grande part de leur alimentation (avec environ 65 % de l'apport calorique), mais tout le cycle de vie sociale est organisé autour de cette plante. Toutefois, le maïs n'est pas seul. Il fait partie d'un trio de plantes cultivées ensemble depuis des siècles. Cette association, nommée « Les Trois Sœurs » par les Iroquoiens, se compose du maïs (*Zea mays*), du haricot (*Phaseolus vulgaris*) et de la courge (*Cucurbita pepo*), le tout représentant de 75 à 80 % de l'apport calorique. Plusieurs variétés et sous-variétés de chacun de ces cultigènes étaient exploitées. Dans le cas du maïs, la variété la plus commune était le maïs à albumen corné, ou *Northern Flint*, qui porte huit rangs de grains sur l'épi.

Dans des clairières ouvertes par brûlis, on formait, à l'aide de houes[2], des monticules d'environ 1 m de diamètre sur lesquels on plantait, à l'aide d'un bâton à fouir, de 5 à 10 graines. On les avait préalablement fait tremper dans une décoction d'herbes qui servait à amorcer la germination et à repousser les corneilles. Après quelques semaines, des haricots et des courges étaient semés sur certains des monticules. Le maïs servait alors de tuteur pour les haricots qui, à leur tour, fertilisaient le maïs en fixant l'azote dans le sol. Quant aux courges, elles s'étendaient entre les monticules, réduisant ainsi la pousse des mauvaises herbes. Pour désigner ce type de culture, les spécialistes préfèrent parler d'horticulture plutôt que d'agriculture, car cette dernière exige la charrue et les bêtes de somme, absentes de l'Amérique avant l'arrivée des Européens. La production de maïs était abondante et occasionnait souvent des surplus pouvant servir de denrées d'échange avec d'autres

---

2. Analogue à la binette, la houe est constituée d'une lame transversale fixée au bout d'un manche. Destiné à pratiquer des trous pour les semences, le bâton à fouir est un bâton pointu lesté d'une pierre.

groupes. Cette pratique était courante chez les Iroquoiens de la limite nord du territoire, qui troquaient du maïs avec les Algonquiens nomades en échange de produits de la chasse. Dans ces grands champs et à l'orée des bois, on entretenait également les plantes sauvages utiles comme les fraises, les framboises, le pourpier gras ou encore l'apocyn chanvrin, dont les fibres servaient à fabriquer des cordages. Les arbres à noisettes de nombreuses espèces indigènes, tout comme les arbres fruitiers, étaient entretenus. L'archéologie nous apprend que les fruits et les noix étaient probablement mangés plus abondamment que ne le laissent croire les observations ethnographiques. Les Iroquoiens cultivaient également le tournesol pour en extraire une huile dont ils s'enduisaient le corps et les cheveux. Enfin, on faisait pousser du tabac en petits lots à part, parfois près des maisons (Heidenreich, 1971 ; Monkton, 1992 ; Parker, 1910 ; Waugh, 1916).

La pêche était probablement l'activité de subsistance la plus importante après l'horticulture en satisfaisant de 15-20 % des besoins alimentaires. Bien sûr, ces chiffres variaient selon la saison et la disponibilité des ressources régionales, et certaines nations devaient miser plus que d'autres sur les ressources halieutiques. Quoi qu'il en soit, de façon générale, le territoire des Iroquoiens, avec ses innombrables rivières, rapides et lacs de grande dimension, était le paradis des pêcheurs. Les espèces de poissons étaient fort variées et beaucoup plus abondantes qu'aujourd'hui. Parmi les captures les plus recherchées, citons l'esturgeon, le maskinongé, le brochet, l'achigan, l'anguille, le saumon, la barbue, la perchaude, etc. On pêchait surtout au printemps et à l'automne, dans les moments de frai et de migration, mais également en été si l'occasion s'en présentait, ainsi qu'en hiver sous la glace. On utilisait le filet, la nasse, la ligne, le harpon, la foëne[3] et les barrages de pieux ou de pierre. Les hameaux et campements de pêche étaient abondants, et l'archéologie nous a permis d'en découvrir plusieurs, notamment le long du fleuve Saint-Laurent. On mangeait le poisson frais, bien sûr, mais le séchage et le boucanage permettaient d'en faire de grandes provisions pour l'hiver. Le poisson servait également à fabriquer une colle très efficace (Clermont, 1984).

À l'instar de la pêche, la chasse est passée au second plan de l'apport alimentaire chez les Iroquoiens avec l'adoption de l'horticulture. Néanmoins, cette activité demeurait indispensable. En effet, en plus de fournir, avec la pêche, un apport protéinique essentiel à l'alimentation, la chasse procurait aux Iroquoiens l'ensemble de leurs vêtements : mocassins, robes, pagnes, manteaux, etc. La proie de prédilection des Iroquoiens était le cerf de Virginie, attiré par les clairières que pratiquaient les groupes horticulteurs (figure 1.2).

---

3. La foëne est un instrument de pêche constitué d'un long manche dont le bout est muni de multiples pointes barbelées. Elle sert à harponner le poisson.

Figure 1.2   Scène de chasse au cerf chez les Iroquois,
croquée par Jacques Cartier

On l'attrapait à l'aide de pièges, de collets, et on organisait même des battues vers des palissades convergentes aboutissant à de petits enclos où il était facile de l'abattre. L'arme de chasse par excellence demeurait toutefois l'arc, qui avait fait ses preuves malgré sa relative nouveauté dans le Nord-Est du continent, où il avait été introduit au cours du premier millénaire de notre ère.

On avait recours également aux services du seul animal domestiqué par les Iroquoiens : le chien, qui servait toutefois plus souvent d'aliment d'appoint et de victime sacrificielle. À part le cerf, à peu près toutes les espèces animales étaient chassées, dont l'ours noir, le castor, le rat musqué, la marmotte, l'original et, dans le cas des Iroquoiens du Saint-Laurent de la région de Québec, le phoque du Groenland, qu'ils allaient se procurer tôt au printemps dans l'estuaire du Saint-Laurent. Les grandes chasses s'effectuaient surtout à la fin de l'automne et à la fin de l'hiver, mobilisant l'ensemble des hommes du village pendant de longues semaines. Contrairement à la croyance populaire, le dindon, qui était un gibier de choix dans les parties méridionales du territoire iroquoien, n'était pas domestiqué (Engelbrecht, 2003 ; Snow, 1996).

Les produits de la cueillette, de la pêche et de la chasse contribuaient à diversifier une alimentation où le maïs était omniprésent. On faisait d'abord bouillir les grains de maïs dans une eau mêlée de cendre, puis on les tamisait à l'eau afin de les décortiquer. On pilait ensuite les grains dans des mortiers en bois ou entre des pierres afin de produire une farine à tout faire. On en confectionnait divers pains sans levain dans lesquels on ajoutait des haricots, des fruits séchés, des noix, des graines de tournesol et même du gras de cerf. On les faisait cuire enveloppés de feuilles de maïs dans les cendres brûlantes. Les courges étaient souvent cuites entières de la même façon. On faisait mijoter une soupe, la sagamité, dans un vase où des poignées de farine étaient agrémentées de poisson séché, de viandes, de haricots ou de courges. Le maïs rôti et pilé était emporté comme seule nourriture durant les expéditions de chasse et de guerre. Un mets de choix consistait à enfouir dans la bourbe d'une mare stagnante pendant quelques mois des épis pas tout à fait mûrs avant de les rôtir sur le feu avec de la viande ou du poisson (Tooker, 1987).

2.3.2 Les rôles sexuels, la famille et l'organisation sociale

La société iroquoienne définissait clairement les rôles des hommes et des femmes. Cette structure bipolaire bien marquée a été rigidifiée par l'avènement du mode de vie horticole, plus de 500 ans avant l'arrivée des Européens.

IL ÉTAIT UNE FOIS...

Compétence développée
Lire l'organisation d'une société sur son territoire.

Technique développée en histoire
Repérage d'informations historiques dans un document.

Description
Le cahier d'activités *Sur la piste** propose de découvrir à travers des légendes amérindiennes, telles que *L'enfant adopté par des ours*, les activités qui étaient pratiquées par les femmes et les hommes iroquoiens ainsi que les moyens de déplacement ou de transport.

Les élèves pourraient mettre en scène les différentes légendes pour se mettre dans la peau des différents groupes sociaux représentés. Chaque personnage sera donc étudié, mais surtout devra être analysé selon plusieurs aspects : que représente ce personnage ? que doit-il faire ou ne pas faire ? pourquoi agit-il ainsi ? peut-on modifier ses actions et quelles en seraient les répercussions ?

On pourra comparer les légendes et explorer les similitudes ou les différences entre les personnages, les actions, les finalités de la légende, les représentations, etc. Une question de synthèse pourra être posée à la fin, par exemple : «Pourquoi les légendes existent-elles ?» ou «Avons-nous des légendes aujourd'hui ?».

---

* Brigitte Bernier, Marie-France Davignon et Jacinthe Saint-Martin (2002), *Sur la piste A – 2ᵉ Cycle – Cahier d'activités*, Saint-Laurent, ERPI, p. 15-17.

Idée d'activité pédagogique : Vincent Boutonnet.

C'est à ce moment que se mettent en place deux autres caractéristiques importantes des sociétés iroquoiennes, soit un système de parenté matrilinéaire, où le lien de filiation s'effectue de mère en fille, et un système de résidence matrilocal, où le couple marié s'intègre à la famille de la femme.

Le monde féminin iroquoien est celui du village, où les femmes sont plus sédentaires que les hommes en raison des tâches auxquelles elles sont affectées. Chez les Iroquoiens, la vie domestique est essentiellement féminine, alors que les affaires externes sont essentiellement masculines. Les tâches masculines sont en quelque sorte des survivances du mode de vie nomade qui caractérisait les ancêtres des Iroquoiens avant qu'ils ne deviennent des producteurs d'aliments. Les hommes partent pour les grandes chasses et pêches saisonnières loin des villages. Ils s'occupent du commerce, font la guerre et fournissent les chefs, qui représentent les nations dans les alliances et les conseils. Ce sont les hommes qui construisent tous les ouvrages de grande envergure au village (maisons et palissades) et qui fabriquent la structure de base de tous les moyens de transport (raquettes, canots, toboggans). Ils fabriquent également les outils et armes nécessaires à la chasse, à la pêche et à la guerre. En matière d'horticulture, leur seule responsabilité est de défricher des champs. Le reste des tâches horticoles incombent aux femmes. Ce sont elles qui préparent et entretiennent les champs, sèment et récoltent. Elles fabriquent tous les outils nécessaires à l'horticulture et sont responsables du calendrier, du déroulement des tâches et de la distribution des produits. Ce sont les femmes qui font la cueillette des fruits, noisettes, racines et herbes médicinales. Elles s'occupent de la boucherie, de la préparation et de la cuisson des aliments, ainsi que de l'ensemble de la production vestimentaire, de la préparation des peaux jusqu'à la décoration des vêtements. Elles fabriquent les cordages, la vannerie et la céramique, et elles se chargent de la finition des raquettes et des canots. Bien sûr, ce sont les femmes qui élèvent les enfants et, en tant que responsables de la vie villageoise, les mères de clans ont le pouvoir de nommer et de destituer les chefs (Viau, 2000).

C'est la descendance matrilinéaire qui tend à s'instaurer dans les sociétés où l'horticulture est prise en charge par les femmes. Dans la société iroquoienne, les membres d'un lignage maternel sont regroupés dans la même habitation : la maison longue. Y sont réunis les sœurs avec leurs maris (dont la plus vieille est la mère de clan de la maisonnée), ainsi que leurs filles avec leurs maris et leurs jeunes enfants. Selon la règle de résidence, les hommes adultes d'une maisonnée proviennent tous d'autres lignages, alors que les frères adultes vont habiter ailleurs dans les maisons des lignages de leurs épouses. Les lignages sont à leur tour rassemblés en clans. Les clans représentent un groupe de descendance, souvent nommé d'après un animal (par exemple, l'Ours, le Loup, la Tortue, le Cerf, etc.) et dont on fait remonter l'origine à un ancêtre commun. Les clans sont exogames, c'est-à-dire que tous les mariages doivent réunir deux personnes de clans différents. La plupart de ces clans étaient

LE RÔLE DES FEMMES DANS LA SOCIÉTÉ IROQUOIENNE VERS 1500

Compétence développée
Lire l'organisation d'une société sur son territoire.

Technique développée en géographie
Localisation d'un lieu sur un plan, sur une carte, sur un globe terrestre, dans un atlas.

Techniques développées en histoire
Utilisation de repères chronologiques (mois, saison, année, décennie, siècle, millénaire).
Repérage d'informations historiques dans un document.

Description
Les élèves doivent mener une recherche. Pour les préparer, la société à l'étude est située dans le temps et dans l'espace, et des images de ses paysages humains et naturels leur sont présentées. Puis, la question suivante leur est posée : *quel était le rôle des femmes dans la société iroquoienne vers 1500 ?* En émettant des hypothèses, les élèves font émerger leurs représentations au sujet du rôle des femmes dans une société. Afin de collecter l'information nécessaire à la construction de l'explication, ils utilisent des images et des textes issus du matériel didactique auquel ils ont accès. En grand groupe et guidés par l'enseignante, ils font ressortir de ces sources les données brutes pertinentes, pour ensuite les organiser dans un texte. Celui-ci explique l'influence des femmes dans l'organisation sociale des Iroquoiens vers 1500 en décrivant les systèmes matrilinéaire et matrilocal, ainsi que les rôles sociaux répartis selon les sexes. Les élèves sont finalement invités à présenter ce texte à leur mère ou à une femme importante à leurs yeux afin de favoriser un échange sur le rôle que celle-ci occupe au sein de sa famille et de sa société.

Idée d'activité pédagogique : Isabelle Laferrière.

présents dans les différentes nations iroquoiennes, ce qui permettait à un voyageur de se trouver un lien de «parenté» plus ou moins rapproché avec des étrangers.

2.3.3 La maison et le village

Les maisons longues étaient des habitations multifamiliales allongées (figure 1.3). Elles avaient en moyenne 6 m de largeur et de 5 à 6 m de haut, et variaient en longueur selon le nombre de familles qui y habitaient. Les plus longues pouvaient parfois dépasser 100 m, mais elles faisaient en moyenne de 30 à 50 m. L'intérieur d'une maison longue iroquoienne présentait une allée centrale de 2 à 3 m de large où s'enlignaient des feux au sol. De part et d'autre, des banquettes étaient installées à une hauteur qui pouvait varier de 40 à 150 cm du sol. C'est dans cet espace surélevé que logeaient les familles nucléaires, et l'espace sous les banquettes servait à entreposer le bois de foyer. Chaque foyer était utilisé par deux familles se faisant face. Cette paire

Figure 1.3   Vue extérieure d'une maison longue

d'espaces familiaux avec un foyer entre les deux formait un compartiment, de sorte qu'une maison comptant 5 foyers se divisait en 5 compartiments et était habitée par 10 familles du même matrilignage. Les compartiments étaient séparés par des cloisons, sauf dans l'allée centrale, qui faisait toute la longueur de la maison. Les portes de la maison étaient situées aux extrémités, où des portiques sans foyer servaient à entreposer la nourriture. Les seules autres ouvertures étaient des trous dans le toit destinés à laisser sortir la fumée et que l'on pouvait refermer à l'aide de grandes perches. Les Européens qui visiteront l'intérieur de ces maisons noteront qu'elles étaient très sombres et enfumées. La famille de la mère de clan logeait au centre de la maison. Ces maisons reposaient sur une structure de troncs d'arbres plantés dans le sol et recouverte de pans d'écorce (d'orme ou de thuya). Les archéologues ont retrouvé les traces de ces poteaux dans le sol et, en dégageant de grandes surfaces, ils peuvent mettre au jour le plan initial des maisons. On a ainsi pu constater que leurs sols étaient truffés de fosses d'aisance et d'entreposage.

Les villages iroquoiens étaient en fait des regroupements de maisons longues ne laissant guère d'espace pour une place centrale. Ils pouvaient réunir de 200 à plus de 2 000 personnes. Les villages étaient entourés de champs cultivés. Selon la population du village, les champs pouvaient être vastes, nombreux, et parfois même éloignés du village. Contrairement à l'image qu'on peut s'en faire, le paysage des territoires iroquoiens était plutôt domestiqué que dominé par la forêt. Il s'agissait plutôt de grandes clairières entrecoupées de boisés. Vers 1500, un certain nombre de ces villages étaient ceinturés d'une palissade de troncs d'arbres, souvent doublée ou triplée. Elles pouvaient comporter des galeries ou même des tours de guet. Les entrées des villages étaient restreintes à une ou deux seulement. Elles avaient la largeur d'un homme et étaient organisées en chicanes, de façon à mêler les ennemis qui tentaient d'y pénétrer. La position des villages était choisie de façon à offrir une défense naturelle, par exemple sur le haut d'un talus près d'un ruisseau. Ce comportement défensif témoigne du climat belliqueux qui sévissait à cette époque. Nous y reviendrons dans la section suivante.

Les communautés iroquoiennes devaient déménager à des intervalles variant de 10 à 20 ans. Plusieurs raisons expliquent ces déplacements réguliers : la détérioration des maisons et des palissades, l'infestation des réserves de nourriture par les rongeurs, l'insalubrité croissante au sein et autour du village, la distance croissante à parcourir pour s'approvisionner en bois de chauffage et l'épuisement des sols. Des raisons humaines pouvaient également contribuer à de tels mouvements, comme un accroissement démographique soudain dû à l'adjonction de populations étrangères. Quoi qu'il en soit, cette sédentarité n'était pas permanente, d'où le terme de semi-sédentarité souvent employé pour désigner le cas des Iroquoiens (Engelbrecht, 2003 ; Snow, 1996 ; Trigger 1991).

LE VILLAGE IROQUOIEN

Compétence développée
Lire l'organisation d'une société sur son territoire.

Technique développée en histoire
Repérage d'informations historiques dans un document.

Description
Le site internet *Aki – Sociétés et territoires autochtones** est une source d'information où l'on découvre toutes les étapes de l'organisation d'un village iroquoien et de la vie sociale qui y a cours.

Le site propose quelques idées d'enquêtes et un soutien pédagogique à l'intention de l'enseignant. L'utilité de ce site réside notamment dans la richesse de son contenu informationnel.

Les informations qu'il fournit pourraient servir à alimenter une simulation de la vie du village dans la classe selon les différents groupes sociaux (les hommes, les femmes, les aînés, les enfants, le chaman, le chef, etc.). Chaque groupe social sera représenté par un groupe de la classe qui s'occupera de recueillir l'information pertinente pour agir et vivre à la manière de ce groupe social. Différents thèmes seront donc à explorer pour chaque groupe : spiritualité, activités de subsistance, habitation, techniques, vêtements, etc.

---

* EdutTIC Mauricie, *Territoires et sociétés iroquoiennes vers 1500*, site consulté le 1er octobre 2010 à l'adresse <http://www2.uqtr.ca/hee/site_1/index.php?no_fiche=1919&fermer=1>.

Idée d'activité pédagogique : Vincent Boutonnet.

2.3.4 La vie spirituelle

Les Iroquoiens du Nord partageaient les mêmes rites et croyances religieuses. Leurs divinités et leurs mythes de la création étaient les mêmes. Comme chez les autres Amérindiens du nord-est du continent, ils n'avaient pas d'officiants religieux chargés des rites ni d'espaces réservés au culte. La vie spirituelle n'était tout simplement pas séparée du reste du monde. Les Iroquoiens ne possédaient pas un ensemble de croyances bien réglées et prédéfinies, leur religion étant intégrée aux activités de la vie quotidienne. Certaines personnes étaient reconnues comme détentrices de certains pouvoirs ou encore alliées à des esprits, comme les chamans ou les guerriers, mais tous étaient égaux en matière de participation avec le monde spirituel.

Les rituels de guérison faisaient partie de la vie courante. Ils pouvaient être conduits par des chamans ou encore par les membres de sociétés de guérison spécialisées selon les maux. Ceux-ci pouvaient avoir des causes naturelles, auquel cas on les traitait avec des herbes et des sudations, mais ils pouvaient aussi résulter de sorcellerie, ou encore de désirs inassouvis révélés dans des rêves. De nombreuses cérémonies visaient à assouvir les âmes malades.

Les dieux étaient les esprits de la nature, dont le plus important était le ciel. On l'invoquait au besoin et il fallait éviter de s'en moquer. Des esprits, bons ou méchants, étaient associés à des lieux physiques, et des offrandes de tabac étaient laissées à ces endroits. Une foule de rituels marquaient toutes les activités, visant à apaiser l'esprit des animaux attrapés ou à assurer des prises à la chasse ou à la pêche. Les rêves étaient pris au sérieux et servaient de guides pour les décisions à prendre. Des amulettes porte-bonheur étaient conservées pour toutes les occasions. L'une des cérémonies les plus importantes était la fête des Morts, qui avait lieu à chaque migration. À cette occasion, on déterrait les ossements de tous les défunts du village et on les réinhumait dans un ossuaire commun. D'une durée de dix jours, cette cérémonie fournissait l'occasion d'offrir un dernier deuil à tous les défunts d'un épisode villageois (Tooker, 1987 ; Engelbrecht, 2003).

2.4 | Les réalités politiques à la veille du contact avec les Européens

Dans chacun des villages, les clans avaient un chef civil et, au besoin, un chef de guerre. Le chef civil était responsable des affaires intérieures et des négociations pacifiques avec les groupes étrangers. C'était une fonction héréditaire. Le chef de guerre, de son côté, était nommé pour le temps d'une expédition seulement. Il s'agissait d'un homme adulte qui s'était distingué par de nombreux faits d'armes. Ces figures d'autorité ne dirigeaient aucunement par la contrainte, mais plutôt par le consentement. Aucun ordre ne pouvait être donné. Le pouvoir d'un chef ne dépendait que de sa capacité à inspirer la confiance autour de lui. Par exemple, un chef de guerre pouvait aller de village en village afin de convaincre de jeunes guerriers de le suivre, distribuant présents et expliquant ses plans. Malgré l'apparente précarité d'une telle forme de gouvernement, des rivalités pouvaient être supprimées au sein de confédérations de dizaines de milliers de membres et les politiques extérieures pouvaient être coordonnées entre nations.

La guerre iroquoienne ne visait aucunement à acquérir du territoire, des richesses ou même de la nourriture. Il s'agissait d'abord d'un moyen de valorisation au sein de la société, tout comme pouvaient l'être la chasse, la générosité ou l'habileté à faire du commerce. Elle était motivée par une situation de déséquilibre sociologique quand survenait la mort d'une personne dans un clan. Le vide laissé par cette perte pouvait être comblé par l'adoption d'un prisonnier de guerre. D'autre part, si la mort d'une personne chère avait été violente ou prématurée, le déséquilibre était alors spirituel. Dans un tel cas, il fallait satisfaire les exigences de l'esprit du défunt, sans quoi il allait toujours troubler les vivants. Dans ce contexte, la torture d'un prisonnier de guerre devenait un moyen de rétablir l'ordre avec le monde surnaturel. Dans l'un ou l'autre des cas, la guerre permettait de capturer les prisonniers nécessaires à ces rites sacrificiels. Les guerres de ce type n'avaient pas de fin. La raison d'une agression était de venger la précédente, ce qui assurait le maintien du rituel guerrier.

La guerre iroquoienne survenue vers 1500 n'avait rien à voir avec la guerre européenne. Il pouvait parfois s'agir de batailles rangées de quelques centaines d'individus s'affrontant en terrain ouvert. Le combat consistait essentiellement à s'insulter, à décocher des flèches et à les éviter, et finalement à charger sus à l'ennemi avec le casse-tête. Ces rixes ne causaient jamais beaucoup de victimes. Les guerriers portaient même de petits boucliers de cuir et des armures faites de baguettes de bois attachées à l'aide de cordelettes. Ces moyens de défense perdront toute efficacité avec l'introduction du métal par les Européens. Autrement, de façon plus régulière, on pratiquait une guérilla au cours de laquelle des partis de cinq ou six hommes s'avançaient en cachette vers les villages ennemis dans le but de capturer des prisonniers et de s'enfuir le plus rapidement possible (Viau, 1997).

À cette époque, les nombreux groupes iroquoiens viennent à peine de se réunir pour former ces nations que connaîtront les Européens un siècle plus tard. Les temps sont mouvementés. Les découvertes archéologiques montrent que le nombre de sites diminue alors que les quelques sites existants augmentent en dimension et en densité. Depuis quelques siècles, les petits groupes dispersés se rassemblent dans des territoires plus restreints et ils se rassemblent en villages dans des endroits fortifiés. Visiblement, les relations sont belliqueuses entre les groupes et des identités tribales se forment rapidement. C'est dans ce contexte de violence que la Ligue des Cinq-Nations prendra forme. On ne sait pas au juste quand a eu lieu la fondation de la ligue, mais il est vraisemblable que ce soit autour de 1500. Selon la tradition, un prophète huron du nom de Deganawida arrive alors au sud du lac Ontario avec un message de paix. Il convertit un chef onontagué du nom de Hiawatha. Ensemble, ils instituent la loi de la Grande Paix, qui se manifeste par la cérémonie des condoléances. Ils parcourent ensuite toute la région et finissent par rassembler cinq nations dans une alliance de paix et de coopération. La ligue iroquoise était formée. Durant le siècle suivant, probablement en réaction à cette unification, d'autres confédérations de nations iroquoiennes verront le jour, notamment chez les Neutres et les Hurons, et vraisemblablement chez d'autres (Trigger, 1991; Snow, 1996). Entre toutes, la Ligue des Cinq-Nations demeure la mieux connue. Chacune des nations était représentée par un nombre déterminé et inégal de chefs, dans une assemblée qui en totalisait 50. Cette instance, où l'on tentait de coordonner des décisions politiques, fonctionnait surtout sur le mode d'un pacte de non-agression (Fenton, 1998). Le paysage politique des Iroquoiens en 1500 prend la forme d'une série d'alliances stratégiques faisant suite à une période de guerres sporadiques entre les divers groupes. Durant le XVIe siècle, les conflits prendront une tournure plus belliqueuse. Quelques décennies plus tard, les Iroquoiens du Saint-Laurent entreront en contact avec les Européens. Une nouvelle donne se mettra alors en place. Nous ne connaissons toujours pas les raisons ni le déroulement de la dispersion des Iroquoiens du Saint-Laurent, qui se réfugieront chez d'autres groupes iroquoiens et peut-être même algonquiens, mais il est logique de penser que la présence européenne dans le golfe du Saint-Laurent a joué un rôle dans ce cas encore mystérieux. On observe un degré accru d'intensité guerrière au XVIIe siècle, mais dans un contexte différent.

3 | L'HISTORIOGRAPHIE DES IROQUOIENS ANCIENS

Les études iroquoiennes représentent l'une des plus anciennes spécialisations culturelles des sciences humaines et elles participent même à l'élaboration de la discipline anthropologique. Elles s'amorcent en 1724 avec les réflexions ethnographiques pionnières de Joseph-François Lafitau parues sous le titre de *Mœurs des Sauvages amériquains comparées aux mœurs des premiers temps*. Elles se poursuivent avec l'ouvrage classique de Lewis Henry Morgan paru en 1851, *League of the Ho-de-no-sau-nee*, qui, pour plusieurs, a fait de son auteur le père de l'anthropologie. Plus récemment, les nombreux essais de Bruce Trigger sur les Iroquoiens du Saint-Laurent et sur les Hurons ont posé les jalons de la discipline ethnohistorique moderne. Aujourd'hui, des centaines d'ouvrages savants ont été écrits sur les groupes iroquoiens, les hissant au rang des ensembles culturels les plus étudiés.

Soulignons que les études iroquoianistes forment un domaine de recherche qui réunit des représentants de nombreuses disciplines, dont des ethnologues, des linguistes, des historiens et des archéologues. Chacun puise dans des données de nature différente et utilise ses propres méthodologies. Si les Iroquoiens partageaient un univers culturel assez homogène, ils étaient tout de même composés de groupes différents, parlant des langues différentes. Une synthèse sur le thème des Iroquoiens doit comporter des mises en garde à plusieurs niveaux. Sur le plan des sources d'information, il faut garder à l'esprit que les interprétations sont bâties à partir de données diverses sur lesquelles il convient de porter toujours un regard critique. Les faits historiques, ethnographiques, archéologiques et linguistiques ont tous leurs faiblesses particulières qu'il faut reconnaître. L'utilisation de l'analogie est inévitable quand on tente de caractériser une société sans écriture et sans contacts avec les groupes qui écrivent. L'archéologie est souvent le seul moyen de reconstituer le cadre chronologique et culturel d'une époque révolue, à laquelle on applique, dans la mesure du possible, des analogies ethnographiques plus récentes. Sur le plan culturel, des faits récoltés chez un ou deux groupes ont souvent été attribués, encore par analogie, à l'ensemble des Iroquoiens. Des indices supplémentaires proviennent de faits historiques, de données linguistiques et souvent également de traditions orales. Un chercheur doit toujours être conscient de l'origine de ses données, et bâtir ses interprétations avec toutes les précautions nécessaires. Les études iroquoiennes, bien que riches et dynamiques, n'échappent pas à cette exigence.

Conclusion

Vers l'an 1500 de notre ère, les Iroquoiens formaient un ensemble culturel d'environ 100 000 personnes dans un territoire aussi vaste que le Royaume-Uni. Ils comptaient environ 25 nations différentes qui avaient toutes fait le choix, depuis plusieurs générations, de confier leur survie à l'horticulture. Ce choix a profondément modifié leur mode de vie et a contribué à renforcer leur identité propre au sein du paysage culturel amérindien. Leur dynamique sociale était active et puissante, ce qui a permis à plusieurs d'entre eux de résister, tant bien que mal, aux bouleversements occasionnés par la colonisation européenne de leur territoire. Les nations iroquoiennes actuelles, comme les Agniers et les Hurons-Wendats, ont hérité de ce dynamisme et comptent parmi les communautés amérindiennes les mieux organisées et les plus combatives.

Exercices

1. Sur une carte, situez le territoire occupé par la société iroquoienne et décrivez comment elle occupe le territoire.

2. Décrivez la répartition géographique et linguistique de la population iroquoienne.

3. Expliquez le mode de vie des Iroquoiens et le rôle qu'y jouent les différents membres de la société.

4. Décrivez des activités économiques de la société iroquoienne.

5. Expliquez le mode de sélection des dirigeants de la société iroquoienne et son mode de prise de décisions, ainsi que le rôle des aînés et des femmes dans le choix des dirigeants.

6. Expliquez pourquoi certains éléments du territoire représentaient des atouts et des contraintes pour les Iroquoiens.

7. Analysez les besoins que les contextes géographiques et historiques faisaient naître dans la société iroquoienne.

8. Expliquez les relations qui existent entre les caractéristiques de la société iroquoienne et l'aménagement de son territoire.

9. Expliquez l'influence du contexte social, culturel et territorial sur la politique iroquoienne.

10. Analysez les interactions qui s'établissent entre la vision du monde des Iroquoiens et leur spiritualité, ainsi que le contexte environnemental et social dans lequel ils évoluent.

11. Dégagez les forces et faiblesses de la société iroquoienne. Nommez les critères sur lesquels vous vous fondez et discutez de leur pertinence chronologique.

12. Décrivez l'évolution de la vision des historiens par rapport aux Iroquoiens anciens et expliquez pourquoi elle a changé.

13. Expliquez à qui et à quoi servaient les différents discours historiques sur les Amérindiens.

14. À qui et à quoi servent les discours actuels (historiques ou non, tenus par des autochtones ou d'autres personnes) sur les autochtones ?

Pour en savoir plus

DICKASON, O. P. (1996). *Les Premières Nations du Canada*, Sillery, Septentrion, 511 p.

Cet ouvrage général concernant l'histoire des Premières Nations en Amérique du Nord couvre une période s'étendant de la préhistoire à l'époque contemporaine. On y trouve quelques cartes et illustrations, et le texte est très accessible.

SIOUI, G. (1994). *La civilisation wendat. Une civilisation méconnue*, Québec, Presses de l'Université Laval, 369 p.

Partisan de l'autohistoire autochtone, Sioui, d'origine wendat, présente sa société sur les plans démographique, ethnologique et mythologique. Cet ouvrage en dit long sur la conception du monde de cette nation et sur la tradition orale des sociétés autochtones en général. Il contient quelques cartes, mais ne compte aucune illustration.

TREMBLAY, R. (2006). *Les Iroquoiens du Saint-Laurent : peuple du maïs*, Montréal, Éditions de l'Homme, 139 p.

Roland Tremblay est archéologue au Musée de Pointe-à-Callière, à Montréal. Son ouvrage est très documenté, avec une abondance de références et d'illustrations. Les perspectives archéologique, historique et linguistique permettent d'élaborer un portrait des plus complets de la période préhistorique.

VIAU, R. (1997). *Enfants du néant et mangeurs d'âmes*, Montréal, Boréal, 320 p.

Ce livre aborde la culture iroquoienne dans une perspective anthropologique. L'auteur y décrit particulièrement l'organisation sociale de la société iroquoise, ainsi que le sens, la fonction et la structure de la dimension « guerrière », sans oublier le rôle que la guerre jouait dans l'organisation sociale.

■ Internet

Le site du Lieu historique national du Canada Cartier-Brébeuf consacre une section à la préhistoire des Iroquoiens du Saint-Laurent et de la région de Québec. Il comprend plusieurs illustrations et les informations y sont présentées dans un langage accessible aux élèves du primaire.

<http://www.pc.gc.ca/fra/lhn-nhs/qc/cartierbrebeuf/natcul/natcul4/a.aspx>

Le musée McCord présente des ensembles thématiques sur les nations iroquoiennes, particulièrement en ce qui concerne la culture matérielle. Les textes sont accessibles et les images – dont plusieurs sont des photos d'artefacts – sont d'une grande qualité. On y trouve également des activités pédagogiques à effectuer avec les élèves.

<http://www.musee-mccord.qc.ca/scripts/explore.php?Lang=2&tableid=11&tablen ame=theme&elementid=65__true&contentlong>

Bibliographie

BAKKER, Peter (1990). « A Basque Etymology for the Word "Iroquois" », *Man in the Northeast*, vol. 40, p. 89-93.

BIDEAUX, Michel (1986). *Jacques Cartier, Relations*, Montréal, Presses de l'Université de Montréal, 500 p.

CHAPDELAINE, Claude (1993). « Le développement de l'horticulture dans le Nord-Est de l'Amérique du Nord », *Revista de Arqueologia Americana*, vol. 7, p. 53-82.

CLERMONT, Norman (1980). « L'identité culturelle iroquoienne », *Recherches amérindiennes au Québec*, vol. 10, n° 3, p. 139-143.

CLERMONT, Norman (1984). « L'importance de la pêche en Iroquoisie », *Recherches amérindiennes au Québec*, vol. 14, n° 1, p. 17-23.

ENGELBRECHT, William (2003). *Iroquoia. The Development of a Native World*, Syracuse (NY), Syracuse University Press, 231 p.

FENTON, William N. (1998). *The Great Law and the Longhouse. A Political History of the Iroquois Confederacy*, Norman (Oklahoma), University of Oklahoma Press, 786 p.

FIEDEL, Stuart J. (1991). « Correlating Archaeology and Linguistics : The Algonquian Case », *Man in the Northeast*, vol. 41, p. 9-32.

HEIDENREICH, Conrad (1971). *Huronia. A History and Geography of the Huron Indians 1600-1650*, Toronto, McLelland and Stewart, 337 p.

MacNEISH, Richard S. (1952). « Iroquois Pottery Types : A Technique for the Study of Iroquois Prehistory », *National Museum of Canada Bulletin*, n° 124, Ottawa, National Museum of Canada, 166 p.

MONKTON, Stephen G. (1992). « Huron Paleoethnobotany », *Ontario Archaeological Reports*, vol. 1, Toronto, Ontario Heritage Foundation, 226 p.

PARKER, Arthur C. (1910). « Iroquois Uses of Maize and Other Food Plants », *Museum Bulletin*, n° 144, Albany, New York State Museum, 120 p.

SNOW, Dean R. (1995). « Migration in Prehistory : The Northern Iroquoian Case », *American Antiquity*, vol. 60, n° 1, p. 59-79.

SNOW, Dean R. (1996). *The Iroquois*, Malden (MA), Blackwell Publishing, 270 p.

TOOKER, Élisabeth (1987). *Ethnographie des Hurons, 1615-1649*, Montréal, Recherches amérindiennes au Québec, 215 p.

TREMBLAY, Roland (1999). « Regards sur le passé : réflexions sur l'identité des habitants de la vallée du Saint-Laurent au XVIe siècle », *Recherches amérindiennes au Québec*, vol. 29, n° 1, p. 41-52.

TRIGGER, Bruce G. (1991). *Les enfants d'Aataentsic : l'histoire du peuple huron*, Montréal, Libre Expression, 1991, 972 p.

VIAU, Roland (1997). *Enfants du néant et mangeurs d'âme : guerre, culture et société en Iroquoisie ancienne*, Montréal, Boréal, 318 p.

VIAU, Roland (2000). *Femmes de personne. Sexes, genres et pouvoirs en Iroquoisie ancienne*, Montréal, Boréal, 323 p.

WAUGH, F. W. (1916). *Iroquois Foods and Food Preparation*, Ottawa, Geological Survey, Department of Mines, Memoir 86, Anthropological Series 12.

La société algonquienne vers 1500

Marc Côté et Leila Inksetter

SOMMAIRE

Introduction
1. *Algonquin* et *Algonquien* : des définitions
2. L'univers culturel des Algonquiens
3. Problèmes historiographiques
Conclusion
Exercices
Pour en savoir plus
Bibliographie

Introduction

Environ 50 ans avant que Jacques Cartier et ses hommes n'abordent le Nouveau Monde pour la première fois, environ 80 % du territoire du Québec actuel est occupé par une constellation de groupes de chasseurs-pêcheurs-cueilleurs-horticulteurs algonquiens adaptés à divers environnements. Ils parlent des langues différentes, mais apparentées. Ils pratiquent des modes de vie plus ou moins nomades adaptés aux côtes, aux forêts, aux rivières qu'ils occupent. Certains se rapprochent en apparence de leurs voisins iroquoiens par leur connaissance de la domestication des plantes et leur pratique de certaines techniques et technologies. D'autres, par contre, préfèrent l'errance qui sied aux chasseurs d'animaux grégaires ou de ressources marines. Comprendre les différents modes de vie algonquiens permet de mieux saisir la dynamique des groupes autochtones durant cette période et de mieux comprendre la diversité de leurs modes d'adaptation dans l'immense environnement qu'ils occupent.

Ce champ de recherche a été un peu sous-exploré, puisque les cultures algonquiennes apparaissent souvent faussement simples et frugales. Ce sont plutôt des systèmes culturels et sociologiques fascinants qui font preuve d'une grande souplesse adaptative. Nous présenterons en premier lieu le passé millénaire des groupes algonquiens du Québec, puis nous brosserons un portrait général de cette société hétérogène en la subdivisant en quatre sous-groupes. Nous étudierons ensuite plus en détail les Algonquins. Nous aborderons ainsi leurs modes de subsistance et d'établissement, les ressources qu'ils exploitent et les techniques de chasse auxquelles ils recourent, leur organisation sociale, leurs réseaux d'échange et enfin leur vie spirituelle. Nous terminons le chapitre sur un questionnement historiographique.

1 | ALGONQUIN ET ALGONQUIEN : DES DÉFINITIONS

Avant toute chose, il convient de préciser l'origine et l'évolution des termes *Algonquins* et *Algonquiens*, essentiels à la compréhension de ce qui va suivre. Ces deux paronymes sont souvent source de confusion dans l'usage que plusieurs en font.

L'ethnonyme *Algonquin* désigne une nation autochtone qui regroupe aujourd'hui environ 11 000 individus. Les Algonquins actuels habitent neuf réserves et établissements de l'Outaouais et de l'Abitibi-Témiscamingue au Québec. Il existe également une réserve algonquine en Ontario. Bien que cette appellation soit la dénomination officielle de leur nation, la plupart des Algonquins utilisent aussi le vocable autoréférentiel *Anicinabe*. La graphie de ce mot peut varier d'une communauté à l'autre.

Le terme *Algonquin* est attesté pour la première fois dans le rapport de voyage de 1603 de Samuel de Champlain. Lors d'un arrêt à Tadoussac, il note le regroupement de trois « nations » affairées à souligner leur récent triomphe sur les Iroquois. « […] Ils estoient trois nations quand ils furent à la guerre, les Estchemins, Algoumequins & Montagnez au nombre de mille […] » (Giguère, 1973 : p. 72). Bien qu'on ne connaisse pas assurément l'origine et l'étymologie du vocable *Algonquin*, quelques auteurs accréditent l'hypothèse d'une origine malécite : *Elakomkwik* qui signifie « ils sont nos amis ou alliés » (Viau, 1993 : p. 111). En 1613, Champlain rencontre dans l'Outaouais plusieurs groupes qu'il désigne comme « algonquins ». Au cours des siècles qui suivent, cet ethnonyme est attribué aux bandes qui occupaient l'Outaouais actuel, tant ontarien que québécois. Cependant, il est communément admis que la réalité était nettement plus complexe sur les plans géographique et ethnologique (Chamberland et coll., 2004 : p. 7).

Pour sa part, le terme *Algonquien* a d'abord servi à désigner une famille linguistique réunissant 37 langues amérindiennes. Au Québec, 8 des 11 langues parlées historiquement appartiennent à la famille algonquienne. Ainsi, la langue des Innus (Montagnais), des Anicinabes (Algonquins), des Wulust'agooga'wiks (Malécites) ou des Iyiyuus (Cris) sont des langues algonquiennes, au même titre que le français, l'espagnol et l'italien sont des langues de la famille romane. Au-delà de la parenté linguistique, les Algonquiens de la fin de la préhistoire partageaient une même organisation sociale et certaines croyances, malgré des différences évidentes en matière de mode de vie.

2 | L'UNIVERS CULTUREL DES ALGONQUIENS

2.1 Le passé préhistorique des Algonquiens

Les archéologues sont d'une grande prudence lorsqu'il s'agit de rattacher les autochtones de la période historique ou protohistorique à leurs ancêtres plus ou moins anciens. D'une part, les vestiges matériels dont ils disposent sont difficiles à associer aux phénomènes intangibles que sont la langue, la culture et la religion. D'autre part, au Québec, les données archéologiques sont encore lacunaires. Les modèles interprétatifs sont en constante mutation et se complexifient sans cesse, intégrant de plus en plus de variables temporelles et régionales. Il en résulte un foisonnement dynamique d'explications qui tranche avec la vision linéaire, pour ne pas dire déprimante, qui dominait dans les études sur les Algonquiens avant les années 1980.

L'unanimité des chercheurs est acquise concernant la relative antiquité de la présence des ancêtres des Algonquiens en Amérique du Nord. Cependant, aucun n'ose se prononcer sur ce lien au-delà d'une certaine limite. Ainsi, dans sa colossale synthèse portant sur l'histoire des peuples autochtones du Canada, Jim V. Wright (Wright, 1995, 1999 et 2004) défend l'hypothèse d'un lien direct remontant à la période de l'Archaïque récent (6 000-3 000 ans avant aujourd'hui) en ce qui a trait au Bouclier canadien :

> On observe une continuité entre les données culturelles de l'Archaïque du Bouclier et les manifestations postérieures de la forêt boréale du Bouclier canadien. Cette continuité permet de supposer que les peuplades de l'Archaïque du Bouclier parlaient une langue algonquienne (Wright, 1999 : p. 706, notre traduction).

Pour leur part, les ethnolinguistes proposent un modèle basé sur les techniques lexicostatistiques[1] de la glottochronologie[2]. On peut résumer sommairement leur analyse comme suit. Il y a plusieurs millénaires, les locuteurs d'une langue algonquienne ancêtre vivaient près de la côte nord-ouest de l'Amérique. Vers 6000-7000 av. J.-C., ce groupe se serait scindé en deux, la majorité amorçant une migration rapide de l'ouest vers l'est du continent ; leur culture est nommée « Plano » par les archéologues. Les autres auraient choisi de migrer vers d'autres destinations : il existe en effet des groupes autochtones isolés (les Wiyots et les Yuroks), vivant dans le nord de la Californie, dont l'idiome est apparenté à la langue ancêtre algonquienne.

Or, la culture Plano n'est pas la première présence humaine attestée sur le territoire québécois. En effet, depuis la découverte récente, dans les environs du lac Mégantic, d'un site dont la date d'occupation est estimée à 12 000 ans avant aujourd'hui, on sait qu'une population humaine vivait déjà en Amérique plusieurs millénaires avant le scénario des linguistes, ce qui souligne la complexité des phénomènes liés au peuplement humain.

Après ces débuts un peu flous, le monde algonquien du Québec est mieux compris à partir de 4000 av. J.-C. Il se répartit sur deux vastes espaces géographiques : le Bouclier canadien et les Appalaches. Ces immenses territoires ont connu au fil du temps d'importantes variations climatiques et plusieurs écosystèmes contrastés qui modulent et teintent les modes de vie. L'histoire des Algonquiens est une succession d'adaptations réussies. À partir des dates les plus anciennes et jusqu'à la période historique au début du

---

1. Analyses statistiques sur le lexique d'une langue.
2. Méthode d'analyse linguistique comparative portant sur des mots de chaque langue jugés résistants au changement (parties du corps, termes de parenté, numéraux, etc.). L'écart entre les mots dans les deux langues servira à calculer le temps de séparation des deux langues à partir d'une souche commune.

xviiᵉ siècle, on constate l'adoption d'importantes innovations technologiques comme les balbutiements de la métallurgie (utilisation du cuivre natif) et l'usage de l'arc, plus précis et efficace que la lance. L'utilisation et la fabrication de différents styles de poterie améliorent la vie domestique et, pour les groupes les plus méridionaux, l'adoption de pratiques horticoles est de plus en plus documentée. Par ailleurs, Champlain lui-même décrira le fait lors de sa visite au village des Algonquins Kichesipirinis à l'île aux Allumettes, à 100 km en amont de Hull dans l'Outaouais québécois : « [...] le bois bruflé ils remuent vn peu la terre, & plantent leur Maïs grain à grain, comme ceux de la Floride : il n'auoit pour lors que 4 doigts de haut [...] » (Giguère, 1973 : p. 453).

Ces changements adaptatifs, visibles sur le plan archéologique, s'expliquent par le fait que les Algonquiens ne vivaient pas en autarcie. Ils maîtrisaient la technologie du canot d'écorce, une embarcation maniable et adaptée aux cours d'eau du Bouclier canadien, où il fallait parfois sauter les rapides ou effectuer de nombreux portages. L'existence vraisemblable du canot depuis des millénaires a permis de faire des réseaux hydrographiques de véritables voies de communication. Les personnes, et avec elles les idées innovatrices, voyageaient aussi. À l'intérieur de l'espace géographique occupé par les Algonquiens, il n'est pas rare de trouver des matériaux lithiques provenant de tous azimuts, depuis le nord du Québec jusqu'à la Nouvelle-Angleterre.

2.2 Territoires et adaptations : une proposition de découpage de l'espace québécois

Les lignes qui suivent proposent un découpage de l'espace occupé par les différents groupes algonquiens du Québec vers l'an 1500 de notre ère (figure 2.1). Ce découpage repose sur des critères environnementaux et ethnologiques. Par la suite, et à titre d'exemple, nous proposons d'observer plus particulièrement la culture des Algonquins du début du xviᵉ siècle.

2.2.1 Les Algonquiens du Sud

Vers 1500, le sud des Cantons de l'Est, de la région du Granit et de la Beauce jusqu'au Témiscouata, était épisodiquement fréquenté par des Algonquiens méridionaux. La toponymie locale (Missisquoi, Mégantic, Coaticook, Memphrémagog, Pohénégamook) a d'ailleurs gardé la trace de ces fréquentations par les ancêtres des Abénaquis et des Malécites, dont le territoire traditionnel était principalement localisé en Nouvelle-Angleterre et au Nouveau-Brunswick. Chez les Abénaquis, les pratiques horticoles étaient particulièrement développées. Tous ces groupes conservaient un opportunisme de bon aloi, caractéristique des Algonquiens, et exploitaient les ressources naturelles, tant terrestres que maritimes, que leur offrait leur territoire. Les produits de l'horticulture, complémentaires à la chasse et à la pêche, servaient donc de réserve pour la saison froide.

Figure 2.1   Les groupes algonquiens parmi les autres familles linguistiques du Québec vers 1500

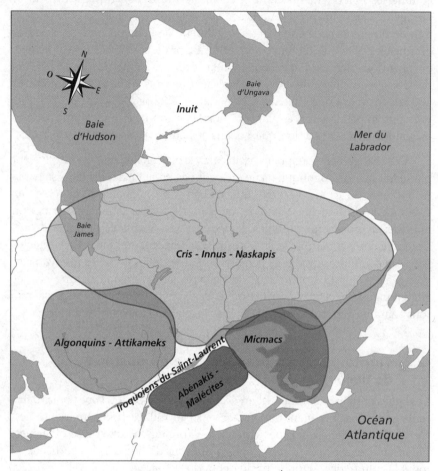

2.2.2 Les Algonquiens de la mer

Les Micmacs étaient des Algonquiens de la mer. Par leur langue, leurs coutumes, leur culture matérielle et leur organisation socioculturelle, ils formaient une nation apparentée aux autres Algonquiens de la frange atlantique. À la fin de la préhistoire, les Micmacs étaient de véritables spécialistes de la chasse aux mammifères marins, la culture des végétaux exerçant peu d'attrait sur eux. Ils avaient des embarcations capables de prendre la mer et étaient d'habiles navigateurs, se rendant même jusqu'aux îles de la Madeleine et à Terre-Neuve. Leur mode de vie était caractérisé par un semi-nomadisme comportant l'établissement de camps estivaux estuariens (de mars à octobre). Les poissons anadromes[3] et catadromes[4], ainsi que les mollusques, fournissaient la grande

---

3. Espèces migratrices qui vivent en milieu marin mais retournent en eaux douces pour se reproduire.
4. Espèces migratrices qui se développent en eaux douces mais se reproduisent en milieu marin.

part des calories carnées. L'hiver (de novembre à février) demeurait la période critique où les ressources mammaliennes de l'intérieur servaient à pallier l'austérité hivernale des bords de mer. On retournait cependant à la côte en février, lors de la période de mise bas des mammifères marins.

2.2.3 Les Algonquiens subarctiques

Les Cris-Innus-Naskapis occupent l'immense Bouclier canadien entre le 49e parallèle au sud et la frange côtière arctique, habitée par les Inuits au nord. Les Naskapis pratiquaient une économie reposant sur les animaux nordiques, dont les caribous de la toundra. Vers 1500, ils occupaient vraisemblablement la côte du Labrador, ainsi que l'intérieur des terres. Les Cris occupaient toute la région de la baie James jusqu'aux lacs Waswanipi et

DES MOTS ALGONQUIENS

Compétences développées
Lire l'organisation d'une société sur son territoire.
Interpréter les changements dans une société et sur son territoire.
S'ouvrir à la diversité des sociétés et de leur territoire.

Techniques développées en géographie
Lecture et interprétation de cartes.
Localisation d'un lieu sur un plan, sur une carte, sur un globe terrestre, dans un atlas.
Repérage d'informations géographiques dans un document.

Techniques développées en histoire
Utilisation de repères chronologiques (mois, saisons, années, décennies, siècles, millénaires).
Calcul de durées.
Repérage d'informations historiques dans un document.

Description
L'enseignante demande aux élèves de repérer, sur la carte du Québec contemporain, des traces toponymiques laissées par les Algonquiens. Après la formulation d'hypothèses par les élèves, l'enseignante situe deux lieux où les traces algonquiennes, dans la toponymie locale, sont manifestes. Les élèves doivent répondre à la question suivante: «En quelle langue les habitants de ces deux lieux écrivaient-ils les lettres qu'ils s'échangeaient?» En donnant l'occasion aux élèves de manipuler diverses sources (textes, cartographie, légendes, etc.) sur les langues amérindiennes, la préséance de la tradition orale et le nomadisme caractérisant la société algonquienne, l'enseignant conduit ces élèves à constater que les modes de communication propres aux Algonquiens de 1500 se distinguaient de ceux de la société québécoise actuelle et qu'ils étaient adaptés à leurs besoins.

Idée d'activité pédagogique : David Lefrançois.

Matagami au sud et jusqu'au lac Mistassini à l'est. Certains fréquentaient la côte de la baie James et exploitaient les ressources maritimes en été, puis retournaient à l'intérieur des terres en hiver, alors que d'autres se cantonnaient plutôt dans l'hinterland, selon un cycle annuel adapté aux ressources disponibles, notamment le caribou forestier. Pour leur part, les Innus profitaient d'un environnement plus diversifié, s'accommodant fort bien de la richesse du golfe du Saint-Laurent et de l'estuaire du Saguenay, en poussant même des pointes jusqu'à la rive nord de la Gaspésie, tout en demeurant spécialistes des terres intérieures, du Labrador, jusqu'aux rives de la rivière Caniapiscau, où ils fréquentaient occasionnellement leurs voisins cris et naskapis.

2.3 Un cas d'espèce : les Algonquins vers 1500

2.3.1 Le mode de subsistance et d'établissement

Vers 1500, les Algonquins pratiquaient un mode de vie de chasseurs-cueilleurs-pêcheurs et tiraient des ressources disponibles sur leur territoire l'essentiel des biens dont ils avaient besoin : nourriture et matières premières nécessaires à la fabrication des outils, des habitations et des vêtements. Le nombre d'individus exploitant un territoire donné est forcément limité par les ressources disponibles. Pour les territoires occupés par les Algonquins, les estimations varient de un individu aux 27 km^2 jusqu'à un individu aux 100 km^2 (Chamberland et coll., 2004 : p. 208). La variation des estimations est due à l'immensité des espaces occupés par les Algonquins vers 1500 et à la relative rareté des ressources vitales dans les régions nordiques.

L'exploitation des ressources de la chasse, de la pêche et de la cueillette implique la dispersion des groupes familiaux sur le territoire et un nomadisme adapté à la disponibilité des ressources selon les saisons. L'hiver, les Algonquins avaient l'habitude de vivre répartis en petits groupes de deux ou trois familles nucléaires. On établissait alors pour plusieurs semaines un campement autour duquel les hommes de la famille faisaient quotidiennement la trappe et la chasse. Les trajets que parcouraient les hommes autour du camp pouvaient être plus ou moins longs[5]. Pendant ce temps, les femmes s'occupaient des enfants et de la vie domestique, faisaient un peu de pêche sous la glace, chassaient le petit gibier et ramassaient le bois de chauffage.

Chaque été, les familles dispersées allaient rejoindre d'autres membres de la bande sur les bords d'un lac, où on vivait principalement grâce aux fruits de la pêche et de la cueillette. Le groupe pouvait alors réunir plusieurs dizaines, voire une centaine d'individus. Il est plausible que vers 1500, certains

---

5. Certains anthropologues observent que les trappeurs cris peuvent parcourir 40 km en raquettes pendant la journée (Feit, 2004).

Algonquins aient cultivé un peu le maïs, surtout chez les bandes les plus méridionales. Cette horticulture d'appoint se pratiquait l'été, lorsque la bande était réunifiée.

Le déplacement entre les résidences familiales d'hiver et les lieux de rassemblements estivaux se faisait en fonction des voies navigables, au printemps et à l'automne. On s'arrêtait alors fréquemment en chemin, dans des camps temporaires, pour chasser et pêcher. On capturait divers mammifères, dont le castor, ainsi que des poissons, particulièrement vulnérables lors des frais du printemps et de l'automne.

L'archéologie confirme l'existence de ces différents modes d'établissement. Les sites les plus importants, témoins de préoccupations multiples au fil des étés par un grand nombre de personnes, sont généralement localisés sur les rives des grands lacs. À l'opposé, l'abord des rivières livre surtout une quantité importante de petits sites, vestiges de passages plus ou moins fugaces. Les sites d'hiver, difficiles à cerner, échappent encore aux archéologues, qui doivent se rabattre sur les données ethnohistoriques pour en expliquer les modalités d'établissement. Les camps d'hiver seraient probablement installés dans des endroits abrités, par exemple à proximité de petits lacs, de ruisseaux ou de marécages gelés.

Les habitations des Algonquins étaient adaptées à leur rythme de vie et étaient elles aussi déplaçables. Vers 1500, on construisait toute une gamme d'abris et structures adaptés à diverses situations. L'habitation la plus connue est la tente conique, faite de perches entre lesquelles on étendait des écorces ou des peaux. En hiver, on pouvait recouvrir le tout de rondins, de mousse et de neige. La fumée du foyer, placé au centre de la tente, s'échappait par une ouverture laissée au sommet de l'habitation (Macpherson, 1930). Lorsqu'on déplaçait le campement, on entreposait les perches et on roulait soigneusement les écorces et les peaux pour les emporter avec soi.

2.3.2 Les ressources exploitées et les techniques de chasse

Le mode de vie du chasseur-cueilleur-pêcheur exige une excellente connaissance de la nature et des modes de vie des animaux. On chassait l'orignal, le cerf de Virginie, le caribou, le castor, la martre, le pékan, le carcajou, le porc-épic, le lynx, l'ours, le rat musqué, le lièvre et l'écureuil. La plupart de ces animaux servaient à l'alimentation et à la confection de vêtements. Les oiseaux, tels les tourtes, les gélinottes, les outardes et les canards, étaient chassés pour leur viande, et on utilisait parfois leurs peaux. Les plumes de certains volatiles étaient prisées comme ornements. On consommait aussi la viande de tortue et la chair de nombreuses espèces de poisson. À cela s'ajoutaient les petits fruits et divers végétaux cueillis en été. Les Algonquins du Sud faisaient probablement du sirop d'érable au printemps, tandis que ceux du Nord récoltaient la sève de bouleau (Sturtevant, 1978).

Vers 1500, la chasse s'effectuait au moyen de techniques adaptées à chacune des espèces. Par ailleurs, le chien, probablement déjà domestiqué dès les premières migrations de peuplement en Amérique, aidait les Algonquins dans cette entreprise, notamment pour la poursuite du gibier. Ces derniers mettaient à profit leurs connaissances sur les mœurs des animaux pour contraindre les proies, les affaiblir et faciliter ainsi leur capture. Par exemple, on poursuivait l'orignal lorsque la neige était profonde et qu'il se déplaçait difficilement. Une fois l'animal affaibli ou coincé par les chiens, on l'achevait. Pour chasser les castors, animaux rapides et habiles dans l'eau, on attendait qu'ils se retirent dans leur hutte, puis on en bouchait les issues au moyen de pieux ou de filets afin de les atteindre en perçant le toit. Pour d'autres animaux à fourrure, on recourait à l'assommoir, un dispositif en bois muni d'une partie mobile qui s'abattait sur l'animal appâté.

Les Algonquins ne pouvaient conserver aisément les aliments ni faire d'importantes provisions. Ils faisaient toutefois fumer ou sécher de la viande et du poisson en prévision des pénuries. On préparait également le pemmican, un mets à base de graisse d'ours et de viande séchée réduite en poudre. Ces aliments ne servaient cependant qu'en cas de nécessité, car les Algonquins tiraient leur subsistance de la faune locale au gré des cycles naturels de productivité. Il en résulte qu'à certains moments, ils connaissaient la disette et même la famine, alors qu'à d'autres, les conditions favorables produisaient des périodes d'abondance.

2.3.3 Les réseaux d'échange

Même si les groupes d'Algonquins, à l'instar des autres groupes algonquiens, faisaient preuve d'une grande autonomie pour assurer leur subsistance, il existait, depuis des millénaires, des réseaux économiques qui leur permettaient de pratiquer le troc d'objets et de matériaux.

Nous savons que vers 1500, les Algonquins participaient à un vaste réseau économique dynamique animé par les Iroquoiens de l'Ontario, en particulier avec les Hurons-Wendats de la baie Georgienne (Côté, 1995). Ces échanges, qui avaient cours probablement depuis plusieurs siècles, acquirent une forme très développée au début du xvie siècle. À cette époque, les Hurons-Wendats axaient leur subsistance sur l'horticulture, qu'ils complétaient avec la pêche et un peu de chasse. Cette pratique était très efficace pour nourrir une population nombreuse. Elle permettait notamment d'engranger des provisions de cultigènes pour l'hiver et d'accumuler des surplus. Toutefois, il est probable que la concentration de la population sur un territoire limité avait pour effet de décimer la faune locale, de sorte que le cheptel devenait insuffisant pour l'approvisionner en cuir et en fourrures. Les Hurons-Wendats suppléèrent donc à cette lacune en établissant des relations d'affaires avec des chasseurs-cueilleurs-pêcheurs algonquiens, parmi lesquels figuraient les Algonquins.

Nous avons des preuves archéologiques de l'existence de ce réseau. En effet, les Hurons-Wendats et leurs ancêtres fabriquaient une poterie caractéristique. Dès l'an 1000 de notre ère, on en trouve des vestiges clairsemés dans les sites algonquins (Côté et Inksetter, 2001). Cette présence deviendra graduellement tellement importante qu'elle supplantera la poterie proprement algonquine au XIVᵉ siècle. Constituait-elle le but premier de ce commerce ? Probablement pas. Il y a fort à parier que l'objet des échanges consistait plutôt dans le maïs, le tabac, le chanvre ou le cuivre natif, fournis par les Hurons-Wendats contre des peaux, de l'écorce de bouleau ou d'autres biens. La poterie faisait alors partie d'un ensemble de biens échangés. Chacun des deux partis y trouvait son compte : les uns repartaient avec de quoi se vêtir et fabriquer leurs raquettes, les autres avec des denrées complémentaires au produit de leur chasse et des matériaux exotiques facilitant leur travail. Dans la tradition amérindienne, l'échange est marqué au sceau de la réciprocité, de l'amitié et de l'entraide. Les foires où se tenaient les échanges avec les Hurons-Wendats devenaient des lieux de festivités qui offraient l'occasion d'échanger des présents, de faire des discours suivis de festins et de renouveler les pactes d'alliance. Étant donné l'accroissement évident des échanges avec les ancêtres des Hurons-Wendats dès le XIIIᵉ siècle, il y a lieu de croire que ces foires étaient courantes vers 1500.

Il est important de comprendre que les alliances conclues entre les Hurons-Wendats et plusieurs partenaires algonquiens à cette époque ont facilité l'implantation des Français en Amérique : le commerce des fourrures existait ainsi bel et bien avant la venue des Européens, qui n'ont fait que prendre part à un réseau d'échange déjà établi.

2.3.4 L'organisation sociale

L'organisation sociale des Algonquins reposait sur la famille nucléaire (père, mère, enfants) (Speck, 1915). Il était habituel que deux ou trois familles cohabitent pendant 9 ou 10 mois durant l'année et il est probable que les mêmes familles aient réoccupé les mêmes endroits d'une année à l'autre. Souvent, ces unités de résidence constituaient une famille élargie, tels les parents avec leurs enfants mariés et leur progéniture, ou encore deux frères ou deux sœurs avec leurs familles. C'est la famille élargie qui était responsable de subvenir aux besoins de ses membres. Les tâches étaient réparties entre les femmes et les hommes. Le plus souvent, ce sont les hommes qui chassaient et trappaient, ce qui occupait la majeure partie de leur temps de travail. Les femmes y contribuaient à différents degrés, notamment par la chasse au petit gibier, la pose de collets ou la participation aux battues. Les hommes construisaient généralement les structures, notamment celles de l'habitation et du canot. Les femmes aidaient à poser les écorces sur l'habitation et couvraient le sol de rameaux de sapin ; elles cousaient aussi les écorces de bouleau autour des structures des canots.

Les femmes récoltaient le bois de chauffage et faisaient aussi beaucoup de cueillette. Le domaine des plantes médicinales était souvent leur apanage. Les femmes traitaient les peaux et cousaient les vêtements ; elles fabriquaient également la poterie et les contenants d'écorce. Les femmes s'occupaient des enfants en bas âge, mais l'éducation des enfants plus âgés était assurée par les deux sexes, selon les rôles à jouer plus tard.

La répartition des tâches entre les femmes et les hommes semble avoir reposé sur une complémentarité assumée où chacun des deux sexes apportait sa part d'efforts pour assurer le bien de la famille. Certaines tâches incombaient habituellement à l'homme ou à la femme, mais l'un pouvait parfois effectuer les tâches de l'autre au besoin.

Les enfants jouissaient d'une grande autonomie. Ils apprenaient en imitant leurs aînés et s'initiaient vite aux tâches à accomplir pour le bien du groupe. Par exemple, on dit que même les jeunes enfants portaient de petites charges lors des déplacements (Laberge, 1998 : p. 127). Le groupe considérait la prise en charge des enfants comme collective, et plusieurs adultes, en particulier les aînés, pouvaient s'occuper des enfants qui allaient et venaient dans le groupe. Les histoires et les légendes, racontées par les sages, servaient à la transmission de la mémoire collective, des valeurs et des croyances communes. Les histoires favorisaient la cohésion sociale ; on se servait alors d'allégories pour indiquer le droit chemin à une personne considérée comme fautive dans sa conduite envers les autres. Un comportement très déviant pouvait être puni par l'exclusion ou même la mort.

Le rassemblement estival des membres de la bande qui avaient vécu dispersés sur le territoire donnait lieu à des festivités et à de grands festins. C'était l'occasion aussi pour les jeunes gens de s'y rencontrer. Très libres dans leurs fréquentations, ces derniers choisissaient habituellement eux-mêmes leur futur ou leur future, mais souvent sous réserve d'approbation par les parents. La monogamie était le modèle préféré, mais d'autres arrangements existaient. Il arrivait ainsi à l'occasion qu'un homme ait deux épouses si ses qualités de chasseur le lui permettaient. Habituellement, les jeunes femmes allaient vivre chez leur mari, mais il pouvait arriver que l'inverse se produise. Les conjoints se séparaient à l'occasion.

La bande à laquelle appartenaient les unités familiales portait un nom qui rappelait souvent un élément géographique du lieu de résidence estival. C'est ce nom qui servait de moyen de reconnaissance devant les inconnus. Jouissant d'une organisation souple, la bande regroupait plusieurs familles étendues, dont certaines étaient liées par des liens matrimoniaux. Un homme reconnu pour sa sagesse et son éloquence parlait habituellement au nom du groupe. Ce chef jouait toutefois un rôle limité et ne pouvait exercer beaucoup de pouvoir sur les membres de sa bande.

Il est probable qu'il existait un niveau d'appartenance plus ou moins éva-nescent au-delà de la bande, soit celui de la Nation algonquine. Dépourvu de consécration officielle, ce sentiment d'appartenance ne se manifestait qu'en cas de besoins ponctuels. Ainsi, bien qu'il existât des chefs de bande, il ne semble pas avoir existé de chef de la Nation algonquine. Lorsqu'une action concertée était nécessaire, les différentes bandes s'entendaient entre elles et nommaient un porte-parole provisoire.

2.3.5 La vie spirituelle

Éminemment personnelle, la vie spirituelle des Algonquins était pratiquée par chacun au gré de ses activités. Comme de nombreux groupes amérin-diens, les Algonquins croyaient qu'ils faisaient partie d'un tout, dans un cycle de vie où prenaient place tous les êtres vivants et tous les éléments de la nature, tels les plans d'eau, le tonnerre, le soleil, le vent. Tous ces éléments étaient animés d'esprits tantôt bénéfiques tantôt maléfiques qu'il fallait se concilier. Si les termes du contrat étaient respectés et si les Algonquins se conduisaient de la façon prescrite, ils s'assuraient le succès de leur entre-prise. C'est pour cette raison que les Algonquins pouvaient faire des offrandes aux rapides avant de les traverser ou entreposer rituellement les restes des

UNE LÉGENDE AMÉRINDIENNE

Compétence développée
S'ouvrir à la diversité des sociétés et de leur territoire.

Technique développée en histoire
Repérage d'informations historiques dans un document.

Description
Le site internet *Le j@rdin des jeunes branchés** relate une légende huronne-wendat sur la création du monde. Des questions de compréhension du texte y sont proposées. La ressource est intéressante pour un jeune public, puisqu'elle permet de toucher les élèves sur les plans affectif et imaginaire. Elle pourrait aussi être utilisée en compa-raison avec une autre légende (par exemple, inca ou iroquoienne).

On pourrait poursuivre l'activité en invitant les élèves à faire part des légendes qu'ils pourraient connaître sur la création du monde ou tout autre thème. On pourrait ainsi alimenter une discussion sur l'importance des légendes dans une culture et sur le degré d'intérêt qu'elles peuvent encore susciter de nos jours. De plus, les élèves peuvent être invités à écrire une nouvelle légende sur la création du monde en repro-duisant le style et la forme d'un tel récit.

---

* « Le mythe de la création du monde », page consultée le 30 septembre 2010 sur le site *Le j@rdin des jeunes branchés*, à l'adresse <http://www2.ville.montreal.qc.ca/jardin/jeunes/naturaliste/ami_andawa/ami_andawa.htm>.
Idée d'activité pédagogique : Vincent Boutonnet.

L'ORGANISATION DES SOCIÉTÉS IROQUOIENNE ET ALGONQUIENNE SUR LEUR TERRITOIRE

Compétences développées
Lire l'organisation d'une société sur son territoire.
S'ouvrir à la diversité des sociétés et de leur territoire.

Techniques développées en géographie
Lecture et interprétation de cartes.
Localisation d'un lieu sur un plan, sur une carte, sur un globe terrestre, dans un atlas.
Repérage d'informations géographiques dans un document.

Techniques développées en histoire
Utilisation de repères chronologiques (mois, saisons, années, décennies, siècles, millénaires).
Repérage d'informations historiques dans un document.

Description
Les élèves doivent mener une recherche. Pour les préparer, la question suivante leur est posée : « Comment les sociétés iroquoienne et algonquienne peuvent-elles s'organiser sur leur territoire pour répondre à leurs besoins ? » Pour situer dans le temps et dans l'espace les deux sociétés étudiées et présenter les atouts et contraintes de leurs territoires respectifs, les élèves utilisent des cartes, des illustrations et des sources issues du matériel didactique auquel ils ont accès. Ils doivent d'abord classer dans un tableau les données brutes recueillies. Ensuite, en grand groupe et guidés par l'enseignante, ils organisent ces données en un texte établissant a) les liens entre le territoire des Iroquoiens et celui des Algonquiens et b) comment chacun des groupes s'organise de manière distincte pour satisfaire ses besoins. Les élèves sont conduits ensemble à représenter visuellement une scène de vie, sur un territoire, dans une société iroquoienne et une société algonquienne, soutenue par un texte explicatif mettant les éléments en contexte.

Idée d'activité pédagogique : Isabelle Laferrière.

animaux consommés, afin d'éviter que leurs os ne soient piétinés ou mangés par les chiens. On visait ainsi à faire en sorte que les déplacements demeurent sécuritaires ou que les animaux continuent de se livrer aux chasseurs.

Comme la religion des Algonquins n'était pas institutionnalisée, le chaman devait être considéré comme un être particulièrement doué pour l'interprétation des signes venant des esprits. Lorsque le contrat avec les éléments naturels semblait rompu, il avait pour office de guider les siens au moyen de pratiques divinatoires, telle la scapulomancie[6], ou de l'analyse des songes et des visions, ou encore par la communication directe avec les esprits,

---

6. Pratique divinatoire qui consiste à prédire l'avenir d'après les traces laissées par la chaleur sur une omoplate.

notamment par le recours à la tente tremblante. À cette fin, le chaman s'installait seul dans une petite tente afin de mieux entrer en contact avec les esprits. La violence du contact entre les deux mondes était censée faire trembler la tente de toutes parts.

3 | PROBLÈMES HISTORIOGRAPHIQUES

L'histoire des groupes algonquiens est très mal documentée, même si certains d'entre eux ont joué un rôle déterminant auprès des Européens après leur venue en Amérique. Pour comprendre les sociétés algonquiennes vers 1500, nous disposons principalement de trois outils : l'histoire, l'ethnologie et l'archéologie.

Les sociétés algonquiennes ignoraient l'écriture. Elles n'éprouvaient donc pas d'intérêt à consigner les événements dans des chroniques et des rapports. Elles perpétuaient plutôt le souvenir par la mémoire orale. Or, l'oralité a bien évidemment ses limites lorsqu'il s'agit de remonter le temps et de comprendre le passé. En fait, il est très rare que la mémoire collective retienne des événements antérieurs à deux siècles. De plus, comme tout aspect de la culture, l'histoire orale est amenée à se transformer au fil du temps, chaque locuteur réinterprétant les histoires à sa façon. Le véhicule de transmission des valeurs et des croyances s'adapte ainsi aux nouvelles réalités vécues par le groupe.

Afin de comprendre les événements survenus à l'aube du XVIe siècle, il est inévitable de passer par les descriptions souvent fort détaillées des observateurs européens de l'époque. Or, ces derniers, tout comme les observateurs d'aujourd'hui et de tous les temps, percevaient le réel sous l'angle de leurs paramètres de compréhension. Ainsi, Samuel de Champlain s'acharne à transposer la mosaïque algonquienne dans une dynamique cartésienne à l'européenne qui suppose une hiérarchie politique officielle, incompatible avec la fluidité structurelle des rapports entre Amérindiens. Pour sa part, le formidable outil ethnographique que représentent les *Relations* des Jésuites a été rédigé par des hommes dont le souci principal était le salut des âmes et qui n'ont pas nécessairement assisté aux événements historiques décrits. Ils traduisaient souvent ce que leurs informateurs voulaient bien leur dire. Il ne faut pas non plus se leurrer à ce sujet, les autochtones présentaient eux aussi les événements aux missionnaires sous l'éclairage qui leur convenait. Ne pas tenir compte de ces différents biais et se fier aveuglément aux sources écrites conduit inévitablement à une vision tronquée et partielle de la réalité historique.

L'analogie ethnologique s'appuie sur le postulat voulant que certains pans du mode de vie observé chez les populations algonquiennes aient eu des racines antérieures au premier contact. C'est le cas notamment de certains comportements partagés par l'ensemble des groupes algonquiens jusqu'à ce jour et qui sont souvent interprétés comme étant très anciens. Parmi ceux-ci figurent l'organisation sociale et politique, la forme des habitations, la construction de canots et de nombreux autres objets quotidiens. Cependant, il ne faut pas généraliser et supposer que tous les comportements restent immuables dans le temps. Les sociétés algonquiennes faisaient aussi preuve d'adaptation aux nouvelles réalités, et le nier équivaut à emprisonner les autochtones dans un musée et à figer leur société dans le temps. Ainsi, transposer directement le mode de vie des Algonquins contemporains à la période d'avant le contact avec les Européens serait faire entorse à la réalité historique.

L'archéologie est une science complémentaire aux deux autres disciplines précitées et tente de répondre aux questions pour lesquelles les autres disciplines sont mal outillées. Elle peut notamment déterminer la nature de l'alimentation, estimer des tailles de population et reconstituer des réseaux d'alliance à partir des traces de troc observées dans les archives archéologiques. Le recours généralisé aux sciences de la terre ou aux sciences physiques et naturelles procède d'une tentative d'objectiver les recherches archéologiques. Les données archéologiques sont cependant très peu bavardes sur ce qui est intangible, comme l'identité que se donnaient les propriétaires des objets abandonnés, la complexité de leurs rapports sociaux, ou encore la langue qu'ils parlaient il y a 500 ans.

L'histoire officielle est toujours en réécriture en fonction des valeurs véhiculées par les historiens. Ces derniers ont longtemps ignoré les peuples autochtones. On les reléguait volontiers à un rôle figuratif, n'en faisant mention que pour glorifier le prosélytisme religieux des premiers missionnaires ou stigmatiser la cruauté de certaines pratiques. On pourrait incriminer l'ethnocentrisme des époques révolues, mais ce constat relève de phénomènes complexes qui ont des fondements méthodologiques. En effet, en se fiant principalement aux sources écrites par les Européens, les historiens utilisaient forcément des documents ne décrivant la réalité que bien partiellement. Depuis les années 1970, les autochtones militent sur la scène politique et une partie de leurs revendications concerne leur représentation dans l'historiographie officielle. Ils veulent désormais faire reconnaître leur version de l'histoire. Les chercheurs autochtones et allochtones ont depuis élaboré des méthodes pour tirer profit des sources écrites et orales interprétées tant avec les outils de l'ethnologie et de l'histoire qu'avec ceux de l'archéologie. La comparaison croisée des sources permet de vérifier les affirmations s'appuyant sur l'une ou l'autre source. De cette fusion naît une vision originale qui accroît notre compréhension des sociétés algonquiennes.

Conclusion

Vers 1500, les Algonquiens avaient un mode de vie adapté à des territoires précis. Ils étaient maîtres chez eux et les visiteurs devaient parfois payer un droit de passage en leur offrant des présents. La nature de leur adaptation variait passablement d'un groupe à l'autre. Chez tous les Algonquiens du Québec, l'occupation du territoire impliquait un nomadisme saisonnier, selon un cycle préétabli et dans des lieux prédéterminés. Les Algonquiens bénéficiaient d'une organisation politique et économique qui leur permettait de prendre des décisions au niveau de la bande, de faire du commerce extérieur et d'entretenir des relations diplomatiques avec d'autres groupes parfois fort différents d'eux, notamment avec des Iroquoiens. Ces alliances eurent des conséquences importantes sur le cours de l'histoire après l'arrivée des Européens en Amérique.

Exercices

1. Décrivez la répartition géographique et linguistique des populations algonquiennes.
2. Expliquez le mode de vie d'un groupe d'Algonquiens.
3. Décrivez les activités économiques d'une société algonquienne.
4. Nommez des moyens de transport des sociétés algonquiennes.
5. Expliquez le mode de sélection des chefs dans la société algonquienne et le mode de prise des décisions.
6. Expliquez comment les ressources du territoire, liées au relief, au climat et à l'hydrographie, conditionnent le mode de vie des Algonquiens.
7. Indiquez des traces (toponymes, artefacts et sites) laissées par les Algonquiens.
8. Citez des différences entre une société algonquienne et une société iroquoienne vers 1500 quant au mode de vie, aux activités économiques, à la structure politique et à l'habitation.
9. Citez des différences entre une société algonquienne et la société inca vers 1500 quant au mode de vie, aux activités économiques, à la structure politique et à l'habitation.
10. Décrivez les caractéristiques du territoire qu'occupe chacun des quatre groupes d'Algonquiens du Québec.
11. Décrivez les rôles des hommes et des femmes dans une société algonquienne.
12. Expliquez le rapport entre la division sexuelle des tâches chez les Algonquiens et leur mode de subsistance.
13. Exposez les difficultés à décrire les sociétés algonquiennes vers 1500.

14. Montrez en quoi la fluidité de la hiérarchie sociale chez les Algonquiens du Québec est liée à leur mode de subsistance.

15. Montrez comment il est possible d'affirmer que les sociétés algonquiennes entretenaient divers rapports avec d'autres groupes autochtones vers 1500.

16. Montrez comment les Algonquiens entretenaient des rapports avec les puissances surnaturelles.

17. Montrez comment le mode de vie des Algonquiens vers 1500 est issu d'une série de changements adaptatifs.

18. Montrez comment le mode d'occupation du territoire algonquien, impliquant une dispersion hivernale suivie d'un regroupement estival, répond tant aux besoins sociaux qu'à une logique environnementale.

19. Le mode de vie des groupes algonquiens est fortement influencé par la capacité de production de leur environnement. Comparez deux sociétés algonquiennes et montrez comment ces déterminismes écologiques influent sur leur mode de vie respectif.

20. Trouvez un texte ancien portant sur une société algonquienne, soulignez les biais de l'auteur et montrez en quoi ils sont conséquents avec la nature de l'époque et de la société.

Pour en savoir plus

DESJARDINS, R., et R. MONDERIE (2008). *Le peuple invisible*, ONF.

Ce documentaire relate 5 000 ans d'histoire sur les Algonquiens et dresse un portrait parfois alarmant de cette société. Il rapporte des événements marquants de leur histoire tels que l'arrivée des Européens, la traite des fourrures et les guerres successives, et traite de certains de leurs problèmes sociaux actuels. À la fois documentaire historique et critique sociale, ce film est de nature à susciter le débat sur les causes des mauvaises conditions de vie des autochtones d'aujourd'hui.

DICKASON, O. P. (1996). *Les Premières Nations du Canada*, Sillery, Septentrion, 511 p.

Cet ouvrage général sur l'histoire des Premières Nations en Amérique du Nord couvre une période s'étendant de la préhistoire à l'époque contemporaine. On y trouve quelques cartes et illustrations. Le texte est fort accessible.

LACOURSIÈRE, J. (1995). *Histoire populaire du Québec*, t. I, Sillery, Septentrion, 480 p.

Dans ce premier volume d'une œuvre grand public, l'auteur raconte l'histoire de la société des premiers habitants et de leur rencontre avec les Français. Ce livre ne se restreint pas à la société algonquienne, puisqu'il traite davantage de l'établissement de la colonie jusqu'en 1791. Il constitue un bon point de départ pour se faire une idée du contexte de cette époque.

WRIGHT, J. V. (2004). *A History of the Native People of Canada*, vol. III, 1re partie (A.D. 500-European Contact), dossier n° 152, Gatineau, Musée canadien des civilisations (collection Mercure).

Ce titre fait partie d'une série de trois volumes sur l'histoire des autochtones au Canada. L'étude embrasse plusieurs milliers d'années d'histoire (de 10 000 av. J.-C. jusqu'au contact avec les Européens) et consacre de nombreuses pages à la société algonquienne.

■ Internet

Le site *Récit Univers Social* propose plusieurs ressources et rubriques pour lire l'organisation de la société algonquienne vers 1500. En passant par la population, le territoire ou la vie quotidienne, il rassemble une information concise et simple sur ce territoire.

<http://primaire.recitus.qc.ca/sujets/2/territoire/41>

Le site *AKI* propose aussi plusieurs rubriques se rapportant à des sujets comme la spiritualité, la société ou les activités de subsistance. Sa structure est claire et la navigation y est aisée. Sa bibliographie est intéressante ; elle regroupe plusieurs titres pertinents pour l'étude de cette société.

<http://www2.uqtr.ca/hee/site_1/index.php?no_fiche=1920>

Bibliographie

CHAMBERLAND, Roland, Jacques LEROUX, Steve AUDET, Serge BOUILLÉ et Mariano LOPEZ (2004). *Terra incognita des Kotakoutouemis. L'Algonquinie orientale au XVIIᵉ siècle*, Québec, Presses de l'Université Laval et Musée canadien des civilisations.

CÔTÉ, Marc (1995). « Une présence plus que millénaire », dans O. Vincent (dir.), *Histoire de l'Abitibi-Témiscamingue*, coll. « Les régions du Québec », n° 7, p. 67-95, Québec, Institut québécois de recherche sur la culture.

CÔTÉ, Marc, et Leila INKSETTER (2001). « Ceramics and Chronology of the Late Prehistoric Period : the Abitibi-Témiscamingue Case », dans J.-L. Pilon, M. Kirby et C. Thériault (dir.), *A Collection of Papers Presented at the 33ʳᵈ Annual Meeting of the Canadian Archaeological Association*, p. 111-127, Ottawa, The Ontario Archaeological Society Inc. <http://www.ontarioarchaeology.on.ca/oas/Pages/oas_caa_abstracts. htm#CERAMICS%20AND%20CHRONOLOGY>

FEIT, Harvey (2004). « Les territoires de chasse algonquiens avant leur " découverte " ? Études et histoires sur la tenure, les incendies de forêts et la sociabilité de la chasse », *Recherches améridiennes au Québec*, vol. 34, n° 3, p. 5-21.

GIGUÈRE, George-Émile (1973). *Réédition des Œuvres de Samuel de Champlain*, Éditions du jour, 3 tomes, Montréal.

LABERGE, Marc (1998). *Affiquets, matachias et vermillon. Ethnographie illustrée des Algonquiens du nord-est de l'Amérique aux XVIᵉ, XVIIᵉ et XVIIIᵉ siècles*, Montréal, Recherches amérindiennes au Québec.

MACPHERSON, John (1930). *An Ethnological Study of the Abitibi Indians*, Ottawa, Musées nationaux du Canada.

SPECK, Frank G. (1915). *Family Hunting Territories and Social Life of Various Algonkian Bands of the Ottawa Valley – Geological Survey, Memoir 70, Anthropological Series n° 8*, Ottawa, Department of Mines.

STURTEVANT, William C. (1978). *Handbook of North American Indians*, vol. 6 (*Subarctic*) et vol. 15 (*Northeast*), Washington D.C., Smithsonian Institution.

VIAU, Roland (1995). « Gens des terres, gens du Nord : l'occupation amérindienne, 1600-1680 », dans O. Vincent (dir.), *Histoire de l'Abitibi-Témiscamingue*, coll. « Les régions du Québec », n° 7, p. 97-121, Québec, Institut québécois de recherche sur la culture.

WRIGHT, James V. (1995). *A History of the Native People of Canada, vol. I (10 000-1 000 B.C.)*, dossier n° 152, Hull, Musée canadien des civilisations (collection Mercure).

WRIGHT, James V. (1999). *A History of the Native People of Canada, vol. II (1 000 B.C-A.D. 500)*, dossier n° 152, Hull, Musée canadien des civilisations (collection Mercure).

WRIGHT, James V. (2004). *A History of the Native People of Canada, vol. III, part 1 (A.D. 500-European Contact)*, dossier n° 152, Gatineau, Musée canadien des civilisations (collection Mercure).

3

La société inca vers 1500

Claude Morin

Introduction

1. Les Incas : la dynastie, l'ethnie, l'empire

2. L'univers culturel des Incas

3. Historiographie – De quelques controverses

Conclusion

Exercices

Pour en savoir plus

Bibliographie

SOMMAIRE

Introduction

La fascination que les Incas ont exercée sur les Espagnols, puis sur les Occidentaux, est sans égale parmi les sociétés qui se sont formées dans les Amériques avant 1500. Cette influence, les Incas la devaient à leurs réalisations, certes, mais surtout au fait qu'ils étaient les contemporains de la conquête espagnole. Ils la doivent aussi à des écrits postérieurs, notamment à ceux des missionnaires et d'un auteur issu de leurs rangs, Inca Garcilaso de la Vega, dont l'œuvre, *Commentaires royaux sur le Pérou des Incas*, a eu une influence prépondérante sur la vision européenne des Incas. Les Espagnols s'émerveillèrent devant l'ampleur des infrastructures, la richesse des temples et des palais, la capacité à déplacer d'une manière ordonnée des biens et des personnes à travers un territoire aussi compartimenté qu'immense. À l'étrangeté du milieu s'ajoutait la surprise à l'égard des solutions qu'avaient trouvées les Incas pour occuper et aménager ce territoire. Ces Européens cherchèrent à comprendre l'ordre politique et social qui sous-tendait pareille capacité à mobiliser autant de ressources. Ils ambitionnaient de reprendre à leur compte les mécanismes d'extraction des richesses et d'exercice de l'autorité.

L'examen de la société inca, en raison même des solutions inédites que celle-ci a élaborées, permet d'embrasser la diversité des modes d'organisation sociale en fonction d'un territoire déterminé. Cet examen s'insère bien dans les objectifs du programme, particulièrement à l'étape de la comparaison entre les sociétés amérindiennes. Le présent chapitre fournira des matériaux et des perspectives pour comparer les sociétés iroquoienne et inca. Notre étude des Incas mettra en valeur et illustrera quatre dimensions des activités humaines. La première concerne une relation qui est au cœur de la démarche pédagogique : l'interaction dynamique entre une société donnée et un milieu naturel. La seconde a trait à une question qui fut fondamentale pour la puissance des Incas : l'importance des mythes des origines pour asseoir la légitimité d'une domination, celle d'une dynastie sur ses sujets et celle d'un peuple sur d'autres peuples. La troisième renvoie au rôle de la religion et des symboles comme agents d'organisation et de représentation du monde. La quatrième, enfin, met en évidence le jeu des continuités et des ruptures dans la succession et l'évolution des sociétés.

Dans les deux premières parties de ce chapitre, nous dresserons une synthèse des connaissances accumulées à propos des Incas. Cette synthèse s'attachera à compléter et à approfondir celle que présentent d'autres publications mises à la disposition des élèves et des maîtres. Elle s'organisera autour des quatre dimensions énumérées ci-dessus. La troisième partie s'emploiera à présenter l'historiographie, à discuter des sources et à aborder quelques controverses.

1 | LES INCAS : LA DYNASTIE, L'ETHNIE, L'EMPIRE

D'entrée, une précision s'impose. Le terme *Inca* désigne à la fois une tribu et la dynastie royale qui la dirigea à partir du XIIIᵉ siècle, puis l'empire multiethnique qu'elle érigea. Rarement a-t-on vu une pareille assimilation onomastique entre un peuple et l'élite suprême. Dans beaucoup d'autres cas, notamment en Amérique précolombienne, les désignations expriment plutôt un rapport de forces, les uns s'instituant comme meilleurs et désignant les autres d'un terme qui les déprécie. Cette pratique a donné lieu à des désignations variées. Ainsi, les Aztèques se désignaient eux-mêmes comme les Mexicas. Aujourd'hui, dans la plupart des cas, c'est davantage la langue qui sert à l'identification des peuples qui coexistent comme minorités au sein d'États-nations. Ajoutons enfin que l'information tant archéologique qu'écrite que l'on possède sur les Incas concerne principalement la dynastie, ce qui correspond ici davantage à la norme, tant il est vrai que les élites disposent de moyens pour transmettre leur vision du monde dans des bâtiments, des objets cultuels, des tombes, des chroniques.

L'origine des Incas baigne dans le mystère par l'entremise de la mythologie. La généalogie des Incas les rattache aux rives du lac Titicaca. Mais plusieurs mythes concurrents obscurcissent les filiations prestigieuses que la dynastie chercha à imposer à ses voisins et rivaux. La légende fait de Cuzco une création du XIIIᵉ siècle. Elle attribue au neuvième souverain, l'Inca Pachacutec, le mérite d'avoir transformé la chefferie inca en un royaume puissant, expansionniste, qui, au moyen de la diplomatie, des alliances et des guerres, en vint à coaliser une marqueterie de peuples sous l'égide de l'Empire inca, véritable État ayant pour tête la cité de Cuzco (figure 3.1).

2 | L'UNIVERS CULTUREL DES INCAS

Ce qui étonne au premier abord, c'est que les Incas parvinrent à construire, en moins de deux siècles, un empire étendu sur plus de 4 000 km, depuis le sud de la Colombie jusqu'au Chili, ce qui en faisait le plus grand de l'Amérique précolombienne et l'un des plus vastes empires terrestres de l'époque préindustrielle (embrassant environ 900 000 km²). Cette prouesse est d'autant plus remarquable qu'elle était le fait d'une tribu d'origine obscure installée sans doute au XIIIᵉ siècle dans la vallée de Cuzco. Ce destin n'est

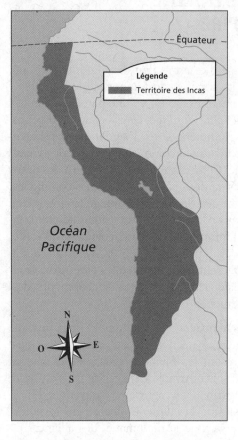

Figure 3.1 Le territoire des Incas vers 1500

Équateur

Légende
Territoire des Incas

Océan
Pacifique

N
O E
S

pas sans rappeler celui de leurs contemporains les Mexicas, nomades venus de territoires aujourd'hui états-uniens, qui érigèrent en moins de deux siècles, depuis Tenochtitlan (Mexico), ce qu'on a appelé l'Empire aztèque, qui fut, de fait, une confédération assez lâche d'États, de cités et de bourgs.

Une partie de l'énigme que pose cette progression fulgurante s'explique par la capacité de tirer le meilleur profit des structures existantes. Les Incas ont beaucoup emprunté à leurs devanciers et à leurs rivaux. En cela, ils ne firent pas différemment d'autres grandes civilisations amérindiennes. Il convient de rappeler ici les continuités qui relient au Mexique les Olmèques, Teotihuacan, les Toltèques (Tula) et les Mexicas.

La figure 3.2 illustre la succession des cultures au Pérou, ce qui montre bien que les Incas sont des héritiers. Elle constitue à la fois une ligne du temps (à la verticale) et un panorama (à l'horizontale) des diverses régions qui découpent le Pérou ancien. Il manque à ce diagramme synoptique des régions qui faisaient partie de l'Empire inca, mais qui se situaient en Équateur, en Bolivie, au Chili et en Argentine.

2.1 Le Pérou avant les Incas

Les Incas, en effet, sont des héritiers. Ils couronnent une longue chaîne de peuples qui, sur la côte ou dans les Andes et sur une période de près de 3 000 ans, ont laissé des traces de leurs réalisations dans des céramiques, des sculptures, des étoffes, des édifices. Huit siècles avant notre ère, la culture Chavín projetait son influence loin de sa zone d'émergence dans les Andes centrales. Ses sculptures et ses céramiques portent une empreinte religieuse qui fut sans doute le ressort de son expansion et à l'origine de lointains pèlerinages. Sur la côte, au sud de Lima, deux cultures allaient se distinguer : celle de Paracas, avec ses magnifiques tissus habillant des momies parvenues jusqu'à nous grâce à

Figure 3.2   Les différentes strates culturelles du Pérou selon les régions

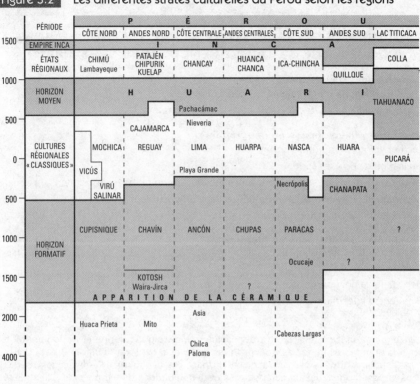

PÉRIODE	CÔTE NORD	ANDES NORD	CÔTE CENTRALE	ANDES CENTRALES	CÔTE SUD	ANDES SUD	LAC TITICACA
P		**É**	**R**	**O**		**U**	
EMPIRE INCA (1500)			**I N C A**				
ÉTATS RÉGIONAUX	CHIMÚ / Lambayeque	PATAJÉN CHIPURIK KUELAP	CHANCAY	HUANCA CHANCA	ICA-CHINCHA	QUILLQUE	COLLA
HORIZON MOYEN		**H U A**	Pachacámac	**R**		**I**	TIAHUANACO
CULTURES RÉGIONALES « CLASSIQUES » (0)	MOCHICA / VICÚS / VIRÚ SALINAR	CAJAMARCA / REGUAY	Nieveria / LIMA / Playa Grande	HUARPA	NASCA / Necrópolis	HUARA / CHANAPATA	PUCARÁ / ?
HORIZON FORMATIF	CUPISNIQUE	CHAVÍN / KOTOSH Waira-Jirca	ANCÓN	CHUPAS / ?	PARACAS / Ocucaje	? / ?	?
APPARITION DE LA CÉRAMIQUE							
(2000–4000)	Huaca Prieta	Mito	Asia / Chilca Paloma		Cabezas Largas		

l'aridité du sol, puis celle de Nazca, avec ses immenses et mystérieux dessins tracés dans le sol et visibles seulement depuis le ciel. Plus au nord, les Moches, reprenant l'héritage de Cupisnique et de Vicús, fabriquaient des céramiques d'un réalisme exceptionnel qui constituent en elles-mêmes, par leur riche iconographie, une encyclopédie sur les croyances et la vie quotidienne. Ils construisirent aussi les deux plus grandes pyramides d'Amérique, dédiées au Soleil et à la Lune, en utilisant au moins 50 millions de briques d'adobe. Puis leur civilisation s'éteignit. Peuple de pêcheurs et d'artisans, maîtres en irrigation, brillants orfèvres, les Chimus reprirent le flambeau et construisirent, à Chan Chan, le plus vaste complexe en pisé. Parallèlement, depuis les Andes cette fois, se développa à partir du haut plateau bolivien une culture portée par une imposante structure politique et militaire, qui a laissé à Tiahuanaco un art lithique monumental et qui a par la suite essaimé à Huari (près d'Ayacucho) vers le nord. L'empire Tiahuanaco-Huari, avec ses conquêtes, son réseau de routes et ses ouvrages d'irrigation, préfigure de quelques siècles ce que sera l'Empire inca. La préhistoire andine a ainsi connu une alternance de phases d'intégration horizontale, liées à des phénomènes religieux ou à des empires fondés sur des conquêtes militaires, et de phases de fragmentation favorisant la diversité régionale (Lavallée et Lumbreras, 1985).

ET SI LES ENFANTS DES SOCIÉTÉS INCA, ALGONQUIENNE ET IROQUOIENNE S'ÉTAIENT RENCONTRÉS VERS 1500 ?

Compétences développées

Lire l'organisation d'une société sur son territoire.

S'ouvrir à la diversité des sociétés et de leur territoire.

Techniques développées en géographie

Lecture et interprétation de cartes.

Utilisation de repères spatiaux.

Localisation d'un lieu sur un plan, sur une carte, sur un globe terrestre, dans un atlas.

Repérage d'informations géographiques dans un document.

Interprétation de climatogrammes.

Techniques développées en histoire

Utilisation de repères chronologiques (mois, saisons, années, décennies, siècles, millénaires).

Décodage de documents iconographiques (fresques, peintures, affiches, etc.).

Repérage d'informations historiques dans un document.

Description

L'enseignant divise la classe en trois sociétés (inca, algonquienne et iroquoienne). Il invite d'abord chacun de ces trois groupes d'élèves à explorer le site internet *Un pas dans l'histoire* (http://www.cslaval.qc.ca/TIC/pas/) et à découvrir, à l'aide des textes, des sons et des images, des caractéristiques et des habitudes de vie propres à la société étudiée. Ensuite, en grand groupe, les élèves doivent répondre aux deux questions qui suivent et, ce faisant, comparer ces sociétés. Les enfants d'origine inca, algonquienne et iroquoienne vers 1500 étaient-ils des amis ? S'ils s'étaient rencontrés, auraient-ils noué des liens d'amitié en se découvrant des goûts et des intérêts communs ? Durant l'exercice, les élèves doivent établir les facteurs d'éloignement ou de proximité entre ces sociétés et dégager leurs similitudes et leurs différences (par exemple, climat, habitation, sédentarisme/nomadisme, vie familiale, arts, etc.)*.

---

* Manon Bourdeau et Suzanne Dion (avec la collaboration de Claudine Adam et Micheline-Joane Durand), *Les sociétés inca, algonquienne et iroquoienne ? Pareilles, pas pareilles !*, Commission scolaire des Affluents, site consulté le 30 septembre 2010 à l'adresse <http://www.csaffluents.qc.ca/rmi/projets/amerindiens/index.html#Introduction>.

Idée d'activité pédagogique : David Lefrançois.

2.2 L'interaction avec le milieu naturel

L'espace péruvien qui servit de foyer de rayonnement pour l'établissement de l'Empire inca présente de grands contrastes. On y distingue généralement trois ensembles : la côte, la montagne, la forêt. Sur la côte, le manque de pluies a joué un rôle essentiel dans l'émergence de sociétés hiérarchisées et centralisées. Les vallées côtières irriguées s'y succèdent, séparées par des déserts. L'eau vient des montagnes. Le gestion de l'eau exige la mobilisation d'une importante

main-d'œuvre pour la construction de canaux, de terrasses et de centres cérémo-
niels et administratifs. Les courants marins sont à l'origine d'énormes réserves
de poissons et de crustacés. Les oiseaux déposent sur les rochers des excréments qui constituent de véritables gisements d'engrais, le *guano*, qui sera
exploité jusqu'au XXᵉ siècle.

La montagne n'est jamais très loin. Les vallées andines sont souvent
étroites et isolées par des versants escarpés ou des cordillères difficiles à franchir, avec plusieurs sommets supérieurs à 6 000 m. On y distingue les *yungas*
(les vallées chaudes, de 1 500 à 2 800 m), la *quichwa* (la vallée montagnarde,
jusqu'à 3 500 m), puis la *puna* (de 3 500 à 5 000 m). Cet étagement, souvent
remanié et aménagé au moyen de terrasses, est à l'origine d'une agriculture
variée axée sur les céréales, principalement le maïs, mais aussi le *qañiwa*
(quinoa), et sur les tubercules, dont la pomme de terre (plus de 470 variétés).
Les Andes offrent un voisinage unique au monde d'habitats disparates. Avec
leurs contreforts côtiers et orientaux, elles forment un monde pluriel, propice
à l'émergence de nombreuses formations ethniques.

Le morcellement est ainsi inscrit dans la géographie. Un isolement relatif
a fait naître et persister une diversité de langues. Mais cet isolement n'a pu
empêcher la formation d'ensembles partageant plusieurs traits qui attestent
une parenté culturelle. À l'occasion, une société arrivait à unifier cet univers.
Les Incas y parvinrent magistralement depuis leur capitale sise à Cuzco, à
3 550 m.

L'ethnohistorien John Murra, l'un des spécialistes les plus écoutés des civilisations andines, a compris comment la fragmentation de l'espace, contrainte
constituant de prime abord un handicap, pouvait se transformer en un atout
pour qui savait exploiter la diversité du potentiel andin. Les peuples andins
surent mettre en communication plusieurs étages écologiques, chacun four-
nissant ses produits. Une même communauté pouvait compter des membres
à chacun des étages, se procurant ainsi tout ce qui lui était nécessaire : maïs,
coca, pommes de terre, poisson, camélidés. La communauté se composait d'un
noyau entouré de plusieurs satellites. Cette organisation de l'espace était
antérieure aux Incas. Des caravanes ramassaient les produits d'une communauté pour les apporter à d'autres. Des communautés pouvaient être très dispersées géographiquement tout en restant en contact par ces échanges. Ce
réseau d'échange permettait ingénieusement d'accéder à des biens variés et
complémentaires sans recourir au marché ni à la monnaie. L'accès complémentaire à ces étages et aux ressources qui leur étaient associées signait une
« complémentarité verticale ». Murra parle d'une « stratégie d'archipel ».

Autre exemple d'adaptation : dans les terroirs d'altitude, où l'on compte
jusqu'à 300 nuits de gel par année, on tirait profit des écarts de 30 °C sur
24 heures pour élaborer le *chuñu* (avec des pommes de terre) et le *charki*

(avec la viande de lama). Ce faisant, les paysans andins appliquaient déjà à la conservation des aliments le principe de la déshydratation par le froid, que l'on appelle aujourd'hui lyophilisation et qui est exploité notamment dans les voyages spatiaux seulement depuis 1960!

La domestication des camélidés a été à l'origine d'une économie pastorale remarquable, la seule à grande échelle en Amérique avant l'arrivée des Européens. Avant la conquête inca, les Lupacas et les Collas détenaient aux abords du lac Titicaca des troupeaux d'alpacas de plus de 100 000 têtes. L'alpaca, ou alpaga, fournissait la laine, alors que le lama servait en outre comme bête de charge pouvant porter jusqu'à 30 kilos. Partout ailleurs en Amérique, le transport devait se faire à dos d'homme, jusqu'à l'introduction par les Européens des bêtes de somme ou de trait.

Ces innovations pouvaient être antérieures aux Incas, mais il est certain que ces derniers en firent usage. Ainsi, les Incas n'ont pas inventé le réseau routier et de communications, mais ils l'ont amélioré considérablement, en fonction de besoins militaires inédits et des exigences posées par la gestion d'un vaste empire. Ils ont repris et complété l'infrastructure mise en place sans doute par la civilisation huari. L'immense réseau routier inca (estimé à 40 000 km), avec ses pavages, ses relais, ses ponts en pierre ou en lianes jetés au-dessus de torrents, émerveilla les Espagnols. Sur plusieurs de ces routes, des messagers étaient établis avec leurs familles. Les *chaskis* pouvaient transmettre des messages (oralement ou au moyen de quipus) en les relayant à la vitesse de 250 km par jour.

Des forteresses jalonnaient la route. L'une d'elles, celle de Huánuco Pampa, témoigne du fait qu'elles n'étaient pas des villes comme l'entendaient les Espagnols, mais plutôt des entrepôts à l'usage des garnisons de passage. La défense de l'empire exigeait l'envoi rapide de troupes, lesquelles trouvaient sur place des réserves de grain, des étoffes et autres fournitures utiles. Grâce à ce réseau et à son infrastructure, les Incas disposaient, depuis Cuzco, d'une capacité de projection et d'intervention étonnante.

Dans leurs travaux d'urbanisme, les Incas s'employèrent à niveler des collines et à combler des dépressions. En général, ces aménagements s'harmonisaient avec le milieu et le paysage. C'est notamment le cas de Machu Picchu, dont la beauté majestueuse tient beaucoup à l'agencement de l'architecture avec les caractéristiques du paysage. Des pierres sculptées se découpent, tel un négatif, sur un horizon de pics montagneux. L'urbanisme y tire parti de la topographie. En cela, les constructeurs incas témoignaient de leur respect pour la nature, particulièrement pour la montagne. Les sommets étaient considérés comme les demeures des dieux (*apus*) et accueillaient des pèlerinages ainsi que des sacrifices, y compris ceux d'enfants. Soucieux d'assurer des rendements élevés, les Incas aménagèrent des terrasses à flanc de montagne pour les exposer aux avantages de l'irrigation. Ils transformèrent ainsi des terrains essentiellement arides en champs hautement productifs. Les arcs des terrasses épousaient les courbes des versants.

Les Incas furent enfin de grands architectes. Ils construisirent de nombreux temples, dont la plupart ont été détruits par les Espagnols à la recherche de matériaux pour leurs bâtiments coloniaux, ainsi que des forteresses d'une solidité impressionnante, conçues pour résister aux formidables séismes coutumiers de ces montagnes. Les édifices et les murailles étaient massifs à défaut d'être élégants, dépourvus qu'ils étaient de l'ornementation qui distingue admirablement Chavìn ou Tiahuanaco. Tous les bâtiments étaient érigés selon un style inca reconnaissable à la taille des pierres ainsi qu'à la forme trapézoïdale des portes et fenêtres (Bouchard, 1988).

L'architecture inca se distinguait par des ouvrages de maçonnerie de grande précision (figure 3.3). Les constructions différaient suivant leur finalité. On utilisait de gros blocs légèrement arrondis pour édifier les forteresses, telle celle de Sacsayhuaman, au-dessus de Cuzco, avec ses trois enceintes en zigzag. Des blocs de plusieurs tonnes y ont été tractés à la force des bras.

Les palais et les constructions religieuses avaient droit à une maçonnerie plus soignée, constituée de pierres rectangulaires, plus petites et soigneusement taillées, qui s'emboîtaient parfaitement sans mortier, grâce à un procédé de

Figure 3.3   Vestiges des deux types de maçonnerie inca : la forteresse de Sacsayhuaman et le mur du palais d'Hatunrumiyoc à Cuzco (au centre, une pierre à 12 angles)

pierres clés comprenant des éléments mâles et des éléments femelles. Des joints biseautés conféraient à l'appareillage un effet de clair-obscur. Les pierres étaient munies de petites saillies qui en facilitaient le transport par halage sur un lit de sable mouillé. Ce genre de construction a admirablement résisté aux nombreux tremblements de terre qui ont périodiquement secoué les Andes.

2.3 L'organisation de la société inca

On doit concevoir l'Empire inca comme un système pyramidal. À la base se trouvait l'*ayllu*, communauté formée d'un ensemble de familles issues d'un ancêtre commun, réel ou mythique, disposant d'un territoire. Chaque communauté s'intégrait à une unité plus vaste de même ethnie ou de même langue formant un royaume ou une chefferie. Les chefferies ethniques constituaient donc un autre substrat fondamental, antérieur à l'empire, objet d'alliances ou de conquêtes. Avec leurs traditions et leurs élites, elles furent progressivement absorbées dans l'Empire inca, depuis un épicentre sis à Cuzco.

Un mécanisme fondamental assurait le fonctionnement de la société inca. Il faisait alterner et s'emboîter réciprocité et redistribution. Les deux principes existaient dans la communauté locale et, au-dessus d'elle, dans la chefferie ethnique. Ils portaient sur la terre, le travail et les biens. La réciprocité commandait l'échange mutuel entre les membres et les unités, alors que la redistribution était de nature hiérarchisée et asymétrique. Les prestations (de travail ou de biens) n'étaient donc pas à sens unique ; elles comportaient des retours, inégaux certes, mais néanmoins réels. Ainsi, le *curaca* (chef) avait la charge de l'entretien des personnes participant aux corvées sur les terres mises à sa disposition. L'Empire inca se forma et s'étendit en conjuguant ces deux principes. L'Inca usa de largesses pour convaincre les curacas de renoncer à leur autonomie. Les curacas des provinces conquises pouvaient conserver un patrimoine et des privilèges, mais devaient soumission au pouvoir inca, devenant ainsi un maillon essentiel de la domination inca. Leurs enfants étaient éduqués à Cuzco. Le peuple devait consacrer du temps de travail à l'État inca (à titre de producteurs et de soldats), en compensation de quoi il avait accès à des entrepôts disséminés sur tout le territoire pour faire face aux disettes. Ce rouage visible du système de redistribution servait à justifier autant les prestations de service que l'hégémonie impériale. Les entrepôts qui jalonnaient l'empire servaient à accumuler des vivres, des tissus, des armes destinés à une redistribution commandée par le besoin ou la diplomatie. Ils représentaient une puissante source de pouvoir et de légitimité.

À l'étage supérieur, l'Empire inca opérait la synthèse de l'organisation pyramidale sous-jacente et prolongeait l'échafaudage des chefferies. S'il répétait la chefferie dans son fonctionnement, en se développant, il créait les conditions du dépassement de la chefferie préincaïque. L'État se dota en effet de moyens propres. Il avait à son service des *yanaconas*, prises de guerre à mi-chemin entre esclaves et serviteurs. Dans des monastères-ateliers, des femmes vierges tissaient la laine des troupeaux du dieu Soleil. De nombreux fonctionnaires assuraient la gestion de l'empire. La colonisation de nouvelles terres et la pacification des zones conquises étaient assurées par l'entremise de colonies et de déplacements associant des populations loyales à des populations sous surveillance. L'Empire inca présidait ainsi à une forme d'ingénierie sociale (Favre, 2008).

La mobilité était limitée, passant par la guerre ou par le service auprès de maisons nobles, donc réservée aux guerriers et aux *yanaconas*. Tous les postes les plus importants, occupés par vraisemblablement quelque 500 gouverneurs mâles administrant les quatre « quartiers » de l'empire, l'armée et les institutions religieuses, étaient attribués à des Incas du lignage. La pureté de sang était importante pour l'élite suprême. Au-delà de ce cercle et au-dessous se trouvaient les Huhuas incas, peuples voisins tenus en haute estime.

On associe la langue quechua à l'Empire inca. Or, le quechua était antérieur aux Incas et venait du littoral central. Le quechua parlé à Cuzco en 1500 appartenait à la troisième phase du développement de cette langue. Les Incas parlaient sans doute à l'origine une autre langue distincte, le pukina. Ils adoptèrent le quechua comme langue administrative impériale parce qu'elle était déjà une langue seconde chez les peuples conquis. Le quechua coexista avec d'autres langues et dialectes, tel l'aymara. En matière de langue comme de religion, les Incas n'imposèrent que le strict minimum, laissant aux traditions locales la latitude nécessaire à leur expression.

2.4 | La religion chez les Incas

Chez tous les peuples précolombiens, la religion imprégnait la vie quotidienne et régissait les rapports qu'entretenaient les hommes entre eux et avec la nature ainsi que les relations hiérarchiques. Chez les Incas, la dévotion au Soleil était fondamentale et commandait des rituels importants. Vivant, l'Inca représentait le Soleil; il ne se déplaçait qu'en litière incrustée d'or et d'argent; ses sujets ne l'approchaient que les yeux baissés ou un fardeau sur la tête, sans même recevoir l'honneur d'un de ses regards. L'or était le métal fétiche des rituels. C'est en sondant la terre avec une baguette d'or que Manco Capac avait uni le ciel et la terre à Cuzco, qu'il avait élu comme capitale. Si pour les Aztèques (*teocuitlatl*) les pépites d'or étaient les excréments du Soleil, elles en étaient les larmes chez les Incas, ce qui justifiait sa place dans le culte solaire. La construction de l'impressionnant temple de Coricancha dépendit de la conquête de deux provinces aurifères.

Tirant profit de l'existence de cultes solaires chez plusieurs ethnies andines, les Incas parvinrent à les assujettir au terme de deux siècles de conquête. Nous savons par exemple que les Collas, établis au voisinage du lac Titicaca, adoraient le Soleil et que l'une des îles de ce lac, celle du Soleil, abritait un important sanctuaire. C'était sans doute aussi le cas plusieurs siècles plus tôt à Tiahuanaco, où l'on peut encore contempler la Porte du Soleil. Les Incas firent du culte solaire le ciment de leur empire, formé de quatre régions réunies sous le nom de *Tahuantinsuyu* (les quatre quartiers). En se proclamant descendante d'Inti (le Soleil), la dynastie inca s'attribua un droit d'exclusivité sur le pouvoir. Mircea Eliade, au terme d'une étude comparée, a constaté combien le culte solaire tendait à se confondre avec la souveraineté et à devenir le privilège d'un cercle, d'une minorité. Les Incas se conformaient parfaitement à ce modèle.

De même que la mythologie inca faisait du Soleil le dieu suprême, de même les Incas se plaçaient au sommet de la hiérarchie sociale et considéraient leur peuple comme celui qui devait dominer tous les autres. Les Incas durent leur puissance à leur habileté à exploiter les croyances antérieures et à les radicaliser à leur avantage en créant une religion impériale axée sur le culte du Soleil et des morts (figure 3.4).

Figure 3.4   Dessin tiré de l'œuvre de Guamán Poma de Ayala illustrant le culte des ancêtres. On promenait sur une litière la momie habillée d'un inca. On remarquera la présence du Soleil et de la Lune.

En effet, le culte des ancêtres avait occupé une place importante chez les peuples andins et participait du culte rendu aux *huacas* (nom donné aux places et objets sacrés). Un pacte de réciprocité liait les vivants et les morts. Ceux-ci pouvaient utiliser leur pouvoir à titre de huacas pour protéger leurs descendants qui leur vouaient vénération et offrandes. Les morts pouvaient également faire tort aux vivants et vice-versa. Les gens d'un même lignage étaient enterrés ensemble dans les champs et les montagnes que fréquentaient les vivants. Des tombes livrent encore aujourd'hui, après des siècles de pillages, des matériaux qui nous renseignent sur l'évolution de la céramique et, par l'entremise de celle-ci, sur les croyances et les valeurs des peuples

VISITER LA SOCIÉTÉ INCA : D'HIER À AUJOURD'HUI

Compétences développées
Lire l'organisation d'une société sur son territoire.
Interpréter les changements dans une société et sur son territoire.

Techniques développées en géographie
Lecture et interprétation de cartes.
Utilisation de repères spatiaux.
Localisation d'un lieu sur un plan, sur une carte, sur un globe terrestre, dans un atlas.

Techniques développées en histoire
Construction d'une ligne du temps (sens, échelle).
Utilisation de repères chronologiques (mois, saisons, années, décennies, siècles, millénaires).
Calcul de durées.
Repérage d'informations historiques dans un document.
Utilisation d'un atlas.

Description
Il s'agit, pour l'élève, de se projeter dans le passé et de réaliser un carnet de voyage dans lequel il consigne toutes ses découvertes à la rencontre de la société inca vers 1500. À la suite de cette étape, il se met dans la peau d'un agent de voyage contemporain qui doit préparer une visite d'exploration du Pérou pour un groupe de voyageurs désirant sillonner le territoire qu'occupaient les Incas. Ces voyageurs veulent en apprendre davantage sur les changements survenus entre 1500 et aujourd'hui, et sur les influences incas encore visibles au Pérou. L'agent doit satisfaire leurs demandes en élaborant un plan de voyage (accompagné d'une ligne du temps, de cartes, de données graphiques, de photographies, etc.)*.

---

* MELS (ministère de l'Éducation, du Loisir et du Sport), *Mois de la culture 2010. Pistes d'activités – Carnet de voyage*, site consulté le 30 septembre 2010 à l'adresse <http://www.mels.gouv.qc.ca/sections/cultureEducation/moisculture10/index.asp?page=piste13>.

Idée d'activité pédagogique : David Lefrançois.

anciens. Les Incas élaborèrent une imposante pratique de dévotion filiale envers les momies des ancêtres défunts, tant dans la lignée féminine (*panaca*) que masculine. Les momies étaient exhibées à certaines fêtes, y compris dans le temple du Soleil, à Cuzco. Chaque Inca devait accumuler de son vivant des biens qui permettraient à sa parentèle de l'honorer fastueusement par la suite, ce qui donnait lieu à une compétition entre *panacas*. Le culte des momies devint ainsi un facteur d'expansion, jouant chez les Incas le rôle que tenait la logique du sacrifice humain chez les Aztèques. Cette coutume joua le rôle d'un ressort formidable expliquant et justifiant l'expansionnisme inca. En effet, comme chez les Aztèques, l'expansion était nécessaire pour se procurer les objets de luxe exigés par les cultes (Conrad et Demarest, 1984).

Le culte solaire fut, comme le quechua, un outil d'asservissement. La religion d'État était imposée aux territoires conquis, mais pas à l'exclusion des cultes locaux. Des éléments du panthéon local pouvaient même trouver place dans des sanctuaires à Cuzco. En revanche, des enfants étaient prélevés dans les communautés pour être offerts en sacrifice dans la capitale.

2.5 Le dualisme dans la pensée et ses applications à l'espace

Le dualisme est commun à plusieurs systèmes de pensée qui conçoivent le monde comme formé par l'union de deux principes premiers et irréductibles, mais complémentaires. La dualité était déjà un concept central chez les Égyptiens. On connaît l'opposition du *yin* et du *yang* dans le taoïsme chinois. Le dualisme était également une composante essentielle de la pensée andine ancienne. Les oppositions mâle/femelle, droite/gauche, haut/bas, externe/interne structuraient l'espace, le rituel et la langue, et se présentaient souvent dans un ordre favorisant le premier terme au détriment du second. Ainsi, le quechua emploie des mots différents pour désigner la lèvre supérieure (*virpa*) et la lèvre inférieure (*cirpi*). Ce dualisme s'appliquait également aux sens : la vue (pénétrante) était associée à la masculinité, alors que l'ouïe (en creux) correspondait à la féminité. En période de combat, les hommes ne devaient pas toucher d'habits féminins, et les femmes, des armes. On faisait parader les conquis en vêtements longs évoquant la féminité (Classen, 1993).

Les Incas prenaient une part active dans le maintien de cette dualité andine. Ainsi, l'Inca prenait comme reine (*coya*) une de ses sœurs pour assurer la pureté de la caste et limiter le nombre de prétendants à la succession, mais aussi pour honorer la complémentarité Soleil-Lune qui avait donné naissance au premier couple. Ces deux astres apparaissent dans plusieurs dessins et croquis anciens. Dans les récits sur leurs origines, consignés par les Espagnols, les Incas sont présentés comme les « fils du Soleil ». Dans l'une des versions, les quatre frères Ayar et leurs quatre sœurs-épouses émergent de la grotte de Pacaritambo, près de Cuzco. Après avoir erré à la recherche d'une vallée fertile, Manco Capac, le plus jeune, plante son bâton d'or à Cuzco. Quant à ses frères, ils se pétrifient en des lieux qui donneront naissance aux structures impériales. Manco Capac (le premier Inca) et Mama Ocllo Huaco – son fils et sa fille engendrés avec la Lune – enseignent aux gens à vivre dans des villages et à cultiver comme si la civilisation commençait avec les Incas. Une autre version du mythe fait surgir le couple originel du lac Titicaca, haut lieu de la cosmogonie inca, d'où serait originaire Viracocha. Les mythes confondent souvent le Créateur (Viracocha) et le Soleil : tantôt Viracocha est le Créateur, tantôt le Créateur est le Soleil. Ces mythes des origines doivent être lus comme des outils de propagande destinés à rattacher la dynastie au Soleil et à la Lune, et à la doter d'une légitimité face aux ethnies et religions subalternes, c'est-à-dire celles que les Incas subjuguèrent près de Cuzco, puis celles qu'ils conquirent près du lac Titicaca.

Cuzco était une très grande ville pour l'époque. Les estimations vont de 40 000 à 100 000 habitants. Sa configuration rappelle la forme d'un puma (un animal sacré) dont la forteresse de Sacsayhuaman constituerait la tête. Quatre routes prenaient naissance depuis une immense place. On distinguait un haut et un bas (*hurin/hanan*). Plusieurs sources indiquent qu'il y avait deux dirigeants. Celui du haut avait préséance sur celui du bas. Duviols a parlé d'une « dyarchie » pour désigner cette monarchie bicéphale. Cette division avait cours ailleurs dans l'empire et peut avoir précédé l'avènement des Incas. Embarrassés par cette formule qui s'éloignait trop des schémas européens, les Espagnols ne la reconnurent pas. Conjuguée à l'opposition entre la gauche et la droite, la distinction entre le haut et le bas aboutissait à une division quadripartite. Les Incas en tirèrent le nom de leur empire : le Tahuantinsuyu (les quatre quartiers). L'espace urbain renvoyait de fait à une géographie religieuse. Zuidema (1986) a distingué 42 lignes partant du principal sanctuaire, Coricancha, dont l'alignement relie 328 points sacrés (*huacas*), majoritairement représentés par des sources d'eau. Plusieurs gnomons marquaient également le mouvement du Soleil sur l'horizon de Cuzco, conformément à la tendance consistant à associer nature et sacré, géographie et religion, espace et calendrier.

En terminant, la dialectique continuités/ruptures mérite d'être soulignée à nouveau. Elle fait des Incas des héritiers qui perfectionnent ce qu'ils trouvent. Ce sont aussi des innovateurs, comme nous l'avons vu à plusieurs reprises. Les ruptures décisives dans le monde andin se produiront après 1532, certaines survenant rapidement, d'autres s'étalant sur plus de deux siècles. D'autres traits des sociétés andines ont survécu jusqu'à aujourd'hui, non sans subir des adaptations ou des réorientations en fonction des transformations conjoncturelles survenues au fil des siècles.

2.6 La fin de l'Empire inca

En 1529, Huana Capaq meurt emporté par une maladie nouvelle, la variole. La succession avait toujours été un problème pour les Incas. La guerre entre les deux prétendants, Huascar et Atahualpa, en divisant l'élite, exposa la vulnérabilité de l'État. Le vainqueur ne put cette fois refaire l'unité. La rupture se produisit en effet en 1532. L'empire ne fut pas de taille à résister à la force de quelques centaines d'aventuriers venus d'Europe. Son effondrement s'explique par plusieurs causes, dont la plus formidable fut l'avènement de maladies nouvelles, exogènes, qui déclenchèrent des épidémies, sinon des pandémies. Mais il convient de signaler également sa principale source de vulnérabilité : son caractère d'empire multiethnique. C'était le talon d'Achille du Tahuantinsuyu, d'autant plus fragile que l'emprise était récente en plusieurs points. D'une part, les Incas exploitaient les ressources humaines et territoriales qui demeuraient sous la coupe des seigneurs ethniques. Il fallait acheter leur loyauté, compenser la perte de prestige et de pouvoir que leur valait leur rôle de subordonné. Une partie des terres leur échappait pour constituer le fonds étatique et alimenter les circuits de redistribution et d'accaparement au profit de l'élite impériale. La différenciation vestimentaire était sans doute la principale source d'identité ethnique vers 1500. Or, la survie des ressorts d'identité ethnique préparait les peuples à une résistance. D'autre part, les gens du peuple, soumis aux prestations pyramidales de l'ayllu et de la chefferie, puis à celles en faveur de l'Inca, pouvaient être convertis en *mitmaqs* (colons) ou en *yanas* (serviteurs) et déportés loin de leurs habitats d'origine. L'extension des conquêtes rendait donc les communautés de plus en plus multiethniques. En 1532, l'éloignement des satellites avait atteint un point extrême : les Lupacas (près du lac Titicaca), par exemple, avaient des colons à Quito et au Chili ! L'Empire inca avait atteint ses limites. Il fallait procéder à des transferts d'hommes pour garder les frontières ou de femmes pour tisser les vêtements destinés aux garnisons et aux soldats.

Ces déplacements croissants devenaient une source de tensions et de révoltes. Les *mitmaqs* et les *yanaconas* s'allièrent donc massivement aux Espagnols. Des seigneurs ethniques passèrent avec leurs sujets dans le camp des nouveaux venus, perçus comme des alliés, voire des libérateurs. Profitant d'une vaste rébellion, comme Cortés plus tôt au Mexique, c'est à la tête d'armées majoritairement indigènes que Pizarre procéda à la conquête du Pérou, après s'être saisi d'Atahualpa à la faveur d'une opération traquenard à Cajamarca. L'immense rançon que fit rassembler l'otage bientôt mis à mort – l'équivalent de 6 tonnes d'or et de 12 tonnes d'argent – scella pour longtemps la réputation du Pérou en Europe. Ne disait-on pas : « Cela ne vaut pas le Pérou » ? Ce fabuleux trésor frappa l'imaginaire européen et fit connaître le royaume des Incas comme un État d'exception. Bien que ce coup audacieux eût pour effet de décapiter l'empire, il fallut encore 35 ans pour achever sa soumission, et cela à grand renfort de tribus et de princes fantoches ralliés aux Espagnols (Hemming, 1970).

L'élite impériale disparut rapidement, mais les curacas conservèrent un temps leur rôle d'intermédiaires obligés dans la nouvelle société issue de la conquête. Un nouveau système religieux se mit en place, perpétuant des éléments de l'ancienne religion dans une enveloppe plus ou moins chrétienne.

AU PAYS DES ENFANTS DU SOLEIL

Compétences développées
Lire l'organisation d'une société sur son territoire.
S'ouvrir à la diversité des sociétés et de leur territoire.

Techniques développées en géographie
Lecture et interprétation de cartes.
Localisation d'un lieu sur un plan, sur une carte, sur un globe terrestre, dans un atlas.
Repérage d'informations géographiques dans un document.

Techniques développées en histoire
Utilisation de repères chronologiques (mois, saisons, années, décennies, siècles, millénaires).
Décodage de documents iconographiques (fresques, peintures, affiches, etc.).
Repérage d'informations historiques dans un document.

Description
Cette activité permettra de réviser les différentes caractéristiques de la civilisation inca sous différents angles comme le territoire occupé, l'habitat, la société, la culture, la religion, etc.

Attribuer chaque aspect à un petit groupe d'élèves. Chaque groupe se chargera de formuler quatre questions à partir de l'information recueillie sur le site internet *Sociétés et territoires** ou sur une version imprimée des différentes pages, cartes et images. Les questions peuvent être d'ordre factuel, mais on peut aussi demander de situer des points sur la carte, de représenter une idée ou un concept par un dessin ou de mimer une notion ou un personnage important.

L'enseignant recueille toutes les questions et anime le tournoi des enfants du pays soleil en posant chacune de ces questions aux petits groupes (sauf, dans chaque cas, au groupe qui est à l'origine de la question). Si un groupe répond correctement à la question, il reçoit cinq points ; s'il répond incorrectement, l'enseignant donne un droit de réponse à un autre groupe.

Pour accroître la difficulté, l'enseignant peut formuler ses propres questions, en leur attribuant toutefois une valeur supérieure.

---

* Alexandre Lanoix, *Les Incas vers 1500*, site consulté le 1er décembre 2010 à l'adresse <http://primaire.recitus.qc.ca/societe/incas-1500/territoire/259>.

Idée d'activité pédagogique : Vincent Boutonnet.

3 | HISTORIOGRAPHIE – DE QUELQUES CONTROVERSES

3.1 | Le problème des sources

À la différence du Mexique, où les peuples autochtones connaissaient l'écriture et s'en servaient pour graver des stèles ou des monuments et pour rédiger des codex dont beaucoup ont survécu, les Incas et les autres peuples andins ne bénéficiaient pas d'un système d'écriture correspondant à nos critères. Les dessins inscrits sur la pierre, la céramique ou les tissus constituaient un code de communication exclusivement imagé. Les symboles que portaient ces objets avaient certes un sens pour ces peuples, mais leur interprétation fait problème pour nous faute du relais narratif ou descriptif qui nous manque.

Nos connaissances sur le Pérou ancien dépendent beaucoup des récits contemporains de la conquête et des chroniqueurs qui ont écrit au XVIe siècle, en s'appuyant sur une tradition orale. Or, les Espagnols ne comprirent pas les réalités étranges auxquelles se référaient leurs informateurs incas, qui ne maniaient pas l'écriture, contrairement à leurs informateurs mexicas. L'histoire dynastique était transmise oralement par des chants et des récits. La tradition faisait l'objet d'une réélaboration fréquente en fonction des rivalités entre clans. On pouvait taire des exploits passés qui dérangeaient le souverain régnant. Les événements avaient un sens rattaché aux valeurs que leur attribuaient les informateurs, mais ces valeurs appartenaient à des rituels que ne comprenaient pas les chroniqueurs espagnols. Ceux-ci essayèrent de concilier les versions distinctes qu'on leur rapportait, mais sans comprendre le sens et les raisons de ces différences. Comment des momies, par exemple, pouvaient-elles conserver des serviteurs, des biens ? Comment pouvait-on élire l'Inca ou le curaca ? Comment comprendre cette notion centrale des deux moitiés, ce jeu des obligations symétriques et asymétriques ? Par ailleurs, les Incas ne s'embarrassaient pas d'exactitude chronologique. La succession des Incas et l'attribution des conquêtes et des réalisations aux uns et aux autres donnent ainsi lieu à plusieurs versions contrastées. On suppose que plusieurs des treize Incas sont légendaires. Les quatre derniers, à commencer par Pachacutec (qui accéda à cette fonction peut-être vers 1438), appartiennent à une histoire mieux reconstituée, malgré les divergences entre les chroniqueurs espagnols. L'épisode clé de cette histoire fut la victoire aux dépens des Chancas attribuée à Pachacutec (Rostworowski, 1999).

Notre connaissance des Incas est tributaire de ce regard médiatisé et bientôt orienté par les desseins des autorités espagnoles. Le dossier que compulsa Juan de Betanzos, apparenté à un lignage inca (*Suma y narración de los Incas*, 1551), exposait avec sincérité le point de vue dynastique. Des chroniqueurs postérieurs, tels Sarmiento de Gamboa ou Barnabé Cobo, subirent davantage les effets de la campagne déclenchée après 1570 par le vice-roi Toledo visant à discréditer les Incas en « prouvant » qu'ils n'étaient pas des seigneurs « naturels », mais des conquérants de fraîche date, des « usurpateurs ». Les autorités espagnoles cherchaient par cette thèse à promouvoir la légitimité de la conquête (espagnole) auprès des populations autochtones. En réaction à cette tentative, Inca Garcilaso de la Vega, un métis descendant d'une princesse inca, s'employa à allonger le règne inca et à démontrer la nature bienveillante de leur domination. Plus authentiquement andine, mais aussi plus hermétique, est l'œuvre de Guamán Poma de Ayala, membre d'une ethnie andine et interprète pour le clergé colonial. Sa *Nueva corónica y buen govierno*, un manuscrit de 1 168 feuillets et de 398 dessins à la plume, n'a été retrouvée que trois siècles après sa rédaction.

Les chroniqueurs et l'archéologie, qui devraient s'épauler, ne s'accordent pas toujours. L'apport de l'archéologie est fondamentale, mais à cet égard le Pérou n'est pas le Mexique, qui a bénéficié non seulement de fouilles plus vastes, mais aussi de la possibilité d'interroger à la fois les inscriptions (sur plusieurs supports), les codex et les artefacts. Il n'empêche que l'archéologie a fait des progrès, surtout sur la côte.

De nouvelles sources ont été mises au jour depuis un demi-siècle. Les plus fécondes ont longtemps dormi dans les archives sous la forme de rapports d'inspection commandés par les autorités civiles ou ecclésiastiques ou de dossiers judiciaires faisant suite à des revendications de droits par des curacas ou des ayllus. Leur exhumation a permis de faire avancer considérablement notre compréhension des réalités péruviennes. Les techniques de la littérature comparée, combinées au questionnement de l'anthropologie comparée, permettent de mieux interpréter ce qu'elles contiennent, de déchiffrer un sous-texte dans le texte premier.

3.2 | Les quipus

On a souvent opposé les peuples selon qu'ils disposaient ou non d'un système d'écriture leur permettant d'accéder par eux-mêmes à l'histoire. Nous avons vu plus haut que les Incas n'avaient pas d'écriture. Ils furent pourtant des statisticiens remarquables. Ils utilisaient des quipus pour recenser la population, gérer la rotation des corvées publiques et quantifier les ressources de tout genre, indispensables à la mobilisation des troupes, à la gestion des entrepôts (figure 3.5). Inca Garcilaso de la Vega en fait une description fidèle dans un texte que nous reproduisons plus loin dans la conclusion. Le quipu était constitué d'une série de cordelettes de différentes couleurs suspendues à un cordon, à la façon d'une frange, et portant des nœuds qui représentaient

Figure 3.5   Exemple d'un quipu. Interprétation d'un quipu statistique
à partir du nombre de nœuds sur les cordelettes.

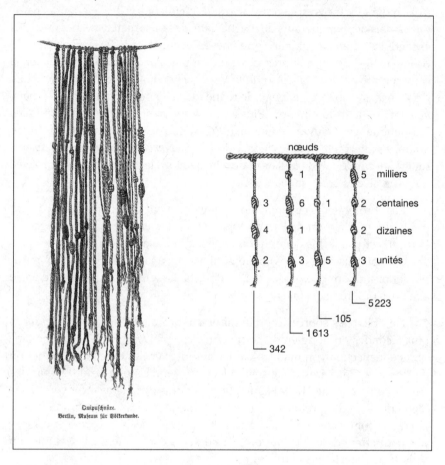

des chiffres. Les couleurs annonçaient l'objet de la statistique alors que les
nœuds, d'après leur position, indiquaient des valeurs numériques. Les quipus
étaient fondés sur le système décimal de position. La lecture des cordelettes à
nœuds a été élucidée en 1912. Des fonctionnaires (*quipucamayocs*) établis-
saient et mettaient à jour les quipus qui remontaient des localités jusqu'à Cuzco.
C'était l'instrument de base pour le fonctionnement d'un empire centralisé.

On a retrouvé jusqu'ici environ 750 quipus. Des fouilles menées à Caral,
au nord de Lima, ont permis de mettre au jour ce qui semble être l'ancêtre du
quipu il y a 5 000 ans. Nous savons aujourd'hui que certains quipus servaient
de registres pour consigner des récits dynastiques ou religieux. Ce savoir
réservé à des initiés a disparu avec l'empire, de sorte que les quipus narratifs
ont longtemps été confondus avec leurs homologues statistiques. On commence seulement à entrevoir certaines pistes d'interprétation (Urton, 2003).

3.3 La population du Pérou ancien

De toutes les controverses qui ont animé l'historiographie latino-américaniste, aucune n'aura sans doute trouvé plus d'écho que celle portant sur le nombre d'habitants dans l'Amérique vers 1500. La bataille des chiffres dissimulait une polémique sur la grandeur même des civilisations que les conquérants espagnols subjuguèrent et détruisirent. C'est d'abord pour le Mexique central qu'on proposa, entre 1950 et 1970, les chiffres les plus crédibles, à partir d'une analyse des sources fiscales. La fourchette des estimations s'établit entre 11 et 25 millions.

Quelle pouvait être la population du Pérou vers 1520, quand sévirent les premières pandémies d'origine européenne ? N. D. Cook (1981) a consacré à cette question une étude décisive. Il y analyse tour à tour les différentes méthodes de reconstitution des populations à l'ère préstatistique. La perspective écologique, l'archéologie, l'épidémiologie, la sociologie proposent chacune leur façon de déduire un effectif démographique à partir d'un facteur connu : le potentiel agricole, la densité des vestiges, le taux de létalité des maladies épidémiques, le degré de complexité sociale. Aucune cependant ne peut embrasser tout un pays, et surtout un pays aussi divers que le Pérou, à la fois étagé et compartimenté. Cook a su exploiter à fond cette originalité du Pérou d'avoir compté pour le XVIe siècle plus de dénombrements qu'aucun pays européen de l'époque, une situation exemplaire si l'on considère que les recensements décennaux ne réapparaîtront au Pérou qu'en 1940. Certes, ces matériaux n'indiquent pas directement la population de 1520 : plus on s'éloigne de 1570 vers le passé, plus l'information se fait ténue, plus les calculs se font incertains, ce qui élargit la gamme des possibilités. Les taux de décroissance, inattaquables pour la période 1570-1620, se révèlent de plus en plus fragiles à mesure que l'on remonte les décennies, du fait qu'ils sont calculés sur des échantillons de plus en plus restreints, de moins en moins sûrs, alors même que tout indique que la population décroît à un rythme de plus en plus rapide. S'il s'avère raisonnable de chiffrer la population indigène en 1570 (1 290 680) et en 1620 (671 505), il n'en va pas de même pour 1520, dont le chiffre hypothétique de 9 millions est beaucoup plus controversé. Nous ne croyons cependant pas qu'on puisse leur opposer sérieusement des estimations inférieures. Selon nous, ce chiffre constituerait plutôt un plancher vraisemblable. Le plafond, quant à lui, pourrait se situer à 14 millions. Quoi qu'il en soit, deux choses sont sûres : l'écosystème péruvien avait la capacité de nourrir une population plus dense que son homologue européen, tant en raison de la productivité des plantes américaines qu'en raison des méthodes culturales mises en œuvre ; le Pérou de 1961 – 9,9 millions d'habitants – ne peut pas servir d'étalon pour infirmer l'hypothèse d'une population plus nombreuse en 1520. Reconnaissons enfin que toutes les autres méthodes jugent plausible l'hypothèse déduite de l'analyse des recensements, tout en laissant place à des estimations supérieures, recevables à l'échelle locale, même si elles restent indémontrables à l'échelle de ce qui formait, en étendue, plus de la moitié de l'Empire inca.

Conclusion

« État totalitaire » (Rafael Karsten, 1952), « empire socialiste » (Louis Baudin, 1928), ces étiquettes employées pour désigner l'État inca, en référence aux expériences sociales du XXe siècle, ne conviennent pas. Il ne fait pas de doute que, par ses fonctionnaires et par les curacas, le Tahuantinsuyu avait la haute main sur la vie de ses sujets dispersés dans une multitude d'ayllus, tant en ce qui avait trait à la terre, à ses habitants et à ses produits qu'aux rituels en usage. Mais cette mainmise était « traditionnelle », en harmonie avec des croyances et des coutumes séculaires. Des lois nombreuses régissaient la vie collective et assuraient une protection pour tous, au profit des plus faibles. Ainsi, chaque famille recevait un accès à la terre en fonction de sa taille. L'État se préoccupait du bien-être des habitants, mais ne se souciait pas de les rendre heureux. Les règles de la réciprocité et de la redistribution commandaient la prévoyance et l'organisation des entrepôts. La redistribution relevait aussi de la diplomatie. L'État organisait des festivités en relation avec le calendrier agronomique et religieux.

L'arrivée d'Européens fournit l'occasion à des peuples et à des groupes du Pérou ancien de s'émanciper d'une domination pesante. Ces derniers allaient vite connaître une désillusion. Ils comprirent trop tard qu'une nouvelle domination, implacable, allait s'abattre sur eux. Des curacas y trouvèrent un temps leur avantage, à titre d'intermédiaires, mais la plupart finirent par succomber sous le rouleau compresseur de l'ordre colonial espagnol, puis après 1824, à celui d'un Pérou créole qui en fit des citoyens de second rang, exclus d'un développement qui leur fut et qui leur demeura étranger.

En terminant, nous reproduisons ci-dessous deux extraits d'un ouvrage qui a longtemps exercé une influence prépondérante sur la vision européenne des Incas. Ces textes constituent des témoignages crédibles. Né d'un conquérant espagnol (Sebastián Garcilaso de la Vega) et d'une princesse inca (Isabel Chimpu Ocllo), baptisé Gómez Suárez de Figueroa, Inca Garcilaso de la Vega (1539-1616) découvre 20 ans plus tard son identité indigène en reprenant le nom de son père précédé du nom *Inca*. Il parle l'espagnol avec son père, le quechua avec sa mère. Il part en 1560 pour étudier à Salamanque, sert le roi dans son armée. Entre 1597 et 1604, il rédige son histoire du Pérou, qu'il publiera au Portugal en 1609. Ses *Commentaires royaux sur le Pérou des Incas* (Paris, La Découverte, 1982, 3 t.) constituent un plaidoyer exceptionnel sur les cultures des Andes, car il a rencontré d'anciens conquistadores, a lu de nombreux documents et connaît par sa mère la tradition orale de la dynastie inca. Il a voulu démontrer, à l'encontre de la thèse du vice-roi Toledo, que les Incas n'étaient pas des usurpateurs.

De l'autorité avec laquelle ils élevaient leurs enfants[*]
(Inca Garcilaso de la Vega)

Les Incas aussi bien que les Indiens en général, riches ou pauvres, sans aucune distinction, élevaient leurs enfants de singulière façon, le moins délicatement qu'il leur était possible. Sitôt que l'enfant était venu au monde, les Indiennes le lavaient avec de l'eau froide avant de l'envelopper dans ses langes ; elles faisaient de même tous les matins, après avoir laissé la plupart du temps cette eau au serein. Si la mère voulait traiter son enfant avec délicatesse, elle prenait l'eau dans sa bouche, et lui en jetait par tout le corps sauf sur la tête, dont elle prenait soin en particulier de ne jamais toucher la fontanelle. Elles disaient qu'elles agissaient de la sorte pour accoutumer leurs enfants au froid et à la fatigue, et fortifier leurs membres. Pendant plus de trois mois elles laissaient leurs bras enveloppés dans des langes, sinon, disaient-elles, ils s'affaiblissaient. Elles les laissaient toujours couchés dans leur berceau, sorte de banc grossier à quatre pieds dont un était plus court que les autres afin de pouvoir les bercer. La couche où elles étendaient l'enfant consistait en un filet épais, moins dur que le bois, dans lequel elles l'enveloppaient et l'attachaient pour qu'il ne tombât pas.

Les mères ne prenaient point leurs enfants dans leur giron ou dans leurs bras pour leur donner à téter pas plus qu'en toute autre circonstance. Elles disaient qu'ils en prenaient l'habitude, devenaient pleurnicheurs et ne voulaient plus rester dans leur berceau. La mère se penchait sur l'enfant et l'allaitait trois fois par jour : le matin, à midi et le soir. En dehors de ces heures elles ne leur donnaient jamais le sein, et aimaient mieux les laisser crier, car elles disaient qu'autrement les enfants prenaient l'habitude de téter toute la journée, se souillaient de vomissures et d'excréments, et, quand ils étaient grands, devenaient gloutons. Elles ajoutaient que les bêtes n'allaitaient pas leurs petits toute la journée et toute la nuit, mais seulement à certaines heures. Quelque grande dame que fût une mère, elle-même nourrissait son enfant, sauf en cas de maladie. Pendant qu'elles allaitaient elles s'abstenaient de rapports avec leur mari, parce qu'elles disaient que c'était mauvais pour le lait et que cela rendait les enfants chétifs. Pour désigner cette sorte d'enfants malingres, les Indiens employaient le mot *ayusca*, participe du prétérit qui signifie le renié, et plus proprement l'enfant changé pour un autre. [...]

Quand l'enfant commençait à se traîner à quatre pattes, il prenait le sein à genoux par terre, sans que la mère ne le souffrît jamais en son giron ; s'il voulait l'autre sein, elle le lui montrait afin qu'il le prît, sans jamais le recevoir entre ses bras. Sitôt qu'une femme était accouchée, elle était moins tendre encore pour elle-même que pour son enfant ; elle se lavait dans un ruisseau ou chez elle avec de l'eau froide, puis lavait son enfant, et se remettait à son ménage comme si de rien n'était. Elles accouchaient sans sages-femmes, qu'elles n'eurent jamais. Si quelque Indienne les assistait, c'était plutôt une sorcière qu'une sage-femme. Voilà comment les Indiennes du Pérou avaient coutume d'enfanter et de nourrir leurs enfants, coutume innée chez elles, sans distinction de riche ou pauvre, ni de noble ou roturière.

---

[*] Inca Garcilaso de la Vega. *Commentaires royaux sur le Pérou des Incas*, Paris, La Découverte, 1982, t. II, p. 28-29.

De leurs comptes par fils et par nœuds,
et de la grande fidélité de ceux qui les faisaient[*]
(Inca Garcilaso de la Vega)

Quipu veut dire nouer et nœud, et se prend aussi pour le compte même, car les nœuds permettaient d'en faire de toutes choses. Les Indiens faisaient des fils de diverses couleurs, les uns d'une seule couleur, d'autres de deux couleurs, d'autres de trois et plus. Les couleurs simples ou mêlées avaient toutes une signification particulière. Ces cordons étaient retors, à trois ou quatre brins, de la grosseur d'un fuseau en fer et longs de trois quarts de *vara*. Ils étaient enfilés en ordre tout au long d'un autre cordon, comme des franges. Par les couleurs ils jugeaient du contenu de chaque cordelette ; par exemple, le jaune indiquait de l'or, le blanc de l'argent, le rouge les gens de guerre.

Les choses qui n'avaient point de couleurs étaient indiquées selon leur rang, en commençant par celles de plus haute qualité, jusqu'aux moindres, chacune selon son espèce, comme céréales et légumes. Prenons pour exemple ceux d'Espagne : nous aurions premièrement le blé, puis l'orge, ensuite les pois chiches, les fèves, le millet, etc. De cette manière, quand ils avaient à rendre compte des armes, ils mettaient d'abord celles qu'ils estimaient les plus nobles comme les lances, et ensuite les dards, les arcs, les flèches, les massues et les haches, les frondes et les autres armes qu'ils avaient. En ce qui concerne leurs sujets, ils rendaient compte des habitants de chaque ville, puis au total de ceux de chaque province. Ils mettaient au premier fil les vieux de plus de soixante ans ; au second les hommes mûrs de cinquante ans et au-dessus, au troisième ceux de quarante, en descendant de dix en dix ans jusqu'aux enfants au sein. De même, ils tenaient le compte des femmes selon leur âge.

Sur quelques-uns de ces fils se voyaient d'autres petits fils fort déliés de la même couleur, tels des appendices ou exceptions de ces règles générales ; par exemple, au fil des hommes ou des femmes de tel ou tel âge, que l'on entendait être mariés, les petits fils signifiaient le nombre des veufs ou des veuves qu'il y avait cette année-là dans chaque catégorie, car ces comptes étaient annuels et ne rendaient raison que d'une année seulement.

Dans ces cordelettes nouées, l'on gardait toujours l'ordre d'unité, dizaine, centaine, millier, dizaine de milliers. Ils passaient rarement la centaine de mille. Car chaque ville ayant son compte particulier et chaque capitale celui de sa province, le nombre ne montait jamais si haut que cela. Toutefois, s'il leur eût fallu compter par centaines de mille, ils auraient pu le faire, car leur langue était capable de rendre ces chiffres. Mais n'ayant pas, pour l'ordinaire, à les utiliser, ils ne dépassaient pas la dizaine de mille. Chacun de ces nombres, qu'ils comptaient par les nœuds des fils, était séparé de l'autre. Cependant, les nœuds de chaque nombre étaient réunis sur une même cordelette, comme ceux du cordon du bienheureux patriarche saint François, ce qui pouvait se faire d'autant plus facilement qu'il n'y en avait jamais plus de neuf, non plus que les unités et les dizaines, etc.

Au plus grand des fils ils mettaient le plus grand nombre, qui était la dizaine de mille, plus bas le millier et ainsi de suite jusqu'à l'unité. Les nœuds de chaque fil et de chaque nombre étaient égaux les uns aux autres ni plus ni moins qu'un bon arithméticien a coutume de les poser pour faire une grande addition.

Il y avait des Indiens spécialement chargés de ces nœuds ou *quipus* ; on les appelait *quipucamayus*, c'est-à-dire celui qui a la charge des comptes. Bien que, de ce temps-là, les Indiens fussent presque tous également probes, vu le peu de malice qu'ils avaient et leur bon gouvernement, au point qu'on pouvait dire qu'ils étaient tous gens de bien, on choisissait toutefois pour remplir cette charge ou une autre les plus habiles et ceux qui par une longue expérience avaient donné une plus belle preuve de leur honnêteté [...].

---

* Inca Garcilaso de la Vega. *Commentaires royaux sur le Pérou des Incas*, Paris, La Découverte, 1982, t. II, p. 180-182.

Exercices

1. Situez sur une carte le territoire occupé par la société inca.
2. Situez dans le temps des faits et personnages liés à l'histoire de la société inca.
3. Décrivez la répartition géographique et l'évolution linguistique de la société inca.
4. Donnez le nombre approximatif d'habitants de la société inca.
5. Présentez les cultures matérielles et immatérielles de la société inca, y compris la spiritualité, les coutumes, l'alimentation et l'architecture.
6. Décrivez des activités économiques de la société inca.
7. Nommez des moyens de transport de la société inca et décrivez la complexité du réseau routier reliant les différentes parties de l'Empire inca.
8. Expliquez le mode de sélection des dirigeants de la société inca.
9. Énumérez des traces (artefacts, sites, etc.) laissées par la société inca.
10. Décrivez les caractéristiques du territoire occupé par la société inca.
11. Expliquez pourquoi certains éléments du territoire représentaient des atouts et des contraintes pour la société inca.
12. Expliquez comment la société inca a tiré avantage des éléments de son territoire pour répondre à ses besoins.
13. Expliquez les relations qui existent entre les caractéristiques de la société inca et l'aménagement de son territoire.
14. Dégagez les forces et faiblesses de la société inca. Expliquez les critères que vous avez retenus pour porter ce jugement.
15. Montrez en quoi les conditions sociales d'existence dans la société inca conditionnent les croyances établies.
16. Expliquez comment les croyances justifient les rapports sociaux dans la société inca.
17. Analysez les interactions entre la vision du monde et la spiritualité de la société inca.

18. Expliquez les controverses qui opposent les historiens à propos des Incas.
19. Commentez l'opinion voulant que la société inca fût avancée du point de vue des sciences et des technologies.
20. Montrez en quoi les divisions sociales et ethniques influencèrent l'histoire de la société inca.

Pour en savoir plus

L'introduction la plus accessible en français est l'ouvrage de César Itier, *Les Incas* (Paris, Les Belles Lettres, 2008). Il comporte des chapitres sur l'histoire, l'organisation politique et sociale, la religion, la vie quotidienne, les arts, un lexique et une bibliographie. On peut le compléter par le fascicule paru en 1972 dans la collection « Que sais-je ? », maintes fois révisé, de Henri Favre, *Les Incas* (8e éd., 2008), lequel s'appuie, entre autres, sur les travaux de John Murra, dispersés dans plusieurs publications.

Deux autres ouvrages méritent une mention spéciale : Danièle Lavallée et Luis Guillermo Lumbreras, *Les Andes, de la Préhistoire aux Incas* (Paris, Gallimard, 1985). Rédigé par deux grands spécialistes de l'archéologie andine, l'ouvrage expose une histoire des peuples qui se sont succédé dans l'aire que recouvrit l'Empire inca ; il offre en prime une superbe iconographie commentée. L'ouvrage dirigé par Cecilia Bakula, auquel ont contribué plusieurs spécialistes, *Les royaumes pré-incaïques et le monde inca* (Aix-en-Provence, Édisud, 1994), présente lui aussi une iconographie de qualité. María Rostworowski de Diez Canseco y signe le principal chapitre sur les Incas. Elle est également l'auteure d'une synthèse, *History of the Inca Realm* (Cambridge University Press, 1999). Un autre historien péruvien a signé une synthèse traduite en français : Franklin Pease, *Histoire des Incas* (Paris, Maisonneuve et Larose, 1995).

Carmen Bernand, *Les Incas, peuple du Soleil* (Paris, Gallimard, « Découvertes », n° 37, 1988), traite surtout des peuples péruviens après la conquête espagnole. Plusieurs illustrations et documents accompagnent le texte.

La revue *Annales : Économies, Sociétés, Civilisations* a consacré un numéro spécial (vol. 33, n°s 5-6, sept-déc. 1978) à l'anthropologie historique des sociétés andines.

Parmi les synthèses récentes, il convient de signaler *The Incas : New Perspectives*, par Gordon Francis McEwan (ABC-CLIO, 2006). Sur la vie quotidienne sous les Incas, on consultera Michael Malpass, *Daily Life in the Inca Empire* (Westport, 1996).

John V. Murra, dont la thèse de doctorat (Université de Chicago, 1956) a été un tournant dans les études andines, a publié un ouvrage capital en espagnol : *Formaciones económicas y políticas del mundo andino* (Lima, 1975). Frank Salomon a écrit l'étude décisive sur l'intégration politique d'une périphérie : *Native Lords of Quito in the Age of the Incas : The Political Economy of North Andean Chiefdoms* (Cambridge University Press, 1986). John Hyslop a consacré un ouvrage au système routier : *The Inka Road System* (Academic Press, 1984). La géographie sacrée fait l'objet de l'étude de Brian S. Bauer, *The Sacred Landscape of the Inca : The Cusco Ceque System* (University of Texas Press, 1998).

■ Internet

Le site le plus complet en français est celui d'un passionné, Daniel Duguay : <http://daniel.duguay.free.fr/>. Il comporte, entre autres, un dictionnaire terminologique et une abondante bibliographie agrémentée de commentaires. Il couvre l'ensemble des cultures du Pérou ancien. On appréciera également son histoire de l'archéologie andine.

Les *Commentaires royaux sur le Pérou des Incas* (Paris, La Découverte, 1982, 3 t.), œuvre du métis Inca Garcilaso de la Vega, est un classique. On y trouve la description minutieuse, ethnologique avant la lettre, de tous les aspects de la société inca. On peut consulter en ligne le manuscrit de Guamán Poma de Ayala incluant les illustrations et une transcription annotée du texte en espagnol : <http://www.kb.dk/permalink/2006/poma/info/es/frontpage.htm>. Les dessins de Poma de Ayala sont parmi les rares documents iconographiques anciens à nous être parvenus. Souvent naïfs dans leur facture, ils sont néanmoins fiables quant à l'information qu'ils condensent.

Le site francophone de Wikipédia (http://fr.wikipedia.org) procédait au début de 2010 à une révision majeure de son portail sur l'Amérique précolombienne. Ce projet est susceptible d'améliorer les articles qui sont consacrés aux divers peuples du Pérou ancien. Certains sont déjà de très bonne qualité et donnent accès à quantité de liens et d'illustrations.

Bibliographie

BAUDIN, Louis (1928). *L'empire socialiste des Inka*, Paris, Institut d'ethnologie, 294 p.

BOUCHARD, Jean-François (1988). *Architectures précolombiennes : L'Amérique andine*, Paris, Éditions du Rocher.

CLASSEN, Constance (1993). *Inca Cosmology and the Human Body*, Salt Lake City, University of Utah Press.

CONRAD, Geoffry W., et Arthur DEMAREST (1984). *Religion and Empire : The Dynamics of Aztec and Inca Expansionism*, Cambridge, Cambridge University Press.

COOK, Noble David (1981). *Demographic Collapse: Indian Peru, 1520-1620*, Cambridge, Cambridge University Press.

FAVRE, Henri (2008). *Les Incas*, Paris, Presses universitaires de France.

HEMMING, John (1971). *La conquête des Incas*, Paris, Stock.

KARSTEN, Rafael (1952). *La civilisation de l'Empire inca: Un État totalitaire du passé*, Paris, Payot, 272 p.

LAVALLÉE, Danièle, et Luis Guillermo LUMBRERAS (1985). *Les Andes, de la Préhistoire aux Incas*, Paris, Gallimard.

ROSTWOROWSKI de DIEZ CANSECO, María (1999). *History of the Inca Realm*, Cambridge, Cambridge University Press.

URTON, Gary (2003). *Signs of the Inka Khipu: Binary Coding in the Andean Knotted-String Records*, Austin, University of Texas Press.

ZUIDEMA, R. Tom (1986). *La civilisation inca au Cuzco*, Paris, Presses universitaires de France.

CHAPITRE 4

La société française en Nouvelle-France vers 1645

Frédéric Lemieux et Martin Fournier

SOMMAIRE

Introduction

1. **Les origines et la naissance de la Nouvelle-France**

2. **Un portrait de la Nouvelle-France vers 1645**

3. **Richesses, atouts et contraintes du territoire**

4. **L'influence de personnages sur l'organisation sociale et territoriale**

5. **Débat historiographique**

Conclusion

Exercices

Pour en savoir plus

Bibliographie

Introduction

L'objet du présent chapitre est de décrire la société française en Nouvelle-France vers 1645. Nous explorerons d'abord les origines et la naissance de la Nouvelle-France, mais surtout nous cernerons les réalités culturelles, politiques et économiques de cette époque. Ainsi, nous aborderons la question du territoire occupé et de la population, notamment en ce qui concerne le mode de vie et l'expression de la culture, sous l'angle des coutumes, de la langue, de la religion, de l'habitation, des divertissements et de l'habillement. Nous examinerons les réalités politiques en matière de distribution du pouvoir entre le roi de France, le gouverneur et l'intendant. Quant aux réalités économiques, nous les analyserons du point de vue des richesses, mais aussi des atouts et limites du territoire. Le chapitre se terminera par la présentation de personnages ayant exercé une influence marquante sur l'organisation sociale et territoriale de la Nouvelle-France de 1645.

1 | LES ORIGINES ET LA NAISSANCE DE LA NOUVELLE-FRANCE

Avec l'appui de Pierre Du Gua de Mons resté en France, Samuel de Champlain fonde Québec en 1608. Le site de la colonie est facile à défendre en raison du promontoire qui permet de surveiller le fleuve, plus étroit à cet endroit. Il est, de plus, le lieu de rendez-vous de nombreux Amérindiens susceptibles d'échanger leurs fourrures. Dès 1603, à Tadoussac, Champlain avait eu des contacts prometteurs avec les Montagnais, les Algonquins et les Etchemins. Les Français sont bien accueillis par ces tribus qui les voient comme de nouveaux alliés dans leur lutte contre les Iroquois, lesquels vivent plus loin à l'ouest et au sud à l'intérieur des terres. Champlain est bien conscient de cette réalité et, dès 1609, il entre en lutte avec ses alliés contre les Iroquois.

La colonie de Québec est fondée d'abord et avant tout en vue de la traite des fourrures. Son existence dépend des revenus que ce commerce lui procure. Grâce au rôle actif de Du Gua de Mons en France, la colonie réussit à se maintenir en dépit de ses passages successifs aux mains de plusieurs intérêts dans les années 1610-1620. Champlain, qui parvient chaque fois à se faire reconfirmer dans ses fonctions, doit constamment voyager entre la France et Québec. Dans la mère patrie, il veille aux intérêts de la colonie et, au Canada, il poursuit ses travaux d'explorateur et de colonisateur. Malgré cette grande activité, le peuplement de la Nouvelle-France est très lent : en 1616, Québec ne compte qu'une cinquantaine d'habitants (Lacoursière,

Provencher et Vaugeois, 2001 : p. 47). Onze ans plus tard, on dénombre à peine 100 personnes, dont 5 femmes (Hamelin, 1976 : p. 95). Il faut davantage parler de comptoir que de colonie. L'arrivée des missionnaires récollets en 1615, puis celle des Jésuites dix ans plus tard, marque le début de l'entreprise d'évangélisation des Amérindiens, dont Québec est la tête de pont. À la dimension commerciale de la colonie s'ajoute maintenant une dimension religieuse.

Champlain effectue plusieurs voyages d'exploration, de 1613 à 1615, en compagnie de ses alliés amérindiens. Il explore l'Outaouais et se rend jusqu'au lac Huron. Il participe avec les Hurons à plusieurs batailles contre les Iroquois. L'utilisation des armes à feu par les Français lors de ces engagements provoque un grand émoi chez tous les Amérindiens.

La Nouvelle-France se développe peu à cette époque. Une nouvelle impulsion est donnée par Armand-Jean du Plessis, cardinal de Richelieu (1585-1642), qui fonde la Compagnie des Cent-Associés en 1627 et lui confie la mission de prendre en main le développement de la colonie. Malheureusement, la guerre éclate la même année entre la France et l'Angleterre. Une compagnie anglaise charge la flotte corsaire des frères Kirke de déloger les Français des rives du Saint-Laurent. En 1628, les Kirke interceptent un convoi de navires de la Compagnie des Cent-Associés chargé du ravitaillement pour Québec et d'environ 400 colons. En 1628 et 1629, les Kirke se rendent devant Québec et somment Champlain de capituler. En juillet 1629, la colonie étant au bord de la famine, Champlain est forcé de capituler.

De 1629 à 1632, Québec va demeurer aux mains des Anglais. En effet, même si la guerre prend fin dès avril 1629, le roi d'Angleterre Charles Ier refuse de rendre le territoire de Nouvelle-France conquis en Amérique du Nord. Marié en 1625 à Henriette, une sœur de Louis XIII, roi de France, Charles Ier attend depuis quatre ans le paiement de la dot de son épouse et garde la Nouvelle-France en garantie jusqu'en 1632. Quand Champlain revient à Québec l'année suivante, il doit recommencer presque à zéro. La colonisation reprend néanmoins avec une nouvelle vigueur jusqu'au décès de Champlain le jour de Noël 1635.

L'année précédente, Champlain avait envoyé le sieur de La Violette fonder le poste de Trois-Rivières à l'embouchure de la rivière Saint-Maurice. L'objectif était de se rapprocher des Amérindiens pour favoriser la traite des fourrures. Une nouvelle guerre entre la France et l'Espagne vaut à la Nouvelle-France d'être quelque peu laissée à elle-même. En même temps, la Compagnie des Cent-Associés peine à remplir ses obligations de peuplement. Dans ce contexte, le nombre d'immigrants qui s'installent définitivement en terre d'Amérique est faible.

Si l'intérêt pour les fourrures est toujours grand, la dimension religieuse de la colonie s'affirme davantage. La préoccupation des Jésuites depuis leur arrivée a été autant d'éduquer les fils de colons que d'intégrer les Amérindiens à la société française. Les Jésuites s'efforcent de sédentariser les « Sauvages » en les convertissant au catholicisme, en les initiant à l'agriculture européenne et en instruisant leurs enfants à l'européenne dans de petits séminaires. Les Ursulines, congrégation féminine arrivée en 1639, poursuivent les mêmes objectifs auprès des Huronnes vivant aux alentours de Québec. Au-delà de ces visées, les communautés religieuses se dévouent au bien-être de la population. Les Hospitalières, par exemple, arrivées en même temps que les Ursulines, fondent un hôpital à Québec.

Ces motifs religieux sont à l'origine de la fondation de Ville-Marie (Montréal) en 1642. En France, un groupe de mystiques et de dévots se forme à la fin des années 1630 avec l'objectif d'établir une colonie à vocation religieuse en Nouvelle-France. La société Notre-Dame de Montréal envoie un groupe de colons dirigé par Paul de Chomedey de Maisonneuve fonder sur l'île de Montréal une ville missionnaire. Le caractère religieux de la colonie canadienne s'en trouve accentué. Telle est la toile de fond des principaux événements qui entourent la naissance de la Nouvelle-France.

RACONTE-MOI L'HISTOIRE DE VILLE-MARIE

Compétences développées

Lire l'organisation d'une société sur son territoire.

Interpréter les changements dans une société et sur son territoire.

Technique développée en histoire

Décodage de documents iconographiques (fresques, peintures, affiches, etc.).

Description

Montréal, terre d'accueil* : cette visite muséale propose aux visiteurs de se mettre dans la peau de colons français établis à Ville-Marie, afin de mieux comprendre la réalité quotidienne de cette époque. Un dossier pédagogique est offert aux enseignants pour préparer la visite muséale et leur suggérer des activités de suivi.

Durant leur visite, les élèves pourraient être invités à noter dans un carnet de bord les impressions ressenties. Ils pourraient se concentrer sur des questions plus précises, comme les conditions de vie à cette époque, les besoins, les motivations pour fonder Montréal, etc. Ce carnet de bord sera utile au retour en classe pour animer une discussion autour de la naissance de Montréal et demander aux élèves s'ils auraient fait la même chose que les fondateurs.

* Musée Marguerite-Bourgeoys, *Montréal, terre d'accueil*, site consulté le 30 septembre 2010 à l'adresse <http://www.marguerite-bourgeoys.com/fr/visites/programme-Primaire.asp>.

Idée d'activité pédagogique : Vincent Boutonnet.

2 | UN PORTRAIT DE LA NOUVELLE-FRANCE VERS 1645

2.1 Le territoire et la population

En 1645, la Nouvelle-France est déjà une immense colonie qui s'étend, si on comprend l'Acadie, du golfe du Saint-Laurent aux Grands Lacs. Plus au sud, sur la côte est américaine, se situent ses voisines immédiates : la Nouvelle-Hollande et la Nouvelle-Angleterre (figure 4.1).

Figure 4.1   La Nouvelle-France vers 1645

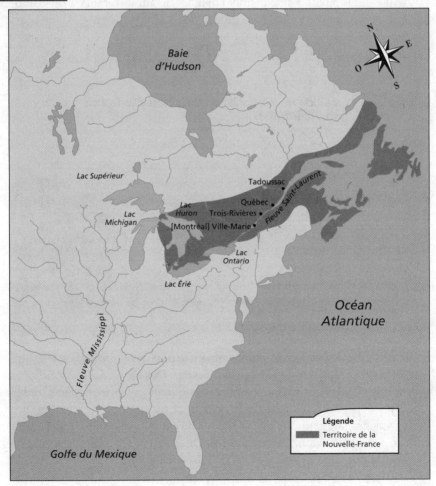

Le territoire revendiqué par la France est inversement proportionnel à la densité de sa population. En 1645, environ 600 habitants seulement y vivent (Trudel, 1983 : p. 92). Ils sont concentrés surtout à Québec, à Trois-Rivières et à Montréal. Les autres sont disséminés le long du fleuve entre ces postes. En raison des efforts que nécessite la première colonisation du pays, cette population est presque exclusivement masculine. Le recensement de 1666 dénombre 719 célibataires de 16 à 40 ans, contre 45 femmes dans le même groupe d'âge (Courville et Garon, 2001 : p. 66).

Ces colons provenaient des régions de France suivantes : Normandie, 21,7 % ; Aunis, 15,5 % ; Perche, 11,4 % ; Paris, 7,9 % ; Poitou, 7,6 % ; Saintonge, 5,1 % ; Maine, 5 % ; Anjou, 4,4 % ; autres provinces, 21,4 % (Trudel, 1983 : p. 25). Les trois quarts de la population sont donc originaires de l'ouest de la France et des environs des ports d'embarquement, tels La Rochelle, Bordeaux, Rouen, Dieppe, Saint-Malo et Granville (Courville et Garon, 2001 : p. 111).

Bien que la colonie soit faiblement peuplée, il faut savoir qu'elle ne comptait que 60 habitants en 1632 au départ des Kirke (tableau 4.1). Plusieurs centaines de colons arrivent dans les années suivantes et « transforment l'ancien comptoir de 1627 en une petite colonie » (Trudel, 1983 : p. 16).

Tableau 4.1   Évolution de la population de la Nouvelle-France de 1608 à 1663*

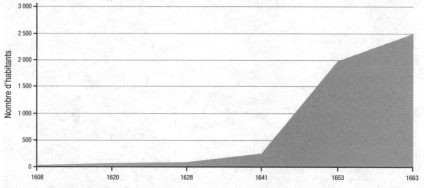

* Statistique Canada (http://statcan.gc.ca/).

Québec est de beaucoup l'établissement le plus développé. C'est le centre administratif et religieux de la Nouvelle-France. Des terres ont été concédées sous forme de seigneuries qui, lentement, commencent à se peupler (Trudel, 1983 : p. 608-609). Trois-Rivières et Montréal ne sont guère plus que des postes fortifiés, abritant quelques dizaines de colons, entourés de palissades pour se protéger des attaques iroquoises. Or, écrit Trudel, « dans la région de Québec, la population s'est dès les débuts établie loin, même très loin du fort » (Trudel, 1983 : p. 164).

2.2 Le mode de vie

Vers 1645, en Nouvelle-France, le mode de vie est axé surtout sur les explorations et le commerce des fourrures, raison première de l'existence de la colonie. La Compagnie des Cent-Associés, au-delà de ses quelques efforts de peuplement, s'intéresse avant tout à la traite pour conserver son monopole et, surtout, ne pas faire faillite.

Les habitants peuvent se livrer à la traite, mais à la condition que toutes les fourrures récoltées aboutissent au magasin de la compagnie qui, elle, les achemine en France. Cette possibilité de faire des profits n'encourage guère les colons à se consacrer à d'autres activités, comme la culture de la terre. Beaucoup d'habitants sont en fait des engagés de la compagnie : commis, soldats, journaliers qui, pour la plupart, retournent en France à la fin de leur contrat de trois ans. La nature même de la traite n'oblige qu'à tenir des comptoirs et non à développer la colonie dans d'autres domaines.

En dépit de ce constat, la situation générale de la colonie a nettement progressé après 1632. Trudel estime en effet qu'au retour de Champlain, il n'y avait qu'une seule famille établie en Nouvelle-France, contre au moins 85 treize ans plus tard, pour une progression démographique passant entre-temps d'environ 26 individus à près de 600. Grâce à des recherches poussées, Trudel estime que plus de la moitié des arrivants qui ont pu être recensés (soit 375 sur 725) se fixent définitivement sur les bords du Saint-Laurent durant cette période. En outre, « alors qu'une seule famille en 1632 fondait sa subsistance sur une portion de sol à elle concédée, on compte en 1645 plus de quarante terres qui paraissent mises en œuvre par des particuliers » (Trudel, 1979 : p. 163-165). On fait venir de France des bœufs, des vaches et des ânes. Le premier cheval arrive dans la colonie en 1647 (Roy, 1943 : p. 182).

Si importante que soit la traite, l'époque des « coureurs des bois » n'est pas encore arrivée. En 1645, les Amérindiens viennent porter leurs fourrures aux postes de Montréal, de Trois-Rivières et de Québec. Ces expéditions de plusieurs centaines d'individus en canots deviennent de plus en plus difficiles à partir de 1648, lorsque les Iroquois, ennemis des Français, commencent à exterminer les Hurons et à bloquer le chemin aux convois des autres tribus. Cette hostilité va causer de graves problèmes financiers à la Nouvelle-France. Auparavant, les tribus plus à l'ouest échangeaient leurs fourrures avec d'autres tribus et, de clan en clan, toujours davantage vers l'est, le produit convoité parvenait jusqu'aux Hurons qui, eux, allaient ensuite voir les Français. Le blocus iroquois brise la chaîne des intermédiaires et force la colonie à lutter durement pour sa survie. Dès 1660, constatant que ces tribus intermédiaires ont disparu, les traiteurs eux-mêmes se rendent chez les Amérindiens pour commercer. Ils seront aidés en cela par les grandes connaissances cartographiques des Jésuites qui, depuis longtemps, voyagent, explorent et vivent parmi les tribus alliées. Ces facteurs expliquent la généralisation de la « course

LES COUREURS DES BOIS

Compétences développées
Lire l'organisation d'une société.
Interpréter les changements dans une société et sur son territoire.

Technique développée en histoire
Repérage d'informations historiques dans un document.

Description
Le visionnement du film *Les coureurs des bois** aide à comprendre les défis liés au commerce des fourrures. Une fiche d'accompagnement pédagogique est accessible sur le site. L'exploitation pédagogique proposée sur le site est assez simple, mais présente l'avantage de fournir une ressource vidéo pour mener une discussion sur la traite des fourrures.

Cette activité pourrait être suivie d'une discussion en classe au sujet des conditions de vie et des motivations des coureurs de bois. Cette discussion pourrait prendre la forme d'un débat consistant à répondre à la question suivante: «Seriez-vous un coureur des bois si vous pouviez revenir dans le temps à cette époque?» Ce débat mettra en présence des équipes qui devront préparer leurs arguments (favorables ou non) avant le débat, puis les invoquer et les défendre au cours du débat.

* GRICS, Josée Brunet, *La grande expédition: Coureur des bois*, site consulté le 30 septembre 2010 à l'adresse
<http://video.collectionvideo.qc.ca//guide/307_008_008.asp>.
Idée d'activité pédagogique : Vincent Boutonnet.

des bois », expression qui apparaît vers 1675 (Hamelin, 1976 : p. 56 ; Lacoursière, 1995 : p. 85). Toutefois, il faut noter que la « course des bois » est alimentée surtout par la concurrence entre les Blancs, qui doivent aller toujours plus loin pour assurer la bonne gestion des pelleteries.

Le contact obligé entre Européens et Amérindiens va influer sur le mode de vie des Français. Ils ont appris à affronter l'hiver sans crainte, à vaincre le scorbut, à se déplacer sur les rivières en canot et sur la neige en raquettes, etc. L'apprentissage d'une partie du savoir ancestral des Amérindiens permet aux Français de s'adapter au milieu et de tirer profit de ses ressources : « Les Européens consommèrent du maïs, des haricots, des courges et usèrent du tabac. [...] Ils apprécièrent aussi la liberté laissée à chaque individu. Il devint "plus facile de faire des sauvages avec les Français" que l'inverse » (Hamelin, 1976 : p. 116).

2.3 L'occupation du sol

L'immensité de la Nouvelle-France pose la question de l'occupation réelle du sol par la population. Sur ce point, la géographie imprime profondément sa marque. Comme le fleuve est la principale voie commerciale des Amérindiens, Champlain et ses successeurs fondent des colonies en des lieux qui facilitent les rencontres et la traite. C'est plus tard seulement qu'une population croissante va développer l'agriculture et l'élevage autour de ces établissements.

La faiblesse numérique de la population n'empêche pas les autorités de réfléchir à la façon d'agrandir le territoire. Depuis 1637, on octroie des terres sur le modèle du régime féodal français. Caractérisé par de longues et étroites bandes de terres rectangulaires, ce mode de peuplement procure à tous un accès à l'eau, voie de communication par excellence (figure 4.2). Bien que plusieurs seigneuries aient été concédées, on compte encore trop peu d'habitants dans la colonie en 1645 pour les occuper véritablement (Hamelin, 1976 : p. 103).

Le régime seigneurial fonctionne comme suit : le roi, le plus souvent sur la recommandation des représentants dans la colonie, concède à des seigneurs (habituellement des nobles) une étendue de territoire moyennant certaines conditions. Pour conserver ses titres, le seigneur doit peupler sa seigneurie de censitaires (colons qui s'établissent sur un cens, c'est-à-dire une terre). Il doit

Figure 4.2   Plan d'une seigneurie avant 1663

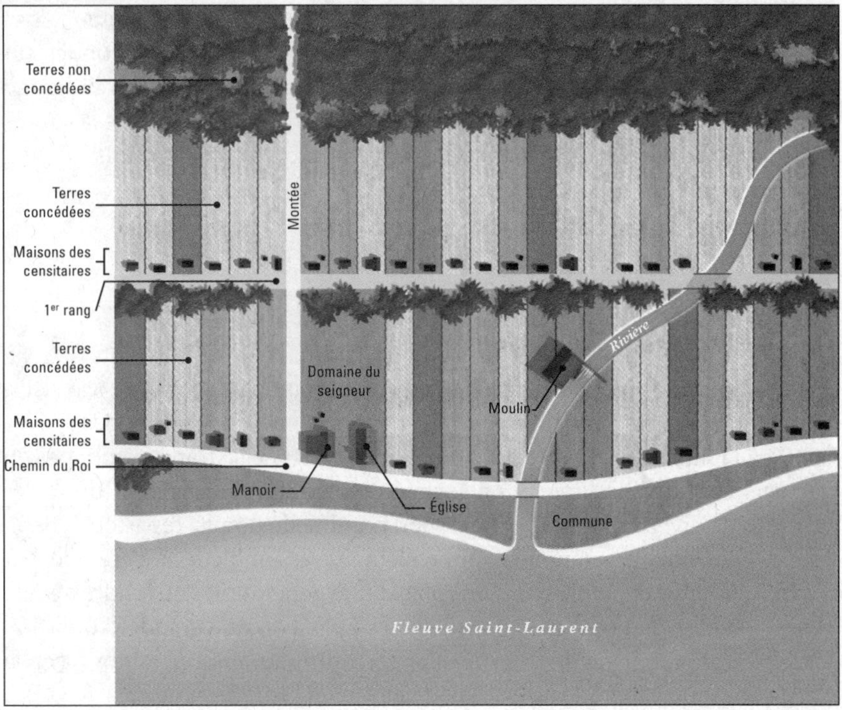

assurer leur défense et agir en tant que juge en cas de litiges. En retour, l'habitant doit respecter un contrat écrit qui lui commande quelques jours de corvée par année au profit du seigneur. Il doit moudre son grain au moulin du seigneur et lui verser une part de ses récoltes, en plus de quelques autres redevances en impôts. Le prêtre et l'église de la seigneurie, bien qu'associés au régime seigneurial, sont principalement soutenus par le système des dîmes et aumônes. Chacun a des droits et des obligations envers l'autre. La faiblesse du peuplement en 1645 ne permet pas d'établir un bilan définitif de ce système de peuplement. Nombreux sont ceux qui, seigneurs ou censitaires, négligent leurs terres pour s'adonner à une activité plus lucrative telle que la traite des fourrures.

Ces lents débuts agricoles s'expliquent par la raison première de l'existence de la Nouvelle-France : la traite des fourrures, même si le commerce et l'agriculture se développent en parallèle. Jusqu'en 1760, tous les projets économiques, politiques et colonisateurs des autorités françaises vont devoir s'adapter à la présence des Amérindiens et à leur volonté. On s'installe près de la ressource, et de cette activité dépendent l'exploration et la connaissance du territoire.

L'expansion territoriale dépend également des grands axes de pénétration maritime que sont le Saint-Laurent et ses affluents. Le site de Québec, forteresse naturelle, point de contrôle du trafic fluvial et point de départ vers la France, en est un bon exemple. Montréal profite de sa position de poste avancé tourné vers l'intérieur du territoire, sis au confluent de l'Outaouais et du Richelieu, et baigné par le Saint-Laurent. Les établissements fondés sur ces voies de communication de premier plan ne peuvent qu'en tirer un grand profit. De 1608 à 1663, la survie de la colonie sera incertaine tant que la suprématie sur le Saint-Laurent, menacée par les Anglais ou les Iroquois, ne sera pas assurée par la France.

2.4 Les réalités culturelles

2.4.1 Les coutumes et la langue

Comme l'expose Mathieu, la faiblesse de l'immigration française au XVIIe siècle rend difficile l'implantation des mœurs, des coutumes et des légendes provenant de la France. Les Français d'une même région ne se transportent pas en bloc vers la Nouvelle-France. La société qui se reforme ici réunit donc des individus de diverses régions qui, sur bon nombre de points, repartent à neuf. Tout au plus ont-ils la langue comme élément rassembleur, encore que, sur ce plan, dialectes et patois prennent plus d'une génération à se fondre avec le français, langue du pouvoir civil et religieux. Le fait qu'une grande proportion d'émigrés proviennent de l'Île-de-France contribue aussi à uniformiser la langue en faveur du français (Mathieu, 2001 : p. 121-123).

2.4.2 La religion

Du point de vue religieux, la population, catholique, ne vit pas encore dans des paroisses, lesquelles ne seront organisées que durant la seconde moitié du XVIIe siècle. Mgr François de Laval (1623-1708) arrive dans la colonie en 1658 seulement, et ne sera nommé évêque de Québec qu'en 1674. Vers 1645, le clergé est missionnaire, tourné tant vers la conversion et la sédentarisation des Amérindiens que vers le soutien spirituel et le secours social de la petite population française. Par ailleurs, les Jésuites veillent à ce que les huguenots (protestants français) ne s'implantent pas dans la colonie, du moins pas en grand nombre. Après 1685, ces derniers voient la colonie se refermer encore davantage par suite de la révocation en France de l'édit de Nantes, promulgué en 1598 par Henri IV pour garantir l'existence légale du protestantisme (Bédard, 1978 : p. 12, 32-33).

2.4.3 L'habitation et l'acclimatation

Habitués à la douceur du climat français, les premiers habitants de la Nouvelle-France doivent s'adapter aux grands froids et à la longueur de l'hiver canadien. Les hivers pluvieux et doux de la France ne les ont pas préparés à des hivers qui durent près de six mois durant lesquels règnent le froid, la neige et le vent. Certaines constructions s'avèrent inadéquates pour s'isoler du froid intense qui dure plusieurs mois. On doit également composer avec l'action du gel et du dégel, ainsi qu'avec l'épaisse couverture neigeuse, qui peut atteindre trois mètres. Les habitants de ce nouveau pays doivent adapter leurs techniques de construction, de chauffage et de conservation des aliments à un climat fort différent de celui de la France. Les premiers arrivants font l'expérience de l'hiver, qui suscite chez eux beaucoup d'appréhension. Sans savoir vers quoi ils vont, les colons sont véritablement à la merci de cette saison et de ses épreuves : froid, faim, maladie et mort. Les difficultés des premiers « hivernements » sont si grandes que la crainte d'un nouvel hiver précipite les travaux de construction des maisons au point que l'on néglige la préparation du bois de chauffage durant la belle saison. Les hivernants se retrouvent ainsi sans réserve de bois quand la saison froide commence (Lamontagne, 1983 : p. 28). Bien souvent, les colons mal pris en sont réduits à brûler du bois vert, générateur de fumée et de suie, lent à s'allumer et dégageant peu de chaleur (Lamontagne, 1983 : p. 30).

On construit surtout des maisons de bois dans les débuts de la colonie. On constate rapidement que les rares maisons de pierres offrent peu de résistance au froid intense et à l'humidité. Les gelées très fortes et les infiltrations d'eau font éclater les parois et le mortier qui joint les pierres. Des parties de murs s'écroulent à cause du froid, ce qui laisse la voie libre à la neige et au vent. Un témoignage d'époque rapporte qu'au matin, on doit prendre des pelles de bois et le balai pour expulser la neige infiltrée durant la nuit

(Lamontagne, 1983: p. 28). Mal isolés, ces bâtiments entraînent la consommation de grandes quantités de bois de chauffage. En outre, dès qu'on s'éloigne de l'âtre, le froid se fait sentir. Marie de l'Incarnation écrit à ce propos : « On se chauffe d'un côté et, de l'autre, on meurt de froid » (Lachance, 2004 : p. 14).

Il faudra quelques décennies d'expérimentation avant que les colons n'adaptent leurs techniques de construction au climat de la Nouvelle-France.

2.4.4 Les divertissements

On a peu d'occasions de se divertir dans la Nouvelle-France de 1645. Le travail constant, l'adaptation au pays, l'éloignement et le danger iroquois ne laissent guère de temps pour les loisirs. On note cependant quelques faits qui témoignent de l'existence de certains divertissements chez les colons. En 1640, le gouverneur de Montmagny est à l'origine d'une tragicomédie dans laquelle son secrétaire Piraube tient le premier rôle (Hamelin, 2000). En novembre 1645 a lieu un bal au son de deux violons, durant les noces de Marie-Françoise Giffard et de Jean Juchereau. Peu de temps après, on souligne la fin de l'année 1646 par une représentation théâtrale du *Cid* de Corneille donnée au magasin royal de Québec. La présence de violes et de flûtes à Québec vers 1647-1648 atteste que des personnes jouaient de ces instruments (Séguin, 1968b : p. 12-15). C'est surtout à partir des années 1660 que la population, plus nombreuse et moins dispersée, va commencer à se récréer. Pièces de théâtre, danses champêtres, bals chez le gouverneur, jeux et chants dans les cabarets, de plus en plus les habitants vont chercher à se divertir, mais non sans encourir généralement la désapprobation du clergé.

2.4.5 L'habillement

L'habillement n'est pas encore « canadianisé », comme l'écrit Trudel. En général, on s'habille comme en France. Les inventaires après décès renseignent les historiens sur les biens et les vêtements que possédaient les défunts.

Chez les hommes, on revêt généralement le caleçon, puis on enfile le haut-de-chausses (culotte) et la chemise de toile. On ajoute par-dessus une chemisette (ou camisole). Pour ne pas avoir froid aux jambes, on met des bas-de-chausses, ces grands bas qui vont du genou au pied. Par-dessus la chemisette, on revêt un justaucorps, sorte de longue veste qui serre la taille et pend jusqu'aux genoux. Un pourpoint peut aussi bien faire l'affaire, et, pour compléter le tout, l'homme attache à son cou un mouchoir de col ou une cravate de toile de coton. S'il doit sortir par mauvais temps, le colon s'habille d'un capot (ou manteau) et se coiffe d'un chapeau (de tout type). Il peut aussi porter un bonnet fabriqué en drap et souvent fourré de peau d'ours ou de castor. Lorsqu'il fait froid, il protège ses mains avec des mitaines ou un manchon.

Le bonnet de nuit est souvent signalé et son usage semble généralisé dans un pays où le froid règne souvent. Pour se chausser, le colon peut mettre des chaussures avec talons fabriqués en France, ou des chaussures «sauvages», sans talons, adaptées des mocassins amérindiens. Pour travailler, l'habitant chausse habituellement des sabots en bois de bouleau ou de merisier.

Pour les femmes, Trudel rapporte que les inventaires après décès sont plus rares et moins détaillés. On y détaille surtout la «lingerie de la maison»: chemises, camisoles de toile, robes d'intérieur, jupes, jupons, bas, souliers, mitaines et manchon, etc. Les coiffes et cornettes de toile («par décence, une femme ne sortait pas de la maison sans une coiffure», écrit Trudel) complètent le costume féminin. Voilà pour la lingerie dite d'intérieur: pour le reste, écrit Trudel, «on se contente d'ordinaire de déclarer que la future aura habit et linge selon sa condition» (Trudel, 1983: p. 195-198). Cette réalité rejoint les deux sexes: la richesse, la quantité et la variété dans l'habillement dépendent de la condition sociale de chacun. Les plus fortunés font venir des vêtements d'Espagne, et, dès les années 1660, les étoffes de Hollande et d'Angleterre sont en usage en Nouvelle-France (Séguin, 1968a: p. 2-3). Les colons de la première génération s'habillent donc encore comme en France, sauf pour quelques ajouts (souliers, mitaines) pris à la culture amérindienne. Ces accessoires, avec les sabots, sont pratiquement les seuls à ne pas être de fabrication européenne. En général, les colons ne font ces emprunts que le temps d'une saison, pour revenir ensuite à leurs coutumes vestimentaires européennes (Lamontagne, 1983: p. 38-39).

2.5 | Les réalités politiques: prise de décisions, rôles et pouvoirs des dirigeants

Qui détient le pouvoir en Nouvelle-France en 1645? L'administration coloniale relève en fait d'un seul homme, le gouverneur, et ce, jusqu'en 1663. À partir de cette date, Louis XIV et ses ministres mettent en place un système plus complexe qui durera jusqu'en 1760.

Bien que la colonie appartienne à la couronne royale, son développement général, tant économique que démographique, est dès 1608 confié à des compagnies. La Compagnie des Cent-Associés (1627-1663), par exemple, aussi appelée Compagnie de la Nouvelle-France, est une société qui dispose d'un capital imposant et à laquelle le souverain accorde le monopole de la traite des fourrures. La compagnie jouit de l'exclusivité du commerce – exception faite des pêcheries – pendant 15 ans. Elle acquiert bientôt le droit de concéder des terres sur le vaste territoire de la Nouvelle-France. En contrepartie, elle doit en 15 ans y installer 4 000 personnes.

Une administration minimale dirige le domaine nord-américain de la compagnie. Celle-ci choisit le gouverneur, dont le roi approuve la nomination, et lui remet une commission, document officiel qui décrit sa charge et peut inclure des directives particulières. Le gouverneur exerce l'ensemble des pouvoirs : militaire, législatif, exécutif et judiciaire. Les règlements royaux de 1647 et 1648 établissent un conseil pour assister le gouverneur en ces matières, mais celui-ci en assure la direction et ses vues prévalent toujours. En 1651, l'instauration d'un tribunal a toutefois pour effet de retirer la justice à l'autorité personnelle du gouverneur. La durée de son mandat, imprécise au début, est limitée à trois ans après 1645, mais demeure renouvelable. À côté du gouverneur, un agent de la compagnie s'intéresse uniquement au commerce des fourrures, à son essor et à sa bonne marche. Parfois, un agent appelé « intendant », chargé par la compagnie d'une mission particulière, vient dans la colonie. Cette structure administrative demeure en place jusqu'en 1663 (Lanctôt, 1971 : p. 19-26).

La charge de gouverneur est éprouvante en raison de la situation précaire de la Nouvelle-France : guerres européennes, attaques iroquoises, menace anglaise et financement difficile. Les aléas de la traite des fourrures vont amener plus d'une fois la colonie au bord de la ruine. Tout au long de son histoire, des querelles entre les gouverneurs, l'aristocratie coloniale et les autorités religieuses vont empoisonner l'administration.

3 | RICHESSES, ATOUTS ET CONTRAINTES DU TERRITOIRE

Tous les auteurs s'accordent pour dire que la Nouvelle-France, tout comme le continent entier, est un immense domaine aux grandes richesses inexploitées et diversifiées. Les ressources y abondent sous un climat différent de celui de la France, qui agit grandement sur les communications et les moyens de transport.

3.1 Les moyens de transport, le climat et les voies de communication

Au XVIe siècle, Cartier et Roberval ne se sont pas beaucoup avancés dans le Saint-Laurent avec leurs bâtiments de haute mer, qu'ils ont laissés à Tadoussac. Cette prudence va persister pendant près d'un siècle et Tadoussac va demeurer le port de mer de la colonie. Les navires provenant de France y arrivent et transbordent les marchandises relayées ensuite vers Québec dans de plus petites embarcations. Champlain, rapporte Trudel, demande à plusieurs reprises que les bateaux tentent de remonter jusqu'à Québec. Le fondateur de Québec constatera en effet que la chose est bel et bien possible lorsque la flotte des Kirke apparaîtra devant la ville en 1629 (Trudel, 1966 : p. 425). Dès lors, les bateaux viendront régulièrement à Québec, en manœuvrant toutefois avec prudence. Les pilotes qui les conduisent doivent tenir compte des marées et des vents, souvent capricieux tant dans le golfe que dans l'estuaire du Saint-Laurent.

Ainsi, après une traversée souvent éprouvante de l'Atlantique, l'émigrant n'est pas au bout de ses peines. La remontée du fleuve peut s'avérer aussi pénible en raison «des nombreux écueils, des tempêtes, des mouillages parfois médiocres, des points de repère peu visibles […] et des traverses, qui exigent qu'on attende des vents favorables. Les naufrages y ont été nombreux» (Courville et Garon, 2001: p. 17).

Pour se rendre à l'île de Montréal, Cartier a constaté dès 1535 qu'il fallait laisser les grosses barques au lac Saint-Pierre, vaste nappe d'eau peu profonde, et utiliser des embarcations plus petites, qui permettent aussi de naviguer sur les principales rivières (Blanchard, 1947: p. 53-56; Cartier, 1977: p. 53-56). «Au-delà de Montréal, le Haut-Saint-Laurent était parsemé de rapides, écrit Mathieu, et seuls les déplacements en canot sur un réseau de rivières permettaient de gagner la région des Grands Lacs» (Mathieu, 2001: p. 53). Le peuplement commence et se développe donc dans les endroits les plus accessibles par voie d'eau.

Une autre contrainte provient de l'hiver, qui interrompt la navigation sur le Saint-Laurent pendant près de six mois, soit de novembre jusqu'à la mi-mai environ. L'intérieur du pays se trouve isolé et empêche tout arrivage de France. Cette contrainte ne va pas sans entraver le développement de la colonie: «Les navires français ne pourront faire par année qu'un seul voyage à Québec, alors qu'ils en font deux ou trois aux Antilles», une autre colonie française (Lacoursière et coll., 2001: p. 9). Cet obstacle n'a pas que des effets négatifs: à cause des glaces, une flotte ennemie ne peut assiéger Québec trop longtemps. L'échec de l'amiral anglais Phipps qui, en 1690, souhaite prendre la ville, s'explique en partie par l'approche de l'hiver. En septembre, incapable de s'implanter sur les rives, il doit retraiter pour ne pas courir le risque de voir sa flotte prise dans les glaces.

Vers 1645, il n'y a aucune route terrestre dans la colonie, si on excepte les quelques rues tracées dans Québec et les autres centres (Hamelin, 1976: p. 152). Seuls quelques sentiers dans la forêt et dans les défrichements permettent le voisinage entre colons. On emprunte aussi les pistes qu'utilisent les Amérindiens, mais on ne peut les qualifier de routes (Roy, 1943: p. 181). Les déplacements des habitants se font pratiquement tous par bateau entre les différents établissements, qui, de toute façon, sont situés sur les rives. On utilise des embarcations de toute taille, du canot d'écorce au petit voilier, pour se transporter ou acheminer des marchandises d'un endroit à un autre. En hiver, on peut se déplacer assez facilement grâce à la surface gelée des cours d'eau.

3.2 | Les sols, la forêt et la faune

Malgré la rigueur hivernale, les explorateurs constatent bientôt que le climat tempéré qui adoucit le reste de l'année permet l'agriculture et l'élevage. La fertilité des sols de la vallée du Saint-Laurent rend possible la culture de céréales, comme en France. Les précipitations sont régulières et l'ensoleillement garantit une saison végétative suffisamment longue. Dès le XVIIIᵉ siècle, la colonie commence à exporter de temps à autre des surplus en France, en Acadie ou aux Antilles françaises (Hamelin, 1976 : p. 195).

Les sols sont fertiles, mais il faut les dégager des forêts qui les recouvrent. Le tiers du territoire de la Nouvelle-France est forestier (Lacoursière et coll., 2001 : p. 9). Toutes les essences de bois prospèrent dans la forêt mixte, constituée

L'ÉTABLISSEMENT DE LA SOCIÉTÉ FRANÇAISE EN NOUVELLE-FRANCE VERS 1645

Compétence développée
Lire l'organisation d'une société sur son territoire.

Techniques développées en géographie
Lecture et interprétation de cartes.
Localisation d'un lieu sur un plan, sur une carte, sur un globe terrestre, dans un atlas.
Repérage d'informations géographiques dans un document.

Techniques développées en histoire
Utilisation de repères chronologiques (mois, saison, année, décennie, siècle, millénaire).
Repérage d'informations historiques dans un document.

Description
Les élèves doivent mener une recherche. Pour les préparer, la société à l'étude est située dans le temps et dans l'espace, et des images de ses paysages humains et naturels leur sont présentées. Puis, la question suivante leur est posée : « Qu'est-ce qui peut expliquer l'établissement de la société française en Nouvelle-France vers 1645 ? » En émettant des hypothèses, les élèves font émerger leurs représentations du concept de colonie. Afin de rassembler l'information nécessaire à l'élaboration de l'explication, ils compilent des cartes, des images et des textes issus du matériel didactique auquel ils ont accès, dont des extraits du roman jeunesse de Suzanne Martel : *Jeanne, fille du Roy* (Montréal, Fides, 1999). En équipe de travail et guidés par l'enseignant, ils font ressortir de ces sources les données brutes pertinentes, pour ensuite les organiser dans un texte décrivant le type de colonie que la Nouvelle-France représente pour sa métropole vers 1645, soit une colonie commerciale de traite de fourrures dont le développement est confié à une compagnie privée, ainsi qu'une colonie religieuse de conversion et de sédentarisation des Amérindiens. Les élèves sont finalement invités à rédiger un chapitre de leur cru pour remplacer celui qui suit, dans le roman *Jeanne, fille du Roy*, le chapitre où l'héroïne met les pieds en Nouvelle-France.

Idée d'activité pédagogique : Isabelle Laferrière.

de feuillus et de conifères, et n'attendent que la hache du défricheur pour fournir du bois de sciage, de menuiserie et de chauffage. «Les bois durs comme l'orme, le chêne, l'érable et le bouleau y côtoient en abondance le sapin, l'épinette et le pin» (Mathieu, 2001: p. 12). Quant aux minerais, il faut attendre le XVIIIe siècle pour qu'on en découvre quelques traces (Trudel, 1983: p. 315-316).

Le territoire de la Nouvelle-France abonde aussi en gibier de toute sorte. Les forêts abritent nombre d'animaux: l'orignal, le cerf, l'ours, le caribou se retrouvent presque partout, tout comme une foule de petits animaux à fourrure tels que la martre, le vison, le rat musqué, la loutre et surtout le castor. Les cours d'eau regorgent d'une faune tout aussi abondante que diversifiée. «Les oiseaux de mer et les passereaux pullulent au point qu'il sera possible de chasser certaines espèces simplement avec un bâton» (Mathieu, 2001: p. 12). Quant aux mammifères marins et aux bancs de poissons, ils attirent les pêcheurs dans tout le Saint-Laurent bien avant les colonisateurs.

La vallée du Saint-Laurent offre donc un riche éventail de ressources à la portée des colons, qui en tirent leur nourriture et autres produits de première nécessité: cuir, vêtements, matériaux de construction, etc.

4 | L'INFLUENCE DE PERSONNAGES SUR L'ORGANISATION SOCIALE ET TERRITORIALE

4.1 Samuel de Champlain

Plusieurs personnages marquent le développement social et territorial de la Nouvelle-France. C'est à Samuel de Champlain (1567-1635) que revient le mérite d'avoir fait de Québec la première tentative réussie de colonisation par la France. Tant sur le plan militaire et économique que stratégique, Champlain a su choisir un site dont les avantages sont encore aujourd'hui reconnus. Champlain se consacre entièrement au maintien de la présence française dans la vallée du Saint-Laurent. Il effectue 12 séjours en Amérique du Nord et traverse l'Atlantique près de 30 fois de 1603 à 1635. Géographe, cartographe et explorateur, il acquiert une grande connaissance de l'intérieur du continent et trace la route d'autres explorateurs français qui feront de la Nouvelle-France un immense empire colonial. Champlain va aussi établir, avec les tribus montagnaises, algonquines et huronnes, un grand réseau d'alliances qui constitueront le fondement de la traite des fourrures. Salué comme le «père de la Nouvelle-France» par certains historiens, Champlain aurait plus d'importance pour d'autres: «Au point de départ de l'histoire continue du Canada, écrit Trudel, nous trouvons Champlain; il en est volontairement et par principe à l'origine; on doit saluer en lui le fondateur du Canada» (Trudel, 2000).

4.2 | Pierre Du Gua de Mons

Jusqu'à tout récemment, l'histoire a tenu dans l'ombre le rôle majeur rempli par Pierre Du Gua de Mons (v. 1558-1628) auprès de Champlain. De religion protestante, de Mons a effectué jusqu'en 1607 plusieurs voyages en Acadie où il a mené sans succès quelques tentatives de colonisation (île Sainte-Croix, Port-Royal). Les deux hommes ont partagé la même détermination de fonder une colonie viable en Amérique. C'est de Mons qui a obtenu du roi Henri IV la permission d'envoyer Champlain fonder Québec et, idéalement, de trouver un passage vers la Chine. Après 1608, Du Gua de Mons délègue à Champlain presque tous ses pouvoirs en Nouvelle-France et demeure en France pour protéger en haut lieu les intérêts de la colonie tout en la soutenant matériellement et financièrement. Grâce à cette complémentarité d'action avec Champlain, il est justifié de considérer Pierre Du Gua de Mons comme cofondateur de Québec (Grenon, 2004 : p. 143-150).

4.3 | Les Jésuites

Par leur zèle missionnaire, les Jésuites ont été des acteurs importants à une époque où religion et politique ne faisaient qu'un. Leur volonté mystique d'évangéliser les Amérindiens a permis aux Français de conclure des alliances stables avec les Hurons, les Algonquins et les Montagnais. La Nouvelle-France s'est ainsi assuré des alliés essentiels contre les Iroquois. Les séjours des Jésuites en milieu amérindien ont fait connaître aux Français les vastes étendues de territoire nécessaires à la traite des fourrures. Les Jésuites ont grandement contribué à la connaissance des mœurs et des langues amérindiennes : les pères Le Caron et Sagard ont rédigé des «dictionnaires» français-huron pour faciliter le travail des missionnaires et des interprètes. Ils ont fait connaître la Nouvelle-France par leurs *Relations*, ces récits publiés annuellement en France pour relater tous les événements survenus dans la colonie. On ne peut cependant contester que leur présence au sein des tribus ait affaibli les sociétés amérindiennes, qui se sont acculturées plus ou moins rapidement au profit des intérêts de la France. On ne peut non plus occulter le fait qu'ils ont été les vecteurs involontaires de maladies infectieuses dévastatrices pour les Amérindiens.

4.4 | Charles Huault de Montmagny et Paul de Chomedey de Maisonneuve

D'autres personnages ont joué un rôle important dans les débuts de la Nouvelle-France. Charles Huault de Montmagny, gouverneur de 1636 à 1648, énergique et courageux, a organisé la défense de la colonie aux heures les plus sombres des guerres iroquoises (Hamelin, 2000). On doit également retenir le nom de Paul de Chomedey de Maisonneuve (1612-1676), fondateur de Ville-Marie sur l'île de Montréal (1642). Gouverneur de Montréal jusqu'en

1665, il a été le principal promoteur et le tenace défenseur de cette colonie isolée de la Nouvelle-France, devenue aujourd'hui métropole du Québec.

5 DÉBAT HISTORIOGRAPHIQUE

L'histoire de la Nouvelle-France, née de la plume des historiens qui l'ont écrite et rapportée, met en scène plusieurs acteurs et nombre de hauts faits. Ses lieux de mémoire transmis au fil du temps s'érigent parfois en mythe. La légende de Dollard des Ormeaux représente un exemple typique de cette mythification.

La lecture de l'ouvrage de Patrice Groulx (1998) fait réaliser l'ampleur du mythe construit autour de ce personnage et de la bataille du Long-Sault. Son étude permet de découvrir les premiers témoignages enjolivés rapportés par François Dollier de Casson en 1672, ainsi que les idéalisations nationalistes élaborées par l'abbé Lionel Groulx vers 1920 pour symboliser la résistance du Canada français contre l'anglicisation. Dollard des Ormeaux est en conséquence promu héros national. Cette commémoration se formalise rapidement par l'érection de monuments, la composition de chansons populaires, de poèmes, de pièces de théâtre et d'illustrations de toutes sortes. Ce mythe fondé sur des sources documentaires assez minces (Girard, 1999) perdurant des années 1850 à 1960 symbolise la force de résistance des Canadiens français. Or, la thèse de Patrice Groulx s'attaque à cette exploitation de l'histoire destinée à fonder un récit identitaire mythique et y oppose une étude critique qui déconstruit le mythe.

Dans cette même veine, l'ouvrage de Mathieu d'Avignon (2008) s'attaque lui aussi à un mythe, celui de Samuel de Champlain, souvent considéré comme le fondateur exclusif de Québec et de la Nouvelle-France. D'Avignon nous invite à revisiter les propos de Champlain dans ses journaux de 1603, de 1613 et de 1619, qui ont subi en 1632 une réécriture comportant certaines modifications visant à mettre à l'écart des acteurs pourtant importants tels que François Gravé, qui avait conclu avec les Montagnais une alliance autorisant la fondation de Québec en 1608. D'Avignon dénonce donc cette manœuvre de Champlain, mais remet aussi en question son statut de fondateur exclusif qui a perduré dans l'histoire officielle. Il faudra attendre les travaux de Marcel Trudel dans les années 1950 pour voir apparaître les « autres », bien que ce débat soit encore ouvert avec les propos de l'historien Denis Vaugeois, qui persiste à encenser Champlain (Cornellier, 2008). Encore une fois, d'Avignon invite à revisiter l'histoire et surtout à s'interroger sur les héros et mythes fondateurs.

Conclusion

En général, l'historiographie traditionnelle et populaire reprend, au Québec, le point de vue qu'adoptaient les élites coloniales françaises. Cette historiographie insiste sur certains éléments, dont voici les plus importants.

La Nouvelle-France de 1645 est une colonie fragile et faiblement peuplée. Attaquée de toutes parts par les Iroquois, elle est menacée tant physiquement qu'économiquement par les pertes infligées au commerce des fourrures. L'exploitation de cette ressource est le moteur premier de la colonie : la Nouvelle-France est donc beaucoup plus un comptoir de traite qu'une colonie de peuplement. Après la fondation de Trois-Rivières et de Ville-Marie, Québec s'affirme comme le centre de la Nouvelle-France. À cause du danger iroquois, peu de gens se livrent à l'agriculture et à l'élevage. On commence à connaître le territoire grâce aux Amérindiens, mais les risques associés à son exploration sont très grands. Le pouvoir est centralisé dans les mains d'un seul homme, le gouverneur, qui représente la Compagnie des Cent-Associés. C'est lui seul qui prend les décisions et rend la justice. Chargée de développer la colonie, la compagnie mobilise peu de colons dans une France trop souvent absorbée par les guerres européennes. Pays de mission, la Nouvelle-France demeure sous l'autorité des Jésuites, qui tentent de convertir les Amérindiens. Leur action permet aux Français de contracter, auprès des Hurons notamment, des alliances stratégiques utiles pour le commerce des fourrures et la lutte contre les Iroquois. Trudel affirme à ce propos qu'en 1645 encore, les attaques des Iroquois «sont loin de l'ampleur qu'elles atteindront dans quelques années. Ce ne sont jusque-là qu'attaques isolées, le fait de petits groupes qui demeurent insaisissables» (Trudel, 1979 : p. 163). La vie est pénible, les colons tentent de s'adapter à un climat rigoureux; l'isolement est grand dans un si vaste pays où les vaisseaux de France ne viennent qu'une fois l'an. Malgré le «péril iroquois», les colons continuent de défricher, de construire, d'explorer et de mettre la terre en valeur, comme on le fait toujours dans les tout premiers débuts d'une colonie.

Exercices

1. Nommez des personnages importants de l'époque de la Nouvelle-France.

2. Indiquez des atouts et des contraintes liés à l'hydrographie.

3. Décrivez le mode de sélection des dirigeants.

4. Décrivez le mode de prise de décisions.

5. Indiquez des voies de communication.

6. Nommez des activités économiques.

7. Décrivez des éléments liés à la vie quotidienne.

8. Nommez des religions pratiquées en Nouvelle-France.

9. Décrivez la composition de la population.

10. Expliquez comment certaines ressources du territoire constituent des atouts.

11. Expliquez pourquoi certains éléments du territoire de la vallée du Saint-Laurent représentaient des atouts et des contraintes pour les colons et les administrateurs français.

12. Décrivez le mode de vie des colons français et les aspects de ce mode de vie qu'ils ont adaptés à leur territoire.

13. Précisez d'où provenaient les colons qui s'établirent en Nouvelle-France.

14. Analysez les rapports entre l'organisation sociale en Nouvelle-France, son statut politique et le mode d'occupation de son territoire.

15. Expliquez l'influence du contexte social, culturel et territorial sur la politique française dans la vallée du Saint-Laurent.

16. Expliquez ce qu'est le régime seigneurial et les répercussions que les seigneuries eurent sur la structuration de l'espace dans la vallée du Saint-Laurent.

17. Nommez les parties de la Nouvelle-France où le peuplement se fit, et expliquez les mesures que les autorités prirent pour l'assurer.

18. Expliquez pourquoi la population s'est concentrée durablement sur une petite partie du territoire.

19. Expliquez en quoi consistaient l'échange inégal et les effets qui en découlèrent pour différentes populations autochtones.

20. Décrivez les rapports sociaux et les éléments de différenciation dans la colonie française de la vallée du Saint-Laurent vers 1645.

Pour en savoir plus

Les ouvrages grand public qui suivent s'adressent aux lecteurs « motivés ».

LACHANCE, A. (2004a). *Vivre à la ville en Nouvelle-France*, Montréal, Libre Expression.

LACHANCE, A. (2004b). *Vivre, aimer et mourir ; Juger et punir en Nouvelle-France : la vie quotidienne aux XVIIe et XVIIIe siècles*, Montréal, Libre Expression.

LACHANCE, A. (2007). *Séduction, amour et mariages en Nouvelle-France*, Montréal, Libre Expression.

Ces ouvrages décrivent les usages et coutumes de la Nouvelle-France sous plusieurs aspects, de la ville à la campagne et de la naissance à la mort. L'auteur sait aussi nous guider sur des chemins peu fréquentés, comme ceux de l'histoire des criminels, des victimes et des justiciers.

RYERSON, S. (1997). *Les origines du Canada*, Montréal, VLB éditeur.

Ouvrage consacré au développement du Canada dans la perspective de plusieurs acteurs : les pêcheurs, les Amérindiens, les colons, les voyageurs ou les artisans. C'est aussi une interprétation marxiste de la transition du féodalisme au capitalisme canadien.

TRUDEL, M. (2001). *Mythes et réalités dans l'histoire du Québec*. Montréal : Hurtubise HMH.

TRUDEL, M. (2008). *Mythes et réalités dans l'histoire du Québec : la suite*, Montréal, Bibliothèque québécoise.

Plusieurs volumes qui revisitent l'histoire du Québec en ce qui a trait à plusieurs événements et personnages importants ou passés inaperçus. L'auteur propose une vision critique de cette histoire et de ses lieux de mémoire qui ont été érigés en mythes.

Bibliographie

Note : Toutes les références provenant du *Dictionnaire biographique du Canada* sont accessibles sur le Web à l'adresse <http://www.biographi.ca/index-f.html>.

BÉDARD, M.-A. (1978). *Les protestants en Nouvelle-France*, Québec, Société historique de Québec, coll. « Cahiers d'histoire », n° 31.

BLANCHARD, R. (1947). *Le centre du Canada français : « Province de Québec »*, Montréal, Beauchemin, coll. « Publications de l'Institut scientifique franco-canadien ».

CARTIER, J. (1977). *Voyages en Nouvelle-France*, texte remis en français moderne par Robert Lahaise et Marie Couturier avec introduction et notes, Montréal, Hurtubise HMH, coll. « Documents d'histoire. Cahiers du Québec », n° 32.

CORNELLIER, L. (2008). « Le complot de Champlain », *Le Devoir*, 20 avril.

COURVILLE, S., et R. GARON, dir. (2001). *Atlas historique du Québec*, Sainte-Foy, Presse de l'Université Laval.

D'AVIGNON, M. (2008). *Champlain et les fondateurs oubliés. Les figures du père et le mythe de la fondation*, Québec, Presses de l'Université Laval.

GIRARD, C. (1999). Compte rendu sur : *Patrice Groulx, Pièges de la mémoire. Dollard des Ormeaux, les Amérindiens et nous*, Hull, Les Éditions Vents d'ouest, dans *Histoire sociale*, vol. 34, n° 64, p. 321-323.

GRENON, J.-Y. (2004). « Pierre Du Gua de Mons : le lieutenant général de la Nouvelle-France », dans R. Litalien et D. Vaugeois (dir.), *Champlain. La naissance de l'Amérique française*, Québec-Paris, Septentrion-Nouveau Monde, p. 143-150.

GROULX, P. (1998). *Pièges de la mémoire. Dollard des Ormeaux, les Amérindiens et nous*, Hull, Les Éditions Vent d'ouest.

HAMELIN, J., dir. (1976). *Histoire du Québec*, Saint-Hyacinthe-Toulouse, Édisem-Privat.

HAMELIN, J. (2000). «Huault de Montmagny, Charles», *Dictionnaire biographique du Canada* [CÉDÉROM].

LACHANCE, A. (2004). «Des Français en Amérique. L'adaptation des premiers colons», *Cap-aux-Diamants*, hors série, p. 11-15.

LACOURSIÈRE, J. (1995). *Histoire populaire du Québec. Des origines à 1791*, Québec, Septentrion.

LACOURSIÈRE, J., J. PROVENCHER et D. VAUGEOIS (2001). *Canada-Québec, 1534-2000*, Québec, Septentrion.

LAMONTAGNE, S.-L. (1983). *L'hiver dans la culture québécoise (XVIIᵉ-XIXᵉ siècles)*, Québec, IQRC.

LANCTÔT, G. (1971). *L'administration de la Nouvelle-France*, Montréal, Éditions du Jour.

MATHIEU, J. (2001). *La Nouvelle-France. Les Français en Amérique du Nord, XVIᵉ-XVIIIᵉ siècle*, Québec, Presses de l'Université Laval.

ROY, P.-G. (1943). «Les grands voyers de la Nouvelle-France et leurs successeurs», *Les Cahiers des Dix*, vol. 8, p. 181-233.

SÉGUIN, R.-L. (1968a). *Le costume civil en Nouvelle-France*, Ottawa, Musée national du Canada.

SÉGUIN, R.-L. (1968b). *Les divertissements en Nouvelle-France*, Ottawa, Musée national du Canada.

TRUDEL, M. (1966). *Histoire de la Nouvelle-France, vol. II. Le comptoir, 1604-1627*, Montréal, Fides.

TRUDEL, M. (1979). *Histoire de la Nouvelle-France, vol. III. La seigneurie des Cent-Associés, 1627-1663. Tome I. Les événements*, Montréal, Fides.

TRUDEL, M. (1983). *Histoire de la Nouvelle-France, vol. III. La seigneurie des Cent-Associés, 1627-1663. Tome II. La société*, Montréal, Fides.

TRUDEL, M. (2000). «Champlain, Samuel de», *Dictionnaire biographique du Canada*, [cédérom].

CHAPITRE 5

La société iroquoienne vers 1745

Roland Tremblay et Stéphanie Demers

Introduction

1. Bouleversements et résistances

2. Les sociétés iroquoiennes vers 1745

3. Historiographie et controverses

Conclusion

Exercices

Pour en savoir plus

Bibliographie

SOMMAIRE

Introduction

Vers 1745, les sociétés iroquoiennes du nord traversent une étape difficile de leur histoire. Depuis deux siècles, les Européens sont présents en Amérique du Nord et, depuis près de 150 ans, ils ont entrepris la colonisation du nouveau continent.

Afin de permettre une meilleure compréhension de la situation sociale et politique des Iroquoiens de 1745 par rapport à celle de 1500, la première partie du chapitre brosse un tableau synthétique sur les Iroquoiens des deux siècles précédents, depuis la période du contact (1534-1609) et des chambardements (1609-1701) jusqu'à celle de la trêve (1701-1755). C'est en effet durant cette période que l'univers iroquoien a subi ses plus grands bouleversements, soit la grande pandémie des années 1630, suivie d'une longue période de guerres intenses qui a causé la destruction et la dispersion de plusieurs nations. La deuxième partie traite de la situation sociopolitique des sociétés iroquoiennes vers 1745 et, plus précisément, du territoire, de la population et des modes de vie dans ces sociétés à cette époque.

1 | BOULEVERSEMENTS ET RÉSISTANCES

1.1 Le contact (1534-1609)

Les Iroquoiens du Saint-Laurent ont été les premiers parmi les groupes iroquoiens à rencontrer les Européens, et ils resteront les seuls à conserver ce contact direct au cours du XVIe siècle. Il est vraisemblable que des échanges aient déjà eu lieu auparavant dans le golfe du Saint-Laurent, mais le premier témoignage écrit de cette prise de contact remonte à l'époque du voyage inaugural de Jacques Cartier, au moment précis où il fit la rencontre d'un groupe de Stadaconiens pêchant dans la baie de Gaspé en 1534. Il revient en 1535 et, guidé par deux Stadaconiens qu'il avait amenés de force en France l'année précédente, il remonte le fleuve Saint-Laurent pour la première fois, à la fin de l'été. Dans la région de Québec, il s'installe sur la rivière Saint-Charles, en plein cœur d'une agglomération de villages (dont Stadaconé) qui s'étend sur la rive nord du fleuve entre Portneuf et le cap Tourmente. Contre la volonté des Stadaconiens, Cartier décide d'explorer plus haut le fleuve et visite très brièvement le village d'Hochelaga dans l'île de Montréal, où habitent près de 2 000 Iroquoiens du Saint-Laurent. Après un hivernement difficile, marqué par la maladie et la méfiance réciproque entre les Stadaconiens et les Français,

Cartier repart avec une dizaine de captifs, dont le chef de Stadaconé, Donnacona. Aucun de ceux-ci ne reviendra. Un troisième voyage sera entrepris en 1541. Il s'installe cette fois à Cap-Rouge, mais les relations avec les Iroquoiens du Saint-Laurent ne se sont guère améliorées. Il repart en 1542 et sa présence est aussitôt remplacée par la petite colonie de Roberval, qui hivernera à son tour à Cap-Rouge et repartira dès le printemps suivant (Bideaux, 1986). Après cet épisode de contacts frustrants avec les Européens sur leur propre territoire, les Iroquoiens du Saint-Laurent continuent, dans les décennies suivantes, à fréquenter l'estuaire et le golfe du Saint-Laurent afin d'entretenir des relations commerciales avec les pêcheurs et baleiniers européens, notamment les Basques. Par l'entremise d'échanges, les biens européens font graduellement leur apparition, au cours du XVIe siècle, chez plusieurs groupes iroquoiens de l'intérieur, dont les Iroquois et les Hurons.

Puis, vers 1580, les Iroquoiens du Saint-Laurent abandonnent leur territoire le long du fleuve pour des raisons qui restent à préciser. Il est vraisemblable que cette dispersion ait résulté de conflits entretenus avec d'autres groupes, probablement iroquoiens aussi, concernant l'accès aux biens européens. D'autres facteurs ont pu jouer un rôle dans ce phénomène, comme une épidémie de maladie européenne ou encore un refroidissement climatique, mais l'archéologie ne nous permet toujours pas de soupeser la part réelle de chacun de ces éléments. Nous savons toutefois qu'ils se sont réfugiés chez certains groupes voisins, dont les Hurons, et qu'ils ont cessé dès lors d'exister comme nation distincte (Jamieson, 1990 ; Pendergast, 1993). Quelques décennies plus tard, c'est sur ce même territoire que sera fondée la Nouvelle-France.

Le XVIe siècle est également le moment qui voit la formation des confédérations politiques iroquoiennes. La Ligue des Cinq-Nations se constitue dans le nord de l'État de New York, réunissant les Agniers, les Onneyouts, les Onontagués, les Goyogouins et les Tsonnontouans. La confédération huronne débute à une date indéterminée par une alliance entre les Attignawantans et les Attingeenongnahacs, les deux premiers groupes qui occupent la Huronie historique près de la baie Georgienne. Les Ataronchronons semblent être un sous-groupe qui se scinde et se distingue des premiers. Enfin, les Arendaronnons joignent la confédération vers 1590, puis les Tahontaenrats au début du XVIIe siècle. Quant à la confédération des Neutres, son origine demeure inconnue, mais il est probable qu'elle ait lieu à cette même époque (Trigger, 1991).

1.2 | Les chambardements (1609-1701)

Au tournant du XVIIe siècle, les Hurons entretiennent des liens commerciaux avec les Algonquins et les Montagnais, qui ont ainsi accès aux biens européens. Ces nations sont alliées contre les groupes iroquois, spécialement les

Agniers, qui rivalisent pour bénéficier de cet accès sur les rives du Saint-Laurent. Des escarmouches surviennent entre les Iroquoiens et les Européens durant la première décennie du XVIIᵉ siècle, mais c'est en 1609 que se produit l'affrontement décisif. L'été suivant la fondation de Québec, Samuel de Champlain fait partie d'une expédition guerrière réunissant Hurons, Algonquins et Montagnais contre les Agniers (figure 5.1). Un combat a lieu au sud du lac Champlain au cours duquel les Amérindiens assistent, étonnés, à l'utilisation de l'arme à feu. Le même été, Henry Hudson remonte le fleuve qui portera son nom et noue des liens commerciaux avec les Agniers. En 1624, les Hollandais établiront le fort Orange à l'emplacement de l'actuelle ville d'Albany.

Les Européens améliorent leurs temps de traversée de l'Atlantique, et les navires transportent maintenant des familles entières et, avec elles, des maladies infantiles jusqu'alors inconnues en Amérique. En 1634, des épidémies d'origine européenne, probablement la variole et la rougeole, se déclarent en Nouvelle-France et en Nouvelle-Angleterre, et atteignent la même année l'Iroquoisie et la Huronie. Il s'agit de la première et la plus désastreuse vague de maladies contagieuses qui séviront tour à tour au cours du siècle suivant et qui causeront des ravages dans la plupart des nations amérindiennes. Les sociétés villageoises comme celles des Iroquoiens, où la population est particulièrement concentrée, sont fortement touchées. Entre 1634 et 1640, les Hurons et les Iroquois perdent environ 50 % de leur population déjà très réduite, par

Figure 5.1   *Deffaite des Yroquois au Lac de Champlain* (1609). Reproduction d'un dessin de Champlain, publication de 1613, réédition de Laverdière, dans *Œuvres de Champlain* (1870).

rapport à ce qu'elle était vers 1500. Les Andastes sont frappés en 1636, alors que les Wenros, affaiblis par la maladie, se réfugient chez les Hurons en 1638. Les conséquences de cette pandémie sont désastreuses, car la perte d'une énorme portion des populations en si peu de temps conduit à une reconfiguration sociopolitique de grande envergure. Les survivants de plusieurs communautés doivent se regrouper, ce qui modifie les maisonnées, les villages, et même parfois le paysage politique. Les segments les plus touchés de la population sont les plus jeunes et les plus vieux. La perte des enfants entraîne une grande réduction du nombre d'adultes dans les décennies suivantes alors que celle des aînés cause la disparition soudaine de plusieurs aspects traditionnels des sociétés iroquoiennes (Snow et Lanphear, 1988).

Vers le milieu du XVIIᵉ siècle, l'intensification guerrière des Iroquoiens bat son plein, et ce sont les Iroquois des Cinq-Nations qui mènent le bal par des offensives tous azimuts. Les raisons de ces conflits ont souvent été attribuées aux seuls besoins d'exploiter des territoires où le castor est encore abondant. Mais la situation n'est pas aussi simple. Si la demande européenne en castor était effectivement grande à ce moment et que plusieurs groupes amérindiens rivalisaient pour s'approprier les biens européens, les castors étaient déjà rares partout sur le territoire iroquoien, ce qui ne peut pas expliquer les guerres entre les nations iroquoiennes. En réalité, cette recrudescence guerrière est une autre conséquence de la réduction de la population par les épidémies. Dans les sociétés iroquoiennes, peu importait la cause immédiate de la mort, elle était très souvent attribuée aux ennemis et elle devait être vengée. De plus, fidèles à leurs traditions, les Iroquoiens entreprenaient alors immédiatement de compenser les pertes en adoptant des captifs de guerre, parfois par groupes entiers (Snow, 1996; Trigger, 1990).

C'est dans la tourmente générale qui s'ensuit en 1649 que les Hurons sont dispersés. Ceux d'entre eux qui se sont joints aux Pétuns, également défaits par les Iroquois la même année, partent se réfugier vers l'ouest, à différents endroits sur les rives des Grands Lacs. Ils formeront par la suite la nation des Wyandots dont les descendants seront déportés vers une réserve en Oklahoma au milieu du XIXᵉ siècle. Une bonne proportion des Hurons choisissent de se faire adopter par leurs ennemis iroquois, alors que les Hurons christianisés viennent s'installer en Nouvelle-France dès 1650. Cette communauté huronne se déplace à sept reprises autour de Québec, jusqu'en 1697, pour s'installer définitivement à La Jeune-Lorette, qui deviendra la réserve actuelle de Wendake (Trigger, 1991).

Vers 1651, c'est au tour des Neutres de se faire disperser, alors que les Ériés subissent le même sort vers 1656. Puis, vers 1677, les Andastes, fortement affaiblis à leur tour, se dispersent également. Ces nations autrefois puissantes en sont réduites à se réfugier généralement dans les territoires plus à l'ouest. Là, elles perdront leurs anciennes identités nationales et formeront des communautés de plusieurs groupes amalgamés, condamnés à se déplacer continuellement, d'abord en raison des attaques répétées des Iroquois et par la suite, à partir de la fin du XVIII siècle, à cause de la colonisation européenne à l'ouest des Appalaches.

En 1664, la Nouvelle-Hollande passe sous domination britannique, devenant ainsi New York. L'alliance qu'entretenait la confédération iroquoise avec les Hollandais se transpose aux Anglais sous le nom de Chaîne du Covenant. Durant la seconde moitié du XVII siècle, les missionnaires jésuites incitent les Iroquois christianisés à venir s'installer en Nouvelle-France, dans

LES CONSÉQUENCES DU CONTACT POUR LA SOCIÉTÉ IROQUOIENNE ENTRE 1500 ET 1745

Compétence développée
Interpréter les changements dans une société sur son territoire.

Techniques développées en géographie
Lecture et interprétation de cartes.
Localisation d'un lieu sur un plan, sur une carte, sur un globe terrestre, dans un atlas.
Repérage d'informations géographiques dans un document.

Techniques développées en histoire
Utilisation de repères chronologiques (mois, saison, année, décennie, siècle, millénaire).
Repérage d'informations historiques dans un document.

Description
Il convient de réactiver leurs connaissances antérieures au sujet de la société iroquoienne de 1500, composée de collectivités villageoises semi-sédentaires d'agriculteurs. On situera ensuite dans le temps et dans l'espace le «contact» avec les Européens ainsi que la société iroquoienne vers 1745. Enfin, on leur posera la question suivante : *Entre 1500 et 1745, quelles sont les conséquences du contact pour la société iroquoienne ?* En émettant des hypothèses, les élèves font émerger leurs représentations du concept d'acculturation. Ils utilisent comme source d'information des cartes, des photos et des textes issus du matériel didactique auquel ils ont accès. En grand groupe et guidés par l'enseignante, ils font ressortir de ces sources les données brutes pertinentes. Ils découvrent donc une société iroquoienne composée vers 1745 de collectivités villageoises sédentaires d'agriculteurs, utilisant la technologie européenne et participant activement au commerce de la fourrure. Ensuite, les données recueillies sont organisées dans un texte. Celui-ci présente les changements observables entre 1500 et 1745 en ce qui concerne le territoire occupé, le mode de vie, l'utilisation de produits européens, la religion et les conséquences liées aux maladies européennes. Les élèves sont finalement conduits à créer, en équipe, une bande dessinée illustrant et expliquant les conséquences du contact.

Idée d'activité pédagogique : Isabelle Laferrière.

des communautés amérindiennes nommées réductions. Des missions sont fondées autour de Montréal, dont celle de La Prairie en 1667 qui, après quatre déplacements, s'établit définitivement en 1721 à l'endroit de l'actuelle réserve de Kahnawake. Parallèlement, la mission de la Montagne, fondée en 1676, connaîtra deux déplacements et des fusions avec d'autres missions pour aboutir en 1721 à l'emplacement de l'actuelle réserve de Kanesatake. La population de ces réductions est multiculturelle, mais majoritairement composée d'Agniers. Aussi, avec le temps, la langue de ces deux communautés deviendra l'agnier et leurs identités suivront dans le même sens (Delâge, 1991 ; Jetten, 1994).

1.3 La trêve (1701-1755)

À la fin du XVIIᵉ siècle, les nations iroquoises sont épuisées par leurs guerres incessantes. La population a subi de fortes pertes malgré les adoptions massives de captifs de guerre, et la Ligue des Cinq-Nations est divisée à l'interne entre les Iroquois christianisés, dont plusieurs sont venus s'installer en Nouvelle-France, et les autres plus enclins à conserver leur alliance traditionnelle avec les Anglais. La Grande Paix, signée à Montréal en 1701 entre les Français, la Confédération des Cinq-Nations et plus d'une trentaine de nations amérindiennes alliées aux Français, est une occasion précieuse pour les Iroquois d'axer leur politique sur une position plus neutre entre les deux puissances coloniales et de prendre ainsi un peu de répit (Havard, 1992). C'est durant cette accalmie qu'en 1722, les Tuscaroras, nation de langue iroquoienne habitant la plaine côtière de la Caroline du Nord, viennent se joindre à la Ligue, sous l'aile protectrice des Onneyouts. Durant la première moitié du XVIIIᵉ siècle, les Iroquois agiront essentiellement en tentant de maintenir un équilibre entre les Français et les Anglais. Cette politique restera en vigueur jusqu'à la conquête de la Nouvelle-France par les Britanniques en 1760 (Delâge, 1991).

2 | LES SOCIÉTÉS IROQUOIENNES VERS 1745

En 1745, les seuls Iroquoiens du Nord qui conservent encore une identité propre sont les nations de la Confédération iroquoise (Agniers, Onneyouts, Onontagués, Goyogouins et Tsonnontouans, auxquels de lointains cousins du sud, les Tuscaroras, sont venus se joindre) et les réfugiés hurons, répartis en deux groupes, soit les Wyandots dans la région des Grands Lacs et les Hurons de Lorette en Nouvelle-France. C'est forcément sur ces nations que nous nous pencherons dans les sections suivantes, car toutes les autres nations iroquoiennes du Nord n'existent désormais plus en tant qu'entités politiques.

2.1 Le territoire et la population

En 1745, les bouleversements politiques qui ont eu lieu durant le siècle et demi précédent ont considérablement modifié la géographie culturelle des Iroquoiens par rapport à celle de l'an 1500. Les quelques nations survivantes occupent des territoires plus dispersés. Par exemple, à leur arrivée dans la région de Québec, les Hurons de Lorette concluent des ententes avec les Algonquins de Trois-Rivières et les Montagnais afin de s'approprier de nouveaux territoires de chasse dans les Laurentides, entre le Saint-Maurice et le Saguenay. En 1752, cette communauté ne compte pourtant que 120 personnes. Les Wyandots sont installés depuis 1701 près du fort Pontchartrain, à l'endroit de l'actuelle ville de Détroit, entre les lacs Huron et Érié. Ils totalisent environ 1 000 individus. Depuis 1738, un autre petit groupe de Wyandots est établi sur la rivière Sandusky, dans le nord-ouest de l'Ohio (Tanguay, 2000 ; Tooker, 1978).

Beaucoup d'Iroquois vivent encore dans leurs territoires d'origine. Toutefois, depuis les années 1710, des colons blancs commencent à coloniser la vallée de la rivière Mohawk et avancent graduellement vers l'ouest. Cette colonisation européenne des terres occupées par des Iroquoiens ne peut qu'être désavantageuse pour ces derniers, car les déménagements à répétition à intervalles de 10 à 20 ans font constamment reculer la population iroquoienne devant l'avancée des établissements européens permanents. C'est à la frontière entre ces deux modes de subsistance qu'on se rend compte de l'importance de la différence entre les deux modes de vie que constituent l'établissement semi-sédentaire avec une économie horticole et l'établissement sédentaire avec une économie agricole. Ce phénomène ira en s'amplifiant et aura des conséquences tragiques sur l'occupation du territoire des Iroquois après la Révolution américaine. Mais, pour l'instant, la population des nations iroquoises habitant encore dans leurs territoires traditionnels vers 1745 s'élève à environ 4 300 individus, répartis comme suit : Agniers, 600 ; Onneyouts, 400 ; Onontagués, 800 ; Goyogouins, 500, et Tsonnontouans, 2 000 (Snow, 1996 ; Engelbrecht, 2003).

En Nouvelle-France, la présence d'Iroquois est attestée à la mission du Sault (Kahnawake) et à celle du Lac (Kanesatake). Vers 1749, deux nouvelles missions s'établissent plus haut sur le Saint-Laurent, soit à Saint-Régis (Akwesasne), occupée par les Agniers, et à Oswegatchie, près de l'actuelle ville d'Ogdensburg dans l'État de New York, occupée par les Onontagués. Les territoires de chasse de ces Iroquois domiciliés sont répartis dans les forêts autour de Montréal et jusqu'au lac Ontario (figure 5.2). Les Agniers de Kahnawake, de Kanesatake et d'Akwesasne totalisent environ 4 000 individus, alors que les Onontagués d'Oswegatchie dépassent les 2 000 habitants.

En somme, en 1745, on dénombre un peu moins de 12 000 Iroquoiens, soit un huitième de la population iroquoienne de l'an 1500. De ceux-ci, plus de 10 000 font partie de la confédération iroquoise.

Figure 5.2   Le territoire iroquoien vers 1745

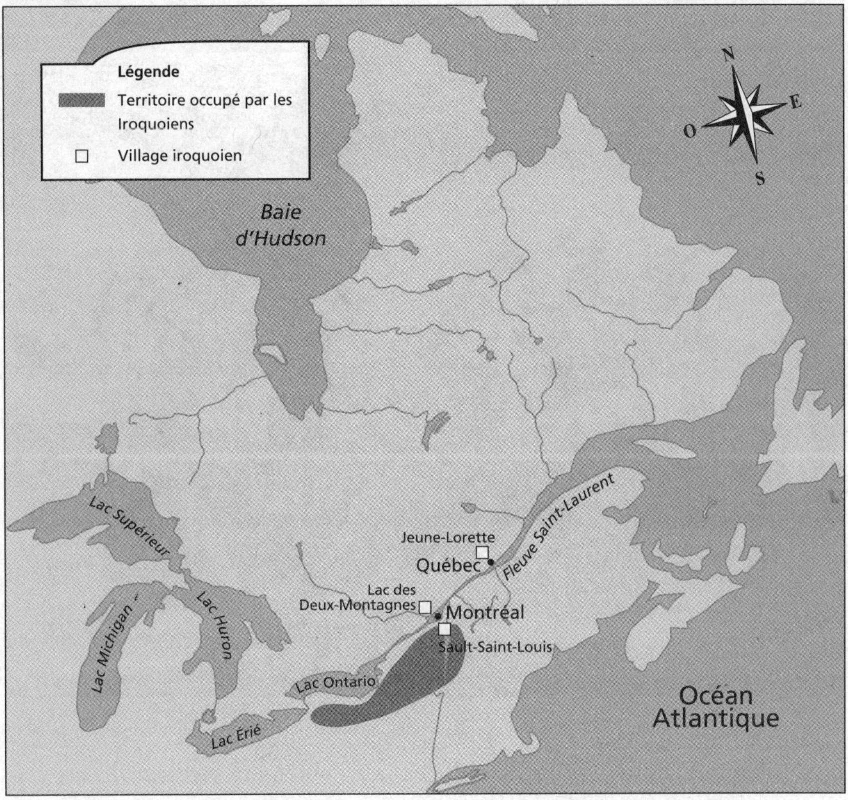

Légende
Territoire occupé par les Iroquoiens
Village iroquoien

Baie d'Hudson

Lac Supérieur
Lac Michigan
Lac Huron
Lac Ontario
Lac Érié

Jeune-Lorette
Québec
Lac des Deux-Montagnes
Montréal
Sault-Saint-Louis
Fleuve Saint-Laurent

Océan Atlantique

2.2 Le mode de vie

2.2.1 La culture matérielle

La traite avec les Européens intègre les Iroquoiens et tout le réseau de traite amérindien dans l'économie de marché européenne axée sur le profit. Le développement du commerce des fourrures en Amérique du Nord entraîne une spécialisation du réseau commercial traditionnel, établissant ainsi des rapports hiérarchiques entre des partenaires jusque-là égalitaires. À mesure que les marchandises européennes pénètrent dans les sociétés amérindiennes, elles engendrent une dépendance accrue et la roue de l'économie marchande provoque une surexploitation des ressources, augmentant ainsi la compétition entre les fournisseurs de ces ressources. Les marchandises européennes sont fortement convoitées, en raison de leur caractère inédit sur le plan des matériaux, des outils et des techniques (figure 5.3). Les matériaux les plus prestigieux sont certainement les métaux, qui se présentent aux Amérindiens principalement sous la forme d'outils beaucoup plus efficaces et résistants que les leurs. Sur ce chapitre, les haches, couteaux et poinçons jouent un rôle

Figure 5.3   Iroquoiens se procurant des denrées occidentales

déterminant. D'autres formes familières non seulement remplacent les versions amérindiennes, mais peuvent également être récupérées pour répondre à d'autres nécessités une fois que l'objet initial a atteint la fin de sa vie utile. C'est le cas, par exemple, des chaudrons de cuivre et de laiton, qui remplacent la poterie amérindienne, et qui sont également taillés en pièces pour fabriquer des parures, des aiguilles, des pointes de projectiles, etc. En 1745, l'art iroquoien de la céramique est à peu près entièrement tombé en désuétude.

Tous les aspects de la vie quotidienne sont graduellement touchés par l'introduction de marchandises européennes. C'est notamment le cas pour la fabrication des wampums, ces perles fabriquées à partir de coquillages recueillis sur la côte Atlantique. Les Amérindiens de ces régions fabriquaient depuis longtemps des perles de coquillage destinées à un usage restreint comme parures, objets mnémotechniques et monnaie d'échange servant au troc depuis les temps préhistoriques. Avec l'introduction d'outils métalliques, la production de wampums devient une véritable industrie, et la forme de même que la dimension des perles sont normalisées. Cette soudaine disponibilité facilite leur intégration sous forme de colliers et de ceintures, objets essentiels dans les rituels diplomatiques entre les nations. Cet usage sera fortement popularisé par les Iroquois, qui en font une grande demande auprès des Hollandais, lesquels se les procurent chez les groupes amérindiens de Long Island.

Les armes à feu sont également une marchandise européenne dont l'introduction modifie le mode de vie amérindien, notamment celui des Iroquoiens. Au chapitre de la guerre, les armes à feu avantagent rapidement ceux qui réussissent à en faire l'acquisition, même si, au point de vue purement technique, les fusils de cette époque sont moins efficaces que l'arc et la flèche. Cet avantage réside surtout dans l'effet psychologique de supériorité magique qui émane des détenteurs de ces armes bruyantes crachant le feu. De plus, leurs projectiles ne peuvent être esquivés, contrairement aux flèches. Concrètement, les armes à feu modifient les tactiques militaires en multipliant les expéditions guerrières diffuses en petits groupes. Les Agniers, et par la suite les autres Iroquois, en tirent profit pour combattre leurs ennemis, par exemple les Hurons, que les Français refusent d'approvisionner en armes à feu (figure 5.4). Les armures de bois et les boucliers de cuir que portent les guerriers iroquoiens deviennent inutiles et disparaissent rapidement (Delâge, 1985 ; Engelbrecht, 2003 ; Snow, 1996 ; Trigger, 1990).

| Figure 5.4 | **Guerrier iroquois avec mousquet, vers 1730** |

2.2.2 La subsistance

Les Iroquoiens, qui habitent toujours le nord de l'État de New York, continuent en 1745 de pratiquer l'horticulture du maïs héritée de leurs ancêtres, tout comme l'ont fait pendant un certain temps ceux des réductions de la Nouvelle-France, tant Hurons qu'Iroquois. Toutefois, devant la mainmise croissante des fermiers européens sur les terres agricoles, les communautés semi-permanentes horticoles iroquoiennes reculent. En Nouvelle-France, avant le tournant du XVIIIe siècle, elles finissent par se retrancher dans les bastions protégés des réductions, renonçant à combattre pour des terres fertiles afin de se consacrer à la chasse et à la traite. La culture de lopins de maïs se poursuit néanmoins au cours du XVIIIe siècle, sans pour autant retrouver son importance traditionnelle. C'est ainsi qu'en raison d'un contexte défavorable à la production alimentaire, les nations iroquoiennes réfugiées en

Nouvelle-France relèguent graduellement au second plan la part horticole de leur subsistance, au profit de la chasse et du commerce (Delâge, 1991 ; Tanguay, 2000).

En Iroquoisie, bien que déterminante à la longue, l'appropriation permanente des sols par les fermiers européens n'est pas trop préjudiciable aux populations autochtones tant que la colonisation ne devient pas trop intense. En 1745, cependant, les Iroquois savent déjà tirer profit des espèces domestiquées introduites par les Européens, notamment les melons d'eau, les pommiers, les poiriers, les pêchers. Ils cultivent également le tabac de Virginie (*Nicotiana tabacum*), d'origine caraïbe et plus doux que le tabac traditionnel des Iroquoiens (*Nicotiana rustica*). À cette époque, les Iroquois tirent de plus en plus avantage des animaux domestiques tels que les cochons, les bovins, les poulets, les moutons, les chèvres, et même les chevaux (Snow, 1996 ; Engelbrecht, 2003). Les Hurons de Lorette font l'élevage de quelques vaches et ajoutent le blé et le seigle à leur maïs et à leurs tournesols. La proximité grandissante des techniques agricoles européennes, avec bêtes de trait, charrues, herses et autres outils métalliques, occasionne même graduellement un transfert technologique. Rappelons que les travaux horticoles sont l'affaire des femmes chez les Iroquoiens, les hommes n'en tirant aucune fierté. Ils se plieront finalement aux nouvelles techniques avec le XIXe siècle, quand, à leur tour retranchés dans des réserves, ils se verront interdire l'accès aux territoires de chasse. La contribution des hommes aux travaux agricoles devient acceptable grâce aux enseignements du nouveau prophète Handsome Lake qui, par un mouvement revivaliste, redonne espoir à beaucoup d'Iroquois dans la première décennie du XIXe siècle.

Dans les missions de la Nouvelle-France, les Iroquoiens mettent sur pied un commerce régional avec la colonie, diversifiant ainsi leurs moyens de subsistance. Ils y vendent les biens de leurs champs tout comme ceux de la chasse, de la pêche et de la trappe. Ils fournissent la colonie en sucre d'érable et en plantes médicinales. Ils vendent également des produits de leur savoir-faire amérindien, comme des canots, des raquettes, des vanneries, etc. Ils servent de guides pour les voyageurs et, dans le cas des Iroquois établis autour de Montréal, vont même travailler comme ouvriers agricoles chez l'habitant.

La traite illicite des fourrures et des marchandises entre Montréal et Albany est un élément important de l'économie des Iroquois. Cette activité bat son plein durant la première moitié du XVIIIe siècle et elle est due essentiellement à la concurrence des marchandises britanniques dans un contexte où les Français ont la haute main sur la très grande majorité des territoires de traite dans les Pays-d'en-Haut. Les fourrures sont donc drainées vers Montréal, mais, plutôt que de repartir vers la métropole, une part importante de celles-ci est détournée vers Albany par les Iroquois domiciliés, avec la complicité des marchands montréalais. Les autorités coloniales françaises voient d'un mauvais œil cette contrebande, mais, afin de conserver de bonnes relations avec

les Amérindiens alliés des réductions, cette activité est tolérée par la bourgeoi-
sie marchande de la Nouvelle-France ainsi que les nations amérindiennes des
Pays-d'en-Haut, qui ont de cette façon un accès aux marchandises britanniques
(Grabowski, 1994).

2.2.3 L'habitation et le village

En 1745, le paysage domestique des Iroquoiens n'est plus ce qu'il était en
l'an 1500. Dès le XVIIe siècle, des pièces de quincaillerie en fer forgé, comme
des pentures, apparaissent dans la construction des maisons. L'introduction
généralisée de la hache de fer a également permis l'abattage et l'utilisation de
gros arbres pour la construction des maisons longues et des palissades,
entraînant ainsi un changement bien visible dans les vestiges archéologiques.
Chez les Agniers, on recourt déjà au cheval de trait à partir de la seconde
moitié du XVIIe siècle pour tirer les plus grosses pièces de bois. Toujours chez
les Agniers, à partir des années 1750, le recouvrement en écorce des maisons
longues cède graduellement la place aux planches qu'ils se procurent chez
des fournisseurs coloniaux. En 1745, la traditionnelle maison longue existe
toujours en Iroquoisie, tout comme dans les réductions iroquoises de la
Nouvelle-France, mais elle se modifie en fonction des changements subis par
la population. Elle est maintenant moins longue et a tendance à se standardi-
ser à une longueur ne dépassant pas quatre foyers. Un tel changement résulte
de la réduction de la population depuis la pandémie des années 1630 et les
guerres ultérieures. La compensation des pertes humaines par la capture et
l'adoption d'étrangers au sein des lignages et des clans a graduellement provoqué une reformulation plus improvisée des unités sociales, encadrées dans
des habitations de dimensions régulières. Vers 1745, ce sont maintenant les
maisons qui déterminent les unités sociales, et non l'inverse, comme c'était le
cas auparavant. En Iroquoisie, on dénombre également de plus en plus d'habitations qui, bien que toujours construites sur le modèle des maisons longues,
sont beaucoup plus petites, logeant seulement deux familles autour d'un foyer
central et disposant de deux portes aux extrémités. La maisonnée devient graduellement le lieu de la famille étendue, et non plus celui du matrilignage. On
observe déjà ce phénomène chez les Tsonnontouans à la fin des années 1670.

Les Wyandots de Détroit habitent toujours, en 1732, dans des maisons
longues comportant trois ou quatre foyers et comptant deux ou trois familles
par feu. Du côté des Hurons domiciliés à Wendake, les maisons longues traditionnelles ont laissé la place depuis le début du siècle à des habitations identiques à celles des colons, le plus souvent en bois équarri, et chauffées par un
petit poêle en pierre muni d'un couvercle en fonte.

Le village iroquoien a également subi des changements. Durant le
XVIIe siècle, les palissades adoptent parfois des traits défensifs européens
comme des bastions ou encore des portes gardées. Les enceintes sont parfois
rectangulaires et les maisons y sont disposées de façon moins anarchique

qu'auparavant. À partir du XVIIIe siècle, le contexte de paix mène à un nouveau schème d'établissement plus dispersé sur le territoire. Les grandes communautés se scindent plus facilement et on voit naître, en plus des quelques gros villages palissadés, plusieurs petits villages et hameaux sans palissade. Parfois, des maisons bordent un cours d'eau sur un tronçon de quelques kilomètres, comme on l'observe chez les Onontagués en 1743. Plus à l'est, chez les Agniers, la dispersion de certaines familles nucléaires dans de petits hameaux hors des villages après la Guerre de Sept Ans est en partie motivée par le désir de conserver la possession des terres traditionnelles désormais sérieusement convoitées par les colons européens (Delâge, 2000 ; Snow, 1996 ; Engelbrecht, 2003).

2.2.4 L'habillement et les parures

Les vêtements traditionnels des Iroquoiens étaient faits de peaux de cerf de Virginie. Chez les Iroquois, la traite avec les Hollandais avait procuré d'importants lots de popeline, étoffe qui remplace d'abord le cuir de cerf dans les coupes traditionnelles de la tenue vestimentaire. Chez les hommes, cette tenue se compose de mitasses, d'un pagne et d'une chemise. Plus tard, on voit apparaître des chemises de calicot et des pantalons à frange. Chez les femmes, on porte des mitasses, une grande jupe et une grande blouse. La chaussure est le mocassin. Ces vêtements sont d'abord décorés de broderies de piquants de porcs-épics, de poils d'orignal et de perles de coquillages, mais, avec la traite, les perles de verre, les affiquets métalliques et les broches en argent s'ajoutent à l'attirail des atours.

Chez les Hurons de Wendake, en 1745, les hommes et les femmes portent encore des mitasses. Les hommes se couvrent le haut du corps d'une veste ou d'une chemise à la française, tandis que les femmes portent une blouse blanche recouverte d'étoffe rouge, le « machicoté ».

Les parures corporelles sont encore très populaires chez les Iroquoiens du milieu du XVIIIe siècle, mais à cette époque la coiffure n'est pas encore entrée dans l'usage. L'épiderme est souvent tatoué sur tout le corps, y compris le visage, lequel est régulièrement peint en rouge, en noir ou en bleu. Les hommes se rasent souvent une partie de la tête, alors que les femmes laissent pousser leurs cheveux qu'elles attachent derrière la tête. Les bijoux sont en faveur, tant chez les hommes que les femmes. Des colliers de coquillages sont communs, auxquels pendent des pièces de monnaie ou de gros coquillages ronds. Des bracelets de coquillages sont également portés. Les Iroquois se percent les oreilles pour y accrocher de multiples parures : plumes, duvet, perles, etc. (Delâge, 2000 ; Snow, 1996).

2.2.5 Les divertissements

Parmi les jeux traditionnels iroquoiens toujours pratiqués en 1745, celui de la crosse est certainement le plus marquant. Les Jésuites observent en Huronie pour la première fois ce sport qui est à l'honneur dans toutes les nations iroquoiennes ainsi que dans plusieurs autres groupes de la région des Grands Lacs. Il n'est pas clair si les Hurons de Lorette le pratiquent encore en 1745, mais les Wyandots et les Iroquois en perpétuent la tradition. À ce jeu, deux équipes s'affrontent sur un très grand terrain (de 200 à 400 m de long) au bout duquel des buts sont délimités par des piquets. À l'aide d'un bâton dont l'extrémité recourbée porte un filet de cuir, les équipes tentent de lancer une balle de bois dans les buts de l'équipe adverse. Les règles sont peu nombreuses et le jeu est brutal. Des parties sont disputées entre villages ou nations et la foule parie sur les gagnants.

Durant l'hiver, les Iroquois prennent part à un autre jeu qu'ils nomment le serpent de neige. Des perches droites en bois de caryer et de la grandeur d'un homme sont lestées à l'extrémité avec du plomb. On fait glisser ces «serpents» sur la neige et celui qui atteint la plus grande distance détermine le gagnant. Ce jeu ne semble pas être joué chez les Hurons. On joue aussi à des jeux de chance, et les gageures sont très courantes. L'un des plus populaires consiste à frapper un bol en bois contenant six noyaux de pêches dont un des côtés est peint en noir. On marque des points si cinq ou six noyaux retombent sur la même couleur.

2.2.6 La religion

Les bouleversements majeurs qui perturbent gravement les sociétés iroquoiennes au cours du XVIIᵉ siècle ont des répercussions sur le sentiment religieux. Les Iroquoiens répondent à l'adversité en intensifiant et modifiant certains rites. C'est dans ce contexte que s'élabore toute la complexité des sociétés de médecine, surtout dans les nations occidentales de la confédération iroquoise (Tsonnontouans, Goyogouins et Onontagués), où l'effet de la christianisation se fait moins sentir. Ces sociétés secrètes sont des regroupements de chamanes qui se spécialisent dans des rites de guérison bien précis, avec leurs propres chants et faisant appel à des esprits particuliers. Plusieurs de ces sociétés effectuent leurs rituels en portant des signes censés représenter les esprits invoqués, au son des tambours et des hochets fabriqués à partir de tortues. Des invocations faites à l'aide de tabac font partie intégrante des cérémonies. Les masques ont une valeur sacrée et on les sculpte la plupart du temps à même le tronc d'un tilleul vivant afin de lui conférer tout son pouvoir. Après les avoir peints, on les coiffe de crin de cheval pour imiter les cheveux et de plaques découpées dans du laiton pour marquer les yeux. D'autres masques sont fabriqués à l'aide de feuilles de maïs (Fenton, 1941).

Les Iroquois de l'Est, soit les Agniers, les Onneyouts et une partie des Onontagués, ont eu des contacts plus fréquents avec la religion chrétienne. La majorité des Agniers se sont convertis au catholicisme et habitent dans les réductions de la Nouvelle-France. Une dévote agnier du nom de Kateri Tekakwitha se réfugie à Kahnawake en 1677 pour échapper aux intimidations de la faction traditionaliste de son village, où elle a été baptisée l'année précédente. Kateri Tekakwitha a été béatifiée par l'Église catholique à l'occasion du 300e anniversaire de sa mort en 1980. La faction non catholique des Iroquois de l'Est en vient tôt ou tard à embrasser diverses confessions protestantes (Snow, 1996).

Du côté des Hurons de Lorette, ils sont christianisés avant même de se réfugier en Nouvelle-France. En 1745, ils sont tous de religion catholique, tout comme le sont les Wyandots qui fréquentent une mission à l'île du Bois blanc, à quelques kilomètres au sud de Détroit.

Il convient de souligner dès maintenant un fait important à venir. Après la Révolution américaine, les Iroquois qui avaient jusqu'alors réussi à demeurer dans leurs territoires ancestraux se feront déposséder de leurs terres,

DÉCOUVRIR LES VALEURS AUTOCHTONES GRÂCE À LA LITTÉRATURE JEUNESSE QUÉBÉCOISE

Compétences développées
Lire l'organisation d'une société sur un territoire.
Interpréter les changements dans une société sur son territoire.

Technique développée en histoire
Repérage d'informations historiques dans un document.

Description
Les aventures de Simon* est une série retraçant la vie d'un jeune autochtone au travers des traditions ancestrales transmises par son père.

C'est une œuvre fictive qui ne correspond pas à la période historique, mais qui peut servir en tant que source secondaire d'informations à titre de comparaison. Son intérêt réside aussi dans le fait qu'il s'agit d'une œuvre fictive québécoise.

Vous pouvez attribuer chacun des volumes à un groupe. Chacun des groupes lit son volume et note dans un tableau les données se rapportant au territoire, à l'habitation, à l'alimentation, à la religion, etc. Vous pouvez retenir les thèmes qui vous conviennent le mieux.

Une fois cette tâche terminée, demandez aux élèves de comparer les informations ainsi fournies avec celles connues sur les Algonquiens vers 1745. Les élèves doivent émettre des hypothèses qui expliquent les changements, s'il y a lieu.

Lorsque toutes les informations ont été réunies et comparées, formez des groupes comprenant au moins un lecteur de chacun des volumes. Vous aurez ainsi plusieurs groupes qui disposeront des informations recueillies dans tous les volumes. Donnez comme consigne de comparer les tableaux construits et les hypothèses émises.

À la fin de l'activité, animez une discussion en grand groupe sur les diverses hypothèses retenues.

---

* Pyer Vaillancourt, *Les aventures de Simon : Un été de bonheur* (1997), *L'initiation* (2000), *L'ombre mystérieuse* (1999), *Quelle expédition !* (1998), Chicoutimi, Les éditions JCL.
Idée d'activité pédagogique : Vincent Boutonnet.

subissant ainsi une catastrophe sociale profonde. Au tournant du XIXe siècle, Handsome Lake proposera un nouvel ordre spirituel, la religion de la Maison-Longue, afin de redresser la société iroquoise alors en grave déperdition (Snow, 1996).

À VOS CRAYONS DE COULEUR !

Compétence développée
Lire l'organisation d'une société sur un territoire.

Technique développée en histoire
Repérage d'informations historiques dans un document.

Description
L'objectif de cette activité est de représenter un concept par un dessin. Elle amène donc l'élève à se représenter un concept de manière visuelle et à approfondir sa compréhension autrement qu'à l'écrit. On peut y parvenir de deux façons.

La première est de faire lire un texte sur un thème en particulier, par exemple les coutumes et les croyances des Iroquoiens. En lisant le texte, les élèves doivent tout d'abord y surligner les idées principales ou les faits qui leur paraissent marquants. On divise par la suite les élèves en petits groupes de trois pour qu'ils discutent de ces idées et retiennent celles qui leur semblent les plus pertinentes. Enfin, sur une grande feuille, chacun de ces petits groupes représente par un dessin sa compréhension de ce qui a été retenu dans le texte. Pour varier, on peut distribuer un texte différent à chaque groupe. On terminera cette activité en demandant à chaque groupe de présenter ses dessins et d'expliquer pourquoi ils les ont représentés ainsi.

La deuxième façon est de donner aux élèves un point de départ sous la forme d'une explication sur un concept en particulier. En grand groupe, on anime ensuite une discussion sur différentes caractéristiques du concept choisi et on fait émerger leurs représentations. On pourra diviser la classe en petits groupes de trois élèves et les inviter à représenter par un dessin ce qu'ils ont compris de la discussion sur le concept. À la fin, on revient au travail en grand groupe et on demande aux élèves de présenter leurs dessins et d'expliquer pourquoi ils les ont représentés ainsi.

Idée d'activité pédagogique : Vincent Boutonnet.

3 | HISTORIOGRAPHIE ET CONTROVERSES

Parmi les controverses qui marquent l'historiographie des Iroquoiens, la question de l'esclavage et de l'adoption des prisonniers de guerre occupe une place importante. Alors que l'historiographie contemporaine a longtemps présenté l'esclavagisme chez les Iroquoiens comme une forme d'adoption destinée à pallier les besoins démographiques, déniant ainsi toute possibilité d'une division sociale dans les sociétés iroquoiennes, des anthropologues tels que Viau (1997) avancent une thèse fort différente. Selon eux, bien que les prisonniers soient souvent adoptés ou intégrés à la société iroquoienne, ils possèdent un statut social inférieur qui limite leurs privilèges au sein du groupe. Ces captifs doivent remplacer les guerriers perdus au combat et accomplir les tâches les plus dépréciées. Donc, une véritable division sociale existe au sein d'une société longtemps considérée à tort comme quasi égalitaire. À l'instar de Trigger (1990), Viau avance également l'idée qu'après le contact avec les Européens, les Iroquoiens, qui auparavant gardaient leurs esclaves pour eux-mêmes, en font désormais le commerce. Des prisonniers de guerre capturés, plusieurs sont destinés à être vendus d'abord aux Hollandais, puis aux Britanniques. Les nombreuses guerres menées par les Iroquoiens prendraient ainsi un sens autre que celui de simples représailles contre une nation ennemie et représenteraient plutôt des guerres de capture destinées à éviter le dépeuplement que subissent les Hurons.

Viau (2000) se trouve également au cœur d'une controverse historiographique concernant la position sociale des femmes dans les sociétés iroquoiennes. Alors que l'historiographie traditionnelle, basée notamment sur les écrits jésuites, présente les sociétés iroquoiennes préhistoriques comme des organisations fortement matriarcales, au sein desquelles les femmes ont une grande influence et détiennent un fort pouvoir décisionnel, Viau (2000) soutient que les descriptions des missionnaires reflètent plutôt la situation résultant de la colonisation européenne. Selon lui, les épidémies, les guerres et le commerce des fourrures ont raréfié la présence masculine dans les villages, ce qui a obligé les femmes à prendre la responsabilité des champs et de l'horticulture, d'où un pouvoir accru pour elles, particulièrement dans le contexte de matrilinéarité et de matrilocalité de ces sociétés.

Ces deux exemples montrent combien le regard que portent les anthropologues sur les sociétés amérindiennes par l'intermédiaire de documents tels que les *Relations* des Jésuites contribue à nuancer appréciablement l'interprétation que les historiens peuvent en faire, notamment en ce qui concerne le sens de diverses pratiques sociales. Les hypothèses des anthropologues permettent ainsi d'envisager autrement l'impact de la colonisation sur les sociétés amérindiennes.

Conclusion

Depuis presque un demi-siècle, les Iroquois, liés aux Anglais par la Chaîne du Covenant et aux Français par la Grande Paix de Montréal, arrivent à négocier dans une paix relative avec les deux grandes puissances coloniales malgré les factions internes qui s'entre-déchirent. En 1745, les

Iroquois domiciliés vivent dans un milieu où des liens étroits ont été tissés avec les Français, mais ils conservent leur indépendance politique. La langue agnier est bien vivante dans la communauté. Les Hurons de Lorette sont beaucoup moins avantagés en raison de leur petit nombre. Aussi sont-ils plus marqués par une assimilation graduelle dans la société hôte. La langue huronne est néanmoins encore parlée, mais le français est maintenant appris par tous les jeunes. De leur côté, les Wyandots sont, et seront encore pour de nombreuses années, à l'écart de l'empiètement colonial. Leur langue est encore loin d'être menacée.

Au moment de la Conquête britannique, les communautés amérindiennes domiciliées en Nouvelle-France seront alliées au côté des forces françaises. Après la défaite, ils s'allieront politiquement sous l'impulsion même des conquérants pour former la Fédération des Sept Feux, dont la capitale sera Kahnawake. Cette communauté jouera un rôle clé dans les rapports entre les Amérindiens habitant le long du Saint-Laurent et la nouvelle autorité britannique qui domine désormais l'échiquier politique continental. Chez les Iroquoiens de l'État de New York, les décennies qui suivent la victoire britannique constituent les derniers instants de liberté territoriale avant qu'ils ne soient tous confinés à leur tour dans des réserves. Bien sûr, nous dépassons beaucoup trop, ici, notre cadre chronologique, mais terminons au moins sur le constat que l'histoire des Iroquoiens ne s'arrête aucunement à ce moment. Elle se poursuit dans toute sa complexité et malgré les difficultés au cours des siècles suivants. Au début du XXIe siècle, les communautés iroquoiennes participent autant que toutes les autres à l'univers social et politique moderne.

Exercices

1. Indiquez des changements survenus dans la société iroquoienne entre 1500 et 1745 en ce qui concerne l'occupation du territoire, l'utilisation de produits européens (par exemple, la hache, le chaudron, le fusil, l'alcool), la religion et les maladies infectieuses apportées par les Européens.

2. Nommez des groupes qui jouent un rôle dans les changements survenus (par exemple, les pêcheurs, les missionnaires, les colons, les militaires, les coureurs des bois).

3. Évaluez l'impact social, politique et culturel des épidémies sur les sociétés iroquoiennes.

4. Analysez les changements survenus dans la nature du commerce des Iroquoiens entre 1500 et 1745.

5. Analysez les relations commerciales que les Iroquoiens nouèrent avec les Français.

6. Évaluez les effets à long terme que les échanges commerciaux avec les colonisateurs français ont eus sur la culture matérielle et la vie quotidienne (logement, vêtement, loisirs) des sociétés iroquoiennes.

7. Décrivez les problèmes démographiques qu'ont éprouvés les sociétés iroquoiennes.

8. Analysez les causes des problèmes démographiques des sociétés européennes.

9. Comparez les modes d'appropriation de la terre dans les sociétés iroquoiennes ainsi que les colonies françaises et anglaises.

10. Nommez les échanges culturels effectués entre les sociétés iroquoiennes et la société coloniale, et décrivez les traces que ces échanges ont laissées sur la société actuelle.

Pour en savoir plus

DESROSIERS, L.-P. (1998). *Iroquoisie 1688-1701*, tome 4, Québec, Septentrion.

Cet ouvrage est le dernier tome de la collection portant sur l'histoire de l'Iroquoisie. Il présente la période intense de conflits entre les colons français et les Iroquois du Saint-Laurent, jusqu'à la Grande Paix de Montréal. Il contient plusieurs illustrations.

GAGNON, F.-M., et D. PETEL (1986). *Hommes effarables et bestes sauvages : images du Nouveau-Monde d'après les voyages de Jacques Cartier*, Montréal, Boréal/Seuil.

La représentation qu'ont les Européens des sociétés amérindiennes au moment des premiers contacts est explorée ici à partir des comptes rendus et illustrations de Jacques Cartier. Les auteurs offrent ainsi une relecture des récits de voyage de l'explorateur. Le livre contient une quantité importante d'extraits ainsi que les dessins que Cartier a faits des gens et de la faune qu'il a observés en Amérique.

JETTEN, M. (1994). *Enclaves amérindiennes : les réductions du Canada, 1637 à 1701*, Sillery, Septentrion.

Cet ouvrage explore l'histoire des tentatives de sécularisation et d'évangélisation des Amérindiens à l'époque de la Nouvelle-France. Il fournit un regard particulièrement complet sur l'influence des missionnaires et de la religion sur l'organisation sociale des sociétés amérindiennes, ainsi que sur les relations qu'elles entretiennent entre elles.

TRIGGER, Bruce G. (1990). *Les Indiens, la fourrure et les Blancs : Français et Amérindiens en Amérique du Nord*, Montréal, Boréal/Seuil.

L'ouvrage de Trigger permet de comprendre le rôle qu'ont joué les Amérindiens dans la construction du Canada et le développement de son territoire. Dans une perspective ethnohistorique, Trigger décrit les répercussions que le contact avec les Européens a eues sur les coutumes et mœurs des sociétés amérindiennes, ainsi que la façon dont les échanges culturels ont façonné le Québec d'aujourd'hui.

Bibliographie

BIDEAUX, Michel (1986). *Jacques Cartier : Relations*, Montréal, Presses de l'Université de Montréal, 500 p.

DELÂGE, Denys (1985). *Le pays renversé*, Montréal, Boréal Express, 420 p.

DELÂGE, Denys (1991). « Les Iroquois chrétiens des "réductions", 1667-1770. I- Migrations et rapports avec les Français », *Recherches amérindiennes au Québec*, vol. 21, nᵒˢ 1 et 2, p. 59-70.

DELÂGE, Denys (2000). « La tradition de commerce chez les Hurons de Lorette-Wendake », *Recherches amérindiennes au Québec*, vol. 30, nᵒ 3, p. 35-51.

ENGELBRECHT, William (2003). *Iroquoia. The Development of a Native World*, Syracuse (NY), Syracuse University Press, 231 p.

FENTON, William N. (1941). *Masked Medicine Societies of the Iroquois*, Washington (DC), Annual Report of the Board of Regents of the Smithsonian Institution, 1940.

FENTON, William N. (1998). *The Great Law and the Longhouse. A Political History of the Iroquois Confederacy*, Norman (Oklahoma), University of Oklahoma Press, 786 p.

GRABOWSKI, Jan (1994). « Les Amérindiens domiciliés et la "contrebande" des fourrures en Nouvelle-France », *Recherches amérindiennes au Québec*, vol. 24, nᵒ 3, p. 45-52.

HAVARD, Gilles (1992). *La Grande Paix de Montréal de 1701 : les voies de la diplomatie franco-amérindienne*, Montréal, Recherches amérindiennes au Québec, collection « Signes des Amériques », 222 p.

JAMIESON, James B. (1990). « The Archaeology of the St. Lawrence Iroquoians », dans Chris J. Ellis et Neal Ferris (dir.), *The Archaeology of Southern Ontario to A. D. 1650*, Ontario Archaeological Society, Occasional Publication of the London Chapter, nᵒ 5, p. 385-404.

JETTEN, Marc (1994). *Enclaves amérindiennes : les « réductions » du Canada, 1637-1701*, Sillery, Septentrion, coll. « Les Nouveaux Cahiers du CÉLAT », nᵒ 8, 158 p.

PENDERGAST, James F. (1993). « More on When and Why the St. Lawrence Iroquoians Disappeared », dans Claude Chapdelaine et James Pendergast (dir.), *Essays in St. Lawrence Iroquoian Archaeology*, Dundas (Ontario), Copetown Press, Occasional Papers in Northeastern Archaeology, nᵒ 8, p. 9-47.

SAWAYA, Jean-Pierre (1998). *La Fédération des Sept Feux de la vallée du Saint-Laurent, XVIIᵉ-XIXᵉ siècle*, Sillery, Septentrion, 217 p.

SNOW, Dean. R. (1996). *The Iroquois*, Malden (MA), Blackwell Publishing, 270 p.

Snow, Dean R., et Kim M. Lanphear (1988). «European Contact and Indian Depopulation in the Northeast: The Timing of the First Epidemics», *Ethnohistory*, n° 35, p. 15-33.

Tanguay, Jean (2000). «Les règles d'alliance et l'occupation huronne du territoire», *Recherches amérindiennes au Québec*, vol. 30, n° 1, p. 21-34.

Tooker, Elizabeth (1978). «Wyandot», dans B. G. Trigger (dir.), *Northeast*, vol. 15 du *Handbook of North American Indians*, Washington, Smithsonian Institution, p. 398-406.

Tooker, Elizabeth (1987). *Ethnographie des Hurons, 1615-1649*, Montréal, Recherches amérindiennes au Québec, 215 p.

Trigger, Bruce G. (1990). *Les Indiens, la fourrure et les Blancs: Français et Amérindiens en Amérique du Nord*, Montréal, Boréal/Seuil, 543 p.

Trigger, Bruce G. (1991). *Les enfants d'Aataentsic: l'histoire du peuple huron*, Montréal, Libre Expression, 972 p.

Viau, Roland (1997). *Enfants du néant et mangeurs d'âme: guerre, culture et société en Iroquoisie ancienne*, Montréal, Boréal, 318 p.

Viau, Roland (2000). *Femmes de personne: sexes, genres et pouvoirs en Iroquoisie ancienne*, Montréal, Boréal, 323 p.

La société canadienne en Nouvelle-France vers 1745

Frédéric Lemieux et Martin Fournier

Introduction

1. Portrait de la Nouvelle-France vers 1745

2. Richesses, atouts et contraintes du territoire

3. Personnages influents de la Nouvelle-France

4. Historiographie et controverses

Conclusion

Exercices

Pour en savoir plus

Bibliographie

Introduction

L'objet du présent chapitre est de décrire la société canadienne en Nouvelle-France vers 1745. Nous commencerons par l'étude du territoire occupé, de sa population, du mode de vie imposé par la traite des fourrures et de la pratique de l'agriculture. Nous examinerons ensuite ce qui distingue les Canadiens des Français en ce qui a trait à la religion, aux divertissements, à l'habitation et à l'habillement. Nous aborderons également les réalités politiques, sous l'angle du pouvoir, de la prise de décisions et des relations entre le gouverneur et l'intendant, ainsi que la question de la défense de la capitale, Québec, et de la colonie. Nous passerons ensuite aux ressources économiques en analysant les avantages et les inconvénients du territoire. Le chapitre se terminera par la présentation de personnages ayant marqué l'organisation sociale et territoriale de la Nouvelle-France de 1745.

1 | PORTRAIT DE LA NOUVELLE-FRANCE VERS 1745

1.1 Le territoire

Après plusieurs décennies d'explorations, le territoire de la Nouvelle-France occupe une superficie impressionnante. Alors qu'en 1645 il couvrait déjà la vallée du Saint-Laurent, les rives de la baie de Fundy actuelle (Acadie) et la région du lac Huron, le territoire sous influence française en Amérique du Nord s'étend maintenant de l'île du Cap-Breton et de l'Île-du-Prince-Édouard actuelles – à l'exclusion d'une grande partie de la Nouvelle-Écosse actuelle, l'Acadie historique ayant été cédée à l'Angleterre en 1713 par le traité d'Utrecht – jusqu'à l'embouchure du fleuve Mississippi dans le golfe du Mexique, en passant par la vallée de l'Ohio. Vers l'ouest, le territoire de la Nouvelle-France s'étend jusqu'à la province de Saskatchewan et à l'actuel État du Wyoming. En direction nord, le territoire sous influence française s'étire jusqu'aux affluents du lac Saint-Jean, du lac Nipigon et du lac Winnipeg, et jusqu'aux sources des rivières de la Mauricie, de l'Abitibi et du Témiscamingue. Cependant, la baie d'Hudson ayant été cédée par la France à l'Angleterre en 1713, les Canadiens de la Nouvelle-France ne doivent pas s'approcher trop près de ses rives, où les Anglais ont établi des postes de traite de fourrures.

Plusieurs explorateurs ont contribué à accroître la mainmise de la France sur cet immense territoire. Parmi eux, Jean De Quen découvre le lac Saint-Jean en 1647, Pierre-Esprit Radisson et Médard Chouart Des Groseilliers se rendent jusqu'à la pointe ouest du lac Supérieur en 1659, Louis Jolliet et le père Marquette descendent environ la moitié du Mississippi (jusqu'au Missouri) en 1673-1674, puis Robert Cavelier de La Salle atteint l'embouchure du grand fleuve en 1682. Les La Vérendrye père et fils, quant à eux, poussent toujours plus loin vers l'ouest jusqu'au Wyoming en 1743.

L'EXPANSION TERRITORIALE ET LE DÉVELOPPEMENT DE LA SOCIÉTÉ CANADIENNE EN NOUVELLE-FRANCE ENTRE 1645 ET 1745

Compétence développée
Interpréter les changements dans une société sur son territoire.

Techniques développées en géographie
Lecture et interprétation de cartes.
Localisation d'un lieu sur un plan, sur une carte, sur un globe terrestre, dans un atlas.
Repérage d'informations géographiques dans un document.

Techniques développées en histoire
Utilisation de repères chronologiques (mois, saison, année, décennie, siècle, millénaire).
Repérage d'informations historiques dans un document.

Description
Les élèves doivent mener une recherche. Pour les préparer, on réactive leurs connaissances antérieures au sujet de la société française en Nouvelle-France de 1645. Ils la revoient comme une colonie-comptoir commerciale de traite de fourrures dont le développement est laissé aux mains d'une compagnie privée. Puis, on leur explique la réforme administrative de la Nouvelle-France, soit sa prise en charge par le roi de France et ses intendants, Jean Talon et Gilles Hocquart, en vue d'en assurer la rentabilité. Le concept d'expansion territoriale et de développement d'une société est ensuite présenté et illustré à l'aide d'exemples et de contre-exemples, et la question suivante est posée: «Comment favoriser l'expansion territoriale et le développement de la société canadienne en Nouvelle-France entre 1645 et 1745?» Afin de faire émerger les représentations initiales des élèves au sujet du concept en jeu, on les amène à émettre des hypothèses à la question de recherche. Puis, pour collecter l'information nécessaire à la construction de l'explication, les élèves utilisent des cartes, des images et des textes issus du matériel didactique auquel ils ont accès. En grand groupe et guidés par l'enseignante, ils font ressortir de ces sources les données brutes pertinentes, pour ensuite les organiser dans un texte qui devra décrire le changement de gouvernement, les mesures de peuplement, le mode d'occupation ainsi que le développement de l'agriculture, du commerce et de l'industrie, en tant que moyens favorisant l'expansion territoriale de la société canadienne en Nouvelle-France vers 1745, devenue petite colonie de peuplement de la France. Les élèves sont finalement invités à entrer dans la peau de Jean Talon ou de Gilles Hocquart et à jouer, devant la classe, la scène de la présentation au roi d'un plan de développement de la colonie.

Idée d'activité pédagogique: Isabelle Lafrenière.

Amputée de l'Acadie et de la baie d'Hudson par le traité d'Utrecht en 1713, la Nouvelle-France s'étend au sud et à l'ouest, et atteint son étendue maximale en 1745. Mais ce territoire est menacé par un nouveau conflit entre la France et l'Angleterre qui, chaque fois que la guerre éclate entre ces deux pays européens, se répercute dans leurs colonies nord-américaines. C'est ainsi qu'en 1690 et en 1711, l'Angleterre a tenté sans succès de prendre Québec à l'aide d'une flotte de guerre. C'est également lors des négociations du traité d'Utrecht de 1713, qui mettait fin à une longue période de conflits armés entre les deux empires (la guerre de succession d'Espagne, qui avait duré de 1701-1713), que la France a cédé à l'Angleterre deux territoires clés pour la survie à long terme de la Nouvelle-France, soit la baie d'Hudson et l'Acadie (figure 6.1). Par la suite, la stratégie d'étouffement progressif de la Nouvelle-France par le nord et par l'est finit par porter fruit lors de l'offensive décisive de 1759-1760, qui mène au traité de Paris de 1763 et à l'annexion définitive de la Nouvelle-France à l'Empire britannique.

1.2 Les caractéristiques de la population : répartition, composition, nombre approximatif

La Nouvelle-France de 1745 correspond non seulement à l'expansion territoriale quasi maximale de la colonie, mais également au sommet de son développement, puisqu'elle connaît à ce moment-là une longue période de paix (qui s'étend de 1713 à 1744) pendant laquelle sont marqués d'une croissance notable tous les secteurs de la société : la démographie, l'agriculture, le commerce et la culture.

Les colons venus de France, dont les militaires et Filles du roi recrutés par des agents de la couronne, des compagnies ou des communautés religieuses, proviennent à 65 % des campagnes, à 25 % des grandes villes et à 10 % des petits centres (Mathieu, 1991). La répartition de la population selon ses caractéristiques socioéconomiques est analogue à celle de la France. La majorité des colons possèdent peu de biens, les engagés recevant entre 60 et 100 livres par année. De 10 à 15 % des migrants sont issus d'une tranche socioéconomique disposant de revenus variant de 200 à 500 livres par année. Dans les faits, les migrants gardent le statut socioéconomique qui était le leur en France. Les ouvriers spécialisés ont un revenu supérieur à celui des engagés, alors que les plus riches conservent leur fortune et les privilèges connexes, bien que ces fortunes ne soient pas comparables aux grandes fortunes de la métropole. Les nobles, officiers militaires, hauts fonctionnaires et bourgeois d'affaires jouissent de privilèges certains et accèdent aux charges, titres et fonctions publics rentables. Par ailleurs, les alliances par mariage ou contrat d'affaires sont conclues au sein de cette classe dominante, si bien qu'il n'est guère possible d'y avoir accès autrement que par le service militaire. Les gens de négoce, pour leur part, obtiennent une certaine mobilité sociale en finançant des entreprises coloniales et, avec la faveur des administrateurs, en accédant à des

Figure 6.1   **Les empires coloniaux après le traité d'Utrecht de 1713**

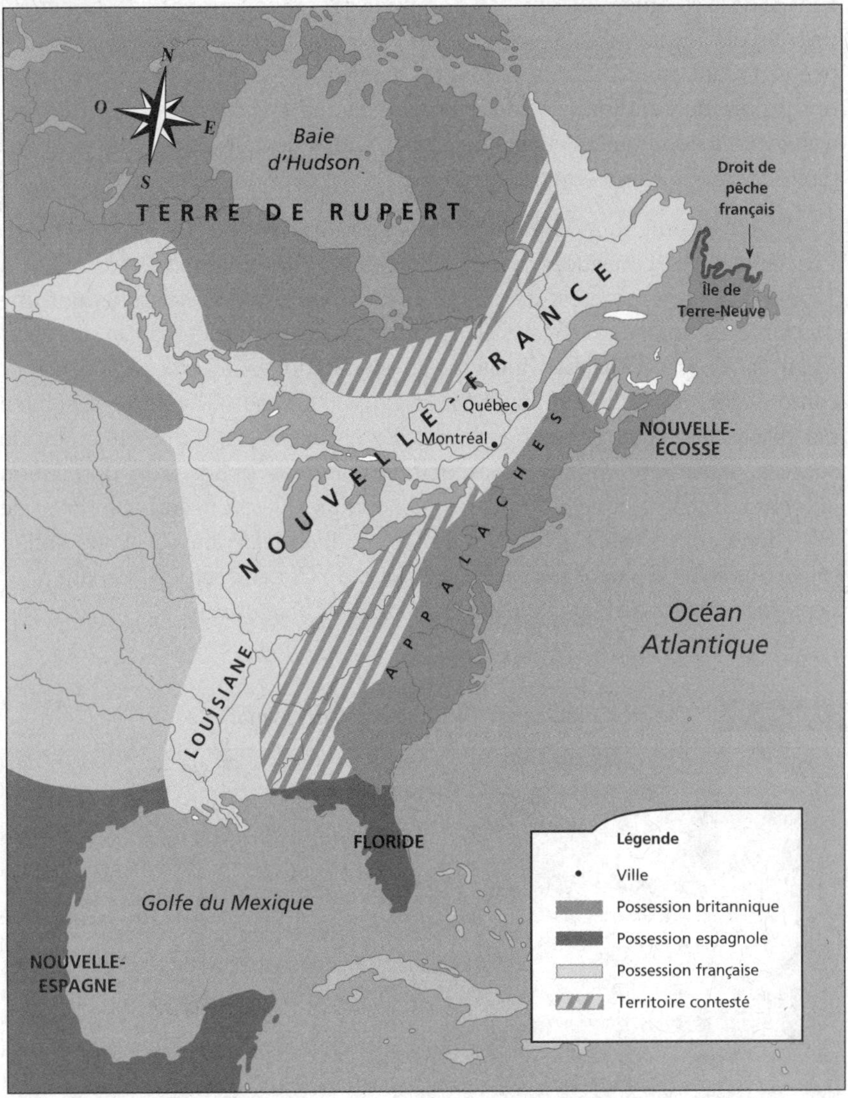

postes de fonctionnaire de l'État. La Nouvelle-France est toutefois dépourvue de représentants du haut clergé ou de la haute noblesse. La concurrence au sein des professions libérales et des métiers spécialisés provoque certains écarts dans la structure sociale, dont les strates deviennent plus apparentes qu'elles ne l'étaient avant le régime seigneurial (Mathieu, 1991 : p. 191).

Les pêcheries, l'exportation de bois et de produits agricoles, le développement progressif des Forges du Saint-Maurice et la construction navale se sont ajoutés au commerce des fourrures pour favoriser l'essor économique de la Nouvelle-France. En parallèle à ces divers progrès, la noblesse et la bourgeoisie de la colonie, bien que peu nombreuses et modérément riches, mènent un train de vie confortable, voire raffiné, qui se rapproche des standards européens. Quant aux habitants, la plupart sont à l'aise pour des paysans, car ils ont profité de conditions sociales favorables, en comparaison de celles qui avaient cours en France (et ailleurs en Europe), ainsi que de ressources abondantes et du développement du commerce des denrées agricoles.

L'accroissement de la population est important. Vers 1700, on comptait 120 seigneuries concédées pour environ 10 000 habitants (figure 6.2). En 1759-1760, ce nombre est de 180 pour environ 60 000 habitants, dont une douzaine de milliers dans les trois villes de la Nouvelle-France : Québec, Montréal et Trois-Rivières (incluant les soldats logés en casernes). Québec compte alors 8 000 habitants, et Montréal, 4 000 ; Trois-Rivières est habitée par moins de 1 000 personnes (Courville et Garon, 2001 : p. 111). Peu de sources présentent des données démographiques quant à la population autochtone de la Nouvelle-France à cette époque. Le recensement français de 1740 dénombre environ 45 000 Amérindiens alliés des Français, la population totale des autochtones dans tout le territoire du Canada actuel s'élevant pour l'époque à moins de 200 000 (*Atlas national du Canada*, 1995).

Figure 6.2   Ville de Québec en 1700, gravure anonyme

Dès 1745, tout le long du Saint-Laurent, les terres sont occupées presque sans interruption de Rimouski à La Prairie. Quelques seigneuries ont même été concédées en Gaspésie et sur la Côte-Nord pour les pêcheries. Le peuplement s'est aussi dirigé vers l'intérieur des terres, le long du Richelieu tout particulièrement. Enfin, au-delà des terres bordant les cours d'eau, on a commencé à ouvrir des «rangs», c'est-à-dire des rangées de terres qui donnent non pas sur un cours d'eau, mais sur l'extrémité des terres riveraines, entre lesquelles il faut aménager des chemins pour permettre à la population de circuler. Les seigneuries les plus peuplées sont celles situées près des villes et, bien entendu, celles dont les terres sont les plus fertiles, ou encore les mieux gérées. C'est le cas de plusieurs seigneuries détenues par les congrégations religieuses, notamment les Jésuites et les Sulpiciens, ainsi que celles des seigneurs qui s'adonnent au commerce des denrées agricoles.

Vers 1745, les autres territoires sous influence française, plus ou moins rattachés à la Nouvelle-France, sont l'île Royale (aujourd'hui l'île du Cap-Breton) et l'île Saint-Jean (aujourd'hui l'Île-du-Prince-Édouard), qui abritent environ 6 000 habitants en comptant la garnison de Louisbourg, ville fortifiée construite sur la rive sud-est de l'île du Cap-Breton, ainsi que la région de Détroit, dans les Grands Lacs. La région des Illinois, à cheval sur le confluent de la rivière Missouri et du fleuve Mississippi, fait aussi partie de la Nouvelle-France, tout comme la Louisiane, qui comprend la ville de La Nouvelle-Orléans, située à l'embouchure du Mississippi. Un total d'environ 2 500 personnes d'origine française vivent dans ces territoires éloignés, où les habitants s'adonnent à l'agriculture et, surtout, au commerce. À cela, il faut ajouter le réseau d'une vingtaine de forts français répartis dans les Grands Lacs, dans les prairies de l'Ouest et le long du Mississippi, où des militaires et des commerçants de fourrures entretiennent l'alliance conclue avec diverses nations autochtones amies des Canadiens, c'est-à-dire des Français du Canada (*Canada* étant le nom populaire de la Nouvelle-France).

La colonie qui, de 1641 à 1665, est au centre du conflit avec les Iroquois a connu une première trêve avec la venue du régiment de Carignan-Salières, en 1665-1666, qui a changé le rapport de force en faveur des Français. Les Iroquois ont repris leurs luttes armées dans les années 1680, avec l'aide des Anglais et en partie à leur profit, mais la Nouvelle-France a résisté par des ripostes qu'elle a multipliées de pair avec ses alliés autochtones. Les Iroquois choisissent la neutralité en 1701, lorsque la Grande Paix de Montréal, à l'initiative du chef huron Kondiaronk, a été signée avec les Français. Une nouvelle guerre franco-britannique, dernière grande menace pesant sur la Nouvelle-France avant 1745, s'est soldée par le traité d'Utrecht (1713), qui inaugure cette longue période de paix favorable aux développements précités, laquelle s'étend de 1713 à 1745.

Pendant cette période, c'est un fort taux de natalité qui fait augmenter la population, bien plus que la faible immigration de quelques dizaines d'individus par année. Le déséquilibre hommes-femmes, qui était de deux pour un en 1663 (Courville et Garon, 2001 : p. 111-112), a été rétabli par la vague d'immigration de 1664-1674, notamment par l'arrivée des Filles du roi. C'est pourquoi l'accroissement naturel de la population est ensuite possible et contrebalance la faiblesse de l'immigration. À la toute fin du Régime français, l'immigration joue de nouveau un rôle important à cause de l'afflux des militaires, dont plusieurs demeurent au Canada après la Conquête.

1.3 | Le mode de vie

Le mode de vie des habitants de la Nouvelle-France dépend de leur statut social et de leurs occupations. De façon générale, il subit peu de perturbations majeures, à l'exception de quelques périodes de disette qui frappent plus durement les plus pauvres de la colonie. Hostiles au mode de vie nomade de certains colons, dont les coureurs des bois, les représentants de l'État dans la colonie imposent certaines contraintes, assorties de peines sévères pour ceux qui enfreignent les règles régissant les congés (Mathieu, 1991). Le développement de l'agriculture et l'ouverture de marchés (notamment par l'entremise du mercantilisme) pour les denrées agricoles permettent l'accumulation de surplus modestes et l'accession à un mode de vie sédentaire favorisé par l'État. Les habitants continuent malgré tout à compléter leurs revenus par la chasse et la pêche.

1.4 | Les activités économiques : agriculture, élevage, chasse, pêche, commerce, premières industries, commerce des fourrures

1.4.1 Le commerce des fourrures

Le commerce de la fourrure connaît une crise au tournant du XVIIIe siècle (une retentissante faillite se produit en France en 1705). Pendant qu'en Europe la demande faiblit, dans la colonie, les fourrures continuent d'affluer, au point de saturer les entrepôts, notamment avec des fourrures de moindre qualité. Les autorités françaises tentent de réduire l'approvisionnement, ainsi que les prix, mais elles se heurtent au mécontentement des Canadiens et à l'opposition de certains dirigeants (le gouverneur Frontenac, par exemple) qui s'enrichissent de ce commerce et se voient dans l'obligation de préserver leurs alliances commerciales avec les Amérindiens. Par ailleurs, ce sont les bailleurs de fonds européens qui, avec 75 % des profits du commerce de la fourrure, en bénéficient le plus, alors que le travail des engagés est rémunéré au même taux que celui d'un simple journalier (Mathieu, 1991 : p. 157). À partir de 1725, la situation se redresse progressivement. Mais les traiteurs doivent composer avec d'autres difficultés : les fourrures se raréfient et il faut donc aller les chercher plus loin. De plus, quand vient le temps de les vendre, Amérindiens et coureurs des bois prennent davantage en considération le prix offert que la nationalité de l'acheteur. C'est pourquoi, de 1713 à 1744, plus de la moitié du commerce canadien des fourrures passe par Albany, le poste de traite le plus accessible et le plus important de toute la Nouvelle-Angleterre, situé sur le fleuve Hudson, au nord de New York. Malgré cette perte pour l'État français, les fourrures constituent encore 70 % de toutes les exportations de la Nouvelle-France en 1739 (Mathieu, 2001 : p. 173-176).

1.4.2 L'agriculture

L'agriculture est en nette progression partout en Nouvelle-France au cours du XVIIIe siècle. En fait, Mathieu estime que, tout au long du Régime français, de 75 à 80 % de la population de la vallée du Saint-Laurent a vécu de la culture de la terre ; c'est dire l'importance de cette activité comme base des conditions de vie dans la colonie (Mathieu, 2001 : p. 150). Du début du siècle à 1739, la population rurale passe d'environ 8 000 personnes à plus de 42 000 (Mathieu, 2001 : p. 168). La superficie des terres en culture quadruple et la principale culture, le blé français, compte pour 80 % de l'ensemencement, ce qui permet de procurer à tous les habitants leur ration de « pain quotidien ». On récolte aussi de l'avoine, des pois, du maïs, de l'orge et plus rarement du tabac, du chanvre et du lin. L'élevage suit la même progression ascendante (Hamelin, 1976 : p. 195-197). Le cheptel se compose de chevaux, de bêtes à cornes, de moutons et de porcs, sans compter les volailles.

L'agriculture de subsistance d'avant 1700 devient une agriculture commerciale non négligeable à compter de 1715, avec la construction de Louisbourg, dans l'île Royale, qui est une ville forteresse et une ville entrepôt. Son rôle est en effet de protéger les pêcheries françaises sur les Grands Bancs de Terre-Neuve, ainsi que l'accès au golfe du Saint-Laurent et à la Nouvelle-France. Louisbourg est également l'un des pôles du commerce triangulaire qui se met en place entre la France, les Antilles françaises et la Nouvelle-France au début du XVIIIe siècle, lequel permet à la Nouvelle-France d'écouler du blé, des farines, du bois, des huiles et du poisson, notamment, puisque les Antilles françaises et Louisbourg manquent de ces produits.

Cet essor de l'agriculture se généralise donc dans toutes les seigneuries et assure une alimentation en général suffisante à la population. Les plus anciennes seigneuries, ou les mieux organisées, offrent de meilleures conditions de vie à leurs censitaires (ceux qui cultivent la terre, qu'on appelle aussi les habitants). Le réseau des paroisses est également plus développé, de sorte qu'on trouve presque partout une église ou une chapelle, ainsi qu'un curé ou un prêtre itinérant pour dispenser les services religieux considérés comme essentiels par la population. En 1745, on trouve dans pratiquement toutes les seigneuries un ou deux forgerons, des charpentiers, des menuisiers, des tisserands ou tisserandes, et quelques autres gens de métiers. Mais les villages sont pour ainsi dire inexistants, à deux ou trois exceptions près. Les marchands ne résident pas encore à la campagne de façon permanente, ils sont plutôt concentrés dans les villes, où les habitants se rendent au moins une fois l'an pour se procurer des denrées essentielles, comme le sel, ou des produits manufacturés en Europe, comme des fusils ou des étoffes fines. Des marchands ambulants circulent cependant dans les campagnes les plus peuplées.

Environ les deux tiers des seigneurs vivent en ville plutôt que dans leur seigneurie, où un gérant les représente et s'occupe de leurs affaires, au préjudice de leur obligation de «tenir feu et lieu», à laquelle ils ne peuvent se soustraire sans risquer de perdre leur seigneurie. En plus des antécédents historiques de la jeune colonie, où habitants et seigneurs étaient assujettis aux mêmes difficultés, l'absentéisme des seigneurs fait qu'ils peinent souvent à faire respecter leurs droits par des habitants autonomes et bien organisés. En effet, les mariages entre les familles à l'aise et le prestige des marguilliers et des milices mobilisant les habitants les plus influents et les plus respectés ont pour effet de contrebalancer substantiellement l'autorité des seigneurs.

1.4.3 La pêche

Les ressources halieutiques demeurent un attrait considérable pour les pêcheurs européens, bien que les activités de pêche relèvent d'abord de la métropole et sont l'affaire d'entreprises extérieures à la colonie. Au XVIIIᵉ siècle, la pêche demeure avec la fourrure la ressource économique principale de la Nouvelle-France, les prescriptions religieuses créant un marché du poisson tant la colonie que dans la métropole. La pêche à la morue atlantique génère assez de surplus pour l'exportation vers les Antilles, où il existe un marché pour la morue verte de moindre qualité. La demande française d'huile et de fourrures de mammifères marins favorise également le développement de ce secteur de l'économie et des régions maritimes, telle la Gaspésie. Des établissements de pêcheries permanents sont ainsi installés le long du fleuve.

1.4.4 Le mercantilisme et le commerce triangulaire

L'économie de la Nouvelle-France de 1745 repose encore principalement sur le commerce des fourrures et, dans une moindre mesure, sur celui des denrées agricoles. La France «subventionne» en bonne partie le commerce des fourrures, afin d'assurer le maintien d'alliances solides avec un grand nombre de nations autochtones. Ces alliances permettent de lutter efficacement contre la menace que représentent les colonies britanniques de la Nouvelle-Angleterre, beaucoup plus peuplées et beaucoup plus puissantes sur le plan économique. Ce commerce assure en même temps la viabilité de la Nouvelle-France. Quant au commerce agricole, aux pêcheries du Saint-Laurent

et au commerce du bois, ils sont bien intégrés au commerce triangulaire France/
Nouvelle-France/Antilles françaises et sont rentables. Cette économie n'en
respecte pas moins le grand principe économique de cette époque, qui est
le mercantilisme.

Instauré par Jean-Baptiste Colbert (1619-1683), ministre français de la
Marine de 1669 à 1683, le mercantilisme est encore, vers 1745, la politique
économique imposée à la Nouvelle-France. Cette doctrine suppose qu'il
existe une quantité définie d'or dans le monde, et que plus un État en obtient
en vendant des ressources ou des biens, plus il accroît sa puissance dans le
monde. C'est ainsi que Colbert et ses successeurs tirent le maximum de ressources des colonies françaises, que la France transforme ensuite dans la
mère patrie et revend. En aucun cas la Nouvelle-France ne peut commercer
avec une autre puissance, ni fonder sur son sol d'entreprises qui feraient
concurrence aux industries françaises. Cette politique a été adoucie à partir de
1725 par le ministre de la Marine Phélypeaux de Maurepas (1701-1781), qui
tolère l'implantation d'industries dans la colonie.

Ce principe s'applique notamment au commerce triangulaire, qui fonctionne ainsi : en juin ou juillet, les vaisseaux chargés de marchandises manu-
facturées partent de la France et arrivent à Québec à la fin de l'été, ou s'arrêtent
à Louisbourg pour transborder ces marchandises dans des vaisseaux plus
petits qui se rendront à Québec. On y vend une partie des cargaisons, puis on
comble l'espace libéré sur les bateaux par des produits locaux, comme des
planches, des fourrures, du blé et du poisson. Ces navires quittent ensuite
Québec, s'arrêtent à Louisbourg pour charger éventuellement du poisson en
surplus, puis appareillent pour les Antilles françaises (figure 6.3). Ces colonies méridionales orientées vers la monoculture du sucre «manquent de tout,
principalement de nourriture et de bois», que lui procurent la Nouvelle-France
ainsi que la Louisiane. Au cours du XVIIIᵉ siècle, des tonneaux fabriqués à
Québec seront également utilisés par les Antillais pour exporter le sucre en
France (Courville et Garon, 2001: p. 79). Arrivés aux Antilles en décembre,
juste après la saison des ouragans, les vaisseaux vendent leur cargaison et se
chargent de produits locaux comme le sucre et le café, avant de repartir vers
la France où ils arriveront vers le mois de mars ou d'avril (Mathieu, 2001:
p. 176). Ce système permet d'organiser un marché intérieur colonial qui profite à la Nouvelle-France en diversifiant son économie et en multipliant ses
communications maritimes avec l'extérieur.

1.4.5 Les premières industries

Avec l'aide de Gilles Hocquart (1694-1778), intendant de la Nouvelle-France
de 1729 à 1748, l'État français tente de développer deux industries majeures
en Nouvelle-France : les Forges du Saint-Maurice et la construction navale.
La découverte de gisements de fer près de Trois-Rivières encourage la
mise sur pied d'une fonderie. En 1734, les Forges du Saint-Maurice entrent

Figure 6.3   Le commerce triangulaire

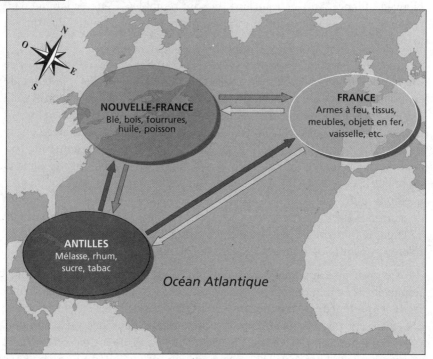

en production, non sans connaître de nombreux problèmes tout au long de leur existence : manque de main-d'œuvre qualifiée, coûts de production élevés, etc. Dès 1741, le roi est forcé de prendre l'industrie en mains. Jusqu'en 1760, l'entreprise fonctionne de façon intermittente et se limite à une production simple d'objets utiles pour le quotidien des colons, comme du fer en barres, des clous, de nombreux poêles à bois et des boulets de canon. On est malheureusement incapable de produire certaines pièces plus compliquées, comme celles que nécessite l'industrie navale.

Face à la vive concurrence de l'Angleterre sur mer, la France tente de mettre à profit les réserves de bois de la Nouvelle-France pour construire un plus grand nombre de navires de guerre. Quelques centaines de petits bâtiments de 200 à 300 tonneaux sont lancés, mais le bois pour les bateaux de 500 à 700 tonneaux est plus rare, plus éloigné, et coûte plus cher à exploiter. Il faut en outre importer de France les voiles, les cordages et autres accessoires, contrainte qui s'ajoute aux problèmes des Forges du Saint-Maurice pour limiter les ambitions navales en Nouvelle-France (Mathieu, 2001 : p. 172-173).

La ville de Québec concentre une bonne partie des activités économiques, mis à part le très important commerce des fourrures, dont la plaque tournante est Montréal, point d'arrivée et de départ vers la France. De ses quais partent les biens destinés à la mère patrie. Un grand nombre de marchands, ainsi que les métiers de la navigation et de la pêche s'y concentrent. Le dynamisme de Québec se traduit également par la présence d'autres corps de métiers, comme ceux de la construction, du cuir, du bois et de la pierre, sans compter la présence du pouvoir politique, et donc de la plupart des hauts fonctionnaires (Mathieu, 2001 : p. 155-156).

1.4.6 Les techniques et l'outillage

Les techniques et l'outillage sont importés de France, mais les instruments aratoires en fer sont graduellement remplacés par des outils de bois fabriqués en Nouvelle-France. Le développement de l'industrie sidérurgique, particulièrement les Forges du Saint-Maurice, permet toutefois de fabriquer une variété d'objets de fer essentiels pour travailler le cuir, cultiver la terre, assembler des barils, fabriquer des serrures, etc. La consultation des inventaires après décès des ménages canadiens du XVIIIe siècle révèle l'importance de ces produits fabriqués dans la colonie. En général, les habitants possèdent des outils leur permettant de construire leur habitation et d'effectuer des réparations d'urgence : une scie, un marteau, une hache, une hache à équarrir, un rabot, une tarière et une plaine. Ces outils servent également à la construction des embarcations, dont les canots inspirés des méthodes amérindiennes. Les premiers colons apportent ces outils avec eux, et avant que ne se développent les premières industries, les habitants canadiens fabriquent souvent eux-mêmes les outils qui remplacent ce qui est devenu inutilisable. Pour la plupart, ces outils sont fabriqués de bois (Séguin, 1968a : p. 244).

Plusieurs artisans spécialisés apportent en Nouvelle-France les techniques de la métropole : ferblantier, serrurier, forgeron, taillandier, armurier, chaudronnier, pour en nommer quelques-uns. Ils y apportent également les outils spécialisés, qui sont souvent légués dans le patrimoine matériel au fils apprenti, ou vendus par la famille dans le cas d'une absence de relève familiale.

Bien que la première poterie soit établie en Nouvelle-France en 1655, la poterie de terre cuite est surtout fabriquée par les Canadiens à compter de la deuxième moitié du XVIIIe siècle. Les modèles produits sont les mêmes qu'en France, à l'exception de la couleur. La Nouvelle-France n'a toutefois connu aucune industrie de poterie capable de rivaliser avec les importations européennes.

1.5 Les réalités culturelles

1.5.1 Les Canadiens et les Français

À partir de 1700, de nombreux témoignages de Français qui sont de passage ou qui immigrent dans la colonie mettent en relief des différences entre eux et les Canadiens de naissance (Hamelin, 1976 : p. 240-242). Cette distinction apparaît aussi tôt que 1660, comme l'indique la correspondance de Marie de l'Incarnation, qui emploie déjà le mot *Canadien* pour distinguer les Français nés dans la colonie de ceux qui arrivent de France, entre lesquels elle remarque une différence de comportement et de valeur. Plus tard, plusieurs Français écrivent que les Canadiens sont remarquables pour leur endurance, leur force physique et leur valeur au combat. On les dit hospitaliers et courtois, mais aussi indisciplinés, fiers, débrouillards, individualistes et peu respectueux de l'autorité (Hamelin, 1976 : p. 230). Ces derniers traits inquiètent à l'occasion les autorités françaises, qui souhaitent implanter dans la colonie le même pouvoir royal qu'en France.

Plusieurs facteurs expliquent l'apparition de cette société nouvelle qui diffère de la France par certains côtés, en raison de l'éloignement de la mère patrie et du pouvoir royal, représenté par le gouverneur et l'intendant, moins bien pourvus en ressources humaines et financières, et donc moins bien organisés. L'isolement relatif de la colonie, les particularités de son climat, l'immensité du territoire et sa faible population, ainsi que le contact d'une partie de la population avec les Amérindiens expliquent également ces différences. Les rapports entre Amérindiens et Français, « partout en Nouvelle-France, sont marqués pendant deux siècles par une très grande proximité, par des échanges, des emprunts et des formes de métissage » (Havard et Vidal, 2003 : p. 208). Le développement moindre des arts et métiers est aussi un facteur qui entraîne des différences culturelles non négligeables sur le plan des valeurs et du comportement. Enfin, il existe un certain clivage entre la majorité de la population d'origine canadienne et les principaux dignitaires, ainsi que plusieurs curés, qui sont d'origine française. Des recherches plus récentes indiquent cependant qu'il ne faut pas exagérer ce clivage et ces différences. On observe en Nouvelle-France une stratification sociale moins complexe, la richesse y conférant plus de pouvoir qu'en France. La mobilité sociale y est également plus grande. La nature indépendante des Canadiens, soulignée notamment par Hocquart, trouve son origine dans l'Ancien Régime. Havard et Vidal (2003 : p. 408) voient en eux « une forme de résistance sociopolitique à la volonté des autorités, encore plus grande qu'en métropole, de contrôler tous les aspects de la vie coloniale et d'imposer un pouvoir extrêmement centralisé ».

1.5.2 La religion

Les efforts des Jésuites, de l'évêque Laval et des autres communautés religieuses pour sédentariser les Amérindiens nomades se sont pratiquement tous soldés par des échecs. Les tentatives de franciser les nations amérindiennes et de leur faire adopter un mode de vie à la française ont été encore plus vaines. Au bout du compte, après un siècle de travail missionnaire, l'Église canadienne n'a réussi à convertir qu'un nombre limité d'autochtones. Par exemple, des centaines de Hurons, d'Iroquois, d'Algonquins, d'Abénaquis résident dans la colonie, groupés par nations dans quelques missions où leurs contacts avec la majorité de la population canadienne sont limités. Ce sont les Amérindiens dits domiciliés, qui combattront aux côtés des Canadiens et des Français en plusieurs occasions. Les Jésuites sont également présents dans plusieurs missions des Grands Lacs, où ils exercent un rôle apostolique et diplomatique important. Cependant, en 1745, l'Église canadienne est surtout devenue celle des habitants d'origine française de la colonie.

Depuis 1674, Québec est le siège d'un évêché. Mgr François de Laval, arrivé dans la colonie en 1658, a fondé une importante institution d'enseignement, le Séminaire de Québec, et il a mis en place le réseau des paroisses que son successeur, Mgr de Saint-Vallier, a continué à développer. De plus, quelques communautés religieuses s'occupent d'éducation, de santé, de l'assistance aux pauvres et des services spirituels à la population; ce sont, du côté masculin, les Sulpiciens, les Récollets et les Jésuites, et, du côté féminin, les Augustines, les Ursulines, la congrégation de Notre-Dame et celles qu'on appelle les Sœurs grises, ou Sœurs de la charité. L'Église est donc bien organisée au milieu du XVIIIe siècle, quoique ses effectifs soient toujours insuffisants par rapport aux besoins exprimés par la population et au souhait de l'Église de mieux encadrer ses fidèles. C'est notamment pourquoi des prêtres français continueront de s'ajouter aux effectifs de l'Église canadienne jusqu'à la fin du Régime français. Dès la seconde moitié du XVIIe siècle, le clergé a cherché à renforcer la pratique religieuse et à élever les mœurs de la population et des membres de l'élite. Elle déplore souvent la désinvolture de certains habitants à l'égard de son ministère.

1.5.3 Les divertissements

En 1645, l'isolement des colons et le dur labeur des premiers défrichements laissaient peu d'occasions de se divertir, sauf en hiver, où les tâches pressantes étaient moins nombreuses. Cent ans plus tard, une population mieux établie, plus nombreuse et comptant des réseaux de voisins et de parents plus denses et plus étendus, multiplie les occasions de se divertir et accroît la diversité des loisirs.

Certaines fêtes du calendrier fournissent l'occasion de grandes réjouissances: le jour de l'An et le mardi gras, par exemple. L'hiver est en outre ponctué de périodes d'oisiveté et de loisirs plus nombreuses et plus intenses. On peut se réunir pour causer, se raconter des histoires ou des légendes, chanter et danser, jouer aux cartes et aux dames. L'alcool coule à flot dans plusieurs cas. Les mariages sont des occasions de réjouissances assez spectaculaires au regard de nos normes. En effet, la noce dure en général de deux à trois jours pendant lesquels on mange et boit à outrance. Les unions conjugales ont généralement lieu entre novembre et février, soit après la saison des récoltes, quand la nourriture est abondante, ou avant le carême, qui demande aux chrétiens une période de pénitence de 40 jours, lesquels correspondent justement au moment où les réserves de nourriture diminuent considérablement dans les pays nordiques ou tempérés (Séguin, 1968a : p. 9-29).

Les auberges et les cabarets, qui se sont multipliés, sont des endroits publics où l'on s'adonne également à des jeux de société : dés, cartes, dames et, bien sûr, à la consommation d'alcool : vin et eau-de-vie. Les autorités ont tendance à juger ces activités condamnables en raison des désordres qu'elles provoquent (dettes, beuveries, violences). Les autorités religieuses en particulier se plaignent à maintes reprises de la fréquentation des cabarets le dimanche. Un autre loisir que réprouvent les autorités, civiles celles-là, sont les courses de chevaux, auxquelles s'adonnent surtout les jeunes hommes ; on parle ici de courses de chevaux attelés à des charrettes ou à des traîneaux, seul mode de transport terrestre en Nouvelle-France. On établit des règlements pour empêcher ces courses qui sont dangereuses pour les piétons (Hamelin, 1976 : p. 169). Mais c'est la danse qui provoque les plus vives réprobations de l'Église. La proximité qu'elle entraîne entre les sexes, conjuguée à l'abus possible d'alcool, est un grave danger aux yeux du clergé.

Chez les classes aisées et l'élite dirigeante, on mène une vie ponctuée de réceptions dont l'éclat est proportionnel aux moyens dont disposent les participants. Tant chez le gouverneur que chez l'intendant, le faste de certains bals accompagnés de concerts illustre la volonté de l'élite de mener un train de vie élevé et de se divertir comme en France. La noblesse et la bourgeoisie de la Nouvelle-France, quand elles ne font pas partie du cercle restreint des proches du gouverneur ou de l'intendant, ou encore de l'entourage du gouverneur de Montréal qui jouit également d'une position de prestige, s'adonnent elles aussi à des réceptions où l'on cause, danse, joue et consomme beaucoup d'alcool. On assiste également à l'apparition d'auberges où l'on sert de la fine cuisine, à l'époque même où se développe la gastronomie française, dont le rayonnement s'étend jusqu'à Québec et à Montréal.

1.5.4 L'habitation et l'alimentation

Les maisons des habitants des campagnes sont en général construites en bois. Au début de la colonie, il était impératif, à l'arrivée, de construire une cabane rudimentaire dès l'été, afin de se mettre à l'abri pour l'hiver. Peu de temps après, on prenait le temps de construire une habitation plus grande et plus confortable, tout en défrichant la terre pour la mettre en culture et assurer la base de son alimentation. La même urgence obligeait les nouveaux arrivants à construire une étable pour protéger le bétail du rude hiver et une grange pour entreposer le fourrage essentiel à l'alimentation des bêtes pendant la morte-saison.

Mais au XVIIIe siècle, et à plus forte raison en 1745, la population ne vit plus dans la même urgence. Depuis longtemps, les terres sont défrichées et donnent régulièrement des récoltes suffisantes pour subvenir aux besoins des familles pendant toute l'année. Dans ces conditions, il est possible de construire les maisons avec plus de soin, des maisons également mieux adaptées au climat, grâce à l'expérience acquise de génération en génération en Nouvelle-France. Le matériau de prédilection demeure le bois, omniprésent, facile à travailler et meilleur isolant naturel que la pierre. Les maisons aux épais murs de bois sont en général plus chaudes et moins humides que les maisons de pierre. La pierre a néanmoins ses adeptes, même à la campagne, pour des raisons de durabilité et de prestige. La maison de pierre témoigne aussi d'une certaine aisance. Avec le temps, les familles ont acquis ou fabriqué des meubles en plus grand nombre : coffres, tables, chaises, armoires et lits sont les plus fréquents, avec la huche dans laquelle on prépare la pâte à pain. Car la grande majorité des habitants boulangent leur propre pain, chez soi ou chez le voisin, les fours à pain n'étant pas aussi nombreux que les maisons. Un four à pain peut servir à plusieurs familles apparentées installées à proximité, et même aux voisins en cas de bonne entente. D'ailleurs, les mariages entre membres de familles voisines sont très fréquents ; on ne se complique pas la vie pour trouver un conjoint quand il se trouve dans le voisinage et que l'on connaît bien toute sa famille, dont l'alliance agrandira son propre cercle familial.

L'adaptation des maisons au climat rigoureux de la Nouvelle-France comprend les principales caractéristiques suivantes : adoption quasi systématique du plancher de bois, alors que le sol de plusieurs maisons de campagne de France est encore en terre battue ; toit pentu pour éviter l'accumulation de neige ; prolongement du toit au-delà des murs, afin d'éviter que la pluie ou la neige fondue ne détrempe les murs ou les endommage sous l'action du gel et du dégel. On ajoute aussi une couche de crépi sur les murs de pierre pour limiter cette action du gel et du dégel. Enfin, on évite de percer des fenêtres du côté des vents dominants, ou alors on se contente de fenêtres plus petites. Le chauffage est de plus en plus assuré par les poêles à bois en fonte, placés au centre des pièces et diffusant une chaleur plus constante et plus égale que les cheminées, par lesquelles s'échappe presque toute la chaleur dégagée par le feu. Toutes ces caractéristiques font en sorte que les maisons sont nettement plus confortables en 1745 qu'au XVIIe siècle.

En ce qui a trait à la conservation de la nourriture pendant le long hiver, on a pris l'habitude d'aménager un caveau à légumes sous le plancher des maisons, dans l'espace sombre et frais qui les sépare du sol de terre battue, car les maisons ont presque toutes un petit solage qui les élève de deux ou trois pieds au-dessus du sol. On y entrepose dans des caisses de bois les légumes de conservation que sont les navets, les oignons, les choux et les carottes, principalement ; ils se conservent ainsi plusieurs mois. Avant l'hiver, au moment des premières gelées, on fait aussi boucherie des porcs et des volailles qu'on a engraissés tout l'été. Les volailles sont suspendues tête en bas, avec les plumes, dans une partie du grenier, non chauffé, afin qu'elles gèlent et se conservent pendant l'hiver. On fait de même avec des quartiers de viande de porc qu'on expose au froid pour les garder congelés, bien à l'abri des prédateurs : insectes et animaux sauvages ou domestiques. Même le lait est gardé congelé lorsque des surplus s'accumulent, ce qui arrive parfois étant donné qu'on garde en permanence une ou deux vaches et un ou deux bœufs. Les veaux et génisses de l'année sont aussi abattus pour la viande, exception faite de ceux dont on aura besoin pour le travail de la terre ou la production laitière, qu'il faudra donc nourrir avec du foin entreposé dans la grange pendant tout l'hiver. Enfin, on sale les parties les plus grasses du porc et on les met en barriques, pour obtenir un lard salé qui se conserve jusqu'à deux ans sans difficulté.

Le cheval est un cas à part. En 1745, la colonie compte un très grand nombre de chevaux. Chaque jeune homme en âge de se marier possède son propre cheval, à moins d'être très pauvre. De plus, on n'abat jamais de chevaux pour la boucherie ; les poulains sont toujours donnés ou vendus pour servir de bêtes de somme dans la ferme ou de bêtes de trait attelées à un traîneau ou à une charrette. Dans les écrits de cette époque, on relève de nombreuses remarques sur la passion démesurée des Canadiens pour les chevaux. Ils les nourrissent en hiver au lieu de s'en nourrir, et ils s'en abstiennent même en cas de disette.

En milieu urbain, où les maisons de pierre sont bien plus nombreuses, les ravages du feu à Québec en 1682 et à Montréal en 1721 décident les autorités à prendre des mesures sévères pour réduire au minimum le risque d'incendie. Le gouverneur Frontenac, dans les années 1680, puis les intendants Bégon et Dupuy, dans les années 1720, imposent la construction de murs coupe-feu sur les toits de maisons, prescrivent l'emploi de la pierre dans la construction et recommandent de limiter à deux étages la hauteur des maisons (Tétu de Labsade, 2000 : p. 258-259). Toutes ces mesures influent grandement sur les normes de construction et le style des maisons en milieu urbain, là où l'on trouve les plus spacieuses et les plus prestigieuses demeures de riches marchands, d'artisans prospères, de fonctionnaires du roi et de nobles.

En 1745, l'alimentation en Nouvelle-France diffère de celle de la mère patrie sur plusieurs points. Certes, la production de blé, et donc la consommation de pain, est comme en France la base de l'alimentation. Mais la famille moyenne qui vit de la culture de la terre (le paysan de France et l'habitant du Canada) consomme davantage de viande en Nouvelle-France qu'en France. On préfère le bœuf, mais on mange le plus souvent du porc. La différence est due principalement au fait que les habitants de la Nouvelle-France ont accès aux produits de la chasse : au grand gibier comme l'orignal et le cerf lorsque l'occasion s'en présente et à une grande abondance de gibier à plumes et de petit gibier domestique comme le lièvre lorsque vient le printemps ou l'automne. La pêche permet également de varier le menu, car presque tous les habitants ont accès à un cours d'eau abondant en plusieurs espèces de poisson. On a en outre l'habitude de pratiquer la pêche blanche, c'est-à-dire la pêche sous la glace en hiver. À cela il faut ajouter les œufs en été et les laitages, qui sont accessibles à l'année, ainsi que le sucre d'érable, devenu très populaire au cours du XVIIIe siècle. Au total, le Canadien est bien nourri, sauf les années de mauvaises récoltes ou en temps de guerre.

Les nobles et les bourgeois ont de surcroît accès à certaines gâteries importées de France ou des Antilles françaises, comme les fruits séchés exotiques, les huiles, vinaigres et condiments, les vins de qualité. Ils jouissent également de jardins beaucoup plus diversifiés que ceux des habitants.

1.5.5 L'habillement

Plus que jamais, en 1745, l'élite de la colonie suit la mode française et achète des étoffes et des vêtements importés de France. La variété et le raffinement des vêtements des riches citadins correspondent à leurs moyens. En témoignent notamment les dames de qualité, qui « s'entourent d'un luxe qui n'est pas sans inquiéter les esprits pondérés » (Séguin, 1968a : p. 12). Les vaisseaux apportent de France les « nouveautés », mais, à cause de la lenteur, ce que les dames reçoivent « comme nouvelle façon est déjà passé de mode » dans la métropole (Séguin, 1968a : p. 12). Dès 1690, l'évêque déplorera le luxe et « l'immodestie des toilettes féminines » (Séguin, 1968a : p. 13). En d'autres occasions, on appréhende que les dépenses consacrées aux vêtements de prix ne mènent des familles à la ruine. Malgré de nombreuses mises en garde, le goût des habitants des deux sexes pour les beaux atours ne se dément pas tout au long du XVIIIe siècle.

Dans les campagnes, l'essentiel des vêtements n'a guère changé depuis les débuts de la colonie. On porte toujours des mitasses, des culottes et des vestes. Comme coiffure, les habitants portent une bourse à cheveux, sorte de petite boucle qui rejette la chevelure derrière la tête en lui donnant la forme d'une queue de cheval. On porte généralement des vêtements faits d'étoffe du pays, quoique plusieurs témoignages indiquent que les habitants aiment les beaux vêtements, et leurs femmes encore plus. On dépense beaucoup d'argent pour avoir belle apparence. En 1749, l'homme de science suédois Pehr Kalm observe que « toutes les femmes du pays, sans exception, portent le bonnet. Leur toilette consiste en un court mantelet sur un court jupon, qui leur va, à peine, au milieu de la jambe » (Séguin, 1968a : p. 12). Sur ce dernier point, Kalm croit que les Canadiennes imitent les Amérindiennes. Elles prennent grand soin de leur chevelure, ornée d'aiguilles et d'aigrettes. Elles s'habillent richement le dimanche, et surveillent la mode française, qu'elles s'efforcent de suivre. Le goût pour les tissus fins, les souliers élevés et étroits, la poudre et le fard est prononcé jusque dans les campagnes (Séguin, 1968a : p. 12-13).

Les voyageurs de la traite de fourrures sont les plus portés à adopter la façon amérindienne de s'habiller. Partageant un mode de vie semblable, le voyageur porte lui aussi le brayet, sorte de culotte rudimentaire mais résistante en peau d'animal. Les mitasses sont des jambières enroulées autour des jambes, faites habituellement en lanières de peau, qui protègent des arbustes et des autres plantes des bois. En hiver, ces jambières présentent l'avantage de ne pas trop se mouiller. On signale également des tuniques et des « manches », sortes de mitasses couvrant les avant-bras. Ces vêtements peuvent être en cuir ou en toile. Les chaussures des voyageurs, le « soulier de bœuf », que portent aussi les habitants, sont des adaptations européennes du mocassin amérindien (Séguin, 1968a : p. 4-5).

1.6 | Les réalités politiques : prise de décisions, rôles et pouvoirs des dirigeants, institutions

1.6.1 Le pouvoir et la gouvernance

Dès son arrivée sur le trône de France en 1661, des émissaires venus de la Nouvelle-France pressent Louis XIV de venir en aide à sa petite colonie du Saint-Laurent, qui est menacée de disparaître sous la pression sans cesse accrue des Iroquois. D'ailleurs, Louis XIV constate l'incapacité des compagnies qui, depuis Champlain, ont obtenu le monopole de la traite de fourrures, en échange duquel elles devaient peupler et développer la Nouvelle-France. Face à cette situation insatisfaisante à tous points de vue, le roi entreprend une réorganisation complète de la colonie en 1663 en la plaçant temporairement sous la gouverne directe de la couronne. Même si la gestion de la colonie est de nouveau remise à une compagnie de commerce dès 1664 – la Compagnie des Indes occidentales –, le roi détiendra désormais l'autorité suprême et exercera un droit de regard serré sur la Nouvelle-France jusqu'en 1760 (figure 6.4).

Figure 6.4   Structure du gouvernement royal, 1663

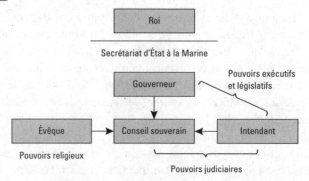

1.6.2 Le gouverneur et l'intendant

La Nouvelle-France se voit dotée de la même structure administrative que les provinces françaises, avec à sa tête un gouverneur général et un intendant, assistés d'un Conseil souverain d'une dizaine de membres. Les gouverneurs de Montréal et de Trois-Rivières sont maintenus en poste et exercent leur autorité sur ces deux villes, alors que le gouverneur général de la colonie est en même temps le gouverneur de la ville de Québec, où il a sa résidence officielle.

Le gouverneur général – on lui donne aussi le titre de « gouverneur » ou de « lieutenant général du roi » – domine en principe la hiérarchie administrative coloniale en tout ce qui concerne la préséance et les honneurs. Représentant du roi de France dans la colonie, il est nommé par lui et on lui doit respect et considération. Révocable, il est subordonné au ministre de la Marine de France, aussi responsable des colonies. Le rôle du gouverneur de la colonie est important : assisté de son état-major, il assure le commandement des troupes de toute la Nouvelle-France, milice comprise ; il est chargé de la stratégie en temps de guerre et dirige les relations extérieures de la Nouvelle-France avec les nations amérindiennes et, à l'occasion, avec les colonies anglaises voisines. Il décide également des plans de campagne et des fortifications. Sur ce dernier point, il doit cependant travailler de concert avec l'intendant, chargé du budget de la colonie. En outre, le gouverneur est l'unique dispensateur des permissions de sortie du pays et doit s'assurer de l'efficacité et de l'honnêteté du travail des principaux fonctionnaires coloniaux. Enfin, c'est à lui qu'incombe la responsabilité d'exercer une surveillance générale des institutions et des grands corps de la société : le clergé, les communautés religieuses, les établissements d'enseignement, les hôpitaux, les offices publics et la justice.

Si des divergences d'opinions surviennent entre le gouverneur et d'autres hauts fonctionnaires, en particulier l'intendant, le gouverneur a normalement préséance, mais il doit alors s'expliquer et se justifier devant le ministre de la Marine qui, en fin de compte, a le pouvoir de trancher en faveur du gouverneur, de l'intendant ou des autres fonctionnaires concernés (Lanctôt, 1971 : p. 27-55).

L'intendant, bien qu'inférieur au gouverneur sur les plans de la hiérarchie et des honneurs, est indiscutablement le fonctionnaire le plus important et le plus influent de la colonie. En définitive, son champ d'action est même plus grand que celui du gouverneur, de sorte que, selon la personnalité et le dynamisme respectifs de l'un et de l'autre, il arrive que l'intendant domine le paysage politique de la Nouvelle-France et soit le véritable homme fort de la colonie. Comme pour le gouverneur, le roi décide de la durée du mandat de l'intendant, lequel est révocable à volonté. Il possède généralement une bonne connaissance des lois, voire parfois une formation juridique. Contrairement au gouverneur, il n'incarne pas la personne sacrée du monarque.

Son rôle est nettement administratif et son pouvoir s'étend à trois vastes domaines : la justice, la police (c'est-à-dire la totalité de l'administration civile de la colonie) et les finances.

En tant que responsable de la justice, l'intendant assume la présidence du Conseil souverain – qui est le tribunal de justice supérieure de la colonie, renommé Conseil supérieur en 1702 –, voit à la bonne marche des cours de justice et veille à l'application des droits et des devoirs propres au régime seigneurial, qui encadrent la vie communautaire, économique et sociale dans les campagnes, soit auprès de plus de 80 % de la population. À titre de responsable de la police, l'intendant est aussi responsable de la sécurité publique, de la voirie, des bonnes mœurs et de la salubrité, de la protection contre les incendies et de l'aménagement urbain. Enfin, en tant que responsable des finances, il administre le budget colonial, dépenses militaires comprises, ainsi que la circulation de la monnaie. Il participe donc à tous les secteurs d'activités dans la colonie. Personnage considérable, l'intendant a aussi droit, comme le gouverneur, à des marques particulières de prestige, à des honneurs et à des privilèges. La répartition du pouvoir entre le gouverneur et l'intendant – notamment sur le plan des finances – provoque parfois des tensions (Lanctôt, 1971 : p. 57-89).

En 1745, la Nouvelle-France comprend officiellement trois colonies : l'île Royale, ou île du Cap-Breton d'aujourd'hui – où se trouve la ville de Louisbourg –, le Canada (la colonie du Saint-Laurent) et la Louisiane. Toutes relèvent d'une même autorité, soit le secrétaire d'État à la Marine qui, en France, détient le véritable pouvoir devant le roi. La distance séparant l'Amérique française de sa métropole suppose une certaine marge de manœuvre des autorités coloniales, mais leur action doit obligatoirement répondre à la volonté du roi. Dans la pratique, en raison de l'éloignement de chacune de ces colonies, on a cependant créé trois «Gouvernements» sur cet immense territoire : le Canada, ou Nouvelle-France proprement dite, ce qui reste de l'Acadie (île Royale) et la Louisiane. Même si les gouvernements de l'île Royale et de la Louisiane relèvent en théorie du gouverneur de la Nouvelle-France, ces colonies traitent en général directement avec la métropole et, en retour, les ordres leur sont acheminés sans tenir compte de la préséance hiérarchique officielle que serait censé détenir le gouverneur de la Nouvelle-France.

1.6.3 Québec, la capitale

Siège du gouvernement royal, Québec est la capitale d'un territoire couvrant la moitié du continent nord-américain (Courville et Garon, 2001 : p. 113). C'est là que se concentre le pouvoir administratif, judiciaire et religieux. En 1745, Québec est la ville la plus peuplée de la Nouvelle-France avec environ 6 000 habitants ; elle est le centre économique qui «offre aux habitants de la colonie une plus grande diversité de services, allant des soins hospitaliers aux œuvres de charité, en passant par l'éducation primaire, secondaire et supérieure du collège jésuite » (Courville et Garon, 2001 : p. 63). Ses campagnes sont plus développées que celles des autres centres. Plus encore, c'est la place forte de la colonie, vocation qui s'affirme encore davantage au XVIIIe siècle par la construction à partir de 1745 de fortifications de pierres suivant un plan établi par l'ingénieur Gaspard-Joseph Chaussegros de Léry (1682-1756). À la même époque, Chaussegros de Léry établira aussi les plans des fortifications de pierres qui seront érigées autour de Montréal pour défendre la ville contre la menace anglaise qui se manifeste à nouveau.

1.6.4 La défense de la colonie

En 1745, il existe trois corps militaires qui défendent la Nouvelle-France : la milice canadienne, les compagnies franches de la Marine et les troupes régulières de l'armée royale. À cela il faut ajouter les alliés autochtones, qui sont de toutes les campagnes militaires en Nouvelle-France. Les Amérindiens les plus fréquemment associés aux troupes canadiennes et françaises sont ceux qu'on dit « domiciliés », c'est-à-dire ceux qui habitent au cœur de la Nouvelle-France, dans les missions autochtones de Kahnawake, de Kanesatake, d'Odawa et de Wendake, regroupant principalement des Iroquois, des Algonquins, des Abénaquis et des Hurons convertis. D'autres alliés autochtones résidant toujours sur leurs territoires ancestraux se joignent aussi à l'occasion aux partis de guerre canadiens et français.

Les milices canadiennes voient le jour dans les années 1640. Les colons doivent alors s'armer et s'organiser pour se défendre contre les attaques iroquoises. Cette milice est reconnue et organisée officiellement sous l'autorité du gouverneur général en 1669. Dans chaque seigneurie, un capitaine de milice est responsable de l'entraînement et du recrutement de miliciens. Tous les hommes valides de 16 à 60 ans sont appelés à servir. Il ne s'agit pas de troupes régulières, mais de combattants occasionnels qui retournent à leurs occupations une fois les campagnes offensives ou les missions de défense terminées. Ces miliciens ont été plus actifs au XVIIe siècle, alors qu'une plus grande proportion de Canadiens et de capitaines de milice pratiquaient la traite des fourrures et fréquentaient régulièrement les Amérindiens. C'est pourquoi ils étaient avant tout rompus à l'art de faire la guerre à l'amérindienne. Au XVIIIe siècle cependant, surtout pendant la longue période de paix de 1715-1745, très peu de ces miliciens s'entraînaient au combat ; ils étaient plutôt mobilisés pour effectuer des travaux de fortification ou diverses tâches de transport. Même le rôle du capitaine de milice devient plus politique que militaire, puisque c'est lui qui est chargé de transmettre les ordonnances du gouverneur et de l'intendant dans les seigneuries et de les faire respecter par la population. C'est pourquoi la réputation de chasseurs, de tireurs, de canoteurs et de marcheurs aguerris que le XVIIe siècle a attribuée aux miliciens n'a guère été honorée lors de la Guerre de Sept Ans, entre 1755 et 1760, à une

époque où peu d'entre eux savaient combattre, ou même tirer au fusil conve-
nablement. Ils agiront surtout en tant qu'éclaireurs et tirailleurs, préférant les
embuscades au combat en terrain découvert. Pour cette raison, ils sont placés
sur les flancs des troupes régulières dans les campagnes militaires.

Les Compagnies franches de la Marine sont des troupes d'infanterie perma-
nentes qui forment en quelque sorte l'armée régulière de la colonie (figure 6.5).
Levées et soutenues par le ministre de la Marine, d'où leur nom, elles gardent
les ports de France, servent dans les colonies ou à l'occasion d'expéditions
maritimes. Débarquées en Nouvelle-France pour la première fois en 1683,
elles gardent les villes, les forts et les comptoirs de traite importants, jusque
dans les Grands Lacs et sur le Mississippi. Elles repartent habituellement
pour la France après quelques années (Malchelosse, 1949 : p. 128). On permet
à ces soldats de s'établir dans la colonie si tel est leur désir. Pour les nobles
canadiens, dont la carrière militaire est le débouché le plus normal, les postes
d'officiers pour les commander seront très convoités. Sur le champ de bataille,
ces troupes en viendront à utiliser les mêmes tactiques que la milice, notamment
en territoire amérindien, assistées de guerriers amérindiens et commandées
par des officiers canadiens habitués aux conflits avec des Amérindiens. De

Figure 6.5 Soldats des Compagnies franches de la Marine
de Nouvelle-France

LE MUR JAUNE

Compétence développée
Lire l'organisation d'une société sur son territoire.

Technique développée en histoire
Repérage d'informations historiques dans un document.

Description
Cette activité peut être réutilisée pour n'importe quel sujet abordé. L'idée est de faire émerger les connaissances antérieures des élèves pour pouvoir amorcer une discussion ou une recherche.

Vous distribuez des autocollants aux élèves. Vous leur donnez cinq minutes pour réfléchir à ce que représente la Nouvelle-France pour eux. Les élèves écrivent leurs idées sur les autocollants.

Ensuite, vous demandez à chaque élève de venir apposer leurs autocollants à l'avant de la classe et d'expliquer pourquoi ils ont choisi les idées ou concepts qui y sont exprimés.

Une fois que tous les élèves ont posé leur autocollant, vous les amenez, en grand groupe, à effectuer un classement thématique des autocollants selon le domaine de connaissances : religion, société, gouvernement, culture, etc. Alors, vous pouvez former des petits groupes qui travailleront sur ces différents thèmes avec comme consigne d'écrire ce qu'ils savent, ce qu'ils ont besoin de savoir et les liens qu'ils perçoivent entre ces concepts.

Cette activité est en fait préparatoire à un travail de recherche visant à vérifier la pertinence des différentes idées et à les compléter s'il y a lieu par de nouvelles informations.

Idée d'activité pédagogique : Vincent Boutonnet.

1730 à 1750, entre 600 et 800 hommes font partie de ces troupes éparpillées partout en Nouvelle-France (Malchelosse, 1949 : p. 138). La France envoie régulièrement des renforts. On les nomme compagnies «franches» parce que, contrairement aux troupes royales, elles n'appartiennent à aucun régiment permanent basé en France (Malchelosse, 1949 : p. 128-136).

Finalement, la métropole envoie à deux occasions des bataillons réguliers détachés de régiments de l'armée royale française. La première fois, ce sera le régiment de Carignan-Salières (1665-1668), et la deuxième, les troupes de Montcalm (1756-1760). Véritable armée de métier, ses soldats combattent à l'européenne, en ordre, avec le soutien de l'artillerie, et forment le cœur du dispositif militaire français (Malchelosse, 1949 : p. 134). L'un des grands défis qu'auront à surmonter les autorités militaires de la Nouvelle-France sera d'améliorer la cohésion au combat entre les miliciens et les troupes de la Marine, d'une part, et les régiments réguliers de l'armée française, d'autre part, dont la vision de la guerre et des tactiques de combat est très différente.

2 | RICHESSES, ATOUTS ET CONTRAINTES DU TERRITOIRE

2.1 Les moyens de transport et les voies de communication

En 1745, le Saint-Laurent représente toujours l'axe de pénétration par excellence qu'il était au XVIIe siècle. Son importance est vitale pour la survie de la Nouvelle-France et c'est grâce à ses affluents que la France détient un si grand territoire en Amérique : le Saguenay, la Saint-Maurice, le Richelieu, l'Outaouais, tout le bassin des Grands Lacs et de multiples rivières de moindre importance. L'économie, les communications, les rapports entre individus et l'occupation du territoire dépendent plus que jamais des cours d'eau.

Les autorités cherchent néanmoins à ouvrir des voies de communication terrestres pour plusieurs raisons : d'abord, assurer le peuplement dans les seigneuries les plus peuplées qui doivent aménager des « rangs » derrière les terres riveraines, faire parvenir leurs ordres rapidement un peu partout dans la colonie, favoriser les transports de toutes sortes, notamment pour des raisons militaires, et, généralement, faciliter et accroître les échanges économiques.

Comme en France, le responsable de la construction de routes terrestres dans la colonie est le grand voyer. Les efforts de Lanouiller de Boisclerc, qui a été grand voyer de 1731 à 1750, méritent d'être soulignés, ne serait-ce parce que depuis 1687, année de nomination du premier grand voyer, les titulaires de cette charge n'ont tracé aucune nouvelle route. Dès 1735, sous la responsabilité de Lanouiller de Boisclerc, le « chemin du Roi », route terrestre de près de 300 km reliant Québec à Montréal, est ouvert et permet aux voyageurs de se rendre en quatre jours de Québec à Trois-Rivières. Ce voyage n'est certes pas de tout repos en raison des ornières et des hasards d'une route entretenue par des habitants (chacun entretient le bout de chemin qui traverse sa terre) qui ne se distinguent pas tous par le même zèle et la même habileté, sans compter les multiples rivières et ruisseaux qu'il faut traverser sur des ponts parfois rudimentaires ou à l'aide de bacs. Toutefois, « à l'achèvement de la route, en 1737, le cavalier qu'un peu de boue n'effrayait pas atteignait Montréal en quatre jours et demi » (Horton, 2000). Dix ans plus tard, un autre « chemin du Roi » nord-sud s'étend de Montréal jusqu'au fort Chambly, sur le Richelieu. Ces deux routes parcourent donc en long et en large la partie centrale de la colonie.

Dans les villes, on régularise le tracé des rues et on parvient à en assurer un meilleur entretien. Boisclerc supervise aussi le développement de nombreuses petites routes et la construction de ponts dans plusieurs paroisses rurales. Peu à peu, un plus grand nombre d'espaces habités communiquent entre eux par voie terrestre. Les autorités, tout comme les habitants, qui ont particulièrement intérêt à avoir de bons chemins, appuient ces efforts qui favorisent le peuplement de nouvelles terres et un meilleur accès aux marchés. Ajoutons qu'en hiver, «la couverture neigeuse, une fois bien battue, offrait de bien plus grandes facilités de déplacement» sur ces chemins, tandis que la glace permet toujours de se déplacer sur le fleuve ou les rivières (Mathieu, 2001 : p. 226-227).

2.2 | Les sols, la forêt et la faune

Les richesses du territoire de la Nouvelle-France observées en 1645 sont à peu près inentamées cent ans plus tard malgré l'accroissement de la population. En 1745, la colonie occupe solidement les espaces bordant les rives de la vallée du Saint-Laurent. Au cours de son voyage de 1749, Kalm remonte le Saint-Laurent de Montréal à Québec et qualifie plusieurs fois de «village continu» cette succession quasi ininterrompue d'habitations rapprochées longeant le fleuve. Seuls les endroits inondables demeurent boisés, repoussant le peuplement plus loin sur les hautes terres (Kalm, 1977 : p. 204-207). Il faut préciser que l'essentiel de la population habite encore en bordure du fleuve et des autres cours d'eau. Au-delà de ces premières terres, et parfois d'un second rang de terres qui s'ajoute au premier, le territoire demeure inhabité.

La fondation de la Louisiane au début du XVIIIe siècle permet à la France d'accéder à de nouvelles ressources. La culture du tabac, du coton, du riz et de l'indigo – par des esclaves noirs d'Afrique – diversifie la production que la Nouvelle-France peut exporter (Lacoursière, Provencher et Vaugeois, 2001 : p. 112 ; O'Neill, 2000). Dans la région des Grands Lacs et du Mississippi, de petits noyaux de peuplement se sont fixés à des endroits stratégiques, dans bien des cas déjà fréquentés depuis des générations par les Amérindiens, de même que sur des terres très fertiles, ou encore aux abords de mines qu'on a découvertes. Quant à l'île Royale, elle abrite de deux à trois mille Acadiens qui s'adonnent surtout à la pêche, après avoir quitté les territoires de l'Acadie proprement dite et être passés sous juridiction britannique en 1713. Le principal pôle économique de cette région est Louisbourg, la ville forteresse entrepôt. Un petit nombre d'Acadiens se sont aussi établis depuis peu à l'île Saint-Jean (aujourd'hui l'Île-du-Prince-Édouard), où ils peuvent vivre de l'agriculture.

Durant tout le XVIIIe siècle, on mène des recherches pour découvrir des minerais dans l'espoir de stimuler l'économie de la Nouvelle-France. Hormis le fer qui alimente les Forges du Saint-Maurice à courte distance au nord de Trois-Rivières, on croit découvrir du plomb à la baie Saint-Paul, de l'argent dans l'Outaouais et du cuivre au lac Supérieur, mais ces gisements sont trop pauvres ou trop éloignés pour être mis en exploitation (Lacoursière, 1995 : p. 215-217).

IL ÉTAIT UNE FOIS EN NOUVELLE-FRANCE...

Compétence développée
Lire l'organisation d'une société sur son territoire.

Technique développée en histoire
Repérage d'informations historiques dans un document.

Description
Les élèves auront pour objectif d'écrire une lettre à leur parenté en France. À cette fin, ils peuvent travailler individuellement ou à deux et choisir un personnage parmi les suivants : seigneur, censitaire, religieux, fille du roy, militaires, miliciens ou esclaves.

Les élèves doivent tout d'abord recueillir de l'information pertinente pour imaginer l'histoire et les caractéristiques de leurs personnages. Le site Récitus* propose de courts textes descriptifs pour chacun de ces groupes sociaux, mais l'élève peut aussi en trouver dans son manuel.

Dans leur lettre, les élèves doivent décrire leurs activités journalières, l'endroit où ils vivent, ce qu'ils peuvent acheter ou consommer, et doivent aussi décrire une relation avec un autre groupe social.

On pourra prolonger cette activité en divisant la classe en groupes sociaux afin que les élèves puissent échanger les informations recueillies pour leurs personnages. On peut faire de même en répartissant les élèves selon la nature des relations décrites. Par exemple, si un élève est un censitaire et décrit sa relation avec un seigneur, on associera un élève-censitaire à un élève-seigneur (la difficulté de cette variante est d'avoir assez d'élèves de chacun des groupes pour qu'aucun élève ne se retrouve seul).

---

* Récitus, *La société canadienne en Nouvelle-France vers 1745*, site consulté le 1er décembre 2010 à l'adresse <http://primaire.recitus.qc.ca/societe/nouvelle-france-1745/groupes/24>.

Idée d'activité pédagogique : Vincent Boutonnet.

---

3 | PERSONNAGES INFLUENTS DE LA NOUVELLE-FRANCE

Pierre-Esprit Radisson. Coureur des bois, explorateur et commerçant, Radisson est le plus connu des milliers de coureurs des bois, d'engagés et de voyageurs de la traite de fourrures qui ont joué un rôle si important dans l'économie de la Nouvelle-France. Il a aussi contribué à la conquête de son immense territoire et à nouer des alliances essentielles avec les nations amérindiennes. Sa célébrité est due aux récits de voyage détaillés qu'il a laissés sur ses multiples aventures.

Né en France vers 1636, Radisson émigre en Nouvelle-France en 1651, à l'âge de 15 ans. Il est capturé par les Iroquois l'année suivante, puis torturé et adopté par eux. Il passe ensuite environ deux ans parmi les Iroquois de la nation agnier (mieux connus sous leur nom anglais de Mohawks). Puis il collabore avec les missionnaires jésuites qui ont établi une mission en Iroquoisie, à Gannentaha, au milieu de la nation onnontaguée. Il fait ensuite la connaissance de son beau-frère Médard Chouart Des Groseilliers, avec qui il se rend en pionnier jusqu'à l'extrémité ouest du lac Supérieur en 1660. Ils y accomplissent une traite de fourrures record. Ensuite, les deux beaux-frères trouvent de solides appuis en Angleterre pour réaliser le projet de comptoir de traite à la baie d'Hudson, dont ils rêvent depuis leur voyage au lac Supérieur. Radisson et Des Groseilliers réussiront leur entreprise et seront redevables de la création de la Compagnie de la Baie d'Hudson en 1670.

Jean Talon. Intendant de la Nouvelle-France de 1665 à 1668 et de 1670 à 1672, Jean Talon fait preuve d'une énergie et d'une efficacité considérables pour mettre sur pied les réformes administratives demandées par le roi et pour soutenir les troupes régulières envoyées par le roi pour mater les Iroquois (Vachon, 2000). Il lance également plusieurs initiatives qui arrivent en général trop tôt dans le développement de la colonie et seront souvent reportées à plus tard ou abandonnées après le départ de Talon (Trudel, 2001 : p. 103-123).

Les Filles du roi. L'époque de Talon coïncide avec l'arrivée en Nouvelle-France de contingents de « Filles du roy ». Comme la colonie comptait vers 1663 une femme pour six hommes en âge de se marier, les autorités royales recrutent de huit à neuf cents jeunes filles qui, de 1663 à 1673, viennent prendre mari au Canada. La traversée en Amérique est aux frais du roi, qui accorde aussi aux recrues une dot pour faciliter leur mariage – de là l'expression « Filles du roy », qui signifie que leur protecteur Louis XIV supplée aux devoirs de leur père naturel. Mariées quelques jours après leur arrivée, ou parfois quelques semaines, ces Filles du roi ont contribué à amoindrir le déséquilibre des sexes et surtout à peupler la colonie. Un certain discours a laissé entendre que ces jeunes femmes étaient surtout des prostituées, mais plusieurs historiens ont démontré que ces rumeurs sont presque certainement fausses. Orphelines, citadines ou paysannes sans avenir en France, ces femmes voyaient s'ouvrir au Canada un horizon improbable, voire impossible sur leur terre natale. Des critères de sélection limitaient les candidatures indésirables attirées par la seule prime royale. Outre leur pauvreté de naissance et de condition, il est établi depuis longtemps que les Filles du roi étaient généralement éduquées et travaillantes. Les doutes émis sur leur moralité proviennent du fait qu'une bonne moitié d'entre elles côtoyaient des prostituées à la Salpêtrière, établissement de Paris où l'on internait les femmes très pauvres avec celles de mœurs douteuses (Landry, 1992).

Agathe de Saint-Père Legardeur de Repentigny. Cette femme d'affaires particulièrement énergique est typique des femmes qui ont fortement contribué au développement de la Nouvelle-France. On trouve en effet, en plus des centaines de Filles du roi qui sont arrivées dans la colonie entre 1664 et 1674 pour peupler la Nouvelle-France, plusieurs femmes autonomes et entreprenantes comme Agathe de Saint-Père, qui assistent leur mari de façon très visible, en meneuses, ou encore qui prennent la relève de leur mari décédé, le statut de veuve conférant aux épouses les mêmes pouvoirs que ceux de leur mari. Agathe de Saint-Père fait partie de la première catégorie.

Née à Montréal en 1657, elle prend en charge à 15 ans ses dix frères et sœurs après la mort de sa mère. En 1685, elle se marie et mettra au monde elle-même huit enfants. C'est elle qui gère les affaires de son mari, Pierre Legardeur de Repentigny (1657-1736), comme en témoignent les nombreux documents notariés signés de sa main. En 1705, elle lance une florissante entreprise de tissage dans sa maison, qui compte bientôt vingt métiers à tisser et emploie autant de tisserands. Elle mène aussi des expériences et innove dans le domaine des teintures. Elle vend son entreprise en 1713, après quoi on perd sa trace jusqu'en 1736, où on la retrouve à l'Hôpital général de Québec, auprès de deux de ses filles, dont une dirige l'établissement. Elle décède vers 1746.

Gilles Hocquart. Intendant de la Nouvelle-France de 1731 à 1748, Gilles Hocquart (1694-1783) exerce ses fonctions en temps de paix et son administration est considérée par certains comme l'âge d'or de la Nouvelle-France. Arrivé au bon endroit au bon moment, il a su soutenir le développement de la Nouvelle-France dans sa période la plus prospère. Il diversifie l'économie de la colonie par l'établissement d'entreprises comme les Forges du Saint-Maurice et la construction navale, l'intensification des pêches et l'accroissement du commerce avec les Antilles françaises. Il encourage l'ouverture du chemin du roi et, contrairement à beaucoup d'autres, il évite de se servir de la colonie pour s'enrichir et l'administre consciencieusement (Horton, 2000).

Les Gauthier de la Vérendrye. Le père Pierre Gauthier de Varennes et de la Vérendrye, puis ses fils Pierre, Louis-Joseph et Jean-Baptiste de la Vérendrye, sont les premiers à explorer l'Ouest canadien à compter des années 1730. Progressivement, ils dépassent la région de l'extrémité ouest du lac Supérieur pour atteindre le lac Winnipeg, puis ils explorent les grandes prairies jusqu'aux États américains actuels des deux Dakota, du Wyoming et du Montana. Ils développent en même temps le commerce des fourrures et nouent des alliances avec les nations amérindiennes de ces régions. Ils sont les premiers «Blancs» à atteindre ces régions, et les Canadiens qui faisaient partie de leurs expéditions sont les premiers à étendre le réseau de traite de fourrures jusque-là et à s'y établir.

Kondiaronk. Chef huron des Grands Lacs, il dirige une nation qui joue un rôle important dans l'établissement de relations diplomatiques avec les Français. Il travaille à maintenir les réseaux commerciaux franco-amérindiens face aux menaces anglaises, afin de préserver la position de sa nation et les sources de revenus dont elle a besoin. Il se convertit à la religion catholique et travaille avec acharnement à la Grande Paix de Montréal, qui est signée quelques jours avant son décès.

4 | HISTORIOGRAPHIE ET CONTROVERSES

La question du développement de la Nouvelle-France sous le Régime français est à l'origine de plusieurs débats historiographiques. En outre, deux positions polarisées présentent le développement de la colonie sous les Français comme bien amorcé et son succès comme inévitable. On attribue à l'ouverture de Maurepas à la diversification économique la possibilité pour les gens d'affaires, négociants et commerçants d'accéder à des capitaux qui auraient favorisé l'essor d'une bourgeoisie d'affaires. La Conquête britannique aurait freiné cet élan de développement. Telle est la position de Maurice Séguin et d'autres historiens associés à l'École historique de Montréal, dont Michel Brunet. Ce dernier soutient que la France favorisait le développement et l'autonomie croissante de sa colonie :

> Comme toutes les autres colonies, le Canada et ses habitants s'acheminaient vers une autonomie de plus en plus grande à l'égard de la métropole. Déjà celle-ci avait maintes fois prouvé qu'elle n'était pas sourde aux revendications autonomistes des dirigeants canadiens. Ceux-ci jouissaient des nombreux avantages que leur offrait l'Empire français et avaient en même temps la liberté de travailler, en collaboration avec la mère patrie, à l'édification d'une nation canadienne. Leurs intérêts et leur influence comme classe dirigeante étaient liés au progrès même du Canada et de la France (Brunet, 1958 : p. 173).

La position adverse, défendue par les historiens de l'École de Laval, tels Trudel et Hamelin, soutient plutôt que la tyrannie de la monarchie française et l'application rigide de la doctrine mercantiliste ont freiné le développement économique et social. Ouellet (1968 : p. 468) postule qu'en définitive « le mercantilisme et les monopoles limitent les possibilités d'accumulation suffisante de capitaux sur place et freinent tout processus important de diversification » et que « même concentrés en quelques mains locales, les profits de la traite et du blé n'étaient pas suffisants pour appuyer une vigoureuse bourgeoisie ».

Tocqueville, qui visite le Canada en 1831, s'intéresse aux facteurs qui expliquent le retard économique de la Nouvelle-France par rapport aux treize colonies britanniques, dont les habitants semblaient en général plus prospères. Pour Tocqueville, le fait que la société civile de la Nouvelle-France soit demeurée faible face au pouvoir centralisateur de l'État monarchique, sans compter l'absence de sources de contre-pouvoirs sous la monarchie française – autorité ecclésiastique, pouvoir judiciaire, par exemple –, expliquait que la Nouvelle-France était restée embryonnaire : « Rien n'y empêchait le pouvoir central, écrit l'auteur, de s'y abandonner à tous ses penchants naturels et d'y façonner toutes les lois suivant l'esprit qui l'animait lui-même. Au Canada, donc, pas l'ombre d'institutions municipales ou provinciales, aucune force collective autorisée, aucune initiative individuelle permise. » En Nouvelle-France, Tocqueville voit une « administration se mêlant encore de bien plus de choses que la métropole », « employant toutes sortes de petits procédés artificiels et de petites tyrannies réglementaires pour accroître la population », ce qui se confirme pour lui dans le fait que les édits de Louis XIV pour la colonie sont tous contresignés par Colbert.

En définitive, l'historiographie de la Nouvelle-France est marquée par la polémique entre les partisans des écoles de Montréal et de Laval. L'approche méthodologique – qualitative versus quantitative et sociologique – préconisée par les deux groupes donne lieu à des interprétations fort différentes de l'état social, économique et politique de la colonie vers 1745. La question du niveau de développement de la Nouvelle-France se pose également dans une optique de recherche de facteurs explicatifs des différences entre elle et les treize colonies britanniques pouvant éclairer la conclusion de la Guerre de Sept Ans. Les historiens qui portent leur regard sur cette période s'inscrivent aujourd'hui encore dans le cadre de ce débat pour situer leur position.

Conclusion

Vers 1745, le nombre d'habitants de la Nouvelle-France a beaucoup augmenté par rapport à 1645. La population a atteint environ 55 000 personnes qui, pour la plupart, vivent à la campagne, dans des seigneuries, et sont nées dans la colonie. Cet accroissement naturel de la population est une conséquence, entre autres, de la venue et de l'établissement des « Filles du roy ».

La qualité de vie s'est également beaucoup améliorée, comparativement à 1645, et ce, en raison notamment des traités avec les alliés amérindiens et de l'entrée de denrées et de produits importés de la métropole et des Antilles, qui s'ajoutent aux productions locales et facilitent la vie quotidienne.

Exercices

1. Situez sur une carte le territoire possédé par la France en Amérique du Nord vers 1745.

2. Situez sur une carte le territoire occupé par la société canadienne en Nouvelle-France.

3. Décrivez la répartition et la composition de la population canadienne de la Nouvelle-France vers 1745.

4. Nommez des éléments représentatifs de la vie quotidienne des divers membres de la société canadienne en Nouvelle-France vers 1745.

5. Décrivez le mode de vie des colons français et les aspects de ce mode de vie qu'ils ont adaptés à leur territoire.

6. Nommez les principales activités économiques et les lieux où elles se déroulent.

7. Qu'est-ce que le mercantilisme et quelle influence a-t-il exercée sur la Nouvelle-France ?

8. Analysez sous l'angle socioéconomique l'évolution des rapports entre la métropole française et ses colons ainsi qu'entre les Amérindiens et les colonisateurs français aux XVIIᵉ et XVIIIᵉ siècles.

9. Décrivez les besoins que les contextes géographiques et historiques faisaient naître dans la colonie française.

10. Expliquez le mode de prise des décisions administratives ainsi que le mode de sélection des dirigeants.

11. Expliquez comment fonctionnent les institutions à caractère politique et économique de la Nouvelle-France vers 1745.

12. Expliquez ce qu'est le régime seigneurial et les répercussions que les seigneuries eurent sur la structuration de l'espace dans la vallée du Saint-Laurent.

13. Indiquez des atouts et contraintes du territoire de la Nouvelle-France et expliquez comment des ressources du territoire constituent des atouts.

14. Expliquez pourquoi le territoire de la Nouvelle-France était aussi vaste.

15. Analysez les rapports entre l'organisation sociale en Nouvelle-France, son statut politique et le mode d'occupation de son territoire.

16. Nommez les principaux groupes sociaux de la société canadienne de la Nouvelle-France et expliquez le rôle qu'ils y jouent.

17. Expliquez comment se déroulait l'existence des hommes et des femmes de la ville et des campagnes, de la naissance à la mort. Quelles étaient leurs coutumes et les conceptions qui guidaient leurs gestes ?

18. Décrivez les rapports sociaux et les éléments de différenciation entre les membres de la colonie française de la vallée du Saint-Laurent vers 1745.

19. Indiquez des traces laissées par cette société sur la nôtre.

20. Expliquez des changements survenus dans la société française et la société canadienne en Nouvelle-France entre 1645 et 1745.

Pour en savoir plus

ALLARD, M., dir. (1976a). *La Nouvelle-France, 1534-1713*, Montréal, Guérin, coll. « L'histoire canadienne à travers les textes ».

ALLARD, M., dir. (1976b). *La Nouvelle-France, 1713-1760*, Montréal, Guérin, coll. « L'histoire canadienne à travers les textes ».

Ces recueils présentent des documents de première source – illustrations, correspondances, inventaires – qui peuvent servir à la construction d'une interprétation argumentée sur l'histoire de la Nouvelle-France et à la mise en œuvre de la méthode historique.

LACOURSIÈRE, J. (1995). *Histoire populaire du Québec. Des origines à 1791*, Québec, Septentrion.

Cet ouvrage de vulgarisation peut servir d'introduction à l'histoire de la Nouvelle-France. L'auteur met à profit les anecdotes historiques et offre une quantité impressionnante de détails sur l'occupation française de l'Amérique du Nord.

LACOURSIÈRE, J., J. Provencher et D. Vaugeois (2001). *Canada-Québec, 1534-2000*, Québec, Septentrion.

Ce livre présente plusieurs pages de documents iconographiques et d'écrits de première main qui accompagnent une histoire générale brossée dans un style fluide et selon une organisation chronologique claire et accessible. Les références qu'il fournit sont exhaustives et peuvent servir de point de départ pour les projets de recherche.

MATHIEU, J. (2001). *La Nouvelle-France. Les Français en Amérique du Nord, XVIe-XVIIIe siècle*, Québec, PUL.

Cet ouvrage présente l'histoire de la Nouvelle-France en trois temps : les XVIe, XVIIe et XVIIIe siècles sont tour à tour explorés sous un angle économique, démographique, politique et culturel. Il s'agit d'un ouvrage à la fois concis et accessible, qui peut servir d'introduction à cette période.

Bibliographie

COLLECTIF (1995). *Atlas national du Canada*, 5e édition, Ottawa, Énergie, mines et ressources Canada.

BRUNET, M. (1958). « Les Canadiens après la conquête : les débuts de la résistance passive », *Revue d'histoire de l'Amérique française*, vol. 12, n° 2, p. 170-207.

COURVILLE, S., et R. GARON, dir. (2001). *Atlas historique du Québec*, Sainte-Foy, PUL.

HAMELIN, J., dir. (1976). *Histoire du Québec*, Saint-Hyacinthe-Toulouse, Édisem-Privat.

HAVARD, G., et C. VIDAL (2003). *Histoire de l'Amérique française*, Paris, Flammarion.

HORTON, D. J. (2000). « Lanouiller de Boisclerc, Jean-Eustache », *Dictionnaire biographique du Canada*, [cédérom].

KALM, P. (1977). *Voyage de Pehr Kalm au Canada en 1749 / traduction annotée du journal de route par Jacques Rousseau et Guy Béthune ; avec le concours de Pierre Morisset*, Montréal, P. Tisseyre.

LACOURSIÈRE, J. (1995). *Histoire populaire du Québec. Des origines à 1791*, Québec, Septentrion.

LACOURSIÈRE, J., J. PROVENCHER et D. VAUGEOIS (2001). *Canada-Québec, 1534-2000*, Québec, Septentrion.

LANCTÔT, G. (1971). *L'administration de la Nouvelle-France*, Montréal, Éditions du Jour.

LANDRY, Y. (1992). *Orphelines en France, pionnières au Canada. Les Filles du roi au XVIIe siècle*, Montréal, Leméac.

MALCHELOSSE, G. (1949). « Milice et troupes de la Marine et Nouvelle-France, 1669-1760 », *Les Cahiers des Dix*, n° 14, p. 115-148.

MATHIEU, J. (1991). *La Nouvelle-France. Les Français en Amérique du Nord, XVIe-XVIIIe siècle*, Québec, PUL.

MATHIEU, J. (2001). *La Nouvelle-France. Les Français en Amérique du Nord, XVIe-XVIIIe siècle*, Québec, PUL.

O'NEILL, C. E. (2000). « Le Moyne de Bienville, Jean-Baptiste », *Dictionnaire biographique du Canada*, [cédérom].

SÉGUIN, R.-L. (1968a). *Le costume civil en Nouvelle-France*, Ottawa, Musée national du Canada.

SÉGUIN, R.-L. (1968b). *Les divertissements en Nouvelle-France*, Ottawa, Musée national du Canada.

TÉTU DE LABSADE, F. (2000). *Le Québec, un pays, une culture*, 2e édition revue et augmentée, Montréal, Boréal.

TRUDEL, M. (2001). *Mythes et réalités dans l'histoire du Québec*, tome 1, Montréal, Hurtubise HMH, coll. « Cahiers du Québec : Collection histoire ; 126 ».

VACHON, A. (2000). « Talon, Jean », *Dictionnaire biographique du Canada*, [cédérom].

CHAPITRE 7

Les sociétés anglo-américaines des treize colonies vers 1745

Stéphanie Demers et Frédéric Lemieux

Introduction

1. Portrait des treize colonies britanniques vers 1745

2. Les activités économiques dans les treize colonies

3. Le mode de gouvernement

4. Historiographie et controverses

Conclusion

Exercices

Pour en savoir plus

Bibliographie

SOMMAIRE

Introduction

Les treize colonies britanniques d'Amérique se développent à la même époque que la Nouvelle-France et sous sensiblement les mêmes impulsions : surplus de population et surpeuplement des terres arables, tensions religieuses, recherche de richesses, mais surtout, poursuite de l'expansion commerciale entamée au Moyen Âge et de l'essor de la bourgeoisie.

Les colonies britanniques se distinguent toutefois rapidement de la colonie française, car le climat y est plus doux, l'exploitation agricole plus rentable et les politiques de la métropole moins contraignantes, du moins au départ. De plus, toutes les colonies ne sont pas assujetties aux mêmes compagnies. Elles se développent ainsi de façon relativement indépendante les unes des autres. Elles partagent toutefois, à l'aube de leur indépendance, des caractéristiques qui expliquent leurs conflits grandissants avec les représentants du pouvoir impérial : une relative autonomie législative, ancrée depuis ses débuts dans le fonctionnement colonial, une dépendance par rapport à la division internationale et intérieure du travail, par l'entremise du mercantilisme et du recours au travail d'esclaves (d'Afrique et du continent américain) et au servage (Novack, 1976 : p. 15). Enfin, la Nouvelle-France, sous le régime seigneurial, conserve les relations hiérarchiques inhérentes au gouvernement aristocratique de la société métropolitaine. Tel n'est pas le cas dans les treize colonies d'Amérique, où la bourgeoisie prend en main dès leur fondation la majorité des institutions sociales, économiques et politiques (Novack, 1976).

1 | PORTRAIT DES TREIZE COLONIES BRITANNIQUES VERS 1745

1.1 | Le territoire et la population

Durant la Renaissance, l'Angleterre participe elle aussi à la vague d'expéditions européennes qui visent à découvrir une route vers l'Orient et à étendre les empires commerciaux. Dès 1497, Giovanni Caboto (appelé aussi John Cabot) explore les environs de Terre-Neuve. Il faut cependant attendre près d'un siècle avant que des entreprises sérieuses de colonisation ne soient lancées. Comme la France, l'Angleterre subit quelques échecs avant de réussir, avec la fondation de Jamestown (1607), une première implantation permanente en Amérique.

1.2 Le contexte sociopolitique de la colonisation britannique

Au XVIᵉ siècle, l'Angleterre est aux prises avec des bouleversements sociaux et politiques importants. La conversion de terres agricoles destinées à la culture en terres de pâturage pour les moutons permet de rentabiliser l'exploitation agricole, mais provoque également des pénuries de denrées alimentaires et du chômage parmi les paysans. À cette fragilité économique s'ajoute une croissance démographique importante. La colonisation offre ainsi la possibilité de déménager les surplus de population et de réduire les tensions sociales. Par ailleurs, la prépondérance de la philosophie mercantile pousse l'Angleterre dans la course aux colonies, lesquelles sont en fait des entreprises commerciales perçues comme des sources intarissables de fonds pour la couronne.

Les tensions sociales sont également exacerbées par les conflits religieux. La fondation de l'Église anglicane par Henri VIII (1509-1547), roi d'Angleterre, provoque l'émergence d'une multitude de groupes religieux dissidents. C'est qu'Henri VIII et les souverains anglais qui lui succèdent exigent l'adhésion de tous les sujets britanniques à l'anglicanisme. Ceux qui refusent ou qui résistent s'exposent à la persécution, voire à la mort dans le cas des catholiques (Lebrun, 2006 : p. 86-87, 108 et 140-141). Ces groupes de dissidents religieux sont nombreux à se joindre aux entreprises de colonisation, qui leur offrent l'occasion de pratiquer leur religion librement. Il importe toutefois de noter que bien que les tensions religieuses aient encouragé l'immigration vers les colonies, le moteur premier de la colonisation britannique demeure économique et se fonde sur la philosophie mercantile.

1.3 Les caractéristiques du territoire occupé

Situées au sud de la Nouvelle-France, les colonies britanniques se développent aux XVIIᵉ-XVIIIᵉ siècles sur toute la façade est du continent nord-américain (figure 7.1). Sur près de 5 000 km, le littoral est formé de plaines côtières qui s'étendent de 20 à 60 km vers l'intérieur du continent (Mathieu, 2001 : p. 3-4), jusqu'au pied de la chaîne des Appalaches, qui suit en parallèle la côte atlantique de la Floride à l'Acadie. Quoique peu élevées en comparaison de la cordillère des Rocheuses, elles forment une barrière difficile à franchir pour quiconque veut s'établir plus à l'ouest. De nombreuses rivières arrosent les terres du littoral atlantique, et la côte offre plusieurs excellents havres naturels dans les estuaires du Delaware, du Chesapeake et de l'Hudson, notamment, qui sont des cours d'eau navigables sur de bonnes distances (Schoell, 1977 : p. 78). Mais à part l'Hudson, qui prend sa source au lac Champlain et coule vers le sud, aucun de ces cours d'eau ne franchit la barrière appalachienne. Seul le fleuve Saint-Laurent facilite la pénétration vers les immenses plaines du centre du continent nord-américain. Le développement des treize colonies britanniques se concentre sur cette mince bande de territoire qui occupe toute

Figure 7.1   Les treize colonies britanniques d'origine

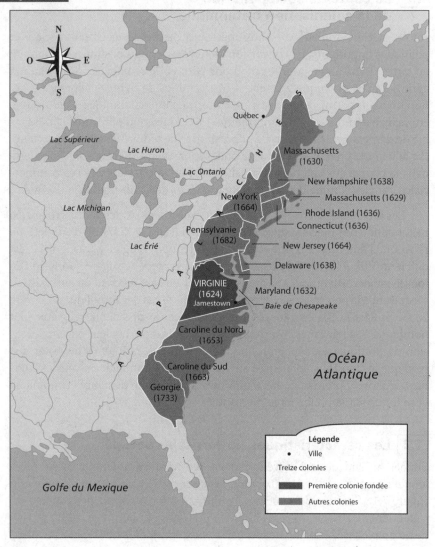

la façade atlantique, du Vermont actuel jusqu'à la Caroline du Sud. La géographie influe grandement sur la colonisation européenne : contrairement à la Nouvelle-France, immense et peu peuplée, les colonies voisines de la Nouvelle-Angleterre sont propices à un peuplement intensif et à l'aménagement d'un territoire limité par un obstacle naturel majeur.

Comme en Nouvelle-France, les colons anglais s'établissent le long des côtes et exploitent les immenses ressources du continent nord-américain qui s'offrent à eux. Contrairement au fleuve Saint-Laurent, bloqué par les glaces près de six mois par année, la côte atlantique demeure libre de toute entrave à la navigation. Les échanges et les communications avec l'Angleterre, ainsi qu'avec les colonies anglaises des Antilles, s'en trouvent facilités, et le commerce des colons profite de cet avantage. De plus, la douceur du climat favorise la croissance des bois les plus utilisés dans la construction navale, qui

LE DÉVELOPPEMENT DE LA NOUVELLE-FRANCE ET LES TREIZE COLONIES ANGLO-AMÉRICAINES VERS 1745

Compétences développées
Lire l'organisation d'une société sur son territoire.
S'ouvrir à la diversité des sociétés et de leur territoire.

Techniques développées en géographie
Lecture et interprétation de cartes.
Localisation d'un lieu sur un plan, sur une carte, sur un globe terrestre, dans un atlas.
Repérage d'informations géographiques dans un document.

Techniques développées en histoire
Utilisation de repères chronologiques (mois, saison, année, décennie, siècle, millénaire).
Repérage d'informations historiques dans un document.

Description
Les élèves doivent mener une recherche. Pour les préparer, on situe dans le temps et dans l'espace les deux sociétés à l'étude. Puis, on décrit leurs paysages naturels et humains, illustrations à l'appui, ainsi que leur population, leurs mères patries respectives et le concept de mercantilisme, à savoir la théorie économique selon laquelle un pays doit trouver des matières premières dans ses colonies et fabriquer des produits finis pour les vendre à d'autres pays. Enfin, on leur pose la question suivante: «Comment expliquer la différence de développement entre les sociétés canadienne en Nouvelle-France et anglo-américaines des treize colonies vers 1745?» En émettant des hypothèses, les élèves font émerger leur représentation du concept de colonie, territoire occupé et administré par une nation étrangère, et dont il dépend sur les plans politique, économique et culturel. Afin de collecter l'information nécessaire à l'étude des deux sociétés, ils utilisent des cartes, des images et des textes issus du matériel didactique auquel ils ont accès. Ils compilent les données brutes dans des tableaux comparatifs qu'ils développent en cours de recherche, puis rédigent, en grand groupe et guidés par l'enseignante, une explication de la question de recherche. Cette explication doit établir des liens entre les atouts et les contraintes des deux territoires, qui facilitent et diversifient ou non les activités économiques. Elle met également en relief la façon dont le mode de gouvernement, royal ou colonial, influe sur le développement, soit en offrant plus ou moins d'autonomie et de représentativité aux populations. Les langues et religions des habitants des deux sociétés sont également intégrées à l'explication, à titre de conséquences du mode de gestion de l'immigration des deux gouvernements. Les élèves sont conduits à monter sous forme de sketchs, à partir de leur explication, des «capsules promotionnelles» pour la colonisation de la Nouvelle-France et des treize colonies anglo-américaines vers 1745.

Idée d'activité pédagogique: Isabelle Laferrière. Inspirée de Récitus. *Sociétés et territoires*. Site consulté le 1er novembre 2010 à l'adresse <http://primaire.recitus.qc.ca/?ligne=1>.

devient en peu de temps une industrie majeure dans certaines colonies de la Nouvelle-Angleterre, notamment le Massachusetts. Ces conditions favorisent également le développement du commerce maritime.

Ce caractère maritime incitera à de nombreuses expéditions commerciales et militaires vers des territoires contestés. Au nord, la concurrence entre la France et l'Angleterre se manifeste en Acadie, à Terre-Neuve et dans la baie d'Hudson. Jusqu'à la chute de la Nouvelle-France en 1760, ces territoires riches en pelleteries et en poisson changent de mains à quelques reprises, au gré des conflits européens et coloniaux (Lanctôt, 1941 : p. 3-49). Au sud, la présence espagnole en Floride date de 1585, mais c'est bien plus à l'ouest, à partir du Mexique, que l'Espagne concentre ses efforts.

En 1745, la Louisiane française et le territoire du Mississippi sont pris en étau entre la Floride et les colonies anglaises. Par sa présence dans la vallée du Saint-Laurent, les Grands Lacs, le Mississippi et son embouchure du golfe du Mexique (à La Nouvelle-Orléans), la population de la Nouvelle-France encercle donc les treize colonies anglaises, qui sont très populeuses. Soucieuse d'étendre son emprise territoriale et d'accroître ses profits, la bourgeoisie se sent frustrée dans ses ambitions, voire menacée par cet encerclement (Mathieu, 2001 : p. 6). Tout au long du XVIIIe siècle, des Anglo-Américains tentent des incursions au-delà des Appalaches, et pour cause : « La qualité des sols, l'abondance de la faune, en particulier des animaux à fourrure, le réseau hydrographique qui dessert les cinq Grands Lacs formant une des plus vastes mers d'eau douce à l'intérieur d'un continent, en font une région fort convoitée » (Mathieu, 2001 : p. 4). Mais ces incursions sont vite repoussées par des Amérindiens et des Français, qui cherchent à protéger leur mainmise sur le commerce des fourrures.

1.4 Les caractéristiques de la population et le nombre d'habitants

La grande majorité des premiers immigrants qui viennent peupler les colonies anglaises, au milieu du XVIIe siècle, fuient des conditions économiques difficiles ainsi que les bouleversements politiques et religieux du Royaume-Uni. « L'impossibilité croissante d'obtenir une véritable liberté de conscience » pousse de nombreux Britanniques à fuir en Amérique pour protéger leurs familles, leurs biens et leur foi (Marx, 1978 : p. 56-57). Ils doivent leur transport vers le Nouveau Monde et les (rares) infrastructures de leur établissement à des compagnies et à des sociétés d'investissement qui tirent profit non seulement du voyage transatlantique, mais également des dividendes commerciaux de l'exploitation des ressources des colonies (Zinn, 1995 : p. 24). Comme dans toutes les autres entreprises impérialistes de l'époque, les desseins d'expansion commerciale de la bourgeoisie émergente doivent être compris comme le principal moteur de la colonisation.

Persécutés pour leurs croyances, nombreux sont ceux qui souhaitent fonder en Amérique des sociétés où ils seront libres d'exercer leur religion et d'exclure ceux qui n'y adhèrent pas. Les colons qui arrivent au cours de la première moitié du XVIIᵉ siècle sont donc en majorité originaires de l'Angleterre (Brunet, 1958 : p. 26). Calvinistes, quakers, presbytériens, puritains et baptistes sont quelques-unes des nombreuses confessions protestantes qui fondent des colonies à cette époque. Des catholiques anglais et des membres de l'Église anglicane, dominante en Angleterre, émigrent eux aussi en nombre appréciable. Loin de l'image projetée d'une société spontanément égalitaire, toutefois, les colonies britanniques d'Amérique sont façonnées par les rapports de production, et leurs membres doivent s'insérer dans une structure hiérarchique dont la propriété privée se veut le premier facteur d'organisation, laquelle est manifeste dans les institutions publiques, créées à la manière de la bourgeoisie (Novack, 1976 : p. 16) pour servir et protéger ses intérêts.

Ces colons n'arrivent pas dans des contrées désertes. Des nations amérindiennes occupent le territoire depuis des millénaires, notamment les nations penobscot, passmaquoddy, pequot, mohegan, narragansett, iroquoises (les Six Nations : Mohawks, Oneidas, Onondagas, Cayugas, Senecas) et tuscarora. Plusieurs de ces nations étaient déjà entrées en contact avec les Européens au moment de l'établissement de Jamestown, en 1607, alors que les Espagnols avaient exploré la côte est de l'Amérique du Nord. Leurs rapports avec les Espagnols ayant été des expériences de conflit, les Amérindiens attaquent le premier navire de colons anglais qui ose s'approcher des côtes. Les colons anglais ne semblent toutefois pas représenter une menace au départ. Occupés à chercher des ressources profitables à échanger (des pierres et des métaux précieux, par exemple), ils négligent même de prévoir les biens de première nécessité et se trouvent rapidement obligés envers les Amérindiens qui leur offrent des secours. Certains chefs amérindiens espèrent ainsi les intégrer à leur nation. Plusieurs colonies nouent des relations commerciales avec les communautés amérindiennes voisines.

Les relations entre les colons et les habitants amérindiens du territoire des treize colonies se détériorent lorsqu'il devient évident que les Européens n'ont aucune intention de s'intégrer aux nations amérindiennes (leur refus d'épouser des Amérindiennes, par exemple, constitue un affront important envers les différentes nations) et qu'ils convoitent les territoires pour les exploiter (Zinn, 1995 : p. 51-53). La compétition pour les ressources contribue également aux conflits entre colons et Amérindiens : la culture du tabac requiert des étendues de terres défrichées, la construction navale gruge les forêts et déplace le gibier. Les Amérindiens perçoivent rapidement les colons anglais comme des envahisseurs et tentent de défendre leur territoire et leur mode de vie. Au cours du XVIIIᵉ siècle, certains colons capturent des Amérindiens, lors de raids ou de conflits armés, et les vendent comme esclaves au marché. D'autres colonies déclarent la guerre aux nations qui occupent le territoire convoité, dont certaines sont des alliées des Français de la Nouvelle-France. Les nations amérindiennes aux prises avec l'invasion des colons européens poursuivent leur résistance armée, bien que plusieurs soient contraintes à se déplacer vers l'ouest. La première réserve autochtone de l'Amérique du Nord voit le jour en 1758, au New Jersey. Après la victoire des patriotes américains contre l'armée britannique, la politique des États-Unis à l'égard des autochtones sera une politique de déplacement, d'assimilation et de génocide systématique.

Au-delà de son caractère religieux, il faut souligner l'intensité du flot de l'immigration européenne en Amérique britannique. Après quelques hésitations, le peuplement des colonies progresse en effet à un rythme étonnant dès le début du XVIIIe siècle. Cette progression numérique apparaît encore plus spectaculaire si on la compare avec celle de la vallée du Saint-Laurent. En 1635, soit cinq ans après sa fondation, la seule ville de Boston compte déjà près de 2 000 habitants (Boudreau, Courville et Séguin, 1997 : p. 14). En comparaison, on ne dénombre qu'environ 400 habitants dans toute la Nouvelle-France en 1636 (Trudel, 1983 : p. 92). L'écart continue de se creuser dans les décennies qui suivent (tableau 7.1).

Tableau 7.1 Population des colonies britanniques d'Amérique et de la Nouvelle-France (1720-1760)

ANNÉE	TREIZE COLONIES BRITANNIQUES	NOUVELLE-FRANCE
1720	466 185	24 434
1739-1740	905 563	42 701
1760	1 593 625	70 000

L'ampleur du déséquilibre est semblable dans les principaux centres urbains (tableau 7.2).

Tableau 7.2 Population de Québec, de Montréal et des principales villes des treize colonies britanniques (1740-1760)

VILLE	POPULATION
Québec (1740)	4 600
Montréal (1740)	4 200
Philadelphie (1760)	25 000
New York (1750)	12 000
Boston (1760)	15 631

Ce qui explique cet écart, c'est davantage la force de l'immigration et l'importation d'esclaves africains que la fécondité des pionniers, dont le taux est comparable à celui de la Nouvelle-France après 1660 (Courville, 1996 : p. 43). Dans un contexte où il vaut mieux conquérir le territoire pour en marquer l'appropriation (au détriment des Amérindiens), l'expansion géographique française des XVIIᵉ et XVIIIᵉ siècles ne peut donc compenser la puissance numérique des colonies britanniques.

Vers la fin du XVIIᵉ siècle et tout au long du XVIIIᵉ, d'autres guerres et conflits religieux en Europe encouragent des ressortissants de nations étrangères à s'établir dans les colonies britanniques : Allemands de l'Église luthérienne et réformée, Écossais presbytériens, Hollandais de l'Église réformée hollandaise, etc., et même des huguenots français (protestants) qui, n'étant pas autorisés à émigrer en Nouvelle-France, choisissent de s'exiler dans la colonie de New York, principalement (tableau 7.3). Malgré la diversité de ces

LES DEUX FONT LA PAIRE

Compétences développées
Lire l'organisation d'une société sur son territoire.
S'ouvrir à la diversité des sociétés et de leur territoire.

Techniques développées en géographie
Lecture et interprétation de cartes.
Repérage d'informations géographiques dans un document.

Technique développée en histoire
Repérage d'informations historiques dans un document.

Description
L'objectif de cette activité est de comparer la Nouvelle-France et les treize colonies anglo-américaines en s'aidant de documents iconographiques (images, peintures, tableaux, cartes, etc.).

Séparez la classe en groupes de quatre élèves. Donnez la consigne de trouver des documents iconographiques représentant un même aspect des deux sociétés. Les élèves répètent cette étape pour chacun des aspects retenus (activités économiques, langue, population, religion, etc.). Vous devez donc mettre à la disposition des élèves plusieurs ressources qui leur seront utiles pour trouver leurs documents iconographiques.

Ensuite, chacun des groupes présente les documents retenus et explique en quoi ils sont pertinents pour les thèmes retenus.

Si jamais un groupe n'arrive pas à trouver le document qu'il lui faudrait pour établir la comparaison voulue, il peut produire ce document lui-même. L'équipe peut alors dresser un tableau, tracer une carte ou représenter l'aspect à traiter.

Idée d'activité pédagogique : Vincent Boutonnet.

groupes linguistiques et culturels étrangers, l'anglais est la langue qui s'impose naturellement du fait que les colonies se trouvent sous la mainmise du gouvernement britannique et que les Anglais forment le groupe ethnique le plus nombreux et le plus ancien (Boorstin, 1981a : p. 276-282).

Tableau 7.3   Origines des immigrants des treize colonies au XVIIIe siècle avant 1790

PAYS D'ORIGINE	NOMBRE D'ÉMIGRANTS EUROPÉENS ET AFRICAINS S'ÉTABLISSANT DANS LES TREIZE COLONIES
Afrique	360 000
Angleterre	230 000
Ulster	135 000
Allemagne	103 000
Écosse	48 500
Irlande	8 000
Pays-Bas	6 000
Pays de Galles	4 000
France	3 000

1.5 La religion

Les colons de même confession religieuse émigrent souvent en groupe ou se rassemblent une fois débarqués. Les noyaux de peuplement qu'ils établissent sont à l'origine des «treize colonies» qui, en 1783, deviendront les États du nouveau pays appelé les États-Unis d'Amérique.

Ce sont des puritains calvinistes qui fondent le Massachusetts en 1630. Des catholiques se regroupent au Maryland. Des quakers s'installent en Pennsylvanie. Les anglicans se répartissent dans plusieurs autres colonies. Entre les colonies, la tolérance religieuse est de mise : les colonies de confessions différentes ne cherchent pas à attaquer leurs voisines ou à leur imposer leur foi. Mais la situation est différente à l'intérieur de chaque colonie, où la tolérance religieuse n'est pas toujours exemplaire. Par exemple, dans les années 1630, des colons qui se plaignent de la rigidité religieuse des autorités du Massachusetts se font expulser et partent fonder la colonie du Rhode Island, où est bannie toute forme de persécution religieuse. Cette possibilité de fonder d'autres colonies et la tolérance mutuelle qui règne généralement entre elles tranchent avec l'atmosphère de persécution qui sévit en Europe : «En Angleterre, quand il y avait dissentiment chez les puritains, on créait une nouvelle secte ; en Nouvelle-Angleterre, on se contentait de créer une nouvelle colonie»

(Boorstin, 1981a : p. 16). De cette manière, les colons insatisfaits essaiment vers de nouveaux centres de peuplement au gré de leurs aspirations et de leurs préférences religieuses.

1.6 | Les langues

Les colons qui s'établissent dans les treize colonies parlent et transmettent leur langue d'origine. Au Delaware, vers 1745, pas moins de 18 langues maternelles sont parlées par les habitants de la colonie. L'anglais (d'Angleterre, d'Écosse ou d'Irlande) est la langue la plus commune, suivie de l'Allemand (au Delaware, dans les colonies de New York et de la Pennsylvanie, surtout), laquelle est suivie du néerlandais. Plusieurs langues amérindiennes sont aussi parlées.

Après l'obtention de leur indépendance à l'égard de la couronne britannique, les États-Unis choisissent l'anglais comme langue officielle.

2 | LES ACTIVITÉS ÉCONOMIQUES DANS LES TREIZE COLONIES

Un tel essor dans le peuplement donnera rapidement des bases solides au développement des treize colonies, dont voici la liste, avec leur année de fondation : la Virginie (1607), le Massachusetts (1620), le Maryland (1634), le Connecticut (1635), le Rhode Island (1636), le New Hampshire (1637), le New York, le New Jersey et le Delaware (1664), la Caroline du Nord (1653), la Pennsylvanie (1681), la Caroline du Sud (1729) et la Georgie (1733) (Schoell, 1977 : p. 32-46).

Les quatre cinquièmes des colons des treize colonies sont agriculteurs. Comme les produits manufacturés et les crédits viennent surtout de l'Angleterre, les villes qui se développent au cours du XVIIIe siècle servent surtout de centre de commerce de denrées agricoles et de production industrielle (forges, menuiseries, etc.).

Contrairement à la Nouvelle-France, où la couronne française exerce un empire quasi absolu sur l'activité économique, les treize colonies bénéficient d'une plus grande latitude et d'une économie très diversifiée. Les produits cultivés ou exploités varient de région en région, mais les plus rentables sont les produits agricoles, notamment le tabac, le riz, le maïs, le blé et l'indigo. Vers 1750, le colon moyen possède des biens d'une valeur équivalente à environ 5 800 $ (valeur actuelle), et les plus riches, soit environ 10 % de la population, détiennent les deux tiers des richesses (Jones, 1980). Plus du quart des habitants des treize colonies sont des esclaves ou des travailleurs asservis qui ne possèdent ni ne consomment rien du tout.

Pour bien distinguer le caractère de chaque colonie, nous les diviserons en trois ensembles répartis le long du littoral : le Nord, le Centre et le Sud.

2.1 Les colonies du Nord

Le Nord, souvent appelé « Nouvelle-Angleterre », regroupe le New Hampshire, le Rhode Island, le Connecticut et le Massachusetts. Ces quatre colonies sont fondées par des vagues d'immigrants fuyant les contraintes religieuses. Le sol de leur région est généralement trop pauvre pour l'agriculture, mais les riches forêts mixtes qu'on y trouve offrent abondance de bois à la hache des défricheurs (Binoche, 2003 : p. 34-35). Les fermiers qui habitent la région peinent à subvenir à leurs besoins et sont ainsi rarement propriétaires d'esclaves. Les activités de pêche à la morue et de chasse à la baleine y sont toutefois florissantes. Dès 1630, un colon écrivait : « L'abondance de poisson est à peine croyable et je n'y aurais sans doute point cru moi-même si je ne l'avais pas vue de mes propres yeux » (Boorstin, 1981b : p. 14). Le commerce est l'autre activité principale : l'exportation vers l'Angleterre et les Antilles des produits de la pêche, la construction de navires et le commerce du bois font de Boston une ville dynamique dont le port déborde d'activité. Vers le 1745, cette région compte environ 350 000 habitants. Une telle concentration de population favorise l'essor de la vie intellectuelle : on fonde dès 1636 ce qui deviendra l'Université Harvard (Massachusetts) et, en 1701, ce qui deviendra l'Université Yale (Connecticut) (Schoell, 1977 : p. 72 et 79). Dès le début du XVIIIe siècle, des journaux sont imprimés non sans avoir été en butte aux interdictions des autorités royales qui, jusqu'à la guerre d'Indépendance (1776-1783), exercent une certaine surveillance sur leur contenu et leur diffusion (Boorstin, 1981a : p. 337).

L'activité commerciale des colonies britanniques du Nord favorise l'expansion du pouvoir de la bourgeoisie, qui tient sous sa coupe à la fois les institutions publiques et les prix des denrées de base (Zinn, 1995 : p. 51). Des conflits de classes sociales marquent le XVIIIe siècle dans les treize colonies, lorsque les travailleurs blancs réclament à coups de grèves et de manifestations une réduction des prix des aliments et des grains. Des révoltes de Blancs soumis au servage éclatent également dans les diverses colonies. L'écart entre riches et pauvres s'accroît considérablement et, dans le Nord comme dans le Centre et le Sud, l'élite coloniale cherche à étouffer l'hostilité des classes opprimées (Zinn, 1995 : p. 53).

2.2 Les colonies du Centre

Les colonies du Centre proviennent, quant à elles, de l'annexion de la Nouvelle-Hollande par l'Angleterre en 1664. Fondée en 1625 le long de la rivière Hudson, cette colonie avait comme principale ville New Amsterdam. En 1655, les Hollandais annexent leur voisine suédoise, la Nouvelle-Suède, fondée en 1638 sur les rives de la rivière Delaware (Boudreau, Courville et Séguin, 1997 : p. 14-15). Neuf ans plus tard, les Anglais s'emparent à leur tour de la Nouvelle-Hollande et New Amsterdam devient la bien connue New York, sur l'île de Manhattan. De cette annexion à l'Empire britannique, sous le patronage du duc de York, naissent les colonies de New York, du New Jersey et du Delaware (1664). De toutes les colonies du Centre, seule la Pennsylvanie fondée en 1681 par les quakers est une colonie d'origine religieuse. Elle appartient jusqu'en 1773 à la famille Penn. Vers 1745, les colonies du Centre comptent environ 300 000 habitants, dont moins d'un dixième se compose d'esclaves. Au cours du XVIIIe siècle, une forte immigration allemande et écossaise s'ajoute au noyau britannique et hollandais pour en faire des sociétés diversifiées.

C'est surtout en Pennsylvanie que l'agriculture prospère, tandis que, sur les bords de l'Hudson et à New York, le commerce et l'industrie ne cessent de se développer (Schoell, 1977 : p. 76-78). L'exportation de farine et de grains (blé, maïs) demeure l'activité économique la plus importante et favorise le développement des villes et de leurs ports. Ces derniers agissent comme pivots du commerce vers l'Europe et les Antilles. L'Angleterre impose aux treize colonies le modèle du mercantilisme économique qui, comme en Nouvelle-France, ne favorise pas l'implantation d'industries susceptibles de concurrencer celles de la métropole. Malgré cet obstacle, plusieurs industries se développent et produisent des meubles, des chaussures, des étoffes, des chapeaux, de la brique, du verre, des poteries, et surtout des navires en très grand nombre. Quelques mines de fer sont aussi exploitées et, au XVIIIe siècle, « l'industrie métallurgique était suffisamment avancée pour fournir aux colons leurs instruments de travail, leurs poêles et leurs fournaises. On produisit jusqu'à des canons » (Brunet, 1958 : p. 31). Cette activité commerciale importante et la présence de capital qu'elle suppose témoignent de la grande prospérité économique des treize colonies américaines.

2.3 Les colonies du Sud

Le Sud comprend cinq colonies : la Virginie, le Maryland, la Caroline du Nord, la Caroline du Sud et la Georgie. Cette dernière, la plus ancienne d'entre elles, est fondée par la Virginia Company en 1607. Elle est peuplée de colons qui, très tôt, s'adonnent à la culture et au commerce lucratif du tabac (Schoell, 1977 : p. 33). Parce que cette culture demande de vastes étendues de terres, les colons mènent une dure lutte aux Amérindiens, dont ils convoitent les territoires, et les en chassent au cours du XVIIe siècle. À l'instar des Portugais et des Espagnols, les planteurs importent dès les années 1670 des esclaves noirs d'Afrique pour travailler dans leurs champs (Zinn, 2002 : p. 31-49). Les deux Caroline et la Georgie sont créées plus tard sur des fondements similaires. En plus du tabac, elles produisent du riz et de l'indigo, qu'elles exportent avantageusement dans la métropole anglaise, Londres (Schoell, 1977 : p. 73). Plusieurs historiens s'entendent maintenant sur l'influence prépondérante des Africains dans le développement de ces cultures, particulièrement en ce qui concerne le riz (Jones, 1980). Ces monocultures donnent un caractère rural à ces colonies où l'exploitation du bois et sa transformation en équipement de navires représentent d'autres secteurs d'activités importants (Binoche, 2003 : p. 35). Au XVIIIᵉ siècle, seuls les ports de Charles Town et de Norfolk sont des agglomérations d'une certaine importance. En Georgie, la culture du coton, du blé et du maïs s'ajoute à celle du tabac (figure 7.2).

L'esclavagisme qui soutient l'économie de ces régions en fait gonfler le nombre d'habitants : en 1745, on y dénombre environ 500 000 âmes, dont près de 250 000 esclaves. Tournées vers l'exportation, ces colonies comptent peu d'industries locales comme il s'en trouve en Nouvelle-Angleterre. Les riches propriétaires terriens importent donc d'Europe de grandes quantités de biens manufacturés et de produits de luxe. Vers 1750, cette élite a la haute main sur toute la vie économique et politique dans ces États agricoles prospères où survivent de plus petits propriétaires qui, incapables de produire et d'exporter autant, sont souvent réduits à l'endettement (Schoell, 1977 : p. 72-74). Le servage est également commun dans ces colonies, où l'endettement des petits fermiers contribue à concentrer entre les mains de grands propriétaires terriens la possession et l'exploitation des terres fertiles.

Figure 7.2   Savannah, capitale de la colonie de Georgie, au XVIIIᵉ siècle

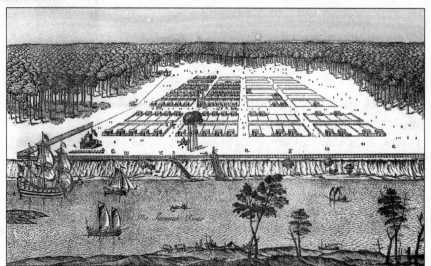

Ces « rois » du tabac et du coton craignent toutefois la contestation de leur pouvoir par les classes qu'ils oppriment. En outre, la possibilité que les esclaves, les travailleurs agricoles en servitude et les petits fermiers unissent leurs forces préoccupe particulièrement l'élite économique de ces États. Une politique systématique de racialisation de l'esclave africain, présenté aux Blancs des classes populaires comme une menace à leurs intérêts (sécurité, mobilité sociale, moralité, etc.) contribue à diviser les opprimés et à faire obstacle à un mouvement de contestation concertée.

Plusieurs révoltes d'esclaves ont tout de même lieu tout au long du XVIIIᵉ siècle. Les propriétaires terriens, qui tiennent bien en main les institutions législatives et la milice, adoptent des lois de plus en plus sévères à l'encontre des esclaves et s'affairent à attiser l'antagonisme entre les esclaves et les Amérindiens. Ces derniers sont malgré tout nombreux à accueillir dans leurs communautés les esclaves fugitifs (Zinn, 1995 : p. 55).

3 | LE MODE DE GOUVERNEMENT

Comme en France, les entreprises de colonisation anglaises sont l'affaire de compagnies privées qui obtiennent une charte royale, c'est-à-dire l'autorisation officielle de coloniser un certain territoire, en même temps qu'un monopole de quelques années sur le commerce qui leur permet de rentabiliser les dépenses d'établissement d'une colonie. Cette charte fait du territoire occupé une possession britannique, sans égard pour les occupants, et ces compagnies privées doivent s'occuper elles-mêmes, à leurs risques, du peuplement des colonies ainsi créées. Dès 1608, la couronne britannique attribue des monopoles aux compagnies désireuses d'exploiter le Nouveau Monde. Toutefois, la situation intérieure et les guerres qui mobilisent l'Angleterre lui laissent très peu de temps pour surveiller et gouverner les compagnies, qui sont donc laissées à elles-mêmes. Malgré sa politique mercantile, la couronne anglaise laisse beaucoup de latitude aux colonies, tout en leur offrant une protection militaire par l'entremise de l'armée et de la flotte royales. La couronne d'Angleterre, conseillée par le Parlement de Londres, est l'organe central qui gère l'ensemble des relations commerciales entre la métropole et toutes les colonies anglaises, tant en Amérique qu'en Asie (Schoell, 1977 : p. 67).

Dès leur fondation, les treize colonies britanniques d'Amérique bénéficient donc d'une grande autonomie administrative par rapport à la métropole. Sur le plan politique, les colons qui forment l'élite s'organisent selon la règle du « self-government », c'est-à-dire en se dotant d'institutions représentatives

DES PIÈCES SONNANTES ET TRÉBUCHANTES

Compétences développées
Lire l'organisation d'une société sur son territoire.
S'ouvrir à la diversité des sociétés et de leur territoire.

Techniques développées en histoire
Repérage d'informations historiques dans un document.
Interprétation de documents iconographiques.

Description
L'objectif est de simuler une situation de mercantilisme en Nouvelle-France et dans les treize colonies.

Pour ce faire, vous formez quatre groupes dans la classe, un pour la Nouvelle-France, un pour les treize colonies, un pour la France et un pour la Grande-Bretagne.

Vous demandez à chacun des groupes d'analyser une série de documents sur les activités économiques mettant en rapport les métropoles et leurs colonies. Il faut que chacun des groupes représente un des groupes sociaux en cause, par exemple la royauté, les commerçants, les colons, les coureurs des bois, etc. Chacun des groupes doit baser les actions à accomplir sur les documents analysés.

Distribuez les richesses en espèces sonnantes et trébuchantes selon les groupes sociaux et les différentes colonies. Simulez les opérations retenues en mettant en scène la France et la Nouvelle-France, puis la Grande-Bretagne et les treize colonies. Une fois les deux simulations terminées, vous demandez aux élèves d'exprimer par un mot évocateur comment ils se sont sentis lors de la simulation. Vous animez ensuite une discussion sur les causes possibles des différentes impressions ressenties. À la fin, vous terminez en faisant porter la discussion sur les raisons qui font que les échanges sont différents entre la Nouvelle-France et les treize colonies et que les richesses sont inégalement réparties.

Idée d'activité pédagogique : Vincent Boutonnet.

(regroupant des représentants élus) destinées à édicter des règles de conduite qui sauvegarderont leurs « droits d'hommes libres » (Schoell, 1977 : p. 40). Ces institutions sont sous la coupe de la bourgeoisie et excluent tous ceux qui ne sont pas propriétaires terriens. Les bourgeois peuvent ainsi se doter d'institutions utiles à la poursuite de leurs intérêts : lois, impôts, système judiciaire qui correspond à leurs valeurs. Pour bien illustrer ces réalités, nous donnerons l'exemple de la Virginie, puis celui du Massachusetts.

3.1 L'exemple de la Virginie

La Virginie est fondée grâce à l'octroi par Jacques Ier d'une charte en 1606 à la Virginia Company of London. Ce sont ses membres qui fondent Jamestown en 1607. Après des débuts difficiles, les dirigeants de la colonie se dotent en 1619 d'une assemblée représentative (*House of Burgess*, ou maison des bourgeois), la première en Amérique (Schoell, 1977 : p. 34). Elle forme avec un gouverneur et ses six conseillers l'organe législatif de la colonie. Vingt-deux bourgeois (*burgess*) y sont élus par les colons qui bénéficient du droit de vote. Soucieux de tenir les rênes de la vie politique de la colonie, les dirigeants de la métropole décident en 1624 de révoquer la charte de la London Company et de faire de la Virginie une colonie royale. Le roi d'Angleterre nomme désormais le gouverneur qui, de cette façon, peut agir contre la volonté de l'assemblée élue. Celle-ci combat toutefois avec vigueur l'influence du gouverneur, et ce, tout au long des XVIIe et XVIIIe siècles. Elle s'efforce d'empêcher le gouverneur de lever des impôts sans le consentement des élus et tente de réserver l'utilisation des sommes perçues aux seules fins établies par l'assemblée des élus (Schoell, 1977 : p. 34).

3.2 | L'exemple du Massachusetts

Au Massachusetts, deux colonies limitrophes (Plymouth et Boston) mettent sur pied leur propre gouvernement. À Plymouth (fondée en 1620), les colons se dotent d'un gouvernement, le «General Court», en 1630. Les colons qui disposent d'un droit de vote y élisent un gouverneur, promulguent des lois, lèvent des impôts et instituent des tribunaux. En 1639, la colonie est assez populeuse pour déléguer quelques représentants élus. Autour de la colonie de Boston (fondée en 1630), les puritains établis en plusieurs petites agglomérations se gouvernent par des «town meetings». Au-dessus d'eux, un gouverneur et douze assesseurs («assistants») détiennent tous les pouvoirs législatifs et judiciaires en vertu d'une charte royale de 1629. Ces postes sont monopolisés par la majorité puritaine, qui rapidement tente d'en limiter l'accès aux seuls fidèles de l'Église congressionnaliste. Ces restrictions soulèvent les protestations des colons non puritains, si bien qu'en 1634 on crée un nouvel organe (nommé lui aussi «General Court») composé de deux délégués élus pour chaque ville. Ces délégués ont le mandat de conseiller le gouverneur et ses assesseurs dans la détermination des taxes. En 1691, Londres impose une nouvelle charte au Massachusetts (à laquelle sont rattachés par la même occasion la colonie de Plymouth et le territoire du Maine), qui devient ainsi une province royale. La métropole nomme le gouverneur, mais la chambre élue par le peuple subsiste et conserve la gestion de son budget (Schoell, 1977 : p. 37-38).

3.3 | Des pratiques démocratiques précoces et un désir d'autonomie

En résumé, des pratiques protodémocratiques voient très tôt le jour dans les colonies britanniques, à l'avantage de la classe dominante. La volonté de Londres de les transformer en provinces royales suscite la méfiance des élites coloniales. En réaction, les assemblées élues protègent leurs prérogatives (émettre des lois, gérer l'affectation des taxes, garantir la justice) (Schoell, 1977: p. 47). Il reste que c'est le roi d'Angleterre qui décide en fin de compte. Il peut reprendre le pouvoir sur une colonie soit en rachetant une charte, soit en attendant son expiration, ou encore en la révoquant lorsque le détenteur (compagnie ou individu) ne peut remplir ses obligations (Schoell, 1977: p. 47). En 1760, sur les treize colonies, huit sont des provinces royales confiées à la garde d'un gouverneur nommé par Londres qui peut opposer son véto à toute loi votée par les législatures locales (New Hampshire, Massachusetts, New York, New Jersey, Virginie, Caroline du Nord, Caroline du Sud, Georgie).

Deux autres colonies (Rhode Island et Connecticut) échappent au pouvoir de Londres et se gouvernent encore de façon à peu près autonome. Les trois dernières (Maryland, Delaware et Pennsylvanie) sont des colonies privées dont les propriétaires se sont fait octroyer une charte (Schoell, 1977: p. 67).

En général, la vie politique et sociale dans les colonies est dominée par une élite riche et puissante. Formée de grands propriétaires fonciers, de riches commerçants et de financiers, cette classe dominante est généralement celle qui occupe la majorité des postes électifs dans les assemblées, les charges de magistrat et les postes clés dans la haute administration. Une telle concentration du pouvoir entre les mains de quelques familles crée des tensions avec la masse des colons, sur fond de «rivalités religieuses et ethniques» (Binoche, 2003: p. 38). Certains partent vers l'ouest, où des terres, prises de force aux populations amérindiennes qui y vivent depuis des millénaires, sont mises en vente à faible prix. Dans cet arrière-pays de montagnes et de forêts vierges, «tous peuvent acquérir des terres pour 1 ou 2 shillings l'acre» des mains de spéculateurs qui, détenant ces immensités, les vendent à tous ceux qui veulent s'y établir (Schoell, 1977: p. 79-80).

La bourgeoisie se sert du spectre de la perte du *self-government* pour rallier les classes opprimées à son projet d'indépendance avec des slogans prônant la liberté et l'égalité. Les fondements de ses efforts en faveur de la création d'un pays indépendant sont toutefois économiques: extirper des mains de l'élite favorite de la cour anglaise terres, profits et pouvoir politique. La révolution qui finit par «libérer» ces colonies à la fin du XVIIIe est bourgeoise et ne confère d'abord de pouvoir, de liberté et d'égalité qu'aux riches hommes blancs propriétaires.

3.4 | Les liens commerciaux avec l'Angleterre

Si les préoccupations nationales la poussent à négliger ses colonies d'Amérique, l'Angleterre a pour les richesses de ces territoires un intérêt qui ne se dément pas tout au long des XVIIe et XVIIIe siècles. Hormis la couronne anglaise, de nombreux dirigeants britanniques financent le développement de la colonisation, du commerce et des explorations, ainsi que la dépossession des Amérindiens. Hommes politiques, armateurs, financiers, militaires et commerçants partagent le souci – et l'intérêt – de nouer des relations avec les treize colonies. Ce groupe d'environ 10 000 hommes forme une élite semi-féodale qui appuie les grands propriétaires terriens et les favoris de la couronne, au détriment de la bourgeoisie (Novack, 1976 : p. 16). Cette attitude est largement répandue et acceptée par l'opinion publique anglaise.

Les colonies doivent se conformer à la politique commerciale officielle de la Grande-Bretagne. À partir de 1651, en vue de préserver le pouvoir de taxation anglais, la métropole exige que les marchandises en provenance de l'Amérique soient acheminées par les seuls vaisseaux anglais. Toutefois, une foule de navires américains passent outre ce règlement, ce qui donne lieu à une contrebande active (Schoell, 1977 : p. 86). Les coloniaux américains profitent aussi, comme la Nouvelle-France, d'une forme de commerce triangulaire avec l'Afrique et les Antilles qui leur permet d'écouler leurs produits en échange notamment d'esclaves (Binoche, 2003 : p. 37). Durant ces périples, les navigateurs des colonies américaines jouissent de la protection de la puissante marine anglaise (Brunet, 1958 : p. 30).

L'activité commerciale importante qui se développe, manifeste dans la diversité des entreprises et dans la présence de capital qu'elle suppose, témoigne de la grande prospérité économique de la bourgeoisie des treize colonies américaines. Favorisées de surcroît par des liens économiques serrés avec la bourgeoisie de la métropole, ces colonies sont beaucoup plus dynamiques que ne l'est la Nouvelle-France, plus faiblement peuplée et moins développée sur le plan économique et culturel, notamment à cause du fleuve bloqué six mois par année par les glaces (Schoell, 1977 : p. 61).

3.5 | La défense des treize colonies

Dès le début de la colonisation anglaise, les Amérindiens résistent avec force à la prise de leur territoire par les colons, qui s'arment et se préparent à combattre en tout temps.

À partir de 1680, quelques colonies obtiennent le droit de lever des milices, mais cette institution est impopulaire (Boorstin, 1981a : p. 355-370). Les miliciens sont une force armée de piètre qualité : «Les premiers engagements révélèrent des traits qui continueraient à caractériser la vie militaire de la colonie : les combats étaient livrés par des bandes de civils hâtivement rassemblés, armés au petit bonheur, échappant à toute espèce de commandement central véritable » (Boorstin, 1981a : p. 356). Les officiers sont élus parmi les miliciens et rares sont ceux qui ont l'expérience des armes, comme c'est également le cas en Nouvelle-France. À la fin d'une campagne ou d'une alerte – et même pendant les combats –, les troupes se débandent tout aussi rapidement.

Contrairement aux Canadiens, les Anglo-Américains ne sont pas forcés de franchir de grandes distances pour attaquer et se contentent de défendre les limites de leur espace habité. Quand les autorités utilisent la contrainte pour imposer aux classes opprimées la constitution de corps de milice, les désertions sont nombreuses, et la discipline, inexistante. Pour suppléer à ces lacunes, les autorités de la Nouvelle-Angleterre s'assurent durant plusieurs décennies de conserver l'appui des nations iroquoises pour tenir en respect les Français installés plus au nord (Schoell, 1977 : p. 55).

En 1745, il n'existe pas d'armée de métier d'origine américaine dans les treize colonies. Aux yeux des miliciens, servir dans une armée professionnelle fortement hiérarchisée comme l'armée britannique, appelée à servir à l'étranger, est presque l'équivalent d'une trahison. La présence d'une armée royale dans les colonies polarise la population, qui persiste à croire que cette armée avait pour mission, en Amérique comme en Europe, « de servir les tyrans et de maintenir les peuples en esclavage, [ce qui] renforçait l'opposition à toute espèce de corps de militaires professionnels » (Boorstin, 1981a : p. 358).

L'autonomie des colonies et leur fort désir de sauvegarder cette indépendance posent des difficultés sur des questions comme la défense contre les Amérindiens et les Français, qui effectuent des raids occasionnels contre les villages situés aux frontières entre la Nouvelle-Angleterre et la Nouvelle-France. Devant la volonté répétée de la Nouvelle-Angleterre et de New York de mobiliser des troupes pour affronter la menace française (Brunet, 1958 : p. 36), d'autres colonies comme la Pennsylvanie refusent toute participation, et certaines plus au sud, comme la Virginie, se sentent peu concernées (Boorstin, 1981a : p. 361).

C'est l'Angleterre qui assume la majeure partie des coûts en argent et en hommes des guerres coloniales nord-américaines. Quand survient un conflit, Londres envoie des contingents de soldats pouvant atteindre plusieurs milliers d'hommes. Les autorités locales tentent de recruter des auxiliaires pour les troupes régulières de l'armée britannique, mais avec un succès mitigé.

4 | HISTORIOGRAPHIE ET CONTROVERSES

Comment interpréter le développement des États-Unis ? Quels facteurs expliquent le succès économique et l'hégémonie politique de l'élite américaine ? Si l'historiographie postmoderne a donné voix à une diversité d'acteurs historiques oubliés des récits traditionnels, elle a également contribué à qualifier de *déterministe* toute tentative de cerner les forces sous-jacentes des tendances ou des chaînes causales. Les postmodernes soutiennent en effet l'idée que l'histoire des États-Unis est un cas singulier ou d'exception, plutôt qu'un phénomène s'inscrivant dans les mouvements structuraux qui marquent l'histoire occidentale. Novack (1976), pour sa part, fait appel au matérialisme historique pour expliquer l'évolution des États-Unis d'Amérique.

L'histoire des États-Unis a longtemps été présentée comme une aventure unique de progrès humain, social, technologique et, surtout, économique, voire d'un destin providentiel du génie anglo-saxon (Novack, 1976 : p. 10). Au centre de cette trame trônaient les « pères fondateurs » et « leurs » institutions publiques, ainsi qu'une perspective eurocentrique qui situait le début de l'histoire américaine à l'établissement des premières colonies, telle Jamestown (une historiographie qualifiée de *whig history*, en référence aux parlementaires britanniques qui s'opposaient au pouvoir du roi). Il s'agit d'une narration marquée par l'avènement d'un régime parlementaire constitutionnel, la progression de la liberté individuelle et le progrès des sciences. En outre, elle considère les Amérindiens comme un bloc monolithique et homogène, primitif et immuable, un obstacle au progrès des colons européens. Les Africains sont également considérés seulement comme des esclaves, et leurs contributions à l'histoire sont limitées à leur travail dans les champs et à l'accroissement de la richesse des propriétaires terriens des colonies du Sud. Cette école a connu une renaissance vers la fin des années 1990, sous l'impulsion de la droite politique (*néo-whigs*), et se trouve notamment à l'origine d'une approche biographique centrée sur de « grands personnages héroïques » de l'histoire américaine (McCullough, Brookhiser, Chernow, Isaacson et, plus récemment, Knox Beran, par exemple).

À ce récit s'oppose la *New School*, ou l'histoire progressiste. Cette dernière se caractérise par la perspective selon laquelle la « promesse » des États-Unis est irrévocablement brisée par l'industrialisation, le racisme et la lutte des classes. Les voix narratives se multiplient et incluent de plus en plus de groupes marginalisés : les travailleurs, les femmes, les autochtones, les Afro-Américains. Fortement influencée par les travaux de Marx, l'histoire progressiste met l'accent sur les ruptures et les conflits, particulièrement entre les classes sociales, en ce qui concerne leurs intérêts, plutôt que sur la continuité et le progrès (Parrington, Beard, Hofstadter).

Ces deux mouvements dominent encore aujourd'hui le travail des historiens américains. Si la guerre froide a provoqué un certain bouleversement sur le plan historiographique, avec l'école du consensus qui défend l'idéologie libérale et le capitalisme, tout en proposant une histoire américaine où l'unité et l'harmonie entre tous les groupes sociaux prédominent, les changements les plus importants dans les deux écoles dominantes sont plutôt issus des perspectives postmodernes et poststructuralistes (*New Left historians*). Ces dernières présentent l'histoire américaine comme une interaction complexe entre trois mondes : le monde autochtone, le monde africain et le monde européen (*red, black and white worlds*). La question vive des conflits entre classes sociales (la notion même de classe sociale) est évacuée pour faire place à celles qui se rapportent aux genres et à l'ethnicité.

Le matérialisme historique (Novack, 1976) permet, pour sa part, de situer l'histoire américaine dans les tendances plus larges de l'histoire occidentale et d'exposer les forces structurelles à l'origine du renversement du féodalisme par la bourgeoisie. Cette transformation sociale se caractérise à travers l'Occident par un processus économique amorcé dans le domaine des échanges qui connaît sa suite dans le domaine de la production. La création et l'expansion d'un marché international basées sur une division internationale du travail expliquent à la fois la fondation et l'expansion des colonies britanniques d'Amérique, de même que l'accroissement des capitaux et de l'hégémonie de la bourgeoisie qui consolide son pouvoir par l'entremise des institutions publiques. Partout en Occident, l'émergence de la bourgeoisie conduit à la transformation des structures économiques et politiques, les États-Unis n'étant qu'une manifestation parmi d'autres de ce phénomène.

Au centre des controverses historiographiques se trouve la question des relations entre les treize colonies et la couronne britannique. Les néo-whigs dépeignent les colons comme des êtres en quête de libertés individuelles et d'une société égalitaire qui se serait opposée à la société fortement hiérarchisée de la Grande-Bretagne, laquelle quête serait au cœur d'une relation tendue entre la métropole et ses colonies. Le développement d'une économie diversifiée et des assemblées législatives élues serait pour ces historiens des manifestations d'un éthos libéral hérité des Lumières et du progrès de la pensée rationnelle, culminant en une révolution axée sur l'émancipation du peuple face à la tyrannie monarchique (Greene, 1996). Les historiens progressistes envisagent plutôt les tensions entre les colonies et la couronne britannique comme produits de l'émergence d'une bourgeoisie avide de pouvoirs politiques (particulièrement en ce qui concerne la taxation) et d'une plus grande latitude commerciale, le mercantilisme de la métropole freinant ses élans expansionnistes et capitalistes. Les intérêts économiques des groupes dominés (particulièrement les travailleurs agricoles maintenus en servitude par les propriétaires terriens), auraient servi de moteur à la Révolution. En examinant les sociétés de Pennsylvanie et de New York, Charles H. Lincoln et Carl L. Becker remarquèrent, par exemple, que les réactions à la Révolution pouvaient s'expliquer à partir des conditions sociales préexistantes, où les radicaux de la classe ouvrière s'opposaient aux propriétaires terriens.

La question de la religion dans l'histoire coloniale subit un traitement similaire. Alors que les néo-whigs accordent une grande importance à la quête de liberté religieuse comme motivation principale des premiers colons et comme principe fondateur des premières colonies, les historiens progressistes réduisent l'importance de la religion et accordent plus de place aux conditions sociales des colons et des commanditaires des colonies avant leur départ d'Angleterre. Motivés par la possibilité d'accéder à la propriété foncière, nombre de colons auraient ainsi fui les conséquences des crises agricoles et du chômage. Les plus riches auraient espéré pour leur part trouver dans les colonies la possibilité de s'élever au-dessus de leur condition sociale originale, fixée dans une hiérarchie européenne rigide.

Conclusion

De par leurs particularités démographiques, historiques, économiques et religieuses, les treize sociétés coloniales américaines ont un caractère distinct qui est renforcé par l'autonomie politique et administrative propre à chacune d'elles. Cette diversité est telle qu'elle devient un obstacle majeur sur des points comme la défense du territoire et la poursuite d'intérêts communs. Populeuses et appuyées par la métropole, ces colonies forment une puissance qui, en 1745, est encore contenue par la Nouvelle-France. Cette situation s'explique de plusieurs façons. D'abord, les colonies britanniques défendent des intérêts divergents et n'ont aucun mécanisme de concertation susceptible de mener à une action collective contre l'ennemi en Nouvelle-France. La population de cette dernière régit les déplacements sur l'immense territoire qu'elle domine encore grâce aux alliances qu'elle a contractées avec plusieurs nations amérindiennes, tout autour des treize colonies britanniques d'Amérique. Mais, en 1745, ce fragile équilibre est sur le point de se rompre. Solidement implantées sur la côte atlantique, les colonies anglaises basent aussi leur puissance sur un commerce florissant, appuyé par la division intérieure et internationale du travail, et favorisé par l'ouverture permanente de leurs ports à la navigation. Les vaisseaux coloniaux peuvent se lancer partout où de bonnes occasions de marchés se présentent. La France ne peut en faire autant pour la Nouvelle-France.

En outre, l'emprise de la métropole anglaise sur ses colonies est moins forte ou moins efficace que celle exercée par la France sur la Nouvelle-France en de nombreux domaines. Dans les treize colonies, on permet une certaine liberté de culte (favorisant les religions établies au détriment du catholicisme dans la plupart d'entre elles), on imprime des journaux, les industries se développent… Sur le plan politique, bien que la couronne d'Angleterre tente d'encadrer les assemblées de représentants élus, elle ne peut venir à bout de l'influence de la bourgeoisie, qui y est puissante. En Nouvelle-France, ce type de gouvernement n'existe qu'à l'état embryonnaire et à l'échelle locale.

Le facteur décisif demeure toutefois le fait que les treize colonies sont établies et gérées par et pour la bourgeoisie, qui étend rapidement son hégémonie sur tous les aspects de la vie coloniale. Sa quête de profits stimule à la fois le peuplement, la diversification de l'économie et les positions autonomistes qui mènent à la Révolution américaine.

Exercices

1. Indiquez des caractéristiques des sociétés anglo-américaines ainsi que des différences entre cette société et la société canadienne en Nouvelle-France sur les plans géographique (caractéristiques du territoire occupé), démographique (composition de la population, langue, religion), politique (mode de gouvernement), économique (types de main-d'œuvre, esclavagisme, types de commerce et d'agriculture, concentration des richesses, etc.) et militaire.

2. Décrivez les principales activités économiques des deux sociétés.

3. Décrivez le mode de prise de décisions dans les deux sociétés.

4. Décrivez les liens que chacune des colonies entretient avec sa métropole.

5. Nommez les institutions publiques les plus importantes de chacune des sociétés.

6. Analysez les rapports entre l'organisation sociale en Nouvelle-Angleterre, son statut politique et le mode d'occupation de son territoire.

7. Expliquez les relations qui existent entre les caractéristiques de la Nouvelle-Angleterre et l'aménagement de son territoire.

8. Expliquez l'influence du contexte social, culturel et territorial sur la politique en Nouvelle-Angleterre.

9. Décrivez les rapports sociaux et les éléments de différenciation entre les membres de la Nouvelle-Angleterre.

10. Décrivez l'évolution de la vision des historiens par rapport à la Nouvelle-Angleterre et expliquez pourquoi elle a changé.

Pour en savoir plus

BINOCHE, J. (2003). *Histoire des États-Unis*, Paris, Ellipses.

Ce livre offre un survol de l'histoire américaine en quatre sections, soit la colonisation et le peuplement européen (1442-1765), la Révolution américaine et la formation de la nation (1765-1825), l'expansion économique et l'industrialisation (1825-1917), jusqu'à la participation étatsunienne à la Première Guerre mondiale.

KASPI, A. (2002). *Les Américains, tome 1: Naissance et essor des États-Unis, 1607-1945*, Paris, Seuil.

> Ce petit livre explore les mythes et les faits fondateurs des États-Unis. On y trouve notamment une analyse du rôle de la doctrine économique libérale et de la religion sur le développement des États-Unis et des mentalités qui y sont dominantes.

LITALIEN, R., J.-P. PALOMINO et D. VAUGEOIS (2008). *La mesure d'un continent. Atlas historique de l'Amérique du Nord, 1492-1814*, Québec, Septentrion.

> Cet atlas présente des cartes historiques et des documents iconographiques en grand format, accompagnés de textes explicatifs qui permettent de contextualiser les phénomènes étudiés. De la période précolombienne à l'achat de la Louisiane par les États-Unis, il fournit un survol de l'histoire de l'Amérique du Nord.

National Geographic France (2007). Dossier spécial: «L'héritage de Jamestown: Nouveau Monde, profits et pertes», nº 92, mai.

> Ce dossier reconstitue les premières années de la colonie de Jamestown à partir des informations mises au jour par les plus récentes fouilles archéologiques, notamment quant à l'alimentation, au commerce, aux relations avec les populations amérindiennes, à l'adaptation au climat. Il comprend plusieurs cartes, illustrations et photographies d'artéfacts.

ZINN, H. et F. COTTON (2003). *Une histoire populaire des États-Unis de 1492 à nos jours*, Paris, Agone.

> Ce livre décrit l'histoire américaine de points de vue rarement adoptés: ceux des femmes, des autochtones, des ouvriers, des esclaves et de toutes les populations conquises par les États-Unis dans leur histoire. Il permet en outre de comprendre la grande diversité d'idées et de mentalités qui caractérisent les tensions et conflits internes qui marquent l'histoire de ce pays.

Bibliographie

BINOCHE, J. (2003). *Histoire des États-Unis*, Paris, Ellipses.

BOORSTIN, D. (1981a). *Histoire des Américains. 1. L'aventure coloniale*, tome 1, Paris, Armand Colin.

BOORSTIN, D. (1981b). *Histoire des Américains. 2. Naissance d'une nation*, tome 2, Paris, Armand Colin.

BOUDREAU, C., S. COURVILLE et N. SÉGUIN (1997). *Atlas historique du Québec: le territoire*, Québec, Presses de l'Université Laval.

BRUNET, M. (1958). «Les Canadiens après la conquête: les débuts de la résistance passive», *Revue d'histoire de l'Amérique française*, vol. 12, nº 2, p. 170-207.

COURVILLE, S., dir. (1996). *Population et territoire*, Sainte-Foy, Presses de l'Université Laval, coll. «Atlas historique du Québec».

GREENE, J. P. (1996). *Interpreting Early America: Historiographical Essays*, Charlottesville, University Press of Virginia.

JONES, A. H. (1980). *Wealth of a Nation to Be: The American Colonies on the Eve of the Revolution*, New York, Columbia University Press.

KLEIN, H. S. (2004). *A Population History of the United States*, Cambridge, Cambridge University Press.

LANCTÔT, G., dir. (1941). *Les Canadiens français et leurs voisins du Sud*, Montréal, Éditions Bernard Valiquette, coll. « Les Relations du Canada avec les États-Unis ».

LEBRUN, F. (2006). *L'Europe et le monde: XVIᵉ au XVIIIᵉ siècle*, Paris, Armand-Colin.

MATHIEU, J. (2001). *La Nouvelle-France: les Français en Amérique du Nord, XVIᵉ-XVIIIᵉ siècle*, Québec, Presses de l'Université Laval.

MARX, R. (1978). *Religion et société en Angleterre de la Réforme à nos jours*, Paris, Presses universitaires de France, coll. « Historien », nº 31.

NOVACK, G. (1976). *America's Revolutionary Heritage*, New York, Pathfinder Press.

SCHOELL, F. L. (1977). *Histoire des États-Unis*, 3ᵉ édition revue et mise à jour, Paris, Payot, coll. « Petite Bibliothèque Payot ».

TRUDEL, M. (1983). *Histoire de la Nouvelle-France, vol. III. La seigneurie des Cent-Associés, 1627-1663. Tome II. La société*, Montréal, Fides.

ZINN, H. (1995). *A People's History of the United States: 1492 to the Present*, New York, Harper Collins.

ZINN, H. (2002). *Une histoire populaire des États-Unis de 1492 à nos jours*, Marseille, Agone.

CHAPITRE 8

La société canadienne vers 1820

Gilles Laporte et Stéphanie Demers

Introduction

1. **Le territoire de la société canadienne vers 1820**

2. **Les réalités culturelles**

3. **Les activités économiques**

4. **Les réalités politiques : prise de décisions, mode de sélection des dirigeants, institution (Chambre d'assemblée)**

5. **Personnages influents et répercussions d'événements sur l'organisation sociale et territoriale**

6. **Historiographie et controverses historiques : principales interprétations à propos des Patriotes et des rébellions de 1837-1838**

Conclusion

Exercices

Pour en savoir plus

Bibliographie

SOMMAIRE

Introduction

La Conquête britannique de la Nouvelle-France en 1760 transforme la société et le territoire qu'occupaient les Canadiens. Le territoire immense est façonné tour à tour par les constitutions successives et par la guerre d'Indépendance américaine. Sur les plans social, économique et politique, le pouvoir passe aux mains d'une élite aristocratique et bourgeoise anglaise qui confine les francophones à un rôle de second plan. Les efforts d'assimilation des Canadiens français déployés par les dirigeants britanniques contribuent à provoquer une affirmation nationale qui se traduit notamment par une redéfinition de l'identité culturelle et par les luttes politiques de la bourgeoisie canadienne-française.

1 | LE TERRITOIRE DE LA SOCIÉTÉ CANADIENNE VERS 1820

Le territoire qui constituait la Nouvelle-France est radicalement transformé après la Conquête britannique. Il subit trois changements majeurs entre 1760 et 1791.

Du territoire qui s'étendait de la Nouvelle-Orléans au sud jusqu'au-delà du lac Winnipeg au nord et jusqu'à Terre-Neuve à l'est, le territoire canadien est réduit à la seule vallée du Saint-Laurent dès 1763, avec la Proclamation royale, qui servira de première constitution à la colonie britannique renommée *Province of Quebec*. L'agitation des treize colonies contre la couronne britannique mène à une seconde division territoriale en 1774 avec l'Acte de Québec, dont le but est d'assurer la fidélité des Canadiens en cas de révolte. Une partie des territoires essentiels au commerce de la fourrure, soit le bassin des Grands Lacs, perdue dans la Proclamation royale, est restituée à la *Province of Quebec*. Enfin, l'arrivée massive de Loyalistes en sol canadien après la victoire des indépendantistes américains provoque une troisième réorganisation du territoire. L'Acte constitutionnel de 1791 divise le territoire en deux colonies le long de la rivière des Outaouais : le Bas-Canada, correspondant au territoire occupé par les Canadiens français, et le Haut-Canada, composé du bassin nord des Grands Lacs, où s'installent les Loyalistes (figure 8.1). Cette division n'est pas sans conséquence pour la population canadienne-française.

Figure 8.1   L'Amérique du Nord britannique en 1791

1.1 Les éléments de la société qui ont une incidence sur l'aménagement du territoire

À cause de son ancienneté et de sa forte croissance naturelle, et malgré l'immi-gration britannique, le groupe d'origine française maintient sa prépondérance au cours du XIXe siècle, formant bon an mal an environ 80 % de l'ensemble du Québec d'alors. Il se consacre toujours à l'agriculture, mais est désormais confiné à la zone découpée selon la tenure seigneuriale. Dès l'Acte constitu-tionnel, les nouvelles terres sont octroyées aux colons britanniques, selon une organisation cantonale. Les cantons sont d'une superficie de 10 miles sur 10 miles et sous-divisés en lots de 200 acres. Certains lots sont réservés à l'Église anglicane, alors que d'autres demeurent la propriété de la couronne.

L'organisation des deux colonies créées par l'Acte constitutionnel conformément aux institutions britanniques y attire de nombreux colons. C'est ainsi qu'en 1829, plus de 15 000 immigrants de langue anglaise, en provenance d'Angleterre, d'Irlande et d'Écosse, se sont ajoutés aux 16 000 Britanniques présents au Bas-Canada en 1790. En effet, dès la Conquête de 1760, quelques milliers de Britanniques s'étaient installés à Québec et à Montréal pour s'emparer du lucratif commerce des fourrures. Quelques-uns d'entre eux, notamment des Irlandais, s'étaient établis dans des cantons au nord de la région qui s'appelle actuellement Lanaudière, à Rawdon, par exemple. Entre 1800 et 1812, des Étatsuniens, attirés par l'abondance des terres, fondent la région des Cantons de l'Est (aujourd'hui l'Estrie). Après 1815, les difficultés économiques en Irlande attirent à leur tour des dizaines de milliers d'immigrants qui s'installent pour la plupart dans les villes. Québec reçoit alors chaque été l'équivalent de toute sa population en immigrants. En 1832, 1834 et 1849, ils amènent bien malgré eux le choléra asiatique, qui, durant l'été de 1832, fait 6 000 morts au Bas-Canada, dont près de 3 000 à Québec seulement, soit 10 % de la population de la ville. La population passe néanmoins alors de 335 000 en 1815 à un million d'habitants en 1855. Vers 1850, la société du Canada-Est est composée de 75 % de francophones et de 25 % d'anglophones (tableau 8.1).

Tableau 8.1   Immigrants provenant de Grande-Bretagne et s'installant à Québec, 1829-1847*

ANNÉE	ANGLETERRE	IRLANDE	ÉCOSSE
1829	3 500	9 600	2 600
1840	4 500	16 200	1 100
1847	31 000	54 310	3 700

* F. Ouellet (1966). *Histoire économique et sociale du Québec, 1760-1850. Structures et conjonctures*, Montréal, Fides.

1.2 L'organisation sociale et territoriale

Cette croissance rapide entraîne bientôt celle de dizaines de villages et de bourgs qui jalonnent le fleuve Saint-Laurent et ses principaux affluents.

Le village devient alors le véritable point focal du monde rural où l'habitant se rend pour acheter et vendre des marchandises, participer aux événements rituels et prendre des nouvelles du monde, au quai ou sur le parvis de l'église. Ceux qui animent ce milieu, seigneurs, curés, professionnels, artisans et agriculteurs, sont bien sûr tous engagés dans le maintien de l'économie rurale et des coutumes françaises, mais sont aussi tiraillés par des intérêts parfois différents, notamment en ce qui concerne l'hégémonie de l'autre société, celle dominée par les puissants marchands de Montréal et de Québec, et le statut colonial où se trouve alors leur « pays ».

Au centre du village, on trouve une « aire sacrée » constituée de l'église et du presbytère. Le pouvoir du curé vient de la diversité des activités auxquelles il est mêlé dans la paroisse, tant sociales, morales et éducatives qu'économiques, par l'entremise notamment de la dîme. Menacé plus que tout autre groupe par la Conquête de 1760, le clergé catholique s'engage donc très tôt

CARTE HISTORIQUE

Compétences développées
Lire l'organisation d'une société sur son territoire :
* incidence de certaines caractéristiques de la société sur la façon d'aménager le territoire ;
* rôle qu'y jouent certains personnages ou groupes ;
* événements marquants qui ont eu une incidence particulière sur l'organisation sociale et territoriale.

Interpréter les changements dans une société et sur son territoire.

Porter plus particulièrement attention :
* aux changements survenus ;
* aux principales causes de ces changements et à leurs conséquences ;
* à l'influence qu'ont exercée certains personnages ou groupes ;
* à des événements particuliers qui ont contribué à ces changements ;
* à la façon dont ces changements se perpétuent dans la société actuelle et sur son territoire.

Technique développée en géographie
Lecture et interprétation de cartes.

Techniques développées en histoire
Interprétation de documents iconographiques.

Repérage d'informations historiques dans un document.

Interprétation d'informations historiques dans un document.

Description
Demandez aux élèves de construire une carte historique dynamique qui rend compte de l'évolution du territoire entre 1760 et 1840. Dans les documents fournis ou leur manuel, les élèves doivent trouver une illustration qui explique les causes de chacun des changements et leur impact sur la vie des habitants. Demandez ensuite aux élèves d'afficher leur carte aux murs de la classe et de prendre connaissance des cartes de leurs collègues. Effectuez un retour en plénière afin de tracer au tableau une carte synthèse avec les élèves et d'explorer les éléments de changement et de continuité qu'ils auront signalés.

Idée d'activité pédagogique : Stéphanie Demers.

dans un pacte aristocratique le liant à l'occupant britannique. En échange du maintien de ses privilèges, l'Église offre son concours à la couronne en usant complaisamment de son influence auprès des masses rurales.

Le seigneur, lui, habite généralement un modeste manoir à l'écart du village. Vers 1830, il se retrouve dans une position analogue à celle du curé. Après la Conquête de 1760, les Britanniques ont reconnu ses droits de propriété, mais son prestige et son pouvoir économique sont en revanche en constant déclin depuis 1780, alors que les revenus agricoles stagnent et que le peuple lui reproche d'imposer, jusqu'en 1854, la tenure seigneuriale. En conséquence, le seigneur aura aussi tendance à joindre le pacte aristocratique avec la couronne anglaise et à lui prêter son appui lors de la crise des années 1830.

En face de l'aire sacrée, où peut encore s'installer une école ou un collège, se trouve la «grand-rue» du village et ses maisons cossues, occupées par l'avocat, le notaire ou le médecin, de même que le magasin général, la forge et l'auberge. Formés dans les nouveaux collèges classiques, les professionnels sont constamment sollicités pour leurs conseils avisés. Ils auront donc tout naturellement la confiance du peuple quand ce dernier aura à choisir des capitaines de milice, des marguilliers et, à compter de 1791, des députés à la Chambre d'assemblée. Les Nelson, Chénier, de Lorimier et La Fontaine sont tous membres de professions libérales et se présentent à ce titre comme les chefs naturels de la nation canadienne-française. Ils prendront d'ailleurs la tête du mouvement patriote.

2 | LES RÉALITÉS CULTURELLES

2.1 | Les croyances, la religion, les coutumes

Les Canadiens français réussissent à conserver leur langue, leur religion et leurs coutumes en dépit du fait qu'une nouvelle élite culturelle prend les rênes de la colonie et que le nouvel empire multiplie les efforts pour les assimiler. En 1763, la Proclamation royale avait fait de la *Province of Quebec* une colonie anglicane où seuls l'anglais et les institutions britanniques étaient admis. Pour obtenir l'appui des seigneurs et du clergé de la province, alors que la population des treize colonies s'oppose de plus en plus à la métropole, la couronne britannique concède, en 1774, l'Acte de Québec. Cet acte constitutionnel reconnaît aux Canadiens français certains droits politiques, notamment le droit de pratiquer leur religion catholique et de conserver leurs institutions civiles. Plusieurs Canadiens français se définissent désormais en opposition aux conquérants britanniques, en s'appuyant sur leur héritage français, leur religion catholique ainsi que le récit de leur résistance et des vertus des premiers colons et des «saints martyrs» héroïques. L'élite canadienne-française qui a choisi de rester au Canada promeut la culture et l'art français. Les légendes, contes, chansons et danses de la France sont intégrés à la société canadienne-française, moyennant parfois des adaptations à la réalité nord-américaine. Certains contes français sont métissés de légendes autochtones et un folklore unique en découle. La religion catholique conserve son monopole social et culturel – l'art sacré domine toujours le monde des arts, par exemple, et l'éducation des enfants repose encore entre les mains des ordres religieux. En 1834, l'élite montréalaise de langue française fonde la Société Saint-Jean-Baptiste (d'abord nommée «Aide-toi et le ciel t'aidera»), dont la vocation première était de fournir entraide et secours aux Canadiens français, tout en faisant la promotion d'idéaux patrimoniaux et nationalistes.

La présence anglaise n'est toutefois pas sans influence. En effet, la bourgeoisie britannique diffuse par ses journaux les idées libérales associées au siècle des Lumières – soit la liberté de l'individu, la démocratie, la souveraineté du peuple, la séparation des pouvoirs. Ces idées sont reprises par une partie de la petite-bourgeoisie canadienne-française, qui en fait les fondements d'une idéologie nationaliste et de revendications politiques. En outre, les idées libérales servent d'assises au parlementarisme et aux demandes de réformes des institutions politiques formulées par la bourgeoisie du Haut et du Bas-Canada. Le clergé catholique, pour sa part, s'oppose farouchement à de tels principes, craignant que les Canadiens français adoptent aussi le principe de laïcité de l'État qui a accompagné les idées libérales en France républicaine.

2.2 | L'alimentation, le divertissement, l'habillement

L'alimentation des Canadiens diffère selon leur classe sociale et leur occupation. Les paysans produisent la majorité des denrées qu'ils consomment; seuls le sel, essentiel à la conservation des aliments, le sucre, le thé et le café étaient achetés et consommés avec parcimonie, en raison de leur prix. Le pain constitue la base de l'alimentation et le potager fournit les denrées végétales de base: les oignons, les poireaux, les choux, les navets, les betteraves et autres légumes racines, qui sont prisés pour leur longue conservation. La viande de porc, le lait et le gibier fournissent les protéines nécessaires à la survie.

Les membres de la bourgeoisie et les seigneurs sont assez bien nantis pour acheter au marché des denrées alimentaires importées telles que les épices, les olives, les fruits confits, les noix, les chocolats et les vins et liqueurs fines.

La religion catholique interdit la consommation de viande les vendredis. Pour cette raison, le poisson occupe également une place importante dans l'alimentation des Canadiens français.

Les paysans fabriquent également leurs vêtements. Les étoffes sont tissées à la maison ou achetées aux tisserands de la région. Les femmes portent le corsage, la chemise, qui sert également de blouse, le jupon, ou la jupe et le tablier. Les hommes portent le pantalon, la chemise et la veste à la taille. Vers le milieu du XIXe siècle, le tissu fabriqué dans les usines, dont les prix sont réduits par la production de masse, remplace l'étoffe tissée à la maison.

L'habillement est un indicateur de statut social : les bourgeois et les aristocrates s'habillent de vêtements importés d'Europe ou fabriqués dans la colonie selon la mode européenne. La production de patrons de papier permet de reproduire le style européen.

La classe sociale détermine également le type de divertissement auquel s'adonnent les Canadiens. Le temps et l'argent dont on dispose selon qu'on est paysan, ouvrier, grand bourgeois ou seigneur déterminent les loisirs qu'on pratique (figure 8.2). Les seigneurs se divertissent par la lecture, le théâtre, les concerts et des activités physiques telles que la crosse, le criquet, la raquette ou le patinage. Des clubs sportifs exclusifs sont également organisés et deviennent très populaires auprès de l'élite masculine. Les femmes fortunées, pour leur part, se retrouvent en privé et prennent le thé ensemble ou lisent et s'adonnent à la peinture à la maison.

Figure 8.2   Habitants canadiens-français jouant aux cartes (1848), peinture de Cornelius Krieghoff (1815-1872)

Chez les paysans et les ouvriers, la vie sociale se rythme au fil des fêtes et des occasions telles que les mariages et les baptêmes. Les maisons privées sont le théâtre de veillées où les convives mangent, jouent aux cartes et prennent un verre. Dans les paroisses, des danses sont également organisées, au son des reels, gigues, cotillons, quadrilles (danses carrées), châtises et même menuets. La musique est également une source importante de divertissement et s'improvise dans les fêtes. Les sports associés aux Britanniques n'attirent pas les Canadiens français – les hommes préfèrent les épreuves de force, tels le tir au poignet ou le souque à la corde.

3 | LES ACTIVITÉS ÉCONOMIQUES

3.1 | L'agriculture

Hors du village, on trouve l'agriculteur. Il est plus ou moins riche selon la proximité des voies de communication. Les écarts de richesse demeurent cependant faibles, qu'on soit métayer, fermier ou simple censitaire, car la tenure seigneuriale empêche la concentration de la propriété et permet, comme on l'a écrit en 1832, de fournir aux paysans des terres abordables, puisqu'ils n'ont pas à payer comptant pour en profiter. La main-d'œuvre se recrute avant tout dans la famille, en particulier chez les garçons, qui espèrent bien obtenir la « terre paternelle » en héritage.

En périphérie du monde rural et notamment en Outaouais, en Estrie et dans le Bas-Saint-Laurent, on trouve enfin le colon et sa famille. Pauvre et isolé, il y entretient cependant des rapports fréquents avec les bandes amérindiennes qu'on a eu cesse de repousser vers la forêt depuis le déclin du commerce des fourrures.

En apparence immobile, ce monde rural est en réalité secoué par des tensions qui menacent sa quiétude. Au choc des cultures provoqué par l'immigration s'ajoutent des difficultés liées à l'agriculture. Tout le long du XIXe siècle, les agriculteurs québécois sont affligés par une crise agricole dont les causes sont complexes, mais les conséquences innombrables, contribuant notamment au départ vers les États-Unis de près de 700 000 Québécois avant la fin du siècle. Plusieurs phénomènes en sont responsables, à commencer par l'étroitesse du territoire cultivable, qui se borne à la vallée du Saint-Laurent, soit 2 % du territoire québécois actuel, concentré surtout dans la grande plaine de Montréal. Or, en 1810, ce territoire est déjà bien peuplé et cultivé depuis un siècle. Deuxièmement, rappelons la croissance rapide de la population. Entre 1780 et 1880, la population du Québec double en moyenne tous les 25 ans. Croissance vertigineuse d'une population qu'il faut nourrir et à laquelle il faut offrir des terres. Troisièmement, la guerre de 1812 avec les États-Unis bouleverse également la production et le commerce des céréales. Enfin, la culture trop intensive du blé, qui est traditionnellement importante et sert en quelque sorte de monnaie dans le régime seigneurial, a pour effet d'appauvrir les sols déjà malmenés par des techniques agricoles déficientes, les entraves du régime seigneurial et le piètre état du réseau de transports, dont ni le gouvernement ni la riche bourgeoisie britannique ne semblent se préoccuper.

Pour toutes ces raisons, la production décline rapidement. Auparavant exportateur net de céréales, le Bas-Canada devient importateur. Les prix ont beau monter après 1830 et surtout après 1850, ce sont les terres plus productives de l'Ontario qui pourront seules en profiter. Que faire ? La seule

IL ÉTAIT UNE FOIS EN 1820...

Compétence développée
Lire l'organisation d'une société sur son territoire.

Techniques développées en géographie
Lecture et interprétation de cartes.
Utilisation de repères spatiaux.
Repérage d'informations géographiques dans un document.

Technique développée en histoire
Repérage d'informations historiques dans un document.

Description
Cette activité propose de réaliser une production illustrant la société canadienne de 1820 par le truchement de différents personnages (le bucheron, l'immigrant, l'agriculteur, etc.). L'activité est complexe et propose plusieurs choix quant au format de la production finale (affiche, bande dessinée, diaporama, etc.). Le soutien pédagogique prend la forme d'un guide pour l'enseignant et d'un cahier pour l'élève.

Pour compléter cette activité, il pourrait être intéressant de travailler sur les relations entre ces personnages à l'occasion de la tenue d'une foire. Monter six stands qui présenteront les différents personnages. Chaque élève devra les visiter à tour de rôle et noter les relations qu'il pourrait entretenir avec chacun des personnages. Bien sûr, chaque stand doit être gardé par l'élève qui présente le personnage. Cet élève doit changer à chaque tour afin que chaque élève puisse faire une présentation au moins une fois pendant la foire. Chacun doit également visiter tous les stands. Chaque tour doit durer un maximum de dix minutes. À la fin de la foire, chaque élève aura visité tous les stands et évalué ses relations avec les différents personnages. Un retour en grand groupe sera nécessaire pour discuter de ces relations.

Idée d'activité pédagogique : Vincent Boutonnet. Inspirée de Récitus, *Il était une fois en 1820*. Site consulté le 12 novembre 2010 à l'adresse <http://www.recitus.qc.ca/sae/primaire/1820>.

solution à la portée des agriculteurs pour nourrir leur famille consiste à abandonner la culture du blé et à s'orienter vers une agriculture autarcique dite agriculture de subsistance.

Avocats, médecins, artisans, petits marchands, agriculteurs et colons n'ont donc pas en commun uniquement leur origine française. Ils subissent aussi conjointement les effets de graves difficultés économiques. Ils partagent également la colère d'être laissés à leur sort par le gouvernement, exclus du grand commerce et privés des leviers du pouvoir politique. Ils en viennent donc à se rallier derrière leurs députés à la Chambre d'assemblée, qui s'engagent à leur tour dans la défense des intérêts de la majorité rurale et sonnent le réveil du nationalisme canadien-français.

3.2 La chasse et la pêche

L'historien canadien Harold Innis (1956) posait la question suivante : « Comment une colonie pauvre, agricole, dépourvue de capitaux et d'infrastructures telle que le Bas-Canada peut-elle penser s'élever au rang de nation riche et industrielle ? » Selon lui, le seul atout dont jouit la colonie est de disposer sur son territoire d'abondantes matières premières en forte demande sur les marchés étrangers. Ainsi, en misant sur l'extraction et l'exportation de ses ressources, la colonie attirera les capitaux, les immigrants, et pourra ainsi engager la modernisation et la diversification de son économie.

Dès le début de la colonie, le Canada fut donc marqué par la mise en valeur de quelques ressources naturelles qui ont successivement mobilisé l'énergie d'explorateurs, de marchands, d'armateurs et de banquiers, abandonnant généralement à elle-même l'économie rurale, pauvre et sous-financée. Tour à tour, la morue, pêchée depuis le XVIe siècle, puis, à compter de 1608, la fourrure, constituent les pivots de l'économie canadienne. La pêche à la morue, au hareng et au capelan continue à être pratiquée à grande échelle dans la région du Labrador. Le long de la Basse-Côte-Nord, la pêche aux loups-marins et la pêche au saumon aux embouchures des rivières constituent les principales activités économiques de la région. Les grandes compagnies de pêche exercent une mainmise sur les pêcheries et emploient entre 44 et 61 % des pêcheurs de la Basse-Côte-Nord (Charest, 1970). La morue séchée est envoyée aux marchés canadiens, mais surtout exportée vers l'Europe.

Sous le Régime britannique, la traite des fourrures continue à s'étendre vers l'ouest, alors que dès 1774, la Compagnie de la Baie d'Hudson installe un poste de traite sur la rivière Saskatchewan, puis une communauté écossaise s'établit en 1812 sur la rivière Rouge, là où la Compagnie du Nord-Ouest fait affaire avec la population autochtone. La compétition entre les deux compagnies réduit les profits de l'une et de l'autre, les poussant à la fusion en 1821. La nouvelle compagnie garde le nom de Compagnie de la Baie d'Hudson et exploite la fourrure jusqu'à la fin des années 1860.

La fourrure connaît toutefois un déclin commercial et le bois équarri devient le principal produit générateur.

3.3 Le commerce du bois

Dès 1806, le bois de pin blanc commence à descendre la rivière des Outaouais vers le port de Québec pour alimenter l'industrie navale de la Grande-Bretagne, alors engagée dans une lutte sans trêve contre l'empereur Napoléon. Coupés de leur source traditionnelle de bois par le blocus continental de Napoléon, les Britanniques se tournent vers leurs colonies nord-américaines pour s'approvisionner. Entre 1803 et 1810, les exportations du port de Québec sont multipliées par quinze, ce qui entraîne une véritable ruée sur les forêts les plus accessibles (tableau 8.2). Montréal et Québec (respectivement 27 000 et 22 000 habitants en 1830) vivent alors au rythme du commerce entre les Canada et la Grande-Bretagne, le bois et ses dérivés constituant 90 % des exportations du port de Québec (2 732 645 pièces de bois en 1840). Il y a tant de bois qu'il faut construire de nouveaux navires pour le transporter. Des milliers seront d'ailleurs construits dans la cinquantaine de chantiers de Québec où travaillent jusqu'à 4 600 ouvriers. Plutôt que de revenir vides, ces navires rentrent chargés d'immigrants qui rentabilisent donc l'opération, peuplent les villes et fournissent à leur tour une main-d'œuvre bon marché aux chantiers forestiers. Ces nouveaux chantiers alimentent une expansion territoriale et l'établissement de villages dépendant de l'industrie forestière, où afflueront d'abord des Canadiens français appauvris par la crise agricole et des Irlandais, aussi en quête de revenus.

Tableau 8.2   Pourcentage des exportations totales du Canada vers l'Angleterre en 1770 et 1810

PRODUITS	POURCENTAGE DES EXPORTATIONS DE LA *PROVINCE OF QUEBEC* VERS L'ANGLETERRE EN 1770	POURCENTAGE DES EXPORTATIONS DU BAS ET DU HAUT-CANADA EN 1810
Fourrures	76	9
Bois	15	74
Produits agricoles	8	15
Autres	1	2

Le commerce du bois engendre une foule d'autres activités. Des dizaines de chantiers de bucherons le long de la rivière des Outaouais et du Richelieu, des centaines de draveurs qui acheminent les billots grossièrement coupés en madriers vers un affluent où ils sont pris en charge par des «cageux» qui les assemblent en d'immenses radeaux. Signalons également les innombrables scieries et fabriques de tonneaux, de châssis, de boîtes, de portes et de potasse. Justement les secteurs où le Québec engagera plus tard sa révolution industrielle.

3.4 | Les moyens de transport et les voies de communication

À la tête de ce commerce lucratif, on trouve les grands marchands britanniques de Montréal – McGill, Molson ou Moffat – et de Québec – Price, Forsyth ou Gilmour. Tous leurs efforts vont à la fondation de banques (Banque de Montréal, 1817) et à l'aménagement de voies de transport afin d'accroître le volume des échanges.

Afin de faciliter le transport des denrées vers les Grands Lacs et ainsi agrandir leur marché et augmenter leurs profits, de riches marchands montréalais rassemblent des capitaux et financent la construction du canal de Lachine, en 1824, qui joint le Saint-Laurent au lac Saint-Louis (figure 8.3). Ce canal sera suivi des canaux Rideau (1832), Cornwall (1842) et de Beauharnois (1845).

Figure 8.3   Le canal de Lachine (vers 1850), peinture de James Duncan (1806-1881)

L'utilisation de la vapeur transforme les moyens de transport dès le début du XIXe siècle. En 1809, John Molson lance le service de navire à vapeur entre Québec et Montréal. Ce moyen de transport sillonne les Grands Lacs, le fleuve Saint-Laurent et les divers canaux jusqu'à la rivière Rouge, transportant passagers et marchandises. Le navire à vapeur sera suivi de près par le train à vapeur, précisément en 1836, année de l'inauguration de la première

JEU DE RÔLE

Compétences développées
Lire l'organisation d'une société sur son territoire :
- incidence de certaines caractéristiques de la société sur la façon d'aménager le territoire ;
- rôle qu'y jouent certains personnages ou groupes ;
- événements marquants qui ont eu une incidence particulière sur l'organisation sociale et territoriale.

Interpréter les changements dans une société et sur son territoire.

Porter plus particulièrement attention :
- aux changements survenus ;
- aux principales causes de ces changements et à leurs conséquences ;
- à l'influence qu'ont exercée certains personnages ou groupes ;
- à des événements particuliers qui ont contribué à ces changements ;
- à la façon dont ces changements se perpétuent dans la société actuelle et sur son territoire.

Technique développée en géographie
Lecture et interprétation de cartes.

Techniques développées en histoire
Interprétation de documents iconographiques.

Repérage d'informations historiques dans un document.

Interprétation d'informations historiques dans un document.

Description
Demander à chacun des élèves de jouer le rôle d'un des personnages suivants : paysan canadien-français, professionnel appartenant à la bourgeoisie canadienne-française, membre du clergé, seigneur, administrateur colonial, commerçant anglais, Loyaliste. Inviter les élèves à tenir le journal intime de leur personnage entre 1760 et 1839, à l'aide des documents qui leur seront fournis ou de leur manuel de l'élève. Les élèves doivent réagir comme le ferait leur personnage aux événements suivants : la Proclamation royale, l'Acte de Québec, l'arrivée des Loyalistes et l'Acte constitutionnel, la crise agricole, les 92 résolutions, la rébellion des Patriotes. Ces réactions devraient constituer les entrées de leur journal.

Prévoir des moments de débat où les élèves doivent expliquer leur position en fonction de leurs « intérêts de classe », tout en s'efforçant de demeurer crédibles dans la peau de leur personnage et de rallier les autres groupes à leurs intérêts.

Idée d'activité pédagogique : Stéphanie Demers.

ligne de chemin de fer, entre La Prairie et Saint-Jean. Plusieurs tronçons de chemin de fer sont ensuite construits pour desservir les industries et les mines. En 1852, la Compagnie du Grand Tronc lance la construction du premier chemin de fer intercontinental, qui s'étend, en 1860, de Rivière-du-Loup à Sarnia, sur le lac Huron.

Le transport par voie terrestre se développe particulièrement autour des villes. L'urbanisation croissante exige en effet un approvisionnement constant en denrées alimentaires, alors que les industries naissantes requièrent des matériaux et un moyen de transport vers les marchés. Le transport par diligences entre Québec, Montréal, Kingston et Albany occupe des centaines de voitures et autant de conducteurs, mais il se révèle fort populaire l'hiver, lorsque les voies maritimes sont impraticables. Les compagnies exploitent de 30 à 500 chevaux et certaines sont chargées du transport de la poste. Le transport privé des individus se fait en carriole l'été et en traîneau l'hiver, les deux étant tirés par les chevaux. Les individus qui n'en ont pas les moyens voyagent à pied et ne consentent à prendre une diligence que pour de longues distances. Mis en activité en 1861, le tramway hippomobile (tiré par chevaux) constitue le premier transport en commun. Il sera électrifié en 1892 (Timbers et Young, 2002).

3.5 | Les techniques et l'outillage

Afin de faire fonctionner les moulins à grains et à scie ainsi que les raffineries de sucre dans la colonie, l'énergie des rivières à haut débit est mise à profit et captée par les turbines industrielles. Certains moteurs carburent également au bois ou au charbon. L'avènement de l'énergie à vapeur permet le développement de l'industrie lourde, et la mécanisation dans le domaine du textile (avec la *spinning jenny*, par exemple) favorise l'essor de cette industrie.

4 | LES RÉALITÉS POLITIQUES : PRISE DE DÉCISIONS, MODE DE SÉLECTION DES DIRIGEANTS, INSTITUTION (CHAMBRE D'ASSEMBLÉE)

Dès la Conquête britannique, la *Province of Quebec* est soumise aux décisions d'un gouverneur colonial nommé par la couronne britannique et d'un conseil exécutif nommé par le gouverneur. Entre la capitulation de Montréal en 1760 et la Proclamation royale de 1763, les premiers gouverneurs sont des généraux et le régime administratif est militaire. Afin d'assurer la paix, certains de ces gouverneurs, dont James Murray et Guy Carleton, adoptent une politique de conciliation qui reconnaît des droits aux Canadiens français.

Le régime militaire et la politique de conciliation prennent fin en 1763, avec la Proclamation royale, qui devient une première constitution pour la nouvelle colonie britannique. La langue anglaise devient la seule langue de l'administration et, pour participer aux institutions publiques, les Canadiens doivent renier l'autorité du pape et jurer fidélité au roi d'Angleterre en prononçant le serment du Test. L'Acte de Québec de 1774, promulgué par la couronne britannique dans l'espoir d'éviter que les Canadiens ne se joignent aux patriotes des treize colonies, remplace le serment du Test par un simple

LE RÉGIME DE GOUVERNEMENT PARLEMENTAIRE DE LA SOCIÉTÉ CANADIENNE VERS 1820

Compétence développée
Lire l'organisation d'une société sur son territoire.

Techniques développées en géographie
Lecture et interprétation de cartes.
Localisation d'un lieu sur un plan, sur une carte, sur un globe terrestre, dans un atlas.
Repérage d'informations géographiques dans un document.

Techniques développées en histoire
Utilisation de repères chronologiques (mois, saison, année, décennie, siècle, millénaire).
Repérage d'informations historiques dans un document.

Description
Les élèves doivent mener une recherche. Pour les préparer, on situe dans le temps et l'espace la société à l'étude, on leur montre des images de ses paysages humains et naturels et on leur décrit la structure de son système parlementaire. Le concept de démocratie, soit le partage du pouvoir dans un régime politique, est défini à l'aide d'attributs pouvant lui être associés: liberté, égalité et représentativité. Enfin, la question suivante est posée: «Les citoyens de la société canadienne vivent-ils en démocratie vers 1820?» En émettant des hypothèses, les élèves font émerger leurs représentations du concept de démocratie. Afin de réunir toute l'information nécessaire à l'élaboration de l'explication, ils recueillent des cartes, des images et des textes issus du matériel didactique auquel ils ont accès, dont des documents contemporains de l'époque des rébellions patriotes, donc datant des années 1837-1838 ou approchant. En équipe et avec l'aide de l'enseignant, ils font ressortir de ces sources les données brutes pertinentes, pour ensuite les organiser dans un texte qui présente l'origine du gouvernement parlementaire sous autorité anglaise en abordant la Conquête de 1760, la Révolution américaine de 1776 et l'Acte constitutionnel de 1791. Il décrit aussi le processus d'adoption de projets de loi et met en contexte les soulèvements citoyens menés par le Parti patriote. Les élèves sont finalement invités à transformer leur texte en un discours ayant pu être adressé par un membre du Parti patriote à la population canadienne vers 1820.

Idée d'activité pédagogique: Isabelle Laferrière.

serment de fidélité au roi d'Angleterre, reconnaît le droit civil français et permet l'usage du français dans l'administration publique. Les élites canadiennes-françaises, c'est-à-dire les seigneurs et le clergé, sont satisfaites de ces modifications et collaborent à l'administration coloniale.

La défaite des Britanniques aux mains des insurgés des treize colonies et l'arrivée des Loyalistes dans la *Province of Quebec* forcent toutefois les autorités coloniales à répondre aux revendications de ces sujets qui ont combattu pour défendre l'Empire.

De l'Acte constitutionnel de 1791 instauré pour satisfaire aux revendications des Loyalistes, on retiendra trois choses. Premièrement, en créant un Haut-Canada, où règnent les lois et la langue anglaise, et un Bas-Canada, dominé par la coutume et la langue des anciens Canadiens, on dote en fin de compte ces derniers d'un « foyer national » d'où il devient possible d'échafauder des rêves de souveraineté. Deuxièmement, la création d'une assemblée législative élue donne désormais une voix à la vaste majorité et lui offre de ce fait l'occasion de s'initier aux rouages de la démocratie. Troisièmement, les pouvoirs de cette assemblée élue sont cependant sévèrement réduits à un rôle législatif. Elle dispose bien du pouvoir de voter des lois, mais pas de celui de les faire adopter ni celui de les appliquer. À elles seules, ces trois caractéristiques peuvent expliquer la crise finale dans laquelle s'abîmera quarante ans plus tard le régime de l'Acte constitutionnel. En effet, elles créent les conditions propices à l'éclosion d'un nationalisme canadien-français, mais en le privant des moyens de s'épanouir (figure 8.4).

Figure 8.4   La structure du pouvoir au Bas-Canada en 1791

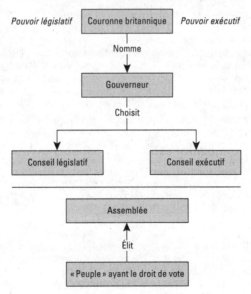

5 | PERSONNAGES INFLUENTS ET RÉPERCUSSIONS D'ÉVÉNEMENTS SUR L'ORGANISATION SOCIALE ET TERRITORIALE

5.1 | Les commerçants anglais

Ce que l'historien Donald C. Creighton (1937/2002) appelle l'Empire du Saint-Laurent consistait à faire du fleuve le trait d'union entre les immenses ressources de l'Amérique britannique et le riche marché anglais. Le commerce des céréales, du bois, la construction navale et les industries du transport sont aux mains des commerçants anglais, et les denrées transigent par les ports de Québec et de Montréal. Ces commerçants exercent un quasi-monopole sur

VISITE DE LA MAISON LEBER-LEMOYNE

Compétence développée
Interpréter les changements dans une société et sur son territoire.

Technique développée en géographie
Décodage et interprétation de documents iconographiques.

Technique développée en histoire
Repérage d'informations historiques dans un document.

Description
La visite de la Maison LeBer-LeMoyne construite au XVIIe siècle permet de découvrir la vie quotidienne des occupants de la maison à l'époque de la colonisation française et de la colonisation anglaise, et de la comparer avec aujourd'hui. Cette activité amène les élèves à parcourir 300 ans d'histoire au moyen de 400 objets archéologiques et historiques. Une visite guidée est proposée et l'entrée est gratuite.

Pendant la visite, vous pouvez inviter vos élèves à repérer deux ou trois objets qui, selon eux, représentent cette époque et leur demander en quoi ces objets sont importants et pourquoi ils les ont choisis. Au retour en classe, en grand groupe, les élèves présentent leurs objets à tour de rôle ou rendent compte de ce qui les a marqués lors de la visite. On pourrait poursuivre cette activité pourrait en intégrant ces objets dans un récit mettant en scène une situation typique de la vie de l'époque. Ainsi, on pourra approfondir sur les us et coutumes de cette société en les rendant vivants par un récit et une visite au musée.

Idée d'activité pédagogique : Vincent Boutonnet. Inspirée de Ville de Montréal, *La Maison LeBer-LeMoyne, un site, un rêve...* Site consulté le 12 novembre 2010 à l'adresse <http://ville.montreal.qc.ca/portal/page?_pageid=3156,3579233&_dad= portal&_schema=PORTAL>.

les marchés et les banques. En 1830, par exemple, les Canadiens français détiennent moins de 4 % des actions des banques du Bas-Canada. Des barons du bois, tels Philemon Wright et Ezra Eddy, deviennent des capitaines d'industrie. Afin de conserver et d'agrandir leur mainmise sur l'économie, les riches bourgeois anglais mettent de l'avant une idéologie qui défend le credo du libre commerce tout en s'opposant à la démocratie. Libéraux sur le plan économique, ils sont oligarchiques sur le plan politique, faisant en sorte de limiter le pouvoir des députés élus à la Chambre d'assemblée et d'accroître celui des membres des conseils législatif et exécutif, nommés par le gouverneur et à peu près tous acquis aux thèses de l'empire laurentien.

Aux yeux des riches marchands montréalais, comme Molson, McGill ou Moffat, et de Québec, comme Price, Forsyth ou Gilmour, le sort réservé à la majorité francophone, confinée à l'économie rurale et exclue du monde du commerce, importe assez peu. Il s'agit donc surtout de limiter la démocratie dans la colonie et d'étouffer la voix de cette majorité en attendant que, l'immigration britannique aidant, soit renversé l'équilibre démographique dans la province.

5.2 Les Loyalistes

La défaite des Britanniques dans les treize colonies provoque l'exode des colons restés fidèles à la couronne d'Angleterre pendant la guerre d'Indépendance. Ces derniers cherchent refuge dans la *Province of Quebec*. La majorité est de souche britannique et, entre 1775 et 1784, ils sont près de 50 000 à s'établir dans la région ouest de la *Province of Quebec* ou dans les colonies des maritimes. Ils y reçoivent des terres en réparation de leurs pertes. Les Loyalistes qui s'installent dans la *Province of Quebec* sont toutefois mécontents de partager le territoire avec une majorité francophone et d'y trouver des institutions françaises, tels le régime seigneurial et le droit civil français. Ils revendiquent les institutions britanniques qu'ils ont défendues dans les treize colonies, dont une assemblée législative. Pour répondre à ces revendications, la couronne britannique promulgue l'Acte constitutionnel en 1791.

5.3 Les crises parlementaires

Très tôt, la Chambre d'assemblée devient donc le théâtre où s'affrontent les représentants francophones de l'économie rurale, des professionnels pour la plupart, et les promoteurs du commerce impérial, généralement des marchands anglais et écossais auxquels se joignent des seigneurs francophones et des administrateurs coloniaux. C'est dans ce contexte d'affrontement qu'est créé le Parti canadien, qui représente le premier groupe, et le Parti bureaucrate, aussi nommé le *British Party*. D'abord mené par des Québécois, dont Pierre-Stanislas Bédard, le Parti canadien passe bientôt sous la gouverne de

Montréalais, dont Louis-Joseph Papineau, un avocat et seigneur prospère de la Petite-Nation. Une première crise parlementaire éclate lorsque les deux partis se heurtent sur la question du financement des prisons. Le Parti canadien propose de taxer les produits importés, ce qui nuirait aux intérêts commerciaux des marchands du Parti bureaucrate, lequel propose plutôt de taxer la propriété foncière et les terres, ce qui nuirait alors aux intérêts de la population rurale représentée par le Parti canadien. C'est ce dernier qui aura gain de cause, mais une série de crises successives où les intérêts des deux groupes semblent difficilement conciliables marquent les années à venir et radicalisent les positions.

À compter de 1820, le parti de Papineau occupe la majorité des sièges à l'Assemblée. Cette majorité s'accroît élection après élection. Sa lutte prendra donc pour cibles le gouverneur et les conseils, ceux-là mêmes qui tiennent les véritables leviers du pouvoir. À cette fin, il tire profit du seul véritable pouvoir à sa disposition : celui d'allouer ou non les subsides nécessaires au fonctionnement de l'État et à l'aménagement des voies de transport si chères aux marchands montréalais. Excédé par cette manière de procéder, le Parti bureaucrate réclame en 1810 puis en 1822 l'union du Haut et du Bas-Canada afin de rendre minoritaires les Canadiens français et d'écarter Papineau. Le Parti canadien devient en 1826 le Parti patriote, qui réclame davantage de pouvoirs pour l'Assemblée, dont celui de contrôler les dépenses du gouverneur, et qui exige que les ministres (l'exécutif) soient directement élus par le peuple, plutôt que nommés par le gouverneur. Ceux-ci marquent un grand coup en janvier 1834 en faisant voter 92 résolutions qui exposent leurs griefs historiques contre le régime colonial et avancent des propositions qui auraient pour effet d'exclure la métropole de la gestion des affaires internes du Bas-Canada. L'élection de novembre 1834 porte 77 députés du Parti patriote à l'Assemblée (sur 88 députés au total), dont certains sont d'origine irlandaise et écossaise.

Il faut attendre le printemps de 1837 pour que Londres réponde aux résolutions patriotes par la voie des 10 résolutions Russell. Bien qu'elle souligne son désir de voir la situation politique s'améliorer, Londres rejette les 92 résolutions et décide de retirer aux députés leur seul pouvoir, en permettant au gouverneur de puiser dans les subsides sans leur consentement. Ce décret a l'effet d'une douche froide sur les Patriotes. Après avoir constaté la mauvaise volonté des autorités locales, voilà que la métropole elle-même exprime un clair désaveu. Les députés patriotes en appellent donc au peuple, « seule source légitime de souveraineté », et tiennent partout au Bas-Canada des assemblées populaires monstres, qui débutent à Saint-Ours le 5 mai 1837 et se concluent par la fameuse assemblée des Six-Comtés le 23 octobre suivant, à la toute veille du déclenchement des hostilités. D'assemblée en assemblée, le ton monte et les éléments radicaux se montrent de plus en plus intraitables. Papineau exhorte les partisans des Patriotes à poursuivre la lutte politique, alors que l'Irlandais Wolfred Nelson les invite plutôt à prendre les armes. On propose bientôt de suivre l'exemple des États-Unis et de former des milices patriotes sur le modèle des Fils de la liberté.

Quant au clergé catholique, il profite de l'assemblée des Six-Comtés pour émettre le jour même un mandement qui rappelle «qu'il n'est jamais permis de se révolter contre l'autorité légitime[1]». Ce geste élargit le gouffre qui sépare désormais les Patriotes et l'Église catholique, qui a clairement choisi son camp.

Pendant ce temps, les adversaires des Patriotes ne demeurent pas inactifs. Déjà organisés en associations constitutionnelles, ils mettent promptement sur pied des milices armées telles que le *British Rifle Corps* et le *Doric Club*, puis, en octobre, des régiments de volontaires destinés à seconder l'armée lors d'opérations militaires. Le 6 novembre 1837, des émeutiers attaquent à Montréal des membres des Fils de la liberté. Le gouvernement prend alors position contre les Patriotes et lance, le 16 novembre suivant, une série de mandats d'arrestation contre les principaux chefs patriotes, dont Papineau. Dès le lendemain, un groupe de volontaires est attaqué par des Patriotes à Longueuil, au sud de Montréal, ce qui marque le début de la rébellion.

Au risque de diminuer l'ampleur des événements survenus, on peut résumer la rébellion de 1837 à une résistance opiniâtre et à des arrestations opérées par la police et l'armée. D'ailleurs, lors des batailles, la stratégie patriote consiste généralement à se barricader dans un fortin et à résister aux assauts de l'armée. L'armée se tourne d'abord vers la vallée du Richelieu, où les Patriotes sont réputés être mieux organisés et où de nombreux chefs ont trouvé refuge. Un premier affrontement a lieu à Saint-Denis le 23 novembre, alors que le colonel Charles Gore, à la tête de 500 hommes bien équipés, affronte les hommes du docteur Wolfred Nelson, lequel ne disposait que «de 119 fusils, dont 57 seulement pouvaient servir tant bien que mal». Les Patriotes tiennent néanmoins l'adversaire en respect, forçant l'armée à faire retraite. Cette victoire inespérée sera toutefois la seule remportée par les Patriotes. Ignorant l'échec de Gore à Saint-Denis, le colonel Wetherall se lance deux jours plus tard à l'assaut du village voisin de Saint-Charles. Cette fois, l'engagement ne tourne pas à la faveur des insurgés. Le village est investi et en partie brûlé. Au début de décembre, la vallée du Richelieu est entièrement occupée. Après avoir écrasé une incursion à Moore's Corner, près de la frontière du Vermont, il ne reste plus à l'armée qu'à écraser l'autre grand bastion patriote, celui de la région des Deux-Montagnes. Prenant lui-même le commandement d'une armée de 2 000 hommes, le général Colborne attaque Saint-Eustache le

---

1. *Mandement à l'occasion des troubles de 1837* de Mgr Lartigue, évêque catholique de Montréal, 1837 : «Ne vous laissez donc pas séduire, si quelqu'un voulait vous engager à la rébellion contre le gouvernement établi, sous prétexte que vous faites parti du peuple souverain.» Source : F. Ouellet, «Le mandement de Monseigneur Lartigue de 1837 et la réaction libérale», dans *Bulletin des recherches historiques*, n° 68, 1952, p. 97-104.

14 décembre. Barricadés dans l'église, le couvent et le presbytère, les Patriotes, dirigés par le docteur Jean-Olivier Chénier, opposent une résistance héroïque, mais sans espoir. À la fin de l'après-midi, les rebelles sont dispersés et le village est la proie des flammes. La paroisse de Saint-Benoît, qui ne montre pourtant aucune résistance, subit le même sort le lendemain.

5.4 La révolution de 1838

Entre-temps, des centaines de militants patriotes avaient trouvé refuge aux États-Unis. De là, ils entreprennent une invasion en règle du Canada à l'automne de 1838. Afin de provoquer un effet de surprise, on a mis sur pied

---

Testament politique de Marie-Thomas Chevalier de Lorimier
(prison de Montréal, 14 février 1839, 11 heures du soir)*

«[...]

[...] On sait que le mort ne parle plus et la même raison d'État qui me fait expier sur l'échafaud ma conduite politique pourrait bien forger des contes à mon sujet. J'ai le temps et le désir de prévenir de telles fabrications et je le fais d'une manière vraie et solennelle, à mon heure dernière, non pas sur l'échafaud environné d'une foule insatiable de sang et stupide, mais dans le silence et les réflexions du cachot. Je meurs sans remords. Je ne désirais que le bien de mon pays dans l'insurrection et l'indépendance.

Mes vues et mes actions étaient sincères et n'ont été entachées d'aucun (des) crimes qui déshonorent l'humanité et qui ne sont que trop communs dans l'effervescence des passions déchaînées. Depuis 17 à 18 ans, j'ai pris une part active dans presque toutes les mesures populaires, et toujours avec conviction et sincérité. Mes efforts ont été pour l'indépendance de mes compatriotes. Nous avons été malheureux jusqu'à ce jour. La mort a déjà décimé plusieurs de mes collaborateurs. Beaucoup gémissent dans les fers, un plus grand nombre sur la terre de l'exil, avec leurs propriétés détruites et leurs familles abandonnées sans ressources aux rigueurs d'un hiver canadien. Malgré tant d'infortune, mon cœur entretient encore son courage et des espérances pour l'avenir. Mes amis et mes enfants verront de meilleurs jours, ils seront libres. [...] Les plaies de mon pays se cicatriseront.

[...]

[...] Le sang et les larmes versés sur l'autel de la liberté arrosent aujourd'hui les racines de l'arbre qui fera flotter le drapeau marqué des deux étoiles des Canadas. [...]

[...]

[...] je meurs en m'écriant: Vive la Liberté, Vive l'indépendance. »

---

* Lettre conservée aux Archives nationales du Québec à Québec, série des Événements. Cette lettre est considérée comme le testament politique de Chevalier de Lorimier, <http://www.radio-canada.ca/nouvelles/dossiers/peinedemort/pop_5a.html>.

une organisation secrète, les Frères chasseurs, dont on s'est affairé à garnir les rangs tout au long du printemps et de l'été. Le plan consiste à faire éclater une série de soulèvements «spontanés» en divers points à Beauharnois, La Prairie ou Terrebonne, à désorganiser ainsi l'armée et à s'emparer des axes de communication, tandis qu'une armée de Chasseurs occupera Napierville, puis marchera sur Saint-Jean, Chambly et enfin Montréal. Le soulèvement commence le 3 novembre dans la confusion en raison d'un manque flagrant de ressources et de direction. Les Frères chasseurs affrontent les milices volontaires à Lacolle (7 novembre), puis à Odelltown (9 novembre), où ils sont défaits. Le lendemain, l'armée anglaise entreprend de ratisser la région du Haut-Richelieu, ce qui achève la déroute de l'armée des Frères chasseurs.

Entre-temps, la loi martiale a été promulguée, l'*habeas corpus* suspendu et les institutions parlementaires du Bas-Canada abolies. Si bien que le pouvoir échoit à un conseil spécial qui impose désormais ses vues. Des 1 214 personnes arrêtées, 8 sont exilées aux Bermudes et 99 sont condamnées à mort, parmi lesquelles 12 seront pendues et 58 exilées en Australie. Par simple décret, la province du Bas-Canada est ensuite fondue avec celle du Haut-Canada au sein d'un Canada-Uni où les Canadiens français se trouveront irrémédiablement placés en minorité.

5.5 | L'Acte d'Union

En 1838, lord Durham, un aristocrate britannique, est mandaté par la couronne britannique pour faire enquête sur les rébellions, après quoi il est nommé gouverneur général. Dans son rapport présenté un an plus tard, Durham reconnaît qu'il est temps pour Londres d'accorder plus d'autonomie à la colonie et propose d'instaurer la responsabilité ministérielle. Il arrive également à la conclusion que le conflit ne résulte pas de l'affrontement d'idéologies politiques différentes, mais plutôt de distinctions de nature ethnique. Pour écarter la possibilité que les rébellions ne se reproduisent, il recommande l'assimilation des Canadiens français par l'union des deux Canada, l'immigration massive d'origine britannique et le retrait des droits politiques reconnus aux Canadiens français dans l'Acte de Québec et l'Acte constitutionnel, afin de créer ainsi une seule assemblée, avec l'anglais comme seule langue officielle.

Le gouvernement britannique approuve toutes ces propositions et les met aussitôt en œuvre, à l'exception de la responsabilité ministérielle. L'Acte d'Union, promulgué en 1840, crée le Canada-Uni. Est ainsi créée une seule assemblée législative, avec un nombre égal de députés du Canada-Ouest (Haut-Canada), qui compte 450 000 habitants, et du Canada-Est (Bas-Canada), qui en compte 650 000. Selon les recommandations de Durham, l'immigration en provenance des îles Britanniques aura tôt fait d'anéantir cette supériorité démographique des francophones.

6 | HISTORIOGRAPHIE ET CONTROVERSES HISTORIQUES : PRINCIPALES INTERPRÉTATIONS À PROPOS DES PATRIOTES ET DES RÉBELLIONS DE 1837-1838

Traditionnellement, le débat entre spécialistes a consisté à se demander si la cause profonde de la rébellion patriote est d'abord sociale ou nationale ; s'il s'agit, en d'autres mots, d'une lutte opposant les grands marchands coloniaux aux porte-parole du monde rural, partisans d'une économie autocentrée, ou, plutôt, d'une lutte nationale opposant la minorité britannique à une majorité francophone se sentant menacée dans ses droits et ses traditions, et cherchant simplement à inverser la pyramide du pouvoir en sa faveur. En même temps, il ne faut pas non plus oublier que ces rébellions de 1837-1838 représentent d'abord l'aboutissement d'un processus politique visant au premier chef à tirer le Bas-Canada d'une impasse avant tout politique.

Dès 1839, lord Durham porte un premier constat. Dans son célèbre rapport, il reconnaît la justesse historique de la cause défendue par les Canadiens français et le fait que le principe démocratique finira bien par l'emporter sur le despotisme. Mais il constate aussi que leur avenir national est sans espoir et que « toute autre race que la race anglaise y apparaît dans un état d'infériorité ». La lutte démocratique et libérale menée par Papineau et ses suivants a donc, selon lui, été instrumentalisée dans le but d'assurer une sorte de survivance ethnique qui aurait eu pour effet de maintenir la province dans le sous-développement, de la couper des secteurs les plus prometteurs de l'économie, le grand commerce et l'aménagement des voies de transport, et de l'isoler au milieu d'une mer d'anglophones.

Jusqu'en 1960, la critique des historiens nationalistes consiste en gros à prendre Durham au pied de la lettre et à justement considérer la lutte nationale des Patriotes comme méritoire en soi, puisque « c'est contre leur nationalité, cette propriété la plus sacrée d'un peuple, que le bureau colonial dirigeait ses coups » (Garneau, 1846).

Au cours des années suivantes, les historiens ont davantage mis de l'avant une explication sociale, montrant, d'une part, que la démarcation linguistique n'était pas si nette entre Patriotes et Loyalistes, et, d'autre part, que la crise de 1837-1838 s'explique mieux par l'incompatibilité du projet économique de la grande bourgeoisie marchande et de celui d'une république agraire, défendu par la petite bourgeoisie alliée à la paysannerie désemparée par la crise agricole.

Ce débat à propos des motivations des acteurs a surtout consisté pour les chercheurs à établir le profil socio-ethnique des protagonistes par le recours, notamment, aux listes nominatives de certaines élections, aux registres de prisonniers patriotes ou aux listes de volontaires loyaux (Ouellet, 1976). D'autres, en étudiant des textes politiques tels que les 92 Résolutions ou la Déclaration des Six-Comtés, ont cherché à montrer que le mouvement patriote était parfaitement en phase avec les autres mouvements révolution-naires bourgeois inspirés des idées libérales en Europe et en Amérique latine, et qu'il traduit bien une certaine « américanité » dans sa forme républicaine et libérale (Bellavance, 1992 ; Bouchard, 2004 ; Harvey, 2005).

D'abord une crise sociale, donc, opposant deux projets de société s'appuyant chacun sur des groupes sociaux coalisés. Une crise sociale portée ensuite sur la scène politique où, prenant progressivement conscience de leur infériorité économique et du peu de pouvoirs qui leur échoit, les porte-parole du monde rural entreprennent d'affronter les représentants de l'oligarchie coloniale. À son tour, l'accélération de la crise politique a pu agir telle une bougie d'allu-mage, alors que les accrochages localisés se multiplient et que paraissent des textes incendiaires, tant dans la presse francophone qu'anglophone, ouvrant la voie à la violence politique et à l'émergence de préjugés basés sur la langue et la culture.

Conclusion

La Conquête britannique a provoqué une transformation majeure de la société qui constituait la Nouvelle-France. Cette période fut traversée de ruptures lentes et de bouleversements radicaux, d'alliances et de luttes, etc., ce que nous avons vu en étudiant les changements propres à la société canadienne entre 1745 et 1820, tels l'occupation du territoire, le parlementarisme, la présence anglophone, le commerce du bois, les per-sonnages influents et les acteurs collectifs (Loyalistes, commerçants anglais, premiers gouverneurs, etc.). Il fallait également apporter une attention particulière aux impasses politiques, aux moyens pris pour les dénouer – les rébellions de 1837-1838 formant le début d'une révolution bour-geoise anticoloniale dirigée contre la bourgeoisie britannique – et aux intérêts des groupes sociaux qui s'y affrontaient. Nous avons ainsi passé en revue les causes et les conséquences de ces changements et de ces projets politiques déterminés en partie par des conflits de nature linguis-tique, culturelle et socioéconomique. L'analyse des conflits qui marquent la société canadienne et la société québécoise entre 1840 et 1900 exige de prendre en considération les contextes sociohistoriques les ayant précé-dés. Certains auteurs soutiennent d'ailleurs que la continuité de la résis-tance après l'échec des soulèvements de 1837-1838 aurait engendré la nation canadienne-française et que c'est le fait de subir l'oppression et de prendre part à la lutte collective contre celle-ci qui façonne les identités nationales, bien plus que l'identité ethnique (Prairie, 1988 : p. 14).

Exercices

1. Expliquez comment le territoire qu'était la Nouvelle-France change entre 1760 et 1840.

2. Décrivez comment la composition et la répartition de la population de ce territoire changent entre 1760 et 1840.

3. Indiquez quelles sont les principales caractéristiques culturelles de la société canadienne vers 1820.

4. Nommez les principales activités économiques de la société canadienne vers 1820.

5. Expliquez comment la société est administrée en 1760, en 1763, en 1774 et en 1791.

6. Nommez les principaux moyens de transport et voies de communication utilisés en 1820.

7. Nommez une institution à caractère politique.

8. Indiquez des atouts et des contraintes liés au relief et à l'hydrographie.

9. Expliquez comment les ressources du territoire constituent des atouts.

10. Nommez des personnages importants.

11. Nommez des groupes qui jouent un rôle.

12. Indiquez des événements marquants.

13. Quels facteurs expliquent les changements territoriaux survenus entre 1760 et 1840 ?

14. Quelles sont les conséquences politiques de l'Acte constitutionnel de 1791 ?

15. Pourquoi qualifie-t-on le nouveau régime de parlementarisme truqué ?

16. En quoi la diversification de la population du territoire canadien influence-t-elle la population canadienne-française ?

17. Quelles sont les conséquences de la crise agricole sur l'économie du Bas-Canada ?

18. Quelle est l'influence des commerçants anglais sur l'organisation politique et économique du Bas-Canada ?

19. Comment les idées libérales influent-elles sur la vie de la population canadienne ?

20. Comment la vie des paysans et des ouvriers est-elle modifiée par le changement d'administration coloniale ?

21. Qui sont les Patriotes et quels intérêts servent-ils ? Qui sont leurs alliés ? Leurs adversaires ?

22. Sur quelle base l'idéologie des Patriotes s'appuyait-elle et pourquoi fut-elle véhiculée en chambre par la petite bourgeoisie professionnelle ?

23. Pourquoi la population canadienne-française ne se rallie-t-elle pas à la cause des Patriotes?

24. En quoi les changements survenus entre 1760 et 1840 ont-ils influé sur le Québec d'aujourd'hui?

Pour en savoir plus

Réalités culturelles

Les circuits historiques du Musée McCord proposent des activités pédagogiques qui traitent de la vie quotidienne des Canadiens au XIXe siècle. Jalonnés d'images d'artefacts de la collection du musée, les circuits favorisent l'interprétation de documents iconographiques et fournissent les clés de lecture permettant aux élèves de contextualiser l'information et d'explorer la source. En ligne: <http://www.musee-mccord.qc.ca/fr/clefs/circuits/>.

La Salle du Canada du Musée canadien des civilisations offre également des images et de courts textes explicatifs relatifs à divers thèmes de la vie quotidienne au XIXe siècle.

Réalités économiques

Pour une étude des structures économiques et sociales du Québec au XIXe siècle: F. Ouellet (1966). *Histoire économique et sociale du Québec, 1760-1850. Structures et conjonctures*, Montréal, Fides.

Pour un survol des principaux enjeux économiques et sociaux dans la vallée du Saint-Laurent: S. Courville, J.-C. Robert et N. Séguin (1990). «La vallée du Saint-Laurent à l'époque du rapport Durham: économie et société», *Revue d'études canadiennes/Journal of Canadian Studies*, vol. 25, n° 1, p. 78-95.

Pour les données sociodémographiques et l'évolution de la composition de la population au Bas-Canada: H. Charbonneau, dir. (1973). *La population du Québec: études rétrospectives*, Montréal, Boréal Express.

Pour comprendre la vie du village canadien-français après la Conquête de la Nouvelle-France: S. Courville (1990). «Entre ville et campagne», *L'essor du village dans les seigneuries du Bas-Canada*, Québec, Presses de l'Université Laval.

Pour comprendre l'évolution de Montréal au fil des changements économiques, technologiques et industriels: D. Massicotte (1999). «Dynamique de la croissance et du changement à Montréal de 1792 à 1819: le passage de la ville préindustrielle à la ville industrielle», *Revue d'histoire urbaine*, vol. 28, n° 1, p. 14-30.

Réalités politiques

Pour comprendre les changements politiques à partir de la Proclamation royale de 1763 et cerner les intérêts des différents groupes qui s'affrontent dans les crises parlementaires jusqu'au Rapport Durham : F. Ouellet (1976). *Le Bas-Canada : 1791-1840. Changements structuraux et crise*, Ottawa, Presses de l'Université d'Ottawa.

Pour initier des jeunes à ce moment clé de l'histoire du Canada, on pourra d'abord s'appuyer sur de nombreux documents publiés et commentés. L'un des plus accessibles demeure celui de Daniel Latouche, *Le manuel de la parole* (Sillery, Boréal Express, 1977-1979, 3 vol.), qui présente les principaux textes patriotes. De même, très utile à cause de ses nombreux courts extraits : John Hare (1971), *Les patriotes de 1830-1839*, Montréal, Les Éditions Libération.

Sur l'historiographie, le recueil de Jean-Paul Bernard, *Les rébellions de 1837-1838* (Montréal, Boréal, 1983), demeure utile pour opposer les vues des historiens nationalistes et les tenants de l'histoire sociale à propos de cet enjeu. Gilles Laporte brosse pour sa part le portrait d'un siècle et demi de production historienne dans l'introduction à *L'histoire des patriotes* de Gérard Filteau (Québec, Septentrion, 2001).

L'approche biographique est aussi une belle voie pour étudier cette période. Les élèves trouveront en particulier un grand plaisir à explorer la vie des acteurs de cette époque et à mesurer l'ampleur de leur sacrifice en parcourant le *Dictionnaire biographique du Canada* consultable sur internet. Le site internet *Les patriotes de 1837@1838* (http://www.1837. qc.ca) propose enfin quantité d'articles, de biographies, d'illustrations et même de jeux à propos de cette période.

Bibliographie

BELLAVANCE, M. (1992). *Le Québec et la Confédération : un choix libre ?*, Sillery, Septentrion.

BOUCHARD, G. (2004). *La pensée impuissante. Échec et mythes nationaux canadiens-français (1850-1960)*, Montréal, Boréal.

BRUNET, M. (1969). *Les Canadiens après la Conquête, 1759-1775 : de la révolution canadienne à la révolution américaine*, Montréal, Fides.

CHARBONNEAU, H., dir. (1973). *La population du Québec : études rétrospectives*, Montréal, Boréal Express.

CHAREST, P. (1970). « Le peuplement permanent de la Basse-Côte-Nord du Saint-Laurent : 1820-1900 », *Recherches sociographiques*, vol. 11, n° 2, p. 59-90.

COURVILLE, S. (1990). « Entre ville et campagne », *L'essor du village dans les seigneuries du Bas-Canada*, Québec, Presses de l'Université Laval.

COURVILLE, S., J.-C. ROBERT et N. SÉGUIN (1990). « La vallée du Saint-Laurent à l'époque du rapport Durham : économie et société », *Revue d'études canadiennes/Journal of Canadian Studies*, vol. 25, n° 1, p. 78-95.

CREIGHTON, D. (1937/2002). *The Empire of the St. Lawrence : A Study in Commerce and Politics*, Toronto, University of Toronto Press.

DICKINSON, J., et B. YOUNG (2003). *Brève histoire socio-économique du Québec*, Sillery, Septentrion.

FRANCIS, R. D., et D. SMITH (2006). *Readings in Canadian History : Pre-Confederation*, Toronto, Nelson College.

FRANCIS, R. D., R. JONES et D. SMITH (2008). *Origins : Canadian History to Confederation*, Toronto, Nelson College.

FRENETTE, Y. (1998). *Brève histoire des Canadiens français*. Montréal : Boréal.

GARNEAU, F.-X. (1846). *Histoire du Canada. Depuis sa découverte jusqu'à nos jours*, Québec, N. Aubin.

GREER, A. (2000). *Habitants, marchands et seigneurs : la société rurale du Bas-Richelieu 1740-1840*, Sillery, Septentrion.

INNIS, H. (1956). *The Fur Trade in Canada : An Introduction to Canadian Economic History*, Toronto, University of Toronto Press.

HARVEY, L.-G. (2005). *Le printemps de l'Amérique française. Américanité, anticolonialisme et républicanisme dans le discours politique québécois, 1805-1837*, Montréal, Boréal.

MASSICOTTE, D. (1999). « Dynamique de la croissance et du changement à Montréal de 1792 à 1819 : le passage de la ville préindustrielle à la ville industrielle », *Revue d'histoire urbaine*, vol. 28, n° 1, p. 14-30.

OUELLET, F. (1952). « Le mandement de Monseigneur Lartigue de 1837 et la réaction libérale », *Bulletin des recherches historiques*, n° 68, p. 97-104.

OUELLET, F. (1966). *Histoire économique et sociale du Québec, 1760-1850. Structures et conjonctures*, Montréal, Fides.

OUELLET, F. (1976). *Le Bas-Canada : 1791-1840. Changements structuraux et crise*, Ottawa, Presses de l'Université d'Ottawa.

PRAIRIE, M. (1988). « La loi 101 et la lutte pour l'unité ouvrière », *Lutte ouvrière*, vol. 12, n° 5, p. 12-24.

ROY, F. (1993). *Histoire des idéologies au Québec aux XIXe et XXe siècles*, Montréal, Boréal.

SÉGUIN, M. (1970). *La nation « canadienne » et l'agriculture*, Montréal, Boréal Express.

TIMBERS, W., et YOUNG, B. (2002). *Le développement du transport à Montréal, 1820-1918*, Montréal, Musée McCord d'histoire canadienne.

CHAPITRE 9

La société québécoise
vers 1905

Sabrina Moisan et Louis Turcotte

Introduction

1. Les caractéristiques du territoire québécois

2. Les caractéristiques de la vie politique

**3. Les caractéristiques sociales et démographiques
   de la société québécoise**

4. Les caractéristiques de l'économie québécoise

Conclusion

Exercices

Pour en savoir plus

Bibliographie

SOMMAIRE

Introduction

Le présent chapitre décrit à grands traits les caractéristiques géographiques, politiques, sociales et économiques de la société québécoise vers 1905, de manière à rendre compte des dynamiques animant la province à ce moment de son histoire et à constater l'évolution qu'elle a connue par rapport à sa situation vers 1820. Nous étudierons ici les similitudes et les différences en matière d'organisation territoriale, politique, sociale et économique qui existaient, à la même époque, entre cette société et les sociétés canadiennes, abordées dans le prochain chapitre, à savoir les sociétés des Prairies et de la côte Ouest.

1 | LES CARACTÉRISTIQUES DU TERRITOIRE QUÉBÉCOIS

La province du Québec, en 1905, couvre déjà un grand territoire riche en ressources naturelles. Mais c'est en 1912, au terme de négociations avec le gouvernement fédéral, qu'elle prend une forme beaucoup plus proche de celle que nous lui connaissons aujourd'hui et qui fait d'elle la plus grande province canadienne. Les provinces de l'Ontario et du Manitoba prennent elles aussi, à ce moment, leurs frontières actuelles.

Le Québec jouit alors d'un accès stratégique à maints cours d'eau : le fleuve Saint-Laurent (la voie navigable la plus importante), l'océan Atlantique, la baie d'Hudson et la baie d'Ungava. Son réseau hydrographique intérieur, avec ses milliers de lacs et de rivières, est également l'un des plus riches réservoirs d'eau douce au monde. La navigation, la pêche et les communications sont ainsi facilitées par ce réseau routier naturel.

La province est divisée en trois grandes étendues physiographiques : le Bouclier canadien, les Basses-Terres du Saint-Laurent et la chaîne de montagnes des Appalaches. Le Bouclier canadien forme la majeure partie du territoire canadien et québécois. Cette immense région est recouverte d'une végétation variée telle que la forêt boréale, riche en matières premières (bois, or, fer, cuivre, uranium, eau, etc.), la taïga et la toundra septentrionale. La faune et la flore sont diversifiées et diffèrent selon les régions. Ce vaste territoire n'est toutefois pas propice à l'agriculture et est très peu peuplé. Seulement 5 % de sa superficie est recouverte de terres arables (Couture, 2011). Les Appalaches forment une large bande de montagnes couvrant le sud-est de la province et s'étendent jusqu'au sud de l'État d'Alabama aux États-Unis. Cette région où croît une forêt mixte est formée de hauts plateaux et de basses terres qui peuvent être propices à l'agriculture. Les Cantons-de-l'Est et la Beauce sont des régions agricoles qui ont été exploitées, notamment, par les colons irlandais et écossais, les immigrants loyalistes et leurs descendants. Le sous-sol des Appalaches est riche en minéraux tels que le calcaire, le zinc et le plomb. Au Québec, les mines d'amiante sont les plus exploitées. On trouve dans les Appalaches l'un des plus hauts sommets du Québec, le mont Jacques-Cartier en Gaspésie, qui atteint plus de 1 250 m d'altitude. Les Basses-Terres du Saint-Laurent sont la plus petite région en superficie, mais c'est la plus densément peuplée. Ses terres, qui longent les rives du fleuve, sont fertiles et plates, ce qui facilite l'installation des colons et l'exploitation agricole. Les basses terres, couvertes de la forêt mixte, sont bien irriguées et abritent ainsi une faune et une flore abondante et diversifiée.

Le climat québécois, quant à lui, varie énormément selon la région et la saison, comme l'indiquent les schémas de la figure 9.1 représentant les précipitations totales et les températures moyennes pour la ville de Montréal en 1905.

Les températures sont le plus souvent assez tempérées, mais peuvent parfois être extrêmes. Ainsi, l'été est caractérisé par une douce chaleur marquée de canicules, alors que l'hiver est reconnu pour son froid sibérien et sa neige abondante. Toutefois, de manière générale, le climat québécois est tempéré. Les moyennes pour Montréal, en 1905, vont de –13 °C à 22 °C. Les précipitations sont régulières et abondantes au cours des quatre saisons. Les mois d'hiver (décembre, janvier et février) sont froids et les précipitations, sous forme de neige, sont fréquentes. Montréal a reçu, en 1905, plus de 350 cm de neige et près de 500 mm de pluie.

En somme, le Québec présente des caractéristiques géographiques qui en font une région bénéficiant d'un riche potentiel de développement pour la société qui s'y est installée, s'y est adaptée et l'a transformée au cours de l'histoire. Nous examinerons dans la prochaine section les enjeux de la vie politique québécoise du début du XXᵉ siècle.

Figure 9.1   **La variabilité du climat québécois***

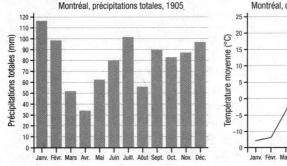

* Environnement Canada, archives climatiques nationales du Canada :
  <http://www.climate.weatheroffice.gc.ca>.

2 | LES CARACTÉRISTIQUES DE LA VIE POLITIQUE

L'objet de la présente section réside dans les grandes lignes de la dynamique politique qui agite le Québec vers 1905. Nous faisons ici un bref retour en arrière afin d'aborder succinctement les circonstances de l'intégration du Québec à la Confédération canadienne, en nous penchant notamment sur les principaux éléments du contexte qui a présidé à la création du Canada. Il sera ensuite question de la nature générale du régime politique canadien et de la structure particulière de son gouvernement, caractérisée par l'existence de deux paliers administratifs, l'un fédéral, l'autre provincial. Une fois ce tableau brossé, nous traiterons, dans une perspective à la fois historiographique et historique, du thème des rapports entre francophones et anglophones au Québec et au Canada. Au-delà des débats que suscite cette dimension fondamentale de l'histoire québécoise et canadienne, la coexistence de deux communautés ethniquement et linguistiquement différentes a fortement caractérisé le devenir des sociétés québécoises et canadiennes. Il importe toutefois de replacer les relations ethnolinguistiques dans les conjonctures particulières où elles s'enracinaient, sans oublier non plus de les considérer en relation avec d'autres forces structurant la réalité sociale, telles que les identités religieuses et les classes sociales produites par le capitalisme industriel.

2.1 | La création du Canada en 1867

L'année 1867 marque la création d'un nouveau pays, le Dominion du Canada, qui naît officiellement à la suite de l'adoption par le Parlement de Londres de l'Acte de l'Amérique du Nord britannique. Le Canada-Uni est alors scindé en deux provinces : l'Ontario et le Québec. Elles s'associeront aux colonies du Nouveau-Brunswick et de la Nouvelle-Écosse, donnant ainsi naissance à la Confédération canadienne. Les trois décennies qui suivront la création du Canada verront de nouvelles provinces s'ajouter à la Confédération. De fait, le Manitoba sera créé en 1870, la Colombie-Britannique fait son entrée en 1871, et l'Île-du-Prince-Édouard, en 1873. En 1905, grâce au peuplement des Prairies, les territoires de l'Alberta et de la Saskatchewan sont aussi transformés en provinces canadiennes.

Plusieurs facteurs ont motivé la création de la Confédération canadienne. L'un d'eux s'enracine dans le changement d'attitude de l'Angleterre envers ses colonies. En effet, au tournant des années 1860, Londres souhaite se désengager de l'administration et de la défense de ses colonies nord-américaines. Ces responsabilités entraînent des dépenses financières importantes pour l'Angleterre, dépenses qu'elle souhaite voir assumées par ses colonies (Dickinson et Young, 1996).

Par ailleurs, l'idée d'effectuer l'unification des colonies britanniques en Amérique du Nord afin qu'elles prennent en main la majeure partie de leur propre administration a aussi germé dans l'esprit de plusieurs hommes politiques du Canada-Uni et des Maritimes. Ceux-ci voient dans cette unification un moyen de remédier à l'endettement des colonies, en particulier le Canada-Uni. De ce point de vue, l'association des colonies britanniques nord-américaines offrirait de meilleures perspectives de développement économique qui rendraient possible la construction d'infrastructures coûteuses telles que le chemin de fer. L'union des colonies ouvrirait ainsi de nouvelles possibilités d'échanges commerciaux.

Un autre incitatif à la réalisation de ce projet est lié au voisinage des États-Unis. En effet, les colonies britanniques ne pèsent pas lourd face à cette puissance montante. La Confédération est donc vue par plusieurs comme un moyen de consolider la position politique et géographique des colonies britanniques face aux États-Unis. La construction d'un chemin de fer transcolonial, en plus de concrétiser l'union des colonies, répond à cette nécessité d'affirmer la souveraineté canadienne des plaines de l'Ouest jusqu'à la côte du Pacifique.

Enfin, des hommes politiques canadiens-français, tel George-Étienne Cartier (figure 9.2), ou anglophones, comme John A. Macdonald, ont vu dans la Confédération l'occasion de sortir du cul-de-sac politique dans lequel s'était engagé le Canada-Uni depuis 1840 (Couturier, 1996). De fait, cette colonie était alors aux prises avec une instabilité ministérielle chronique, caractérisée par une succession de gouvernements minoritaires incapables de se maintenir durablement au pouvoir.

Figure 9.2   **Sir George-Étienne Cartier**

2.2 | La structure du gouvernement canadien

Le Canada est une monarchie constitutionnelle, c'est-à-dire qu'il reconnaît l'autorité suprême de la couronne britannique, mais se dote d'une constitution pour en limiter le pouvoir. Cette constitution date de 1867; il s'agit de l'Acte de l'Amérique du Nord britannique, qui sera modifié en 1982 lors du rapatriement de la constitution.

Le Canada est organisé selon le modèle de la confédération, qui répartit les pouvoirs entre deux ordres de gouvernement : le fédéral (ou gouvernement central) et le provincial. Le fédéral se réserve les champs de compétence d'intérêt national, comme les lois commerciales, la poste et la défense du pays. Quant aux provinces, elles disposent du pouvoir sur les affaires internes, comme la santé, l'éducation et les institutions locales. Le pacte confédéral entend respecter la spécificité de chacune de ces colonies tout en les réunissant au sein d'un même pays.

L'attribution et l'exercice des pouvoirs entre ces deux ordres de gouvernement seront remis en question plusieurs fois par la suite. Mais en 1867, ce partage semble, pour bon nombre de dirigeants politiques canadiens, respecter à la fois les particularismes régionaux du pays, par l'entremise des États provinciaux, et la nécessité d'instaurer une certaine unité à la faveur de l'État fédéral.

Le Canada est également une démocratie représentative, c'est-à-dire que les citoyens ont le pouvoir de choisir, grâce à l'exercice du droit de vote, les candidats par lesquels ils souhaitent être représentés à la Chambre des communes. Le schéma de la figure 9.3 illustre la structure du système politique du Canada ainsi que le rôle des institutions qui le composent.

Figure 9.3   Le système politique canadien

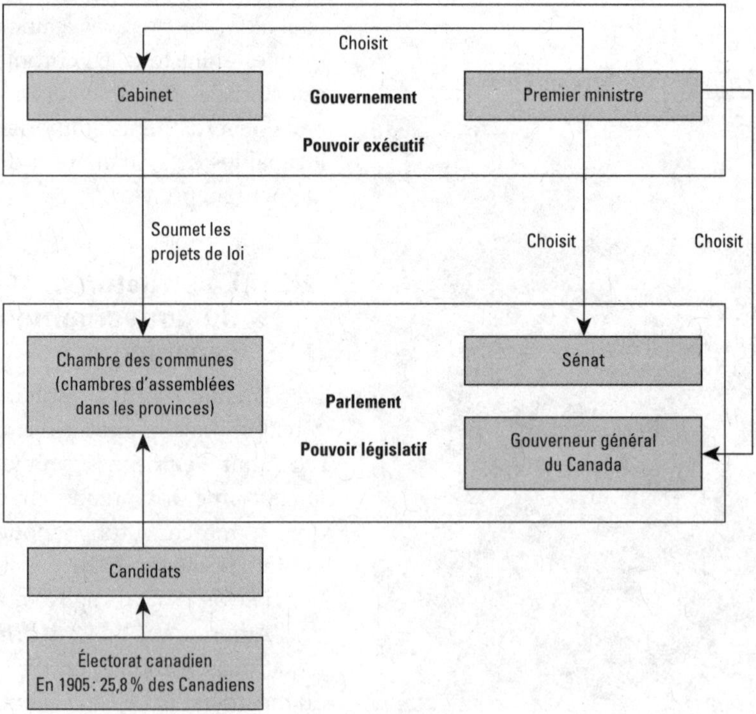

Le système canadien est fortement inspiré du système parlementaire britannique, que les Pères de la Confédération connaissaient bien. Ainsi est-il composé d'un représentant de la couronne britannique, le gouverneur général, qui est le chef de l'État et de l'armée canadienne. Dans l'ensemble, son rôle se limite à autoriser la formation et la dissolution du gouvernement. Le gouverneur général accorde au chef du parti politique ayant fait élire le plus de députés aux élections le droit de former le gouvernement. Le chef de ce parti devient le premier ministre du Canada et le chef du gouvernement. Il a le mandat de choisir les ministres, généralement parmi les députés de son parti, afin de constituer le pouvoir exécutif. L'exécutif d'un gouvernement détermine le cadre d'action du gouvernement en conformité avec la loi. Le premier ministre choisit, par ailleurs, les membres du sénat, qui étudient les projets de loi acceptés par la Chambre des communes et défendent les intérêts des régions représentées.

Le Parlement canadien est également composé d'une Chambre des communes. Cette institution rassemble tous les députés, c'est-à-dire les candidats élus par les citoyens canadiens, qui profitent ainsi d'un espace de délibération. C'est elle qui accepte ou refuse les projets de loi. Elle a également le mandat de surveiller les actions et décisions du pouvoir exécutif.

Bien que le Canada soit une démocratie depuis sa fondation, il ne s'ensuit pas que tous les habitants aient le droit de prendre part à la vie politique du pays. Par exemple, aux élections fédérales du 26 octobre 1908, sur les 5 371 000 Canadiens, 1 463 593 ont le droit de voter et seulement 1 180 820 se prévaudront de ce droit[1]. C'est donc, à l'époque, 27 % de la population qui a le droit de décider de l'avenir du pays. C'est qu'au moment de la création du Canada, seuls les hommes de race blanche, de plus de 21 ans et propriétaires (ou ayant un certain revenu) jouissent de ce droit[2]. En 1867, 16 % de la population canadienne satisfait à ces conditions.

2.3 La question des groupes ethnolinguistiques dans l'historiographie québécoise et canadienne

Au tournant du XXe siècle, la vie politique canadienne est fortement marquée par la diversité ethnique, linguistique, religieuse et géographique qui caractérise ce nouveau pays. Plusieurs groupes culturellement différenciés y cohabitent. Parmi eux, les communautés anglophones (protestantes et catholiques) et les Canadiens français sont toujours, vers 1905, les plus influentes politiquement.

---

1. D'après Élections Canada.
2. *Idem.*

L'étude des relations entre les francophones et anglophones, tant à l'échelle québécoise que canadienne, est depuis longtemps un thème historiographique majeur où s'exprime une relative pluralité de points de vue. Par exemple, certains auteurs ont davantage insisté sur la collaboration qui existait entre les deux groupes linguistiques, laquelle fut en définitive à l'origine de la création de la Confédération canadienne (Rudin, 1998). D'autres se sont plutôt employés à montrer les tensions et divergences qui les opposaient au plan identitaire et politique, de même que les inégalités socioéconomiques observables entre anglophones et francophones jusqu'aux lendemains de la Révolution tranquille.

Qu'elles privilégient la collaboration ou le conflit, ces approches ont donné lieu à une mise en récit de l'histoire centrée sur les événements politiques et le développement des identités nationales. Ce type de production historienne a connu, en raison d'une variété de facteurs, un net déclin ces dernières années. En effet, depuis environ deux décennies, la production historiographique s'est considérablement éloignée d'une démarche de recherche mettant principalement l'accent sur le thème de la «nation». Le poids des différences ethnolinguistiques se trouve relativisé par la prise en compte des clivages socioéconomiques, religieux ou sexuels, qui contribuent également au façonnement des réalités sociales. Par exemple, à bien des égards, le faible statut socioéconomique d'une majorité de Canadiens français vivant au début du XXe siècle exprime une réalité de classe, produite par l'ordre industriel de l'époque. Même si plusieurs représentants de l'élite anglo-protestante se montraient hostiles à la nomination de francophones aux fonctions les plus prestigieuses, on ne saurait attribuer la subordination économique des francophones à des ambitions dominatrices de la part des Anglophones.

Par ailleurs, le morcellement de la recherche, provoqué par la multiplication de travaux traitant de phénomènes sociaux particuliers, se prête aussi plus difficilement à l'élaboration des grandes synthèses d'histoire nationale (Bourdé et Martin, 1997). Le désir de promotion d'un nationalisme inclusif, faisant écho au pluralisme culturel du Québec et du Canada d'aujourd'hui, allié à la volonté d'élargir l'horizon des phénomènes historiques portés à la connaissance des élèves, a aussi joué ici un rôle non négligeable.

Cette complexification du regard posé sur l'histoire québécoise ou canadienne, non plus seulement envisagée sous l'angle strictement ethnique et politique, est susceptible de donner lieu à un enseignement de l'histoire plus représentatif de la production historiographique actuelle. Toutefois, même s'il n'occupe plus l'avant-scène du discours historien, le thème des relations entre les communautés anglophones et francophones demeure important et ne saurait être écarté. Il s'agit, en effet, d'une constante de la société québécoise d'après 1760 dont l'influence se fait encore sentir aujourd'hui. Il faut toutefois se rappeler que la nature de cette cohabitation, de même que les débats politiques qu'elle a suscités, s'est transformée au fil du temps. En outre, l'examen de cette question passe impérativement par une remise en contexte des personnages historiques, idées, débats et mesures politiques qui y furent associés.

Dès le départ, les francophones du Québec et les anglophones des autres provinces interprètent différemment la signification de l'entente confédérale (Francis, Jones et Smith, 1996). Pour bon nombre de Canadiens français, la Confédération est un « pacte entre deux peuples », la création d'une entité politique binationale où les droits des anglophones et des francophones seront équitablement respectés. Cependant, pour plusieurs anglophones, la fédération canadienne est moins la réunion de deux peuples fondateurs que l'union de plusieurs provinces dans le cadre d'une nouvelle nation majoritairement anglo-britannique. Dans cette perspective, le Québec n'est ni plus ni moins qu'une province parmi d'autres, soumise à l'autorité de la majorité, comme n'importe quelle autre province du pays. De même, certains hommes politiques anglophones, tel le premier des premiers ministres canadiens John A. Macdonald, sont partisans d'un gouvernement central fort. Ils souhaitent limiter, à l'avenir, le pouvoir politique des provinces au profit de l'État fédéral.

Outre la divergence des points de vue entre francophones et anglophones, la Confédération se caractérise par des inégalités très prononcées entre les Canadiens d'origine européenne, venus s'établir au pays depuis le XVIIᵉ siècle, et les peuples autochtones, premiers habitants du territoire. Ces derniers ont été complètement exclus des négociations ayant mené à la création du Canada et ils sont absents des institutions politiques qui gouvernent le pays. Ils furent longtemps négligés par l'historiographie.

2.4 | Le Québec dans le Canada

En 1905, le Québec fait partie du Canada depuis 38 ans.

Dès la fin des années 1880, certains événements à caractère linguistique et religieux mettent en évidence la position minoritaire du Québec dans la fédération. En effet, sur le plan politique, le Québec est une province parmi les autres. De plus, sur le plan démographique, les anglophones augmentent sans cesse l'importance de leur majorité dans la population canadienne.

Les conséquences de ce statut minoritaire pour les francophones du Québec et ceux d'ailleurs au Canada se manifestent plus vivement lors de certains événements, crises ou controverses mettant en jeu la langue, la religion et l'appartenance à l'Empire britannique. Il faut se rappeler que la langue française et la religion catholique sont, jusque vers les années 1960, les deux piliers de l'identité et du nationalisme canadien-français. Ce sont donc des sujets sensibles pour les Canadiens francophones.

2.5 La guerre des Boers

La guerre des Boers, qui se déroule en Afrique du Sud de 1899 à 1902, constitue un autre événement semant la division entre francophones et anglophones du Canada (Dickinson et Young, 1996). La Grande-Bretagne possède, en effet, plusieurs colonies sur le continent africain et elle souhaite annexer totalement l'Afrique du Sud à son immense empire. Toutefois, ce territoire est déjà occupé par les Boers, descendants de colons hollandais. Les Boers ont fondé deux petites républiques en Afrique du Sud : la République du Transvaal et l'État libre d'Orange.

Les visées impérialistes de l'Angleterre provoquent l'opposition des Boers, qui résistent farouchement à l'envahisseur anglais. Se heurtant à une résistance acharnée, la Grande-Bretagne se tourne alors vers ses colonies, dont le Dominion du Canada, pour obtenir une aide militaire supplémentaire. Cette demande d'aide militaire, adressée par la Grande-Bretagne au Canada, divise les Canadiens français et les anglophones du pays.

En effet, à la fin du XIXᵉ siècle, on assiste au Canada anglais à un regain de patriotisme envers l'Angleterre. Plusieurs Canadiens d'origine britannique, en vertu d'un nationalisme valorisant leur loyauté à la couronne et à l'Empire britannique, sont favorables à l'entrée en guerre du Canada aux côtés de la Grande-Bretagne, leur mère patrie. Ce sentiment n'est cependant pas partagé au Québec par les Canadiens français.

En effet, pour ces derniers, le pays doit se montrer autonome à l'égard de l'Empire britannique. Ils ne se sentent pas concernés par cette guerre qui se déroule loin de chez eux, de sorte qu'ils refusent que le Canada y participe. En fin de compte, les francophones du Québec devront se plier à l'opinion de la majorité anglophone, qui souhaite que le Canada contribue à l'expansion et à la défense de l'Empire britannique.

2.6 La politique provinciale vers 1905

Vers 1905, le Parti libéral du Québec domine la politique provinciale. Ce parti est au pouvoir depuis l'élection de 1887. Lors de cette élection, les libéraux provinciaux, sous la direction d'Honoré Mercier, délogent les conservateurs, fortement contestés dans l'opinion publique à la suite de la vive réprobation publique provoquée par l'exécution de Louis Riel.

L'élection d'Honoré Mercier comme premier ministre du Québec marque l'essor du mouvement en faveur de l'autonomie provinciale (Bergeron, 1997). Ce mouvement, qu'il ne faut pas confondre avec l'indépendantisme, cherche à défendre les droits des provinces canadiennes et le partage des pouvoirs établi en 1867 devant les visées centralisatrices du gouvernement fédéral. Au Québec, l'autonomisme se double d'une dimension d'affirmation nationale,

HONORÉ MERCIER

Compétence développée
Interpréter les changements dans une société et sur son territoire.

Technique développée en histoire
Repérage d'informations historiques dans un document.

Description
Le court livre de Luc Bertrand intitulé *Honoré Mercier** propose une biographie de ce personnage qui permet à l'élève de se familiariser avec cette figure politique marquante ainsi qu'avec le contexte sociopolitique de son époque.

Étant donné la richesse de l'information, on pourrait organiser un jeu de rôle. Ainsi, la classe pourrait être séparée en groupes qui représentent les différents intérêts : Honoré Mercier, John J. Ross, le Parti conservateur, le Parti libéral, des Canadiens français, des Canadiens anglais, des ouvrières, etc. Chaque groupe devra se documenter sur la position politique à défendre et passer ensuite à un jeu de rôle mettant en scène leurs revendications. Une campagne électorale pourrait faire office de cadre pour cette activité.

---

* Luc Bertrand (1994), *Honoré Mercier*, Montréal, Lidec, coll. « Célébrités canadiennes », 59 p.
Idée d'activité pédagogique : Vincent Boutonnet.

---

sous l'impulsion du sentiment identitaire des Canadiens français et de la place qu'ils revendiquent au sein du Canada. Mercier, qui mise beaucoup sur le nationalisme canadien-français, soulève la méfiance du Canada anglais, qui le perçoit comme un danger pour l'unité du pays (Cook, 1988).

2.7 Félix-Gabriel Marchand, Simon-Napoléon Parent et Lomer Gouin

Les successeurs d'Honoré Mercier seront Félix-Gabriel Marchand, premier ministre de 1897 à 1900, Simon-Napoléon Parent, premier ministre de 1900 à 1905, et Lomer Gouin, au pouvoir de 1905 à 1920. Les successeurs de Mercier dirigent le Québec en privilégiant un conservatisme à la fois économique et social, afin de concilier, comme le soulignent Dickinson et Young (1996), les intérêts des capitalistes industriels et ceux de l'Église catholique.

Sur le plan économique, les gouvernements de Marchand, de Parent et de Gouin souhaitent attirer des capitaux américains au Québec afin de favoriser l'exploitation des ressources naturelles de la province. Pour ce faire, ils adoptent des mesures susceptibles de plaire au milieu des affaires. L'une de ces mesures consiste à instaurer un régime fiscal favorable aux entreprises, à qui l'État ne demande que très peu d'impôts.

L'autre facette principale de ce conservatisme économique concerne les conditions de travail. En cette matière, le gouvernement de Gouin adopte une attitude qui favorise les employeurs dans les conflits de travail. Il faut toutefois signaler que c'est sous le mandat de Lomer Gouin que sont votées par l'Assemblée nationale du Québec une loi interdisant le travail des enfants de moins de 14 ans (1907), une loi garantissant une compensation financière aux accidentés du travail (1909) et une loi limitant la semaine de travail à 58 heures (1910). Malheureusement, ces législations, en apparence favorables aux travailleurs, furent, dans les faits, peu appliquées.

Sur le plan social, le conservatisme des années Gouin s'exprime principalement par le faible interventionnisme de l'État dans la société. Par exemple, l'État est peu enclin à agir pour résoudre des problèmes sociaux, comme la pauvreté ou l'insalubrité urbaine.

Tout au long de leurs mandats, Marchand, Parent et Gouin cherchent à maintenir de bons rapports avec l'Église catholique. Celle-ci conservera sa mainmise sur l'éducation, acquise au lendemain de la Confédération, même si l'État, constitutionnellement responsable de ce secteur, s'y montre un peu plus présent. L'État s'appuie aussi sur l'Église en matière de soins de santé, ce qui lui évite des dépenses importantes. De fait, les religieux administrent de nombreux hôpitaux, partout dans la province.

Cependant, même si les relations entre l'Église et l'État sont bonnes sous le règne des libéraux, quelques tensions surviennent parfois entre ces deux «partenaires». Citons, par exemple, la question du financement des écoles, pour lequel l'Église demande le soutien de l'État.

De plus, même si Lomer Gouin et son gouvernement partagent, pour l'essentiel, les valeurs défendues par l'Église, les politiques de développement industriel du gouvernement suscitent l'opposition de plusieurs religieux et des principaux porte-parole nationalistes canadiens-français, tel Henri Bourassa. On sent donc que l'État québécois prend tranquillement ses distances par rapport à l'Église.

En effet, avec l'industrialisation croissante de son économie, le Québec se distancie de plus en plus du modèle de la «société rurale traditionnelle» cher aux nationalistes canadiens-français. Plusieurs nationalistes reprochent également au gouvernement libéral, imprégné du libéralisme économique, sa politique en matière de développement économique. Ils voient d'un mauvais œil l'importance grandissante que prennent les capitaux étatsuniens dans l'économie québécoise. Henri Bourassa est l'un de ces opposants à l'expansion éhontée des idéaux mercantiles. Comme en témoigne l'extrait suivant d'un discours qu'il a donné en 1910, Bourassa préconise l'adhésion des travailleurs canadiens-français aux syndicats catholiques comme moyen de lutter contre ces nouvelles idées économiques :

Combattons le danger qui nous menace peut-être plus ici que dans la vieille Europe, attaquée par ailleurs dans sa foi ; je veux dire le danger de la double conscience, qui fait que souvent des hommes qui adorent Dieu avec sincérité au foyer et à l'église, oublient qu'ils sont les fils de Dieu lorsqu'il faut proclamer leur foi dans la vie publique, dans les lois et dans le gouvernement de la nation (*longues acclamations, applaudissements prolongés*).

Au culte de l'argent, au culte du confort, au culte des honneurs, opposons le culte du devoir, le culte du sacrifice, le culte du dévouement (*acclamations*). […]

Il ne suffit pas de dire à l'ouvrier : « Sois chrétien, sobre et laborieux, bon père de famille et fidèle à ton patron ; redoute les sociétés sans religion. » Nous devons encore obéir à la parole du Pape des ouvriers, lui donner des œuvres pratiques et lui prouver que la foi catholique n'est pas arriérée ni stérile ; que la foi catholique peut non seulement sauvegarder les droits de la conscience, mais encore s'allier fructueusement à toutes les organisations modernes qui permettent au travail de se protéger contre la tyrannie du capital[3].

Le devoir, le culte et le sacrifice sont trois expressions qui décrivent bien la vie de la majorité des Canadiens français. Ce court extrait d'un très long discours de Bourassa démontre bien la prégnance encore forte de l'Église catholique sur les idées d'une partie de l'élite canadienne-française de l'époque et sur les positions qu'ils adoptaient.

La société québécoise est en changement, et cela à plus d'un niveau. Nous verrons dans la section suivante quelques-unes de ces transformations sociales et culturelles.

3 | LES CARACTÉRISTIQUES SOCIALES ET DÉMOGRAPHIQUES DE LA SOCIÉTÉ QUÉBÉCOISE

Après la création du Canada en 1867, la population du pays croît de manière exponentielle. L'une des principales raisons de cette croissance démographique est l'arrivée massive d'immigrants. Entre 1901 et 1911, la population augmente au Canada de 34 %, mais comme il est possible de le voir dans le tableau 9.1, c'est dans les provinces des Prairies que la croissance est la plus phénoménale, avec une augmentation de plus de 400 % pour la Saskatchewan.

---

3. Extrait du discours d'Henri Bourassa au Congrès Eucharistique de 1910. Source : Henri Bourassa, « Le Discours de Notre-Dame au Congrès Eucharistique de 1910 », dans Le Devoir, *Hommage à Bourassa*, Montréal, *Le Devoir*, 1952, 215 p., p. 108-114.

Tableau 9.1   Évolution de la population canadienne entre 1901 et 1911*

	POPULATION 1901	POPULATION 1911	AUGMENTATION %
Canada	5 371 315	7 294 772	34
Québec	1 648 898	2 002 712	21,5
Manitoba	255 211	455 614	78,5
Saskatchewan	91 279	492 432	439,5
Alberta	73 022	374 663	413

* Statistique Canada, *Collection historique de l'Annuaire du Canada*,
<http://www65.statcan.gc.ca/acyb_r000-fra.htm>.

Au Québec, cette croissance se situe autour de 21 %. Ce qui est peu, comparé aux provinces de l'Ouest. Il faut dire que le gouvernement fédéral ne déploie pas autant d'efforts de peuplement dans la province de Québec que sur les « terres vierges » des Prairies. La province à majorité francophone est déjà bien peuplée et ses terres agricoles sont toutes occupées. Le tableau 9.2 indique l'origine des membres de la population québécoise. Les données, issues de l'*Annuaire du Canada* de 1905, ont été obtenues lors du recensement de 1901. Les habitants ont été catégorisés en fonction de leur pays de naissance.

Ainsi, 94 % de la population de la province est née au Canada. Dès cette époque, l'origine des Canadiens est diverse et les communautés historiques sont d'origine britannique, française ou amérindienne (0,6 %). En 1901, les immigrants installés au Québec sont majoritairement nés dans les îles britanniques (3 %) ou aux États-Unis (1,7 %). Les autres immigrants arrivent d'Europe centrale ou de l'Est et de Chine.

Les Canadiens français composent 80 % de la population québécoise au début du XXe siècle. Ils sont, de très loin, le groupe le plus important numériquement dans toutes les régions du Québec. Ils sont majoritaires à Montréal, où ils comptent pour environ 55 % de la population en 1911.

Vers 1905, la majorité des Canadiens français appartient au groupe des travailleurs de condition modeste. Ils connaissent les difficultés associées à leur condition de main-d'œuvre bon marché, ne bénéficiant d'aucune sécurité d'emploi, à une époque où l'assurance-chômage et l'assurance-maladie n'existent pas, et où les dédommagements donnés aux travailleurs blessés dans les usines et les manufactures sont dérisoires, voire inexistants. La pauvreté est donc très répandue parmi les francophones du Québec. Le taux de mortalité infantile particulièrement élevé qui afflige les Canadiens français est une des expressions de cette pauvreté, à tel point que Montréal est, au début du XXe siècle, la capitale nord-américaine de la mortalité infantile.

Tableau 9.2   Origines de la population du Québec en 1901*

	POPULATION TOTALE	ORIGINE CANADIENNE	ORIGINE BRITANNIQUE	ORIGINE AMÉRICAINE	ORIGINE CHINOISE	ORIGINE AUSTRO-HONGROISE	ORIGINE RUSSE	ORIGINE ALLEMANDE	ORIGINE MÉTISSE OU AMÉRINDIENNE
Canada	5 371 315	4 671 815	390 019	127 899	17 043	28 407	21 231	27 300	127 932
Québec	1 648 898	1 560 190	42 603	28 405	1 043	—	2 670	1 543	10 142

* Statistique Canada, *Collection historique de l'Annuaire du Canada*, <http://www65.statcan.gc.ca/acyb_r000-fra.htm>.

3.1 La petite bourgeoisie canadienne-française

De fait, les Canadiens français sont presque absents des hautes sphères de l'économie. Par contre, ils se montrent très présents sur la scène politique québécoise. Leur importance démographique leur confère la majorité des sièges à l'Assemblée nationale. On compte aussi plusieurs Canadiens français dans le domaine du commerce au détail. Ces petits commerçants jouent un rôle dynamique dans les villes et régions du Québec, comme créateurs d'emplois, mais aussi en tant que petits investisseurs. D'autres francophones, sans être considérés comme des hommes d'affaires, font aussi partie de cette petite bourgeoisie, spécialement les représentants des professions libérales, comme les médecins, les notaires, les avocats, les journalistes, etc. (Linteau, Durocher et Robert, 1989).

Cette petite bourgeoisie participera à l'essor des caisses populaires, dont la première est fondée à Lévis en 1900 par Alphonse Desjardins. Le Mouvement des caisses populaires contribuera au développement des possibilités économiques des Canadiens français, notamment des agriculteurs, dont le sort ne s'améliorera pourtant que plusieurs décennies plus tard.

Bien que le français soit la langue dominante sur le territoire québécois, on y parle plusieurs autres langues, comme en témoigne le tableau 9.3.

Tableau 9.3   Langues parlées au Québec en 1901 et en 1911*

	QUÉBEC	
	1901	**1911**
Français	1 322 100	1 605 300
Anglais	290 100	316 100
Japonais	9	12
Allemand	6 900	6 100
Russe	430	1 600
Polonais	0	3 200
Langues scandinaves	1 300	1 700

* Statistique Canada, *Collection historique de l'Annuaire du Canada*,
  <http://www65.statcan.gc.ca/acyb_r000-fra.htm>.

Entre 1901 et 1911, les Québécois parlent principalement cinq langues et les locuteurs francophones augmentent leur présence de manière plus marquée que les autres. L'anglais est la seconde langue en importance, alors que les langues d'Europe centrale et de l'Est commencent à se faire entendre de plus en plus dans les rues.

3.2 La communauté anglophone

Au Québec, vers 1905, les anglophones comptent pour environ 20 % de la population. De cette proportion, 16 % sont d'origine britannique (Grande-Bretagne et Irlande). La marge restante (4 %) se compose d'immigrants provenant de divers pays d'Europe qui se sont assimilés à la communauté anglophone du Québec (Dickinson et Young, 1996). Cette communauté est massivement concentrée à Montréal. Deux appartenances religieuses dominantes se partagent ce groupe particulier : les diverses confessions protestantes, généralement associées aux anglophones originaires d'Angleterre ou d'Écosse, et la religion catholique, plus caractéristique des descendants d'immigrants irlandais. Vers 1905, au Québec, des anglophones occupent le haut de l'échelle sociale. Ils sont présents à la tête de la plupart des grandes entreprises privées capitalistes (grandes banques et institutions financières, industries, grands commerces d'importation et d'exportation, etc.).

En général, beaucoup d'anglophones connaissent une situation socioéconomique plus favorable que celle des Canadiens français. Cependant, il ne faut pas croire qu'il suffit de parler anglais pour connaître une situation privilégiée. De fait, il existe aussi chez les anglophones de nombreux travailleurs pauvres, en particulier dans la communauté irlandaise, qui résident majoritairement à Montréal, dans les quartiers ouvriers de Griffintown et de Saint-Henri (celle de Québec ayant connu un déclin rapide après 1860). Cette pauvreté touchera aussi la majorité des immigrants européens, venus vivre au Québec à compter de la fin du siècle précédent.

3.3 La communauté juive

La communauté juive est la troisième en importance au Québec après celles des Canadiens français et des anglophones protestants ou catholiques. Les juifs sont présents dans la province depuis la Conquête anglaise, mais leur communauté se développe véritablement à partir des années 1880, sous l'impulsion d'une immigration en provenance d'Europe de l'Est et de Russie (figure 9.4). Cette communauté réside majoritairement à Montréal, où elle compte pour environ 6 % de la population vers 1911 (Dickinson et Young, 1996). Malheureusement, comme c'est le cas en Europe, aux États-Unis et ailleurs au Canada, la communauté juive québécoise est victime d'antisémitisme et de discrimination (Charland, 2007). Du côté canadien-français, certains nationalistes et représentants de l'Église catholique présentent les juifs comme des ennemis de la religion chrétienne ou des individus qui, parce qu'ils souhaitent préserver leur identité culturelle, mettent en péril l'avenir de la nation. Chez les Québécois anglophones, l'antisémitisme est plus discret. Il se manifeste par l'exclusion des juifs de certaines fonctions de direction ou par la limitation de leur nombre à l'université.

Figure 9.4 Immigrants juifs russes, 1911

3.4 La communauté italienne

Par ailleurs, on trouve aussi à Montréal, au début du XXe siècle, une petite communauté italienne. Elle s'est véritablement formée à la fin du XIXe siècle, au moment où plusieurs travailleurs italiens quittaient leur pays d'origine, touché par la pauvreté et l'exode rural, pour l'Europe et l'Amérique du Nord. Un petit contingent de ces immigrants choisira de s'établir au Québec, plus particulièrement à Montréal où, en 1910, on assiste à l'inauguration de la première paroisse italienne (Dickinson et Young, 1996).

3.5 Les autochtones

Au début du XXe siècle, les autochtones représentent environ 0,6 % de la population québécoise. On dénombre au Québec plusieurs nations autochtones, distinctes les unes des autres, telles que les Innus (Montagnais), les Naskapis, les Anicinabes, les Cris, les Micmacs, les Hurons, etc. Sans oublier, bien sûr, les Inuits du Grand Nord.

Assujettis à la Loi sur les Indiens de 1876, qui relève du fédéral, les Amérindiens vivent dans des réserves situées en divers endroits du territoire québécois. On trouve des réserves dans les régions de Montréal, de Québec, de la Gaspésie, du Saguenay-Lac-Saint-Jean, de l'Abitibi-Témiscamingue et de la Côte-Nord.

La situation des autochtones est dramatique, au Québec comme ailleurs au Canada. Leur culture et leurs droits ne sont pas reconnus. L'Église et les autorités tant fédérales que provinciales les maintiennent dans un état de tutelle humiliante. Leur statut politique est en effet comparable à celui des personnes d'âge mineur, en ce sens qu'ils sont dépourvus du droit de vote et de l'autonomie juridique. L'État fédéral applique envers eux une politique visant, à long terme, leur assimilation.

De plus, le gouvernement du Québec se soucie peu des conséquences néfastes de l'exploitation croissante des ressources naturelles sur le mode de vie des Amérindiens (Dickinson et Young, 1996). Ce dernier est jugé par l'ensemble de la société dominante comme archaïque et primitif. La mise en réserve apparaît comme le seul moyen réaliste de protéger les Amérindiens et de les contraindre à adopter le mode de vie des Blancs, en les initiant à l'agriculture. Au début du XXe siècle, il devient de plus en plus difficile pour ces derniers de subvenir à leurs besoins alimentaires à partir des activités de chasse et de pêche. La progression de la colonisation agroforestière à partir de 1840, la construction d'un chemin de fer vers le lac Saint-Jean, en 1893, et la création, au cours de la période de 1890-1930, de clubs privés de chasse et de pêche sur des espaces fréquentés auparavant par les Amérindiens ont contribué à précariser leur situation.

3.6 Le conservatisme social et la modernisation économique

La vie morale au Québec est guidée par la présence des grandes Églises catholique et protestantes, comme l'illustre le tableau 9.4.

Tableau 9.4 Religions présentes au Canada et au Québec selon le recensement de 1901*

	CANADA	QUÉBEC
Catholiques romains	2 229 600	1 429 260
Méthodistes	916 886	42 014
Presbytériens	842 442	58 013
Anglicans	680 620	81 563
Baptistes	316 477	8 480
Luthériens	92 524	1 642
Mennonites	31 797	—

* Statistique Canada, *Collection historique de l'Annuaire du Canada*, <http://www65.statcan.gc.ca/acyb_r000-fra.htm>.

Les catholiques romains, principalement francophones, sont les plus nombreux dans la province (87 %). Viennent ensuite diverses confessions protestantes comme les méthodistes (2,5 %), les presbytériens (3,5 %), les anglicans (4,9 %), les baptistes (0,5 %) et les luthériens (0,1 %).

Ainsi, vers 1905, l'Église catholique est encore très influente au sein de la société québécoise. Son rôle dans la définition des valeurs, des normes de comportement, des rôles sociaux est très important. Plusieurs éléments contribuent à expliquer la position hégémonique qu'elle occupe au Québec.

L'un des leviers du pouvoir de l'Église au Québec est la part qu'elle prend dans le secteur de l'éducation. Comme nous l'avons évoqué plus tôt, l'auto-rité religieuse supervise l'enseignement et l'embauche du personnel des écoles fréquentées par les francophones (figure 9.5). L'Église définit également les programmes scolaires, qui reflètent fortement son idéologie.

L'influence de l'Église ne se limite pas au domaine scolaire. Elle administre la grande majorité des hôpitaux fréquentés par les Canadiens français. Comme nous le verrons plus loin, le clergé encadre une part appréciable de l'activité syndicale des franco-catholiques. De nombreuses associations laïques, celles qui par exemple font la promotion de la tempérance, sont aussi encadrées par des religieux. De plus, la pratique religieuse revêt chez les catholiques, jusqu'aux années 1950 environ, un caractère presque obligatoire (Couturier, 1996). Ceux qui négligent ce devoir sans raison valable sont désignés par les prêtres et les curés comme des gens peu recommandables.

Figure 9.5   Religieuses et élèves autochtones, 1890

L'Église cherche aussi à encadrer le domaine des loisirs. Par exemple, en dehors de l'assistance à la messe, les Québécois francophones participent aussi aux activités paroissiales organisées par les religieux, comme les repas communautaires. Les associations religieuses laïques, dont nous avons glissé un mot, contribuent aussi à animer une certaine vie sociale. En outre, l'Église organise des pèlerinages, activités très populaires au début du XXe siècle. Les sites les plus fréquentés sont ceux de Sainte-Anne de Beaupré, du mont Royal et du cap de la Madeleine. Pour plusieurs Québécois francophones, les pèlerinages sont les seuls voyages qu'ils effectueront au cours de l'année (Hamelin et Gagnon, 1984, cités dans Dickinson et Young, 1996).

Pour plusieurs raisons, notamment d'ordre linguistique et religieux, les anglo-protestants du Québec ont mis sur pied leur propre système de santé et d'éducation, distinct de celui des Canadiens français, encadré par l'Église catholique. Les établissements hospitaliers et scolaires de la communauté anglo-protestante sont financés, en grande partie, par des philanthropes, c'est-à-dire des hommes d'affaires, des chefs d'entreprise ou des familles

INTERPRÉTATION DE DOCUMENTS ICONOGRAPHIQUES

Compétences développées
Lire l'organisation d'une société sur son territoire.
Interpréter les changements dans une société et sur son territoire.

Techniques développées en histoire
Repérage d'informations historiques dans un document.
Interprétation de documents iconographiques.

Description
Idée d'enquête proposée par le Musée McCord*, facilement adaptable aux élèves du 3e cycle du primaire.

Cette activité explore le monde du travail vers 1905. Nous proposons la formation de différents groupes chargés de trouver une image représentant le mieux les conditions de travail de l'époque et de justifier leur choix auprès du reste des équipes. Cet exercice pourrait se poursuivre, toujours à partir des archives du Musée McCord, mais avec des thèmes différents comme l'urbanisation, le syndicalisme, la religion, etc.

Une variante de cet exercice serait de distribuer des images présélectionnées à chacun des groupes. Les groupes devront analyser et commenter une image (Qui est sur l'image? Que représente-t-elle? Où est-elle prise? Quand? Comment cette image nous informe-t-elle sur l'époque?), puis transmettre leur image à chacune des autres équipes tour à tour jusqu'à ce que toutes les images soient analysées.

---

* Musée McCord, *Pour ou contre le travail des enfants?*, site consulté le 30 septembre 2010 à l'adresse <http://www.musee-mccord.qc.ca/fr/eduweb/textes/historiens/5/>.

Idée d'activité pédagogique: Vincent Boutonnet. Inspirée du site internet mentionné ci-dessus.

fortunées de la communauté anglophone. Pour ce qui est des Irlandais catholiques, ils ont obtenu des institutions scolaires anglophones au sein du réseau supervisé par l'Église catholique.

3.7 L'urbanisation

Les première et deuxième phases d'industrialisation ont beaucoup contribué au développement des villes. Celles-ci offrent des perspectives d'emploi qui n'existent plus à la campagne. En effet, à partir de 1850 environ, les terres agricoles du Québec sont démographiquement saturées, de sorte que les jeunes hommes sont de plus en plus contraints d'émigrer en ville pour travailler en usine. D'autres encore choisissent d'aller s'installer dans des régions ouvertes à la colonisation, comme l'Abitibi et le Saguenay-Lac-Saint-Jean. Cependant, plus nombreux sont ceux qui, vers 1850, quittent le Québec pour les villes américaines afin d'échapper au chômage. Cet exode perdra toutefois de son essor dès la fin du XIXe siècle. D'abord, le développement de l'industrialisation et du transport ferroviaire accélère le processus d'urbanisation au Québec. En effet, à partir de la seconde moitié du XIXe siècle, de plus en plus de personnes quittent les campagnes pour aller vivre dans les villes. Celles-ci offrent plus de possibilités d'emploi, car c'est en ville que s'établit la grande majorité des manufactures et des usines. Par exemple, en 1871, 19,9 % de la population québécoise habite en ville. En 1901, cette proportion s'établit à 36 % (Dickinson et Young, 1996). Le tableau 9.5 présente les villes les plus importantes du Québec et de l'Ouest canadien ainsi que leur évolution entre 1901 et 1911.

Tableau 9.5   Évolution de quelques villes canadiennes entre 1901 et 1911*

	1901	1911
Québec	68 840	78 190
Montréal	267 739	470 480
Winnipeg	43 340	136 035
Regina	7 708	70 556
Saskatoon	7 157	51 145
Calgary	4 392	43 704
Edmonton	2 626	24 900
Vancouver	27 010	100 401
Victoria	20 919	31 660

* Statistique Canada, *Collection historique de l'Annuaire du Canada*,
<http://www65.statcan.gc.ca/acyb_r000-fra.htm>.

Les villes québécoises les plus importantes vers 1905 sont Québec et Montréal. La métropole compte, en 1911, presque la moitié de la population provinciale (figure 9.6). Ainsi, au début du XXe siècle, une proportion croissante de la population québécoise se concentre dans les zones urbaines. Montréal, la plus grande ville du Québec, voit sa population augmenter constamment. Dans les régions du Québec, plusieurs petites villes se développent, principalement sous l'impulsion de l'industrie des pâtes et papiers. L'urbanisation de la province entraîne une vague de mutations, tant sur le plan de la culture ouvrière que du mode de vie.

| Figure 9.6 | Dès la fin du XIXe siècle, les villes de Montréal (à gauche) et de Québec (à droite) sont munies d'un système de transport en commun, le tramway, qui fonctionne à l'électricité. |

3.8 Des conditions de vie malsaines

Au début du XXe siècle, les conditions sanitaires sont très déficientes dans les villes, particulièrement Montréal et Québec. De fait, les logements habités par les membres des classes populaires sont trop souvent mal chauffés, faiblement aérés et insuffisamment éclairés.

Ils sont généralement surpeuplés, trop petits pour les familles nombreuses. Ces logements insalubres contribuent nécessairement à la propagation de maladies. En moyenne, il faudra attendre les années 1920 pour que les conditions des logements s'améliorent véritablement.

3.9 La modernité bouleverse les modèles sociaux traditionnels

L'Église est fortement préoccupée par les conséquences culturelles de la modernisation du Québec résultant de l'industrialisation et de l'urbanisation. En effet, le mode de vie urbain est jugé par plusieurs représentants du clergé comme moralement dangereux. La ville serait, plus que la campagne, sujette aux vices tels que l'alcoolisme et la prostitution. La vie rurale, caractérisée par le travail de la terre, est présentée par l'Église comme moralement plus saine. L'industrialisation entraîne aussi une présence accrue des femmes sur le marché du travail, ce qui va à l'encontre des rôles sexuels définis dans la pensée clérico-conservatrice (Dickinson et Young, 1996).

De fait, l'Église catholique défend une vision très rigide des rôles respectifs des hommes et des femmes. L'homme est présenté comme le pourvoyeur et le chef de famille. La femme est essentiellement destinée aux rôles d'épouse et de mère. Elle doit obéissance à son mari. Sa mission première est de faire des enfants. Les prêtres insistent beaucoup sur ce devoir de génitrice et n'hésitent pas à faire pression sur les femmes pour qu'elles s'y conforment. Celles qui s'écartent de ce modèle sont taxées d'immoralité. En quelque sorte, le travail des femmes à l'extérieur de la maison est simplement toléré. On s'attend à ce que, une fois mariées, elles quittent le marché du travail pour se consacrer à leur «vocation» maternelle. Pour les femmes, la vie religieuse est l'une des rares solutions de rechange aux rôles de mère et d'épouse. Par l'entremise des communautés religieuses, les femmes peuvent exercer, leur vie durant, des fonctions d'infirmières et d'enseignantes, voire, dans certains cas, de gestionnaires et d'administratrices au sein de leur organisation religieuse.

Cette vision des choses est largement partagée par les porte-parole du nationalisme canadien-français conservateur d'avant la Révolution tranquille, comme Henri Bourassa (1868-1952), homme politique et journaliste, et Lionel Groulx, membre de l'ordre des Jésuites et historien (1878-1967). Ces deux hommes ont contribué à forger le discours clérico-nationaliste, dominant au début du XXe siècle, tourné vers le passé, célébrant la société traditionnelle, la quête de survivance des francophones d'Amérique du Nord, et qui place la langue française et la religion au centre de l'identité canadienne-française.

3.10 Le travail en milieu urbain

Vers 1905, le travail en usine est difficile et souvent précaire. Les conditions de travail offertes aux travailleurs, qu'ils soient hommes, femmes ou enfants, sont, au vu des normes d'aujourd'hui, très dures. De plus, la valeur accordée au travail n'est pas la même selon que l'on soit un homme, une femme ou un enfant. Dans les milieux populaires, l'adolescence coïncide généralement avec l'entrée sur le marché du travail. Mais ce n'est pas le cas pour tous, puisque certains enfants travaillent très tôt. La concurrence entre les travailleurs pour les emplois offerts est féroce. De fait, les offres d'emploi restent limitées, de sorte que les chômeurs sont nombreux. Cette situation permet aux patrons de maintenir les salaires très bas. La pauvreté, jointe à la faiblesse relative du mouvement syndical au début du XXe siècle, contraint les ouvriers à accepter des salaires misérables.

En moyenne, les travailleurs d'usine travaillent dix heures par jour, six jours par semaine. Le plus souvent, leur environnement de travail est peu sécuritaire, mal chauffé et faiblement éclairé (Dickinson et Young, 1996). Ce contexte souvent dangereux contribue vraisemblablement à raccourcir l'espérance de vie des hommes.

Vers 1905, les femmes vivant en milieu urbain occupent des emplois mal rémunérés. Elles travaillent comme ouvrières dans les manufactures, notamment dans le textile. On les retrouve aussi dans les emplois de bureau, comme secrétaires ou commis. Elles assurent également l'essentiel de l'enseignement dans les écoles primaires, en tant qu'enseignantes laïques ou religieuses. Les femmes jouent un rôle très important dans le secteur de la santé, où elles sont employées comme infirmières.

Parce qu'ils sont considérés comme chefs de famille, les hommes reçoivent des salaires plus élevés que les femmes, peu importe la dureté du labeur accompli. Il faut savoir qu'à cette époque, la société considère que le salaire des femmes et des enfants n'est qu'un revenu d'appoint, destiné à compléter la rémunération de l'homme perçu comme le principal pourvoyeur des besoins de la famille. La pratique des métiers prestigieux, comme la médecine ou le droit, est réservée presque exclusivement aux hommes. Vers 1905, les facultés de droit et de médecine refusent toujours d'accepter des femmes, lesquelles doivent s'exiler aux États-Unis pour obtenir leur diplôme. C'est ce qu'a fait Irma Levasseur (1877-1964), qui deviendra la première femme médecin du Québec au début des années 1900. Elle ne put pratiquer légalement la médecine qu'à partir de 1903, à la suite d'une loi votée à l'Assemblée nationale pour permettre aux femmes d'exercer ce métier au Québec.

Ainsi, les femmes sur le marché du travail occupent presque systématiquement des fonctions subalternes. Elles sont considérées par les employeurs comme une main-d'œuvre docile et peu coûteuse. Cependant, comme leurs confrères masculins, plusieurs d'entre elles appartiendront à des organisations syndicales et participeront à des grèves, notamment dans le domaine du textile.

Qu'elles travaillent à l'extérieur du domicile ou non, les femmes assument pratiquement toutes les tâches domestiques : la préparation des repas, le lavage et le reprisage des vêtements, l'entretien ménager, l'éducation des enfants. La charge de travail des femmes est donc énorme, d'autant que les familles de l'époque sont nombreuses (Dickinson et Young, 1996). De plus, elles sont toujours, en 1905, absentes de la scène politique. Elles n'ont d'ailleurs pas encore le droit de vote, tant au fédéral qu'au provincial. Les causes des limitations imposées aux femmes sur les plans professionnel et politique sont principalement d'ordre idéologique. En effet, les idées dominantes qui circulent alors dans la société assignent aux femmes un rôle de mère et d'épouse. Pour les femmes laïques, le mariage est censé marquer la fin du travail salarié et le retrait dans la sphère domestique.

Toutefois, cette vision des choses ne correspond pas à la réalité vécue par bon nombre de femmes obligées de subvenir seules, pour une multitude de raisons, aux besoins du ménage : perte d'emploi ou décès du mari, accident de travail rendant ce dernier inapte au travail, etc. L'alcoolisme, qui sévissait chez plusieurs hommes, pouvait aussi grever fortement le budget familial. La conjointe d'un mari alcoolique, ayant souvent plusieurs enfants à charge, devait donc travailler pour combler l'argent ainsi perdu.

3.11 L'émergence du syndicalisme ouvrier

Dans l'espoir d'améliorer les conditions de travail, certains ouvriers se joignent à des syndicats internationaux, provenant principalement des États-Unis, qui militent pour défendre leurs droits et améliorer leur sort. En 1890, on compte au Québec 30 unités syndicales. Ce nombre oscille entre 111 et 116 en 1902 (Couturier, 1996 : p. 138).

Or, l'Église catholique voit d'un mauvais œil cette adhésion de travailleurs catholiques à des organismes étrangers aux valeurs différentes de celles des Canadiens français et réagit en créant ses propres syndicats catholiques, qui sont les plus importants vers 1905. De cette manière, le clergé obtient un meilleur encadrement de la masse ouvrière tout en lui procurant un certain réconfort moral. Toutefois, même si les ouvriers font des grèves, les gains effectués par les travailleurs syndiqués restent somme toute modestes, étant donné l'attitude conservatrice des politiciens et de l'Église catholique, qui prennent généralement le parti des patrons.

3.12 La vie dans le monde rural

Au début du xxe siècle, une proportion significative de la population québécoise réside à la campagne, même si cette proportion tend à décliner rapidement. En effet, vers 1901, près de 66 % de la population du Québec vit en milieu rural. Trente ans plus tard, ce nombre se situe à 40 % seulement (Linteau, Durocher et Robert, 1989). Vers 1905, le monde rural québécois poursuit la modernisation entamée à la fin du siècle précédent, tout en conservant plusieurs de ses caractéristiques traditionnelles. À la campagne, l'agriculture est toujours l'activité économique dominante. Conformément au modèle traditionnel de la ferme familiale, tous les membres de la famille, homme, femme et enfants, prennent part aux travaux. L'introduction progressive de la machinerie moderne entraîne une certaine mécanisation des tâches. D'ailleurs, le travail à la campagne s'effectuant au rythme des saisons, l'écoulement du temps suit un cours plus paisible qu'à la ville.

LES CONSÉQUENCES DE L'INDUSTRIALISATION DE LA SOCIÉTÉ QUÉBÉCOISE ENTRE 1820 ET 1905

Compétence développée
Interpréter les changements dans une société sur son territoire.

Techniques développées en géographie
Lecture et interprétation de cartes.
Localisation d'un lieu sur un plan, sur une carte, sur un globe terrestre, dans un atlas.
Repérage d'informations géographiques dans un document.

Techniques développées en histoire
Utilisation de repères chronologiques (mois, saison, année, décennie, siècle, millénaire).
Repérage d'informations historiques dans un document.

Description
Les élèves doivent mener une recherche. Pour les préparer, l'enseignant leur présente l'industrialisation de la société québécoise débutant au milieu du XIXe siècle comme un changement touchant la production de biens et marquant le passage d'une production artisanale à une production mécanisée. Les élèves font ensuite émerger toutes les connaissances qu'ils possèdent à propos des sociétés industrielles. Enfin, la question suivante leur est posée : «Quelles sont les conséquences de l'industrialisation dans la société québécoise entre 1820 et 1905?» Ils utilisent comme sources d'informations des cartes, des photos et des textes issus du matériel didactique auquel ils ont accès, dont les collections d'images en ligne du Musée McCord*. Ils sont amenés à cerner, en cours de recherche, les conséquences de l'industrialisation du Québec, par exemple l'urbanisation, le développement ferroviaire, la colonisation et la syndicalisation. Ils en arrivent à articuler, dans un texte, les informations recueillies à propos de ces conséquences. Puis, ils sont conduits individuellement à créer, à partir de ce texte et sur le site internet du Musée McCord, un dossier d'images commentées à mettre en ligne**.

---

* Musée McCord (2010). *Clefs pour l'histoire*, «Collection-Recherche». Site consulté le 30 octobre 2010 à l'adresse <http://www.mccord-museum.qc.ca/fr/clefs/collections/>.

** Musée McCord (2010). *Clefs pour l'histoire*, «EduWeb – Vos dossiers d'images». Site consulté le 30 octobre 2010 à l'adresse <http://www.mccord-museum.qc.ca/fr/eduweb/dossiers/>.

Idée d'activité pédagogique : Isabelle Laferrière.

4 | LES CARACTÉRISTIQUES DE L'ÉCONOMIE QUÉBÉCOISE

Au cours des dernières décennies du XIXe siècle, l'économie du Québec subit d'importantes transformations dues à un même phénomène fondamental, l'industrialisation. Ces changements sont en partie provoqués par l'application d'innovations technologiques procurant de nouveaux moyens, très efficaces et performants, de produire des biens ou d'exploiter des ressources naturelles. Parmi ces nouvelles techniques, signalons les machines, qui permettent de fabriquer en série un grand nombre d'objets, et l'énergie électrique, qui accroît la productivité de ces machines.

À ces innovations technologiques, il faut aussi ajouter l'implantation, au Québec et au Canada, entre 1850-1900, d'un nouveau moyen de transport : le train, qui rend possible le déplacement rapide de grandes quantités de marchandises sur de grandes distances. L'expansion du réseau de chemin de fer favorise aussi l'exploitation et le peuplement de régions éloignées. En somme, comme on l'observe ailleurs en Occident, l'industrialisation et la construction de voies ferrées ont des répercussions importantes sur la manière d'occuper le territoire québécois.

Les chemins de fer, en facilitant le transport des biens et des personnes, accentuent le phénomène de l'urbanisation. Par exemple, le peuplement de régions nouvellement ouvertes à la colonisation agricole, comme le Témiscamingue et l'Abitibi, aurait été difficile sans le train.

En effet, bien qu'il soit possible d'accéder à l'arrière-pays québécois par voie d'eau, comme le faisaient toujours les voyageurs et les commerçants de fourrures au début des années 1800, ce mode de transport prend beaucoup de temps et n'est pas envisageable en hiver, lorsque les cours d'eau sont gelés. De plus, la quantité de passagers et de marchandises est forcément très restreinte à bord de canots ou dans des carrioles tirées par des chevaux sur des chemins de terre en mauvais état.

Rappelons que l'automobile est encore très peu répandue en 1905 : on dénombre moins de 200 véhicules dans toute la province (Linteau, Durocher et Robert, 1989). L'automobile ne commence à se répandre au Québec qu'après la Première Guerre mondiale. Ainsi, seul le train permet de transporter rapidement, tout au long de l'année, de nombreux voyageurs et une grande quantité de matériaux, de denrées et de biens de consommation.

Ainsi, à partir de 1870, alors que la première phase d'industrialisation (1850-1896) est bien amorcée, on commence à observer plusieurs changements quant à la répartition géographique des activités économiques sur le territoire du Québec. On constate d'abord que la ville de Québec a perdu beaucoup de son importance économique dans la province. Montréal devient, sans conteste, le plus important centre urbain du Québec et la métropole économique du Canada.

Montréal tire profit de plusieurs facteurs : elle est plus proche du pôle principal de développement économique de l'Amérique du Nord, composé des villes du nord-est et du centre-ouest des États-Unis. Elle est aussi voisine du sud de l'Ontario, qui connaît également une croissance industrielle importante. La proximité de ces foyers de développement économique profite à

Montréal, qui peut ainsi compter sur un vaste réseau commercial (figure 9.7). Ajoutons que vers la fin du XIXᵉ siècle, le dragage de la voie maritime du Saint-Laurent permet aux navires de se rendre directement à Montréal, ce qui conduit au déclin du port de Québec, qui perd son importance comme lieu privilégié de transbordement de marchandises et comme point d'arrivée des immigrants venus vivre au Canada ou aux États-Unis.

Figure 9.7 L'évolution du port de Montréal entre 1886 (gauche) et 1900 (droite) est remarquable. La voie maritime permet aux navires de remonter facilement jusqu'à Montréal.

La ville de Québec, en raison de la perte de vitesse de son port, de son éloignement relatif des grands centres économiques, amorce une période de stagnation économique et démographique. Elle demeure toutefois une ville importante, car elle est le siège du gouvernement provincial, mais son influence économique demeure régionale.

4.1 La seconde phase d'industrialisation du Québec

Vers 1905, le Québec vit les premières années de ce que les historiens nomment «la seconde phase d'industrialisation», qui débute vers 1896. Au cours de la première phase, l'économie québécoise se caractérisait par la prédominance de l'agriculture, de la foresterie et de la fabrication en manufacture de biens de consommation destinés au marché intérieur.

Or, avec la seconde phase d'industrialisation, on assiste à l'apparition d'industries relativement nouvelles, tournées vers l'exploitation et l'exportation de ressources naturelles nécessitant de gros investissements financiers, et s'appuyant sur de nouveaux procédés de fabrication utilisant l'électricité comme source d'énergie. L'exploitation des ressources du territoire se fait largement grâce aux capitaux étrangers et locaux investis dans la province (Dickinson et Young, 1996). Cet argent provient principalement des grands financiers montréalais anglophones, mais également, de plus en plus, d'entreprises multinationales américaines.

Les principaux secteurs en expansion durant la seconde phase d'industrialisation sont ceux de l'hydroélectricité, des pâtes et papiers, de la métallurgie, de l'industrie chimique et des mines. L'agriculture, pour sa part, est toujours présente. L'agriculture de subsistance est ainsi progressivement remplacée par une exploitation agricole à plus grande échelle axée sur le marché. De même, la production manufacturière issue du XIXᵉ siècle continue de croître au cours de cette nouvelle phase d'industrialisation.

4.2 | L'hydroélectricité

La présence sur le territoire du Québec de nombreuses rivières à forte dénivellation et à haut débit représente une richesse jusque-là inexploitée. En effet, c'est vers 1880 que commence le développement de l'hydroélectricité.

Le premier grand barrage est construit en 1898 sur la rivière Saint-Maurice, à la hauteur de Shawinigan. De 1900 à 1930, l'hydroélectricité connaîtra un développement rapide, passant d'une production de 83 000 chevaux-vapeurs à 2 322 000 (Dickinson et Young, 1996). L'électricité générée par ces centrales aura un effet important sur les autres secteurs industriels, à savoir les industries métallurgiques, chimiques et papetières, qui dépendent de cette énergie pour fonctionner.

4.3 | Les pâtes et papiers

Au début du XXᵉ siècle, outre la production d'électricité, le secteur des pâtes et papiers s'impose comme une composante majeure de l'économie québécoise. En effet, la fabrication de papier à partir de la pâte de bois débute vers 1880. Toutefois, cette industrie ne se développe véritablement qu'aux environs de 1900, sous l'effet de la demande américaine en papier journal.

De fait, les États-Unis, qui comptent plusieurs journaux à gros tirage, commencent à manquer de ressources pour fabriquer leur papier. Des entreprises étatsuniennes se tournent alors vers le Canada, dont le Québec, pour répondre à leurs besoins. Ainsi, au début des années 1900, des usines de pâtes et papiers essaiment dans plusieurs régions forestières du Québec, notamment les Laurentides, la Mauricie et le Saguenay-Lac-Saint-Jean.

4.4 | Les industries métallurgique et chimique

Par ailleurs, à la toute fin du XIXᵉ siècle, on assiste à l'implantation de deux industries nouvelles appelées à jouer un rôle de plus en plus important dans l'avenir, à savoir l'industrie de l'aluminium et celle des produits chimiques. Ces industries ont de grands besoins en électricité. Elles s'établissent donc à proximité des centrales hydroélectriques.

En 1905, la fabrication d'aluminium n'en est qu'à ses débuts. La première aluminerie d'importance est ouverte en 1901 à Shawinigan, à la suite de la construction du barrage. Il faudra cependant attendre les années 1920 avant que ce secteur croisse véritablement, avec le développement du potentiel hydroélectrique du Saguenay-Lac-Saint-Jean.

À l'instar de la fabrication d'aluminium, l'industrie chimique fait également figure de nouveauté dans le paysage industriel québécois du début siècle. Grande consommatrice d'électricité, cette industrie est aussi présente, en 1901, à Shawinigan. Ainsi, la Canada Carbide Company y fabrique un composé chimique nécessaire à la fabrication d'un grand nombre de produits (Dickinson et Young, 1996). Ce secteur connaîtra un essor considérable durant la Première Guerre mondiale et au cours des années 1920.

4.5 Les mines

Au début des années 1900, l'exploitation minière est assez peu développée au Québec. Avant la Première Guerre mondiale, deux types de production caractérisent ce secteur. On y trouve d'abord les carrières de pierre et de sable, qui fournissent des matériaux pour la construction de bâtiments et d'infrastructures diverses. À cela s'ajoute l'extraction de l'amiante, qui débute en Estrie vers 1880.

Le Québec deviendra d'ailleurs, assez rapidement, le premier producteur d'amiante au monde. Ce n'est toutefois qu'à la fin des années 1920 que l'industrie minière prendra véritablement son essor au Québec, avec l'exploitation des gisements d'or, de cuivre et de zinc de l'Abitibi, région rattachée au territoire du Québec en 1898.

4.6 L'essor de l'industrie manufacturière et la diversification de l'agriculture

L'industrie manufacturière, caractéristique de la première phase d'industrialisation, ne disparaît pas avec le développement des nouvelles industries que nous venons d'aborder. De fait, vers 1905, les manufactures de biens de consommation concentrées sur le marché intérieur (alimentation, textile, vêtement, chaussure, etc.) sont aussi actives durant la seconde phase d'industrialisation.

En effet, l'arrivée de nombreux immigrants, venus s'établir dans l'Ouest canadien, ainsi que la croissance de la population des villes, rattachées entre elles par le chemin de fer, contribuent à l'augmentation de la demande en produits manufacturés.

Le secteur manufacturier le plus important est celui de la fabrication des aliments et des boissons. On peut citer en exemple de grosses compagnies établies à Montréal, telles que Redpath, un géant de la fabrication de sucre, ou encore la brasserie Molson. Toutefois, même si Montréal accueille des entreprises de plus grande taille, elle ne monopolise pas tout ce secteur de production. Signalons également plusieurs petites et moyennes entreprises, telles que des laiteries, des fromageries, des fabriques de beurre, des boulangeries, dans plusieurs régions du Québec.

Comme nous l'avons vu plus haut, dans le secteur de l'agriculture, la ferme familiale, de petite dimension, est toujours la norme. En effet, on dénombre peu de grandes exploitations mécanisées, pratiquant une agriculture de type industriel, avant les années 1930. L'agriculture n'est plus un secteur d'embauche aussi important qu'auparavant. Alors qu'elle employait 45 % de la main-d'œuvre québécoise en 1890, elle ne mobilise plus qu'environ 22 % des travailleurs en 1931 (Linteau, Durocher et Robert, 1989). Les innovations qui surviennent au tournant du XXe siècle dans le monde agricole québécois ont trait au secteur de l'industrie laitière.

Ce secteur progresse rapidement à partir de la fin du XIXe siècle pour alimenter les laiteries, les fromageries, les beurreries. Quant aux cultures céréalières, elles sont toujours dominantes au début des années 1900, mais elles perdent rapidement du terrain devant la croissance de la production laitière.

4.7 | L'exploitation forestière

L'exploitation forestière est un autre secteur traditionnel de l'économie québécoise qui continue à se développer au cours de la seconde phase de la révolution industrielle. De fait, les usines de pâtes et papiers et les scieries ont besoin de bois pour fonctionner.

Des centaines de bûcherons s'attellent à cette tâche dans les différents chantiers qui parsèment les forêts québécoises et qui contribuent au développement des régions éloignées des grands centres urbains, comme l'Abitibi, les Laurentides, la Mauricie et le Lac-Saint-Jean.

Conclusion

Il n'est pas exagéré d'affirmer que la société québécoise du début du XXe siècle est en effervescence. En effet, sa population se diversifie de plus en plus, les immigrants ne provenant plus presque exclusivement de France ou des îles Britanniques. Les tensions ethniques se mutent en luttes des classes sociales. L'État se fait de plus présent dans les affaires jusque-là laissées aux bons soins de l'Église. L'industrialisation effrénée transforme les modes de production et de consommation des Québécois, tout en contribuant à l'émergence de nouvelles idéologies. Bref, le Québec prend de plus en plus des allures modernes. Peut-on en dire autant des provinces à l'ouest de l'Ontario ? C'est ce que nous verrons dans le prochain chapitre sur les Prairies.

Exercices

1. Quelle est la composition ethnoculturelle du Québec vers 1905?

2. Quelle est la situation des autochtones vers 1905?

3. Quels facteurs expliquaient l'exode rural des Canadiens français?

4. Quelles autres solutions à court terme s'offraient aux victimes de la crise agricole qui restèrent au Québec?

5. Comment progressa la population urbaine du Québec au début du XXe siècle?

6. Où les francophones et les anglophones résidaient-ils au début du XXe siècle?

7. Dans quels quartiers de Montréal les ouvriers vivaient-ils?

8. Quelles étaient les conditions de vie des ouvriers à Montréal?

9. Parmi quelles couches sociales la classe ouvrière se recrutait-elle?

10. Quelles étaient les conditions de travail des ouvriers des manufactures au début du XXe siècle?

11. Comment se caractérisaient les syndicats au début du XXe siècle?

12. Quelle était la situation des femmes au début du XXe siècle?

13. En quelle langue la majorité des membres de la bourgeoisie s'exprimait-elle et dans quelles villes résidait-elle?

14. Comment l'économie du Québec se caractérisait-elle au tournant du XXe siècle?

15. Quelles étaient les caractéristiques de la deuxième phase de l'industrialisation du Québec?

16. Comment l'hydroélectricité influait-elle sur l'essor industriel de la province?

17. Quel était l'état de la navigation et des ports au début du siècle?

18. Quelle place l'agriculture occupait-elle dans l'ensemble de l'économie québécoise au début du XXe siècle?

19. Quels étaient les besoins de l'agriculture au début du XXe siècle et comment étaient-ils comblés?

20. Quelles réformes du système scolaire québécois le premier ministre Marchand projetait-il et pourquoi échoua-t-il?

21. Comment pouvait-on caractériser l'administration de Lomer Gouin?

22. Qui était Henri Bourassa et quelle influence intellectuelle exerça-t-il dans la société québécoise?

23. De quelle région du monde l'immigration provenait-elle au début du XXe siècle et comment influençait-elle la société québécoise?

24. Comment la composition démoculturelle du Québec et de Montréal évoluait-elle au début du XXe siècle?

25. Quelles régions du Québec s'urbanisaient le plus au début du XXe siècle?

26. Comment le niveau de vie des travailleurs évolua-t-il au début du XXe siècle?

27. Comment le travail des enfants des familles ouvrières évolua-t-il au début du XXe siècle?

28. Quel effet la concentration des entreprises a-t-elle eu sur la composition linguistique de la bourgeoisie?

29. Qu'est-ce que le syndicalisme catholique?

30. Comment le syndicalisme catholique se développa-t-il au Québec?

Pour en savoir plus

BRADBURY, B. (1995). *Familles ouvrières à Montréal: âge, genre et survie quotidienne pendant la phase d'industrialisation*, Montréal, Boréal.

Cette monographie s'intéresse à l'impact de la révolution industrielle sur la façon dont les hommes, les femmes et les enfants de la classe ouvrière se nourrissaient, se logeaient et s'habillaient à Montréal, vers la fin du XIXe siècle.

CARDIN, J.-F., et C. COUTURE (1996). *Histoire du Canada. Espace et différences*, Saint-Nicolas, Presses de l'Université Laval.

Le chapitre 11 de cet ouvrage s'intéresse au Québec durant la période allant des années 1860 jusqu'à la Première Guerre mondiale. D'autres chapitres mettent l'accent sur les ressemblances et les différences entre les provinces du Canada, tout en tenant compte de la diversité du passé vu par différents groupes ethniques et sociaux.

CHARLAND, J.-P. (2007). *Une histoire du Canada contemporain*, Québec, Septentrion.

Cet ouvrage de synthèse accessible retrace l'histoire contemporaine du Canada. Il explique notamment le contexte socioéconomique de cette période marquée par la Confédération, les deux guerres mondiales, la crise de 1929 et l'accroissement des relations sociales, économiques et politiques avec les États-Unis.

CHARTRAND, L., R. DUCHESNE et Y. GINGRAS (2008). *Histoire des sciences au Québec: de la Nouvelle-France à nos jours,* nouvelle édition révisée, Montréal, Boréal.

La moitié des chapitres de cet ouvrage trace un portrait de l'évolution de plusieurs sciences du milieu du XIXe siècle au milieu du XXe.

COPP, T. (1978). *Classe ouvrière et pauvreté: les conditions de vie des travailleurs montréalais 1897-1929*, Montréal, Boréal.

Cette étude est un classique. Elle se compose d'une série d'analyses sur les éléments qui constituent le système socioéconomique à l'intérieur duquel vivaient les travailleurs: les revenus, le logement, la santé, la bienfaisance, les conflits de travail, etc.

DICKINSON, J. A., et B. YOUNG (2009). *Brève histoire socio-économique du Québec,* Sillery, Septentrion.

Cet ouvrage accessible au grand public se consacre exclusivement à l'histoire socioéconomique du Québec, depuis la période de l'occupation du territoire par les autochtones jusqu'à l'élection pronviciale de 2003.

DUMONT, M. (2008). *Le féminisme québécois raconté à Camille*, Montréal, Les Éditions du Remue-ménage.

Cet ouvrage, composé de plusieurs courts chapitres, explique comment des femmes ont agi pour prendre leur place au Québec, de la fin du XIXe siècle à nos jours.

GÉLINAS, C. (2007). *Les autochtones dans le Québec post-confédéral 1897-1960*, Sillery, Septentrion.

Cet ouvrage est l'un des rares à s'intéresser à l'histoire sociale et économique des autochtones du Québec depuis le XIXe siècle et il le fait avec précision et, malgré la complexité de ce thème, avec clarté.

LAMONDE, Y. (2004). *Histoire sociale des idées 1896-1929*, Saint-Laurent, Fides.

Cet ouvrage décrit à la fois l'évolution des grands courants d'idées qui ont marqué la société québécoise et ses institutions culturelles. Il s'agit d'une histoire sociale dans la mesure où elle traite de la production, de la diffusion et de la réception de ces idées et non seulement de leur contenu ou de la vie des gens qui y sont associés, mais aussi dans la mesure où elle s'intéresse à la culture de masse comme à la culture d'élite, à la culture des Canadiens français comme à celle des nouveaux arrivants.

LÉVESQUE, A. (2011). *Éva Circé-Côté, libre-penseuse, 1871-1949*, Montréal, Éditions du Remue-ménage.

Cette biographie a la rare qualité de faire connaître la vie d'une féministe québécoise du début du dernier siècle, peu connue malgré son importance comme journaliste et ses idées alors à contre-courant: elle se réclame des Patriotes, elle lutte pour la libre pensée, la séparation de l'Église et de l'État, l'éducation gratuite, obligatoire et laïque, ainsi que contre l'antisémitisme, la peine de mort, la guerre et les injustices faites aux femmes, y compris aux femmes ouvrières.

LINTEAU, P.-A., R. DUROCHER et J.-C. ROBERT (1989). *Histoire du Québec contemporain*, t. 1, *De la Confédération à la crise,* nouvelle édition révisée, Montréal, Boréal.

Considéré comme un classique de l'histoire socioéconomique du Québec, cet ouvrage se consacre aux mouvements ouvriers, féministes, religieux et culturels qui ont marqué le Québec, de la Confédération à la crise de 1929.

RAMIREZ, B. (1991). *Par monts et par vaux: migrants canadiens-français et italiens dans l'économie nord-atlantique, 1860-1914*, Montréal, Boréal.

Cet ouvrage s'intéresse aux variables économiques et sociales des phénomènes migratoires en comparant les milieux d'origine et d'accueil des migrants canadiens-français en Nouvelle-Angleterre et italiens à Montréal au tournant du XXe siècle.

ROUILLARD, J. (2004). *Le syndicalisme québécois: deux siècles d'histoire*, nouvelle édition révisée, Montréal, Boréal.

Autorité reconnue dans son domaine, l'auteur explique l'histoire des principaux regroupements syndicaux et des rapports qu'ils ont entretenus avec les gouvernements. Il analyse également les négociations collectives et leurs résultats. L'auteur synthétise et vulgarise ses propres recherches, mais ne s'y restreint pas et fournit une imposante bibliographie qui permet d'approfondir l'histoire du syndicalisme québécois. Il existe peu de publications générales sur le syndicalisme, mais celle-ci est très complète.

■ Internet

Dictionnaire biographique du Canada en ligne (http://www.biographi.ca/index-f.html). Ce site regorge d'informations sur différents personnages de l'histoire canadienne. Il suffit d'entrer le nom recherché dans le moteur de recherche pour accéder à une bibliographie assez détaillée.

Sociétés et territoires – Le Québec vers 1905 (http://primaire.recitus.qc.ca/sujets/10/territoire/3758). Ce site propose différentes ressources spécialement conçues pour l'enseignement au primaire. Vous y trouverez des textes informatifs, des cartes et des images, le tout dans une présentation agréable et colorée.

Bibliographie

BERGERON, Gérard (1997). *Révolutions tranquilles à la fin du XIXᵉ siècle*, Montréal, Fides.

BOURASSA, H. (1952). « Le Discours de Notre-Dame au Congrès Eucharistique de 1910 », dans *Hommage à Bourassa*, Montréal, Le Devoir.

BOURDÉ, G., et H. MARTIN (1997). *Les écoles historiques*, Paris, Seuil.

BROWN, C. (1987). *Histoire générale du Canada*, Montréal, Boréal.

BUMSTED, J. M. (1992). *The Peoples of Canada. A Post-Confederation History*, Don Mills, Oxford University Press.

BUMSTED, J. M. (2005). *Louis Riel : les années rebelles*, Saint-Boniface, Éditions des Plaines.

CHARLAND, J.-P. (2007). *Une histoire du Canada contemporain*, Québec, Septentrion.

COOK, Ramsay (1988). *Le Canada : étude moderne*, Montréal, Guérin éditeur.

COUTURE, Claude (2011). « Québec », dans *L'Encyclopédie canadienne* : <http://www.thecanadianencyclopedia.com>.

COUTURIER, J.-P. (1996). *Un passé composé. Le Canada de 1850 à nos jours*, Moncton, Éditions d'Acadie.

DICKINSON, J. A., et B. YOUNG (1996). *Brève histoire socio-économique du Québec*, Sillery, Septentrion.

DUFOUR, P., et J. HAMELIN (2000). « Honoré Mercier », dans le *Dictionnaire biographique du Canada en ligne* : <http://www.biographi.ca>.

EATON, D., et F. NEWMAN (1995). *Regards sur le Canada. De la Confédération à aujourd'hui*, Montréal, Éditions de la Chenelière.

FRANCIS, D. R., R. JONES et D. B. SMITH (1996). *Destinies, Canadian History Since Confederation*, Toronto, Harcourt Brace.

JOHNSON, J. K., et P. B. WAITE (2000). « Sir John A. Macdonald », dans le *Dictionnaire biographique du Canada en ligne* : < http://www. biographi.ca>.

LINTEAU, P.-A., R. DUROCHER et J.-C. ROBERT (1989). *Histoire du Québec contemporain*, t. 1, *De la Confédération à la crise*, nouvelle édition révisée, Montréal, Boréal.

RUDIN, R. (1998). *Faire de l'histoire au Québec*, Sillery, Septentrion.

SMITH, S. A. (2011). « Terre de Rupert », dans *L'Encyclopédie canadienne* : <http://www.thecanadianencyclopedia.com>.

THOMAS, L. H. (2000). « Louis Riel », dans le *Dictionnaire biographique du Canada en ligne* : <http://www.biographi.ca>.

VEYRON, M. (1989). *Dictionnaire canadien des noms propres*, Québec, Larousse Canada.

Les sociétés des Prairies et de la côte Ouest vers 1905

Sabrina Moisan

Introduction

1. Les Prairies vers 1905

2. La côte Ouest vers 1905

3. Comparaison entre les sociétés du Québec, des Prairies et de la côte Ouest vers 1905

4. Débats historiographiques

Conclusion

Exercices

Pour en savoir plus

Bibliographie

Introduction

Les provinces des Prairies sont le Manitoba, la Saskatchewan et l'Alberta. Vers 1905, ces territoires deviennent le théâtre de changements importants. La première section du présent chapitre fait ressortir les principales caractéristiques du territoire, de la vie politique, des sociétés et de la vie économique de ces provinces. La seconde section décrit les principaux traits de la société de la côte Ouest vers 1905 sur les plans géographique, politique, sociodémographique et économique.

Le chapitre se poursuit par une section portant sur les principales ressemblances et différences entre les sociétés du Québec, des Prairies et de la côte Ouest vers 1905 en ce qui concerne les atouts et contraintes du territoire, la composition de la population (nombre, origine, langue, religion) et l'économie.

Enfin, le chapitre se termine par une section sur deux débats historiographiques se rapportant à cette période. Le premier a trait à la vie de Louis Riel, qui défendit les droits des Métis et des francophones. Le second porte sur la vie de John A. Macdonald et ses efforts pour bâtir un Canada fort et uni.

1 | LES PRAIRIES VERS 1905

1.1 | Les caractéristiques du territoire et du climat des Prairies

En 1905, les frontières du territoire au centre du Canada, alors appelé terre de Rupert, et plus tard Territoires du Nord-Ouest, subissent des transformations majeures. En effet, c'est à ce moment que sont créées les provinces de l'Alberta et de la Saskatchewan.

Le territoire des Prairies va de l'Ontario, à l'est, jusqu'aux montagnes Rocheuses, à la frontière de la Colombie-Britannique, à l'ouest. Les Prairies partagent leur frontière sud avec les États-Unis et celle du nord avec les actuels Territoires-du-Nord-Ouest. Comme leur nom l'indique, elles se caractérisent par un paysage sans relief et herbeux. On trouve en effet très peu de collines et pratiquement aucun mont dans cette région soumise à un climat plutôt aride où sévissent de longues périodes de sécheresse. Seule l'Alberta est assise sur une partie de la chaîne des Rocheuses canadiennes.

La figure 10.1 illustre les précipitations tombées sur Calgary en 1908. Les mois de mai et de juin apparaissent comme étant largement arrosés, alors que les autres mois de l'année reçoivent en moyenne peu de précipitations. L'été est plutôt court sur les plaines, ce qui oblige les agriculteurs à recourir aux cultivars les plus précoces et à inventer des moyens techniques pour accélérer la maturation des grains. Les Prairies sont aussi exposées à un hiver rigoureux, sec et venteux qui fait de ce vaste territoire un lieu où l'isolement est monnaie courante (Eaton et Newman, 1995). L'absence d'arbres expose les habitations souvent précaires des paysans aux forts vents du nord, ce qui n'en facilite pas le chauffage. En revanche, cette absence favorise l'aménagement des terres cultivables, qui sont ainsi rapidement prêtes à l'emploi.

En contrepartie, le riche sol des plaines est propice à l'agriculture, bien que les différentes contraintes climatiques rendent difficile la culture de certaines espèces. Seuls des grains tels que le blé, l'avoine et le foin peuvent y être cultivés profitablement.

Enfin, le sous-sol des plaines centrales du Canada est lui aussi très riche en minéraux, tels que le charbon, le pétrole et le gaz naturel. En 1905, seul le charbon est exploité (Stamp, 2011).

1.2 | Les caractéristiques de la vie politique

Depuis la Confédération de 1867, la vie politique dans les Prairies s'anime dans un premier temps autour des négociations du Canada avec la Compagnie de la Baie d'Hudson, ainsi qu'avec les Métis et les Amérindiens. Ces deux derniers groupes prennent part à d'importantes discussions destinées à déterminer leur place dans ce nouveau pays qu'est le Canada. Ces débats ne se font toutefois pas sans heurts.

Figure 10.1   Précipitations totales reçues à Calgary en 1908*

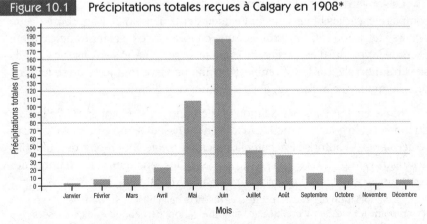

* Environnement Canada (http://www.ec.gc.ca/default.asp?lang=Fr&n=FD9B0E51-1).

1.2.1 L'engagement de l'État dans le développement des Prairies

Peu de temps après la Confédération, le gouvernement fédéral de John Alexander Macdonald entreprend les démarches nécessaires pour favoriser la croissance d'abord territoriale, puis politique et économique du Canada (figure 10.2). Sur ce dernier plan, il était prévu par les fondateurs du pays qu'à l'instar des États-Unis, il fallait tirer profit des vastes terres de l'Ouest. Celles-ci étaient destinées à se peupler de milliers d'immigrants européens voués à fournir un nouveau marché abondant et captif pour les industries du Québec et de l'Ontario. L'une des premières mesures adoptées par le tout jeune gouvernement fédéral est l'achat, avec l'accord du gouvernement britannique, du grand territoire de la terre de Rupert, possession de la Compagnie de la Baie d'Hudson. Ce vaste territoire, qui inclut la région des Prairies, servait jusqu'alors à la vénérable compagnie pour la traite des fourrures. Plusieurs postes de traite y étaient disséminés et assuraient ainsi une présence britannique sur un territoire peu peuplé.

Figure 10.2   John A. Macdonald

Le gouvernement canadien doit conclure rapidement une entente avec la compagnie, car les États-Unis ont également le dessein de s'approprier cette richesse territoriale. Cela aurait comme conséquence de compromettre toute éventuelle volonté d'expansion du Canada. Si ce scénario se réalise, le Canada se verra morcelé, car la Colombie-Britannique vient tout juste de se joindre, plus ou moins à contrecœur, à la fédération canadienne.

Ainsi, en 1869, les négociations avec Londres, la Compagnie de la Baie d'Hudson et le gouvernement canadien aboutissent à une entente en or pour ce dernier. Il est autorisé à acheter la superficie totale pour moins de 2 millions de dollars (Smith, 2011). Voici ce qu'en disent les sénateurs et la Chambre des communes canadiens dans leur adresse à Sa Majesté :

> La colonisation des terres fertiles des districts de la Saskatchewan, de l'Assiniboine et de la rivière Rouge, la valorisation des abondantes richesses minières de la région du Nord-Ouest et le développement des relations

commerciales des possessions britanniques de l'Amérique, depuis l'Atlantique jusqu'au Pacifique, dépendent pareillement de la mise en place d'un gouvernement stable chargé de faire respecter la loi et de maintenir l'ordre dans les Territoires du Nord-Ouest.

La prospérité d'une population peu nombreuse et largement dispersée de sujets britanniques d'origine européenne, déjà installés dans ces territoires éloignés et inorganisés, connaîtrait un essor notable grâce à l'établissement d'institutions politiques analogues, compte tenu des adaptations de circonstance, à celles des provinces du dominion[1].

LES AVENTURIERS

Compétences développées en géographie

Interpréter les changements dans une société et sur son territoire.

S'ouvrir à la diversité des sociétés et de leur territoire.

Techniques développées en histoire

Organiser l'information.

Communiquer les résultats de sa recherche.

Repérer des informations historiques dans un document.

Description

*Les aventuriers** est une suite de récits accessibles en ligne qui offre un survol de l'histoire de la Compagnie de la Baie d'Hudson et qui permet de mieux comprendre le rôle de celle-ci dans le développement de l'économie du Canada.

Un guide de l'enseignant ainsi que des fiches reproductibles sont également disponibles pour approfondir la compréhension des textes.

Puisque plusieurs textes sont offerts, nous proposons aussi d'effectuer un tour de lecture pour les petites capsules d'information sur des personnages ou des événements. En grand groupe, un premier élève lit à haute voix une ligne, un second élève résume et commente ce qui vient d'être lu, et on continue ainsi de suite jusqu'à ce que le texte soit lu, commenté et compris par tout le monde.

Ou encore, on pourra distribuer les différentes capsules à des petits groupes d'élèves (quatre élèves) qui analysent ces capsules en répondant à des questions comme celles-ci : « De qui ou de quoi parle-t-on ? Pourquoi cet événement ou personnage est-il marquant ? Est-ce que je manque d'informations pour comprendre ? », etc. Ensuite, les groupes se divisent et se reforment avec des élèves ayant analysé des capsules différentes, afin de compléter leur information. Il est possible aussi de demander aux élèves pourquoi la compagnie offre cette ressource et si d'autres points de vue pourraient être exprimés.

---

* Compagnie de la Baie d'Hudson, *Les aventuriers*, site consulté le 27 septembre 2010 à l'adresse <http://www2.hbc.com/hbcheritagef/learning/ebooks/default.asp>.

Idée d'activité pédagogique : Vincent Boutonnet.

---

1. Ministère de la Justice, *Terre de Rupert et Territoires du Nord-Ouest*, texte n° 3, annexe A : <http://www.justice.gc.ca/fra/pi/const/loireg-lawreg/p1t32.html>.

Cet extrait montre que les plans de développement du Canada pour cette région étaient déjà bien établis et passaient nécessairement par l'acquisition stratégique de ce territoire.

1.2.2 Les peuples autochtones

Pourtant, le territoire en question n'est pas occupé seulement par les commerçants de fourrures européens et les postes de traite. En effet, depuis 20 000 à 40 000 ans, les provinces des Prairies sont habitées par diverses tribus autochtones. Les Assiniboines sont les plus importants en nombre au Manitoba. Ils sont également présents dans le sud de la Saskatchewan. Plus au nord, près du centre de la Saskatchewan, vivent aussi des Cris et des Pieds-Noirs. On y dénombre également quelques membres des peuplades chipewyans, castors et esclaves. En Alberta, on note la présence des tribus des Blackfoots dans le sud-est, des Cris près d'Edmonton, des Athapascans dans le nord, etc.

Toutes ces tribus sont nomades et vivent principalement de la chasse au bison. Les habitations des Amérindiens des plaines sont des tipis, comme chez les Algonquiens de l'est du Canada.

Après la Confédération, la vie de ces peuples se trouve complètement bouleversée par plusieurs facteurs, dont l'arrivée massive d'immigrants par le nouveau chemin de fer et l'installation de ces derniers sur des terres de chasse ancestrales.

1.2.3 La résistance métisse et autochtone

Dans le plan d'expansion du Canada, un obstacle imprévu se dresse et l'acquisition de la terre de Rupert ne se fait pas sans heurts. De fait, les tribus autochtones et les Métis, majoritairement francophones, sont installés dans les Territoires du Nord-Ouest, plus précisément aux côtés de la colonie de la rivière Rouge, un établissement composé de colons venus de l'Ontario et situé au sud de Fort Gary, aujourd'hui Winnipeg. Or, les Métis n'ont pas été consultés avant que l'achat de leurs terres ancestrales par le gouvernement canadien ne soit conclu. En fait, les Métis étaient alors en pourparlers avec la Compagnie de la Baie d'Hudson au sujet de la possession et de la gestion de ces terres. C'est à ce moment même, et contre le désir de la compagnie, que le Canada achète finalement la terre de Rupert et devient, de ce fait, propriétaire des terres ancestrales des Métis et de la petite colonie de la rivière Rouge. Les Métis, avec à leur tête le charismatique Louis Riel, se soulèvent contre cette transaction et créent un gouvernement provisoire dont l'objectif est de faire valoir les revendications des Métis et des Amérindiens auprès du Canada. Sachant l'accord déjà conclu, ils insistent pour négocier les termes de leur intégration dans le Canada (Couturier, 1996). Ils souhaitent obtenir le statut de province et, par le fait même, la reconnaissance, sur le modèle constitutionnel de la province de Québec, de leur propre gouvernement, ainsi que la garantie que leur langue française et leur religion catholique seront protégées.

1.2.4 Le sort des Amérindiens

Depuis les rébellions avortées de la fin du XIXe siècle, les Amérindiens des Prairies se trouvent dans une bien fâcheuse position. D'abord, les bisons, leur principale source de nourriture, ont disparu. La chasse intensive, qui recourt à l'arme à feu, a eu le dessus sur l'espèce. Leur mode de vie traditionnel s'en trouve compromis. Les Amérindiens perçoivent bien la situation, mais ils se refusent à laisser leurs terres aux colons.

Pourtant, afin de permettre la construction du chemin de fer du Canadien Pacifique, le gouvernement Macdonald et ceux qui l'ont suivi refoulent les Amérindiens et les forcent à signer des traités les obligeant à se retirer dans des réserves éloignées des terres agricoles que le gouvernement souhaite voir colonisées et exploitées par des immigrants. Plusieurs chefs autochtones résistent à la signature de ces traités, qu'ils perçoivent, à juste titre, comme des pièges. Parmi eux, signalons les chefs cris Poundmaker, dont la tribu est déplacée à Battle River, et Big Bear qui, en 1882, est refoulé avec son peuple à Fort Pitt (Bumstead, 1992).

Parmi tous les traités et les accords, c'est surtout la Loi sur les Indiens de 1876 qui réduit les Amérindiens au rôle de simples figurants dans l'histoire du Canada alors en pleine effervescence. En fait, la Loi sur les Indiens réglemente absolument tous les aspects de la vie des Amérindiens, des plus simples coutumes (Potlatch) aux traditions les plus fondamentales (nomadisme, chasse). L'alcool leur est interdit, de même que les jeux susceptibles de nuire à leur comportement ou d'altérer leurs facultés. Ils sont placés sous la tutelle du gouvernement fédéral. Ils n'ont pas plus de droits que les enfants. D'ailleurs, le gouvernement demeure, tout au long de notre période, plutôt indifférent aux demandes des Amérindiens, qui luttent péniblement pour leur survie.

Puisqu'ils ont perdu la possibilité de vivre de leur vie de chasseurs nomades, les Amérindiens doivent se sédentariser et se soumettre aux règles imposées par le gouvernement. À la demande d'aide de certains chefs autochtones, le gouvernement réagit en les forçant à se recycler dans l'agriculture et leur fournit des troupeaux de bétail pour l'élevage. Or, l'agriculture n'a alors aucun sens pour ces Amérindiens. Ils ratent leurs récoltes et mangent les bêtes devant servir à l'élevage pour ne pas mourir de faim. En somme, leurs débuts dans l'agriculture sont plutôt difficiles.

1.2.5 La création du Manitoba

Malgré les controverses et les difficultés éprouvées par les Métis, les francophones et leurs sympathisants, les négociations continuent, lentement, à évoluer entre le gouvernement provisoire et le Canada. Étrangement, la réaction du gouvernement Macdonald est d'abord d'ignorer les révoltes métisses.

Le plus important pour lui est d'acquérir le territoire et, une fois le fait accompli, les problèmes politiques qui en résultent lui semblent moins urgents à régler. Mais Louis Riel insiste, le gouvernement fédéral ne peut pas être seul lieutenant de ce territoire, il doit créer rapidement une province au Manitoba, permettre l'établissement d'un réseau d'écoles confessionnelles et reconnaître l'égalité entre le français et l'anglais (Toussaint, 2011).

Sentant peut-être venir la menace d'une rébellion plus importante, le gouvernement canadien adopte en juillet 1870 le Manitoba Act, qui satisfait à la grande majorité des demandes métisses (Eaton et Newman, 1995 : p. 82). La colonie de la rivière Rouge devient ainsi officiellement une province canadienne. Elle compte alors 25 000 âmes. En 1901, sa population s'élèvera à 255 000 personnes, puis à 461 000 en 1911.

Pour plusieurs, Louis Riel est donc considéré comme le père fondateur de la province du Manitoba. D'ailleurs, la persistance de la culture métisse est assurée, car le fédéral leur concède le droit d'avoir des écoles francophones et catholiques. Elles sont protégées au Manitoba en vertu de l'article 93 de l'Acte de l'Amérique du Nord britannique (AANB), et cela, malgré les dénonciations protestantes.

Les limites de la nouvelle province gérée par les Métis sont toutefois minuscules, puisqu'elles forment un petit carré de terre reprenant à peu près les frontières de la colonie de la rivière Rouge. C'est pourquoi on l'a appelée à ses débuts la province « timbre-poste » (*post stamp province*). La province représente seulement 1 % de tous les Territoires du Nord-Ouest (Eaton et Newman, 1995 : p. 82). Ce n'est qu'en 1912 que le Manitoba occupera ses frontières actuelles.

Les Métis possèdent donc très peu de territoire, ce qu'ils ne tarderont pas à déplorer. D'autant plus que le Canada souhaite coloniser les Prairies en encourageant la venue d'immigrants ontariens et étrangers. Avec le chemin de fer qui se rend maintenant jusque dans les Prairies, les obstacles à l'implantation de nouveaux colons sont réduits, et des flots de nouveaux arrivants commencent à rejoindre la colonie de la rivière Rouge.

L'équilibre fragile de la petite colonie est progressivement bouleversé. D'autant plus que ces nouveaux colons sont majoritairement anglophones et protestants, parfois même orangistes (anglo-protestants qui entretiennent une haine profonde contre les catholiques). Leur intégration n'est pas envisageable pour les Métis. D'ailleurs, les nouveaux venus ne souhaitent pas non plus s'intégrer à ces Amérindiens, qu'ils considèrent comme des « sauvages ». Le racisme des deux côtés n'arrange en rien la pénurie d'espace qui se fait sentir dès les années 1880.

1.2.6   Le déplacement de la population et la deuxième rébellion métisse

Ces bouleversements incitent les Métis à entreprendre un déplacement vers l'ouest de la Saskatchewan dans l'espoir d'y recouvrer un mode de vie plus traditionnel fait de chasse et d'agriculture. Ils formeront quelques petites missions telles que Qu'Appelle, Batoche et Duck Lake (Bumstead, 1992 : p. 25).

La dure réalité rattrape toutefois les exilés. En effet, la disparition des troupeaux de bisons provoque des famines à répétition. À cela s'ajoute la perte des cultures due à l'inexpérience des Amérindiens en agriculture et aux aléas d'une nature capricieuse. Les conditions de vie de plus en plus difficiles de ces Amérindiens et Métis n'arrangent en rien le sentiment de frustration dirigé contre le gouvernement canadien.

À cela s'ajoute encore une fois l'avancée rapide des rails de chemin de fer, qui amènent avec eux de plus en plus de nouveaux colons, pour la plupart britanniques et protestants. La crainte des fermiers, tant blancs que métis, de perdre à nouveau leurs terres agricoles les force à se réunir. Ils décident de se battre. En 1885, une deuxième rébellion métisse pointe donc à l'horizon (figure 10.3).

Figure 10.3   Les chefs Poundmaker et Big Bear, qui participèrent aux rébellions, 1885

À Ottawa, le gouvernement Macdonald en est rapidement informé, mais, fidèle à son habitude, il demeure d'abord attentiste. À cette époque, la population de la Saskatchewan compte 15 000 colons seulement. C'est une population insuffisante pour intimider le gouvernement central.

Puisque le fédéral ne répond pas à leurs doléances, les Métis font à nouveau appel à Louis Riel, qui est revenu depuis peu des États-Unis, où il avait dû s'exiler après la mort de Scott. Ils forment une coalition armée bien décidée à défendre les droits des Métis et des fermiers de la Saskatchewan.

Or, le gouvernement canadien profite désormais d'un moyen de transport efficace grâce auquel il arrive à déplacer ses soldats rapidement de l'Ontario jusqu'à la Saskatchewan. L'affrontement entre les fermiers, les Amérindiens et l'armée canadienne a lieu à Batoche. Riel et ses hommes sont défaits. Les Amérindiens seront par la suite isolés dans des réserves et soumis à des lois fédérales rigides. Le temps de la liberté est bel et bien terminé pour eux.

Riel, quant à lui, sera accusé de haute trahison. Son procès mobilisera l'attention des Canadiens tant autochtones et francophones qu'anglophones. Le pays est divisé par ce procès. En fin de compte, un jury composé surtout d'anglophones condamnera Riel à la pendaison.

1.2.7 La dualité canadienne et l'exacerbation des tensions liées aux appartenances ethniques françaises et britanniques

La pendaison de Louis Riel, le 16 novembre 1885, divise profondément les Canadiens français et les Canadiens anglais. Les premiers, représentés par Honoré Mercier au Québec et par Wilfrid Laurier au fédéral, voient en la pendaison de Riel la marque d'un sentiment antifrancophone de la part du gouvernement canadien. Cette perception est accentuée par l'impression générale voulant que le procès ait été « organisé » par le gouvernement Macdonald de manière à obtenir à coup sûr un verdict de culpabilité pour Riel. Les Canadiens français considèrent ainsi que Riel fut une victime du fanatisme religieux et du racisme des Ontariens à l'égard des francophones (Thomas, 2000). Les Canadiens anglais, pour leur part, perçoivent les actes du rebelle Riel comme une trahison envers leur pays bienveillant et estiment que la pendaison s'imposait en raison de son incontestable culpabilité, bien qu'il n'ait tué personne. Cet événement doit servir d'exemple et consacrer la primauté d'un Canada indivisible et majoritairement anglo-saxon sur toutes les initiatives partisanes, voire sécessionnistes, susceptibles de surgir dans l'avenir.

1.2.8 La question des écoles francophones du Manitoba

Les tensions entre francophones et anglophones au Canada découlent de multiples questions litigieuses. Celle des écoles francophones à l'extérieur du Québec en est un autre exemple.

Depuis la création de la province du Manitoba, les francophones ont la possibilité de se doter d'écoles francophones catholiques subventionnées par le gouvernement provincial, comme le leur permet l'article 93 de l'AANB de 1867 :

> 93. La législature de chaque province a, dans les limites et pour les besoins de celle-ci, compétence exclusive pour légiférer en matière d'éducation, compte tenu des dispositions suivantes :
>
> (1.) Elle ne peut, par une disposition législative adoptée en cette matière, porter atteinte aux droits ou privilèges appartenant de droit dans la province lors de l'union à une catégorie de personnes relativement aux écoles confessionnelles.
>
> (2.) Les pouvoirs, privilèges et obligations qui, lors de l'union, sont de droit dans le Haut-Canada ceux des écoles séparées et des syndics d'école des sujets catholiques romains de la Reine sont étendus aux écoles dissidentes des sujets protestants ou catholiques romains de la Reine au Québec.
>
> (3.) Si, lors de l'union, est de droit en place dans la province ou si y est créé ultérieurement par sa législature un réseau d'écoles séparées ou dissidentes, est susceptible d'appel devant le gouverneur général en conseil toute mesure ou décision d'une autorité provinciale touchant les droits ou privilèges, en matière d'éducation, de la minorité protestante ou catholique romaine des sujets de la Reine.
>
> (4.) Faute par la province d'édicter les lois que le gouverneur général en conseil juge nécessaires à l'application du présent article, ou faute par l'autorité provinciale compétente de donner la suite voulue à la décision qu'il prend sur un appel interjeté au titre de cet article, le Parlement peut, pour autant que les circonstances de l'espèce l'exigent, prendre par voie législative toute mesure de redressement qui s'impose à cet égard[2].

Cet article traite plutôt des droits confessionnels que des droits linguistiques, mais comme la majorité catholique est aussi francophone, il peut servir ses intérêts. Or, cette entente inaugurale ne plaît pas aux anglo-protestants ni aux communautés immigrantes, de plus en plus populeuses, qui y voient un privilège d'autant plus injustifiable que la proportion des franco-catholiques ne cesse de diminuer dans la province. En effet, la présence francophone se révèle minime (10 %) dans la marée multiculturelle qui déferle dans les Prairies.

C'est sur cet argument qu'en 1890 le premier ministre provincial, Thomas Greenway, justifie sa décision d'abolir le droit des francophones d'avoir des écoles catholiques. Dans la même foulée, le Manitoba retire à la langue française son statut de langue officielle provinciale. Cette mesure va à l'encontre de la vision chère à la majorité d'un Canada fondé par deux nations égales.

---

2. Ministère de la Justice, *Loi de 1867 sur l'Amérique du Nord britannique*, texte nº 1 : <http://www.justice.gc.ca/fra/pi/const/loireg-lawreg/p1t13.html>.

Le problème est porté devant la loi canadienne, mais les démarches pié-
tinent. Cette question fait partie des sujets chauds de la campagne électorale
fédérale de 1896, au cours de laquelle, élu à la tête du gouvernement fédéral,
sir Wilfrid Laurier, le premier des premiers ministres canadiens-français,
promet de rétablir la situation en faveur des Franco-Manitobains. Laurier, en
homme de compromis, entame donc des négociations avec le gouvernement
provincial, d'allégeance libérale comme lui, plutôt que d'imposer un retour à
la situation initiale. Les deux ordres de gouvernement concluent ainsi, en
1897 (Compromis Laurier-Greenway), que le gouvernement manitobain
autorisera l'enseignement dans les deux langues dans les écoles du Manitoba
où existe un nombre suffisant d'élèves francophones (10 en milieu rural,
25 en milieu urbain). Il n'est plus question que les écoles soient séparées pour
les francophones et l'enseignement de la religion catholique est dorénavant
laissé à la discrétion des enseignants. Ni les francophones ni les anglophones
ne sont très heureux de cette décision. Le clergé catholique du Manitoba
déplore cette décision qui amoindrit l'influence du clergé sur les Canadiens
français catholiques. Or, les recommandations de l'encyclique *Affari vos*, bien
que condamnant la nouvelle loi, préconisent la résignation des catholiques[3].

1.2.9 La création de la Saskatchewan et de l'Alberta en 1905

Les politiques d'immigration fonctionnent tellement bien sur les territoires
des Prairies qu'en 1905 la Saskatchewan et l'Alberta sont suffisamment peuplées et organisées pour devenir autonomes politiquement et ainsi faire leur
entrée dans la Confédération canadienne. Elles sont dorénavant capables de
gérer elles-mêmes les dossiers qui reviennent aux provinces. Toutefois,
contrairement à d'autres provinces canadiennes, elles n'ont pas la possibilité
de négocier les termes de leur entrée dans la fédération canadienne, car,
contrairement aux autres, elles n'existaient pas auparavant et sont en fait une
création du gouvernement fédéral, même si les terres sur lesquelles elles se
trouvent ont été intégrées au Canada en 1869, tout comme celles du Manitoba.

En 1905, la Saskatchewan compte environ 90 000 habitants. Regina est
désignée comme capitale de la nouvelle province. Ce sont les libéraux qui
dirigeront le gouvernement provincial pour les 50 prochaines années (Veyron,
1989: p. 637). Au début du XXᵉ siècle, l'Alberta compte pour sa part 73 000
habitants, alors qu'elle en comptera 374 000 à peine 10 années plus tard. Tout
comme en Saskatchewan, ce sont les libéraux qui monopoliseront la vie politique provinciale pendant les premières décennies du XXᵉ siècle, de 1905 à
1921 plus exactement (Veyron, 1989: p. 22).

---

3. Voir l'article «Laurier» du *Dictionnaire biographique du Canada en ligne* (www.biographi.ca).

1.2.10 La minorisation des Canadiens français et le problème récurrent des écoles francophones

L'opposition entre les francophones majoritairement catholiques et les anglophones majoritairement protestants prend une tournure différente en ce début de XXᵉ siècle. Au moment où elles sont créées, l'Alberta et la Saskatchewan éprouvent déjà quelques problèmes à saveur ethnique et religieuse. La Loi constitutionnelle qui régit les Territoires du Nord-Ouest s'applique *de facto* aux nouvelles provinces, ainsi que les lois linguistiques, comme nous l'avons vu dans le cas du Manitoba. Aussi les deux nouvelles provinces étaient-elles tenues de respecter les droits des francophones, notamment en matière d'éducation.

Or, pour beaucoup de Canadiens anglais, le caractère britannique du Canada doit être maintenu et la présence de nouveaux arrivants d'origines diverses risque d'affaiblir cette particularité. Les gouvernements en place sont ainsi réticents à offrir des services français, et catholiques de surcroît, et outre-passent les recommandations de l'article 93 de la Loi constitutionnelle. Par ailleurs, conscients de leur minorisation, les Canadiens français dénoncent l'implantation de colons non francophones et appréhendent la perte de leur langue et de leurs écoles catholiques dans le reste du Canada. Malheureusement pour eux, les Canadiens d'origine britannique chauvins sont dominants dans les affaires politiques, et ils réussissent à imposer leurs vues sur l'orientation assimilatrice anglophone et protestante que doivent prendre les provinces.

Rapidement, le problème des écoles catholiques francophones se pose en Alberta et en Saskatchewan. Laurier doit à nouveau intervenir. Cette fois, en revanche, le modèle manitobain peut lui servir d'appui pour régler le conflit. Il confie ainsi aux États provinciaux la gestion de toutes les écoles, mais en les obligeant à accepter la construction d'écoles francophones séparées aux frais des communautés canadiennes-françaises qui le souhaiteraient. Dans les écoles protestantes, l'enseignement du français est restreint à une heure par jour et dispensé seulement sur demande expresse des parents. Pour ce qui est de l'enseignement de la foi catholique, on applique la même politique qu'au Manitoba, c'est-à-dire que le maître est libre de l'enseigner ou non.

1.2.11 La réaction du Québec au sort des francophones du Canada

À cette époque, la plupart des francophones de tout le Canada se sentent appartenir à la même nation, et surtout ils sont nombreux à considérer la création du Canada comme un pacte entre deux peuples fondateurs, les Canadiens français et les Canadiens anglais. Plusieurs membres de l'élite francophone défendent cette position (Francis, Jones et Smith, 1996).

Ainsi, lorsque surviennent les problèmes des écoles catholiques francophones dans les Prairies, la population et les évêques québécois ne demeurent pas indifférents, bien au contraire. L'Église catholique québécoise se mêle du dossier des écoles franco-catholiques et condamne les décisions du gouvernement fédéral. Même les intellectuels, comme Henri Bourassa qui était jusque-là ministre fédéral et fidèle admirateur de Laurier, protestent contre ces mesures jugées vexatoires pour les francophones.

Les conflits scolaires linguistiques manitobain, saskatchewanais et albertain en viennent à se régler grâce à l'intervention du pape Léon XIII et à la publication de l'encyclique *Affari vos*, mais les désaccords entre les groupes perdurent. En fait, la lutte des Canadiens français pour le respect de leurs droits et la sauvegarde de leur culture n'a jamais cessé depuis.

1.3 | Les caractéristiques sociales et démographiques des Prairies

Si les francophones et les Britanniques se sentent menacés, chacun à leur manière, c'est en partie parce que le visage des Prairies se transforme rapidement entre 1896 et 1914, ainsi que nous l'avons vu. Ces changements phénoménaux sont le résultat d'un projet d'envergure des gouvernements dirigés par Macdonald (1867-1873, 1878-1891), puis par Laurier (1896-1911).

Avec l'acquisition de la terre de Rupert (1869) et l'intégration de la Colombie-Britannique à la fédération canadienne (1871), on peut dire que le territoire canadien est grand et, somme toute, peu exploité. Il s'étend dorénavant d'un océan à l'autre, mais, on l'a vu, cette vastitude n'a pas que des avantages : les défis à relever pour conserver et développer cette contrée sont nombreux et de taille. En plus de devoir répondre aux doléances des Métis, le gouvernement doit s'assurer que les terres sont cultivées et qu'elles contribuent ainsi à l'enrichissement de tout le pays, tout en favorisant la création d'un marché croissant et captif pour les manufactures du Québec et de l'Ontario. À cette fin, une condition évidente s'impose : des colons doivent s'y installer. Ainsi le gouvernement déploie-t-il des efforts soutenus pour attirer de nouveaux immigrants dans l'Ouest.

En 1896, le libéral d'origine québécoise Wilfrid Laurier prend le pouvoir et met fin à une période de relative instabilité politique faisant suite au décès de Macdonald en 1891. Avec l'aide de son ministre de l'Intérieur, Clifford Sifton, le gouvernement Laurier reprend les rênes du projet de colonisation de l'Ouest et lance une énorme politique d'immigration (figure 10.4). Cette fois, contrairement aux tentatives passées, les mesures sont rigoureuses et ciblent une population susceptible de bien s'adapter aux conditions difficiles des terres de l'Ouest. En effet, Sifton mise d'abord sur les colons ayant de l'expérience comme fermiers, c'est-à-dire des gens qui connaissent la nature du labeur à accomplir et qui n'ont pas peur du travail ardu.

Figure 10.4   Clifford Sifton (1910) et Wilfrid Laurier (1906)

Ensuite, il élabore un plan de recrutement destiné spécifiquement aux immigrants en provenance des États-Unis, de la Grande-Bretagne et de l'Europe du Nord, de l'Est et du Centre, soit des pays proches culturellement et linguistiquement de la société britannique occidentale. Il lance une véritable campagne de promotion des terres de l'Ouest dans ces contrées : affiches, publicités, tracts, tous les moyens de communication de l'époque sont mis à contribution.

Le résultat de ces mesures est impressionnant. Plus de 2 millions de nouveaux colons répondent à l'appel au cours des 10 premières années du XXᵉ siècle et s'installent quelque part au Canada (Couturier, 1996). Le tableau 10.1 illustre ce phénomène selon les régions du pays. Bien que les immigrants ne se dirigent pas tous vers les Prairies, celles-ci connaissent un essor incroyable. La population du Manitoba double, celles de la Saskatchewan et de l'Alberta augmentent de plus de 400 %. Les immigrants proviennent principalement des pays suivants : l'Angleterre, l'Écosse, l'Irlande, le pays de Galles, la Belgique, la France, l'Italie, l'Autriche, l'Allemagne, l'Ukraine et la Hollande. Même les États-Unis, dont les terres de l'Ouest sont déjà en bonne partie occupées, fournissent une part importante d'immigrants au Canada. Ces nouveaux venus confèrent un caractère multiculturel au Canada. On parlera d'ailleurs de « mosaïque canadienne » pour décrire ce phénomène.

Tableau 10.1   Évolution de la population entre 1901 et 1911*

	POPULATION 1901	POPULATION 1911	AUGMENTATION (%)
Canada	5 371 315	7 294 772	34
Québec	1 648 898	2 002 712	21,5
Manitoba	255 211	455 614	78,5
Saskatchewan	91 279	492 432	439,5
Alberta	73 022	374 663	413
Colombie-Britannique	178 657	392 480	119,5

* Statistique Canada, *Collection historique de l'Annuaire du Canada*, <http://www65.statcan.gc.ca/acyb_r000-fra.htm>.

Le tableau 10.2, issu des données recueillies lors du recensement de 1901[4], soit avant la création des provinces de l'Alberta et de la Saskatchewan, donne un aperçu de la composition ethnique des habitants de ce territoire. On peut ainsi avoir une idée de la proportion des gens natifs du Canada et de ceux natifs d'autres pays, dont les îles britanniques, bien entendu. Ce tableau illustre les efforts de Sifton et la prédominance des colons d'origine canadienne, puis britannique et étatsunienne. Cependant, le Canada voit également s'installer sur ses terres des Prairies des habitants d'origine austro-hongroise et russe. Les peuples autochtones sont encore bien présents dans ces territoires également.

Les politiques de Sifton fonctionnent. Toutefois, les réserves de la population anglo-protestante d'origine britannique à l'égard de l'immigration étrangère ne se résorbent pas. Le climat de suspicion inspire d'ailleurs Frank Oliver, qui succède en 1905 à Clifford Sifton comme ministre de l'Intérieur. Dès son entrée en fonction, Oliver procède en effet à un réalignement des mesures d'immigration : il restreint l'entrée au pays aux seuls anglophones et exige que l'aspirant à la citoyenneté canadienne soit en possession d'une somme minimale d'argent. Cette mesure permet au gouvernement de limiter, temporairement du moins, l'entrée au pays d'Asiatiques, de Juifs, de Noirs américains et d'Européens du Sud (Francis, Jones et Smith, 1996). Néanmoins, l'arrivée massive d'immigrants au Canada au début du XXe siècle, particulièrement dans l'Ouest, finit par conférer au Canada son caractère multiculturel actuel.

---

4. Le recensement de 1901 procure des données précieuses sur la composition des populations canadiennes, malgré les regrettables erreurs qui s'y sont immiscées.

Tableau 10.2   Origines* de la population canadienne (Québec, Prairies et Colombie-Britannique, ou Colombie anglaise) en 1901**

	POPULATION TOTALE	ORIGINE CANADIENNE	ORIGINE BRITANNIQUE	ORIGINE AMÉRICAINE	ORIGINE CHINOISE	ORIGINE AUSTRO-HONGROISE	ORIGINE RUSSE	ORIGINE ALLEMANDE	ORIGINE MÉTISSE OU AMÉRINDIENNE
Canada	5 371 315	4 671 815	390 019	127 899	17 043	28 407	21 231	27 300	127 932
Québec	1 648 898	1 560 190	42 603	28 405	1 043	–	2 670	1 543	10 142
Manitoba	255 211	180 859	33 093	6 922	–	11 570	8 854	2 285	16 277
Prairies (territoires)	158 940	91 535	17 347	13 877	–	13 407	14 585	2 170	26 304
Colombie-Britannique	178 657	99 612	30 630	17 164	14 576	1 151	1 007	1 478	28 949

* Lieu de naissance.

** Statistique Canada, *Collection historique de l'Annuaire du Canada*, <http://www65.statcan.gc.ca/acyb_r000-fra.htm>. L'annuaire présente les données du Manitoba à part, bien sûr. L'Alberta et la Saskatchewan sont rassemblées dans l'appellation « territoires », qui correspond à la superficie des Territoires du Nord-Ouest.

Les immigrants qui affluent massivement vers l'ouest du pays sont animés par le rêve de posséder enfin un endroit bien à eux où bâtir un avenir meilleur que celui qui se dessinait pour eux dans leur pays d'origine. À cette époque, l'Europe traverse une crise démographique majeure qui a pour effet de repousser des millions de personnes vers l'extérieur du continent. De plus, certains groupes religieux sont expulsés de leur pays d'origine.

Ces immigrants proviennent pour la plupart de pays qui ne peuvent leur offrir de travail, où les terres agricoles sont saturées et où misère et pauvreté deviennent le lot de la majorité des ruraux. D'autres, comme les groupes religieux mennonites et doukhobors, fuient la persécution.

L'espace imparti au présent chapitre ne nous permet pas de rendre compte de ce qui concerne tous les groupes composant la société des Prairies, mais nous croyons utile d'en voir un exemple, celui des doukhobors, afin de donner vie aux statistiques des tableaux.

Les doukhobors viennent de Russie. Ils sont pour la plupart installés en Saskatchewan, où le gouvernement canadien, par l'intermédiaire de Clifford Sifton, leur a accordé des terres pour qu'ils puissent y vivre en commun, selon leurs croyances, sans les contraindre à prêter serment à l'État canadien. Les doukhobors ne veulent pas devenir membres de l'État. Ils disent croire fermement à l'égalité et à la moralité des individus ainsi qu'à la paix, et refusent donc de participer à tout conflit armé. Leur singularité ne pose aucun problème à leur arrivée, mais lorsqu'Oliver remplace Sifton comme ministre de l'Immigration, il demande à ces nouveaux venus de prêter serment au Canada et de devenir citoyens. Craignant d'être contraints de s'enrôler si une guerre se déclare, les doukhobors refusent. En guise de représailles, Oliver reprend les terres sans «propriétaires» des 90 villages doukhobors et les donne à d'autres immigrants. C'est le «RECON project», qui leur fait perdre leurs terres. Plusieurs d'entre eux partiront alors s'installer en Colombie-Britannique (Tarazoff, 2006).

1.4 | Culture, langue, religion et population

Comme nous venons de le voir avec l'exemple des doukhobors russes, tous ces immigrants apportent une langue, une religion et une culture qui leur sont propres. Or, la nécessité d'adopter une langue commune se fait vite sentir. Puisque le Canada, à cette époque, est toujours sous juridiction britannique et que les Canadiens anglais sont majoritaires dans ces régions, l'anglais s'impose comme langue usuelle. De plus, d'importants courants migratoires s'établissent entre les États-Unis et le Canada. Ces deux pays partagent le même continent, ce qui facilite les échanges économiques et démographiques.

Malgré une nette prédominance de l'anglais, plusieurs autres langues sont également parlées dans ces territoires, comme l'illustre le tableau 10.3.

Ce tableau fait clairement ressortir la préséance de l'anglais, langue que tous les immigrants doivent apprendre. Mais on y remarque également la présence significative de l'allemand. Le français demeure important, mais minoritaire, comme les autres langues du tableau : le russe, le polonais, le japonais et les langues scandinaves.

Tableau 10.3   **Langues parlées dans les Prairies en 1901 et en 1911***

	PRAIRIES	
	1901	**1911**
Anglais	239 100	710 000
Allemand**	60 000	240 000
Français	23 100	73 951
Russe	21 875	36 600
Langues scandinaves	17 200	78 300
Japonais	18	309
Polonais	0	18 200

* Statistique Canada, *Collection historique de l'Annuaire du Canada*, <http://www65.statcan.gc.ca/acyb_r000-fra.htm>.

** Chiffre approximatif comprenant les immigrants d'Allemagne et de l'Empire austro-hongrois.

En ce début de XXe siècle, la religion est encore très importante pour les habitants. Elle rythme leur vie quotidienne et dicte même parfois la manière dont les communautés doivent s'organiser, comme nous l'avons vu avec l'exemple des doukhobors. Dans les Prairies, les catholiques romains, majoritairement francophones, sont encore nombreux, mais la population protestante, qui comprend toutes les autres dénominations religieuses mentionnées au tableau 10.4, est largement dominante.

La religion n'est pas qu'une foi ou une croyance à cette époque de l'histoire canadienne. En effet, les communautés se distribuent sur le territoire selon leurs appartenances religieuses. Les groupes, comme les doukhobors ou les mennonites, mais également les groupes protestants ou catholiques, ont tendance à s'installer dans les mêmes environs. La vie communautaire prédomine. C'est une société multiculturelle relativement cloisonnée qui prend vie dans les Prairies vers 1905.

Par exemple, parmi les communautés culturelles immigrantes, on note la présence des mennonites étatsuniens qui, n'ayant pu participer au XVIIIe siècle à la guerre d'Indépendance des États-Unis, en raison de leur code de moralité pacifiste, avaient suivi les Loyalistes britanniques venus s'installer au Canada. Ils se sont implantés surtout en Ontario. Toutefois, une deuxième vague

Tableau 10.4 Religions présentes au Canada (Manitoba, Prairies, Colombie-Britannique) selon le recensement de 1901*

	CANADA	MANITOBA	PRAIRIES	COLOMBIE-BRITANNIQUE
Catholiques romains	2 229 600	35 672	30 073	33 639
Méthodistes	916 886	49 936	22 151	25 047
Presbytériens	842 442	65 348	27 866	34 081
Anglicans	680 620	44 922	25 366	40 689
Baptistes	316 477	9 166	5 416	6 500
Luthériens	92 524	16 542	12 097	5 335
Mennonites	31 797	15 246	4 273	–

* Statistique Canada, *Collection historique de l'Annuaire du Canada*, <http://www65.statcan.gc.ca/acyb_r000-fra.htm>.

d'immigration mennonite survient après la Confédération, mais en provenance de pays étrangers cette fois. Ceux-là s'installent au Manitoba. Leur langue est l'allemand et ils pratiquent une religion rigoureuse issue du protestantisme. Ils sont aujourd'hui près de 200 000 au Canada (gouvernement du Canada, 2001). On compte également sur les terres des Prairies des communautés mormones, quakers, etc. Plusieurs de ces communautés sont profondément religieuses et voient dans le Canada un pays neuf où ils pourront vivre leur foi en toute quiétude. L'exemple des doukhobors nous a appris que ce ne fut pas le cas pour tous.

Malgré une diversité indiscutable, vers 1905, la population des Prairies compte environ 50 % de colons d'origine britannique, protestants et anglophones, à peu près 15 % de Canadiens français, catholiques, environ 15 % d'Amérindiens, 10 % d'Allemands et 10 % de colons d'autres origines, presque tous protestants, comme l'indique le tableau 10.4.

1.4.1 Une population majoritairement rurale

Vers 1905, la grande majorité des habitants des Prairies s'installent sur des terres qu'ils s'évertuent tant bien que mal à cultiver. Pour les milliers d'immigrants en route pour les terres des Prairies, le beau rêve d'une vie meilleure devient souvent bien réel, même si le voyage en train, seul moyen de transport de l'époque, est pénible, comme en témoignent ces deux extraits :

> À cette époque [quelque temps avant le début de la Première Guerre mondiale], les colons arrivaient en foule. De nombreux trains de voyageurs amenaient plusieurs nouveaux colons en provenance de l'Europe centrale. D'autres trains de marchandises comptaient plusieurs wagons de colons avec leurs biens, en provenance des États-Unis et à destination de l'Ouest canadien. Des familles entières étaient confinées à une extrémité d'un wagon

couvert, avec leur troupeau et leurs effets personnels dans l'autre extrémité. Le bruit que faisaient ces trains et les troupeaux qu'ils contenaient lorsqu'ils traversaient la ville et aux points d'aiguillage était affolant[5].

Un jour de tempête de mars 1898, je suis descendu du wagon des colons à la gare du CP de Regina. Je transportais tout ce que je possédais au monde : une couverture roulée retenue par une courroie et une boîte rouge que j'avais remplie de nourriture en partant de chez moi, quelques jours auparavant [...] Mon Dieu ! Regina n'était qu'un endroit désolé, balayé par le vent ! Tout ce que je pouvais voir, c'était quelques édifices entre lesquels sifflait sans répit un vent glacé[6].

En effet, l'écart entre les publicités faites en Europe et la réalité qu'affrontent les nouveaux arrivants est grand. Le labeur qui attend les familles est incommensurable (figure 10.5).

Au début de la colonisation, les seuls matériaux disponibles pour construire les maisons sont la terre, la tourbe et la roche. Les champs sont couverts de pierres qu'il faut retirer pour labourer et cultiver le sol, car la vie dans les Prairies est intimement liée à l'exploitation des terres agricoles. Ces dernières sont fertiles, mais difficiles à cultiver en raison du climat aride de la région. Les périodes de sécheresse, assez fréquentes, détruisent parfois la totalité de la production, réduisant à néant des mois d'efforts pour des familles déjà à bout de souffle et affamées. Et lorsque les sécheresses n'ont pas tout dévasté, ce sont les invasions de sauterelles qui raflent ce qui reste. De plus,

| Figure 10.5 | La terre des Prairies est riche, mais le travail à accomplir pour la rendre cultivable et habitable est gigantesque. Sur cette photographie, des immigrants juifs s'échinent à retirer les pierres du sol avec des instruments rudimentaires. |

---

5. Jack Bradford, *Canadian Northern Railway and the Men Who Made It Work*, Toronto, Initiative Publishing House, 1980, p. 9 (traduction libre).
6. « McElroy of the NWMP » , *Beaver*, vol. 69, n° 3, 1989, p. 17 (traduction libre).

l'isolement auquel sont soumis les nouveaux arrivants n'a rien pour leur remonter le moral. Il faut parfois plus d'une journée de marche pour rejoindre le plus proche village.

Les paysans ne peuvent pas non plus compter sur le réconfort d'un foyer confortable et chaleureux, car la majorité d'entre eux vivent dans une chaumière de terre dure mêlée de foin qu'on distingue à peine des champs environnants. Ces abris modestes n'en constituent pas moins les premiers établissements permanents où naissent les premières générations de Canadiens immigrants dans les Prairies. Ces conditions de vie difficiles et précaires incitent d'ailleurs plusieurs habitants à quitter la campagne pour gagner la ville ou les États-Unis.

Dans les Prairies vers 1905, les principales villes voient le jour grâce à l'arrivée massive d'immigrants. Ces villes sont Winnipeg au Manitoba, Regina et Saskatoon en Saskatchewan, Calgary et Edmonton en Alberta. Le tableau 10.5 indique les changements démographiques marqués des principales villes canadiennes. Toutes les villes canadiennes apparaissant dans ce tableau connaissent un essor important. Dans les Prairies, les villes de Winnipeg (313 %), de Regina (915 %), de Saskatoon (714 %), de Calgary (995 %) et d'Edmonton (948 %) prennent une expansion phénoménale à la fois sur les plans démographique et géographique, comme nous pouvons le constater par l'observation de la figure 10.6.

C'est le travail surtout qui attire les gens en ville. L'économie commerciale et industrielle est caractéristique du phénomène de l'urbanisation. Dans les Prairies, les villes se développent surtout grâce aux activités commerciales découlant de l'agriculture. Prenons l'exemple de Calgary.

Tableau 10.5　**Population de certaines villes en 1901 et en 1911***

	1901	1911
Québec	68 840	78 190
Montréal	267 739	470 480
Winnipeg	43 340	136 035
Regina	7 708	70 556
Saskatoon	7 157	51 145
Calgary	4 392	43 704
Edmonton	2 626	24 900
Vancouver	27 010	100 401
Victoria	20 919	31 660

* Statistique Canada, *Collection historique de l'Annuaire du Canada*, <http://www65.statcan.gc.ca/acyb_r000-fra.htm>.

Figure 10.6   Développement de la ville de Calgary en 1886 (à gauche) et en 1909 (à droite)

La ville de Calgary tient son nom du fort Calgary, qui fut construit par les trafiquants de whisky qui s'y étaient installés pour faire des affaires avec les Amérindiens chasseurs de bison. D'origine gaélique, ce mot signifie « ferme de la baie ». Le chemin de fer et les deux rivières (Bow et Elbow) qui traversent les frontières de la ville lui procurent des moyens de transport des marchandises. L'économie de la ville est, au début du XXe siècle, étroitement liée à l'élevage du bétail et à la commercialisation des produits de l'agriculture (Foran, 2011).

En général, les conditions de vie en ville demeurent difficiles et plusieurs individus sans emploi émigrent donc vers le pays du Sud. Cet exode, allié au déclenchement de la Première Guerre mondiale, entraîne une stagnation de la population des Prairies dès la deuxième décennie du XXe siècle. Les grandes vagues d'immigration des décennies précédentes sont bel et bien terminées. Les colons les plus entêtés et courageux sont toutefois récompensés de leur ténacité, car la production de blé devient de plus en plus efficace. Les innovations technologiques, notamment les grands projets d'irrigation des terres, améliorent la productivité, principalement au cours des vingt premières années du XXe siècle, et les Prairies canadiennes contribuent à nourrir l'Europe en guerre.

1.4.2 L'organisation des fermiers des Prairies

Dans les Prairies, après 1905, ce sont les hommes de 21 ans et plus, propriétaires et blancs, qui sont citoyens et occupent ainsi les postes de pouvoir. Agriculteurs pour la plupart, ils cherchent à défendre leurs intérêts. Ils s'organisent en divers groupes militants tels que les Fermiers unis de l'Alberta (FUA) (1909) et les United Grain Growers (1917). Ils créent des coopératives de commercialisation des grains, de manière à obtenir de meilleurs prix et à assurer une meilleure distribution. Les fermiers du FUA sont si puissants qu'ils se lancent même en politique et forment le gouvernement albertain de 1921 à 1935 (Macpherson, 2011).

Le début du XXe siècle correspond également à l'émergence d'idées socialistes chez plusieurs leaders des Prairies, dont certains, paradoxalement, sont très religieux. Ces idées sont portées, entre autres, par le pasteur méthodiste James S. Woodsworth et se concrétisent par la création de partis politiques comme le Co-operative Commonwealth Federation (CCF) en 1933.

1.5 Les caractéristiques économiques des Prairies

Vers 1905, l'économie des Prairies se limite pour l'essentiel à l'agriculture, qui occupe la plus large partie de la population. Pour un temps, la construction du chemin de fer transcontinental offre aussi des emplois. À cela s'ajoutent quelques autres activités commerciales gravitant autour de ces deux principales occupations, ainsi que l'exploitation des mines de charbon.

1.5.1 La Politique nationale

Aux élections de 1874, déçus par les piètres performances économiques des dernières années et à cause d'un scandale financier, le « scandale du Pacifique », les Canadiens défont Macdonald et élisent le libéral Alexander Mackenzie. Mais une grave crise économique, qui germait depuis quelque temps en Europe et en Amérique du Nord, explose au cours du mandat libéral et frappe durement le pays. Les Canadiens, mécontents de l'inaction du gouvernement Mackenzie, ne lui accordent pas de second mandat. Plusieurs, au contraire, sont séduits par le nouveau programme de Macdonald, la « Politique nationale », une mesure protectionniste qui, pour beaucoup d'électeurs, offre des solutions tangibles aux problèmes économiques du pays. En 1878, Macdonald est réélu, alors que la récession se termine.

La « Politique nationale » est un programme politique ambitieux qui propose trois moyens susceptibles non seulement de relancer le commerce, mais aussi d'assurer un essor économique et démographique durable. Macdonald souhaite aussi que cette mesure cimente symboliquement le Canada. Les trois moyens qu'il propose sont l'imposition d'un tarif douanier sur les produits des États-Unis, la poursuite de la construction des chemins de fer transcontinentaux, le Canadien Pacifique d'abord, puis le Canadian Northern Railway et le Grand Tronc, et enfin la stimulation intensive de l'immigration dans l'Ouest.

L'imposition d'un tarif douanier sur les produits étatsuniens vise à favoriser l'achat des produits locaux canadiens et contribue ainsi à la prospérité économique et à la croissance manufacturière qui caractérise la fin du XIXe siècle et les premières années du XXe. Pour ce faire, le gouvernement canadien a dû abolir le traité de réciprocité alors en vigueur entre les deux pays, ce qui ne fut pas aisé (Cook, 1988 : p. 128).

Par ailleurs, la construction du chemin de fer transcontinental doit non seulement permettre au gouvernement canadien de remplir la promesse faite à la Colombie-Britannique de la relier au reste du pays, mais également offrir la possibilité d'exploiter l'immense potentiel économique de ce grand territoire riche en ressources naturelles, tout en soulignant physiquement son appartenance canadienne.

Enfin, pour assurer le développement des Prairies et générer un marché pour les industries du Canada central, la Politique nationale de Macdonald favorise la venue massive de colons étrangers. C'est dans cette optique que sont appliquées certaines mesures visant à faciliter l'acquisition des terres par de nouveaux arrivants. Des terres sont offertes presque gratuitement aux immigrants qui désirent devenir agriculteurs. Ainsi pour 10 $, un homme adulte peut acheter 64 hectares de terres. En contrepartie, il doit s'engager à défricher son lopin et à y construire une maison. Une fois ses obligations tenues, il devient propriétaire de son domaine (Francis, Jones et Smith, 1996 : p. 84). Cette mesure fonctionne plutôt bien, quoique beaucoup de colons soient rapidement découragés par la rudesse du climat, l'isolement et les conditions de vie difficiles. Au début, le peuplement stagne.

1.5.2 La spécialisation des provinces

Le programme de développement économique imaginé par Macdonald implique que chaque région du Canada joue un rôle particulier. Ainsi, le Québec et l'Ontario, deux provinces où une deuxième phase d'industrialisation régénère l'économie à compter de 1896-1900, doivent se consacrer aux activités manufacturières. Quant aux Prairies, elles doivent se développer en s'appuyant essentiellement sur la colonisation agricole et servir de garde-manger pour le reste du Canada.

Cette manière d'envisager la croissance a certes porté ses fruits pour un temps, mais elle a également contraint les provinces des Prairies à une exploitation unique du territoire, limitant ainsi la diversification économique (Francis, Jones et Smith, 1996).

1.5.3 Les terres des Prairies : le grenier du Canada

Les effets de l'industrialisation, déjà bien entamée dans le centre du Canada, au Québec et en Ontario, ont tôt fait de se faire sentir jusque dans les provinces de l'Ouest. L'augmentation de la demande en grains des consommateurs canadiens offre un marché inespéré aux agriculteurs des Prairies. Au même moment, la demande mondiale en blé, surtout européenne et étatsunienne, croît également.

Qu'à cela ne tienne, les nouveaux colons des Prairies sont prêts à produire, et la terre est d'autant plus fertile et généreuse qu'on a mis au point une nouvelle variété de blé, le blé « Marquis » , bien adaptée aux conditions de la région. De même, les multiples canaux d'irrigation favorisent le drainage et l'approvisionnement en eau essentiels aux cultures. Les fermiers commencent à obtenir des récoltes suffisamment intéressantes pour exporter une partie de leur production et ainsi faire des profits intéressants. À la fin du XIXe siècle, l'agriculture commerciale se développe, tandis que les agriculteurs mécanisent rapidement leurs fermes et, de ce fait, labourent plus efficacement leurs champs. Les résultats sont phénoménaux, à tel point qu'au tournant du XXe siècle le blé des Prairies est le premier produit d'exportation du Canada. Ces provinces seront d'ailleurs surnommées le « grenier du Canada ».

Bien que la culture céréalière soit la principale activité agricole, les agriculteurs des Prairies comprennent rapidement qu'ils ont intérêt à produire d'autres marchandises. Les ranchs et la production laitière et porcine représentent des solutions de rechange intéressantes et complémentaires.

1.5.4 La construction du chemin de fer

Infrastructure essentielle à l'établissement de colons et au développement économique à l'ère de l'industrialisation, le chemin de fer n'agit pas seulement comme rapprocheur de marchés, mais aussi comme créateur d'emplois. En effet, pendant la période de construction des voies ferrées, le gouvernement et l'entreprise privée emploient bon nombre d'ouvriers. Il en découle une affluence d'ouvriers étrangers dans les Prairies. Mais cette croissance économique temporaire apporte plus de gens que d'argent, car les ouvriers sont très peu payés. Néanmoins, le commerce suscité par la construction ferroviaire (hébergement, fabrication et transport de certains matériaux, etc.) profite à la région.

De plus, le chemin de fer est le seul moyen de transport pour atteindre les provinces des Prairies. Le tracé du réseau détermine en grande partie les possibilités d'expansion et de développement des villes. Si le train passe par une ville, elle se peuplera et se développera. Sinon, à ce moment de l'histoire, son avenir est compromis.

Dès 1889, le chemin de fer relie le Canada d'un océan à l'autre. La figure 10.7 illustre le réseau ferroviaire du Canadien Pacifique. Les lignes passent très au sud, car la compagnie se voit dans la nécessité de faire concurrence aux réseaux américains. Cet immense projet a été réalisé en grande partie sous la supervision de William Cornelius Van Horne et rendit celui-ci exceptionnellement riche.

Seul grand moyen de transport de l'Ouest, les trains sont toujours très achalandés et le confort y est rudimentaire, surtout dans les classes économiques, comme nous pouvons le lire dans cet extrait du journal de Frank Rowbottom, immigrant en Saskatchewan en 1907 :

Le vendredi 3 mai

Pris le train de 8 h 30 pour Marshall, prêts pour la partie la plus éprouvante du voyage, puisque nous ne pouvions pas avoir de couchette sans

Figure 10.7   Réseau de chemin de fer du Canadien Pacifique en 1893

L'HISTOIRE DU CHEMIN DE FER DU CANADIEN PACIFIQUE

Compétence développée
Lire l'organisation d'une société sur son territoire.

Technique développée en géographie
Interprétation de cartes.

Techniques développées en histoire
Repérer des informations historiques dans un document.
Interprétation de documents iconographiques.

Description
Sous forme de journal, le site *L'histoire du Chemin de fer Canadien Pacifique** propose un survol de l'histoire du chemin de fer du Canadien Pacifique au moyen de diverses capsules, comme l'article «Le CFCP rend hommage aux travailleurs chinois».

On peut remettre chaque capsule à un petit groupe en lui confiant les tâches suivantes : 1) résumer la capsule et déterminer les informations qui y manquent pour mieux la comprendre ; 2) compléter l'information à l'aide d'autres sources ; 3) rassembler des cartes et des images sur le développement des voies ferrées dans l'Ouest ; 4) présenter les résultats au reste de la classe sur une grande affiche. Pour compléter l'information, une visite à la bibliothèque ou une recherche sur internet seraient envisageables. Pour trouver des images supplémentaires, le moteur de recherche du site du musée McCord** se révélera éminemment utile. L'objectif de cette activité est de faire ressortir la nécessité de confronter les sources.

---

* Canadien Pacifique, *L'histoire du Chemin de fer Canadien Pacifique*, site consulté le 7 octobre 2010 à l'adresse <http://www.cpr.ca/fr/about-cp/our-past-present-and-future/Documents/cpr-kids-history-fr.pdf>.

** Musée McCord, *Développement de l'Ouest*, site consulté le 27 septembre 2010 à l'adresse <http://www.musee-mccord.qc.ca/scripts/clioclicXSL_XML.php?pageid=ew_1.2&Lang=2&id=23#act23>.

Idée d'activité pédagogique : Vincent Boutonnet.i

verser un prix très élevé. Nous avons donc dû improviser un lit pour les petits, du mieux que nous pouvions et nous sommes restés assis. Le train était bondé, ce qui rendait les choses d'autant plus déplaisantes[7].

Afin de financer cet immense projet de voie ferrée, le gouvernement fédéral garde sous sa juridiction la gestion et la jouissance des ressources naturelles des Prairies, ainsi que le lui permet la loi sur la gestion des Territoires du Nord-Ouest, qui était toujours en vigueur en 1905. Les gouvernements provinciaux et territoriaux se trouvent ainsi privés d'une importante source de revenus, ce qui nuit passablement à leur expansion économique, à tout le moins durant cette période.

1.5.5 Les mines de charbon

L'exploitation minière constitue également une importante activité économique des Prairies. C'est surtout le charbon qui est exploité, car il est à cette époque la ressource énergétique par excellence. Il est habituellement assez facile à extraire dans des mines à ciel ouvert, mais il faut parfois aussi construire des souterrains.

Au début du XXe siècle, le charbon sert à chauffer les maisons, mais également à faire fonctionner les locomotives. D'ailleurs, la présence du chemin de fer à proximité des mines est une condition *sine qua non* de l'exploitation de la ressource minérale, car les moyens de transport de l'époque sont encore très rudimentaires (Berkowitz, Duncan et Stewart, 2011).

2 | LA CÔTE OUEST VERS 1905

2.1 Les caractéristiques climatiques et géographiques de la côte Ouest

Dans la présente section, la côte ouest du Canada est associée à la province de la Colombie-Britannique. Celle-ci jouit d'une géographie diversifiée dotée de plusieurs avantages qui lui ont permis de se développer assez rapidement sur les plans économique et démographique.

La Colombie-Britannique est séparée du reste du Canada par d'énormes chaînes montagneuses que l'on nomme les montagnes Rocheuses. Ces dernières, qui constituent la frontière est de toute la province, impressionnent

---

7. Frank Rowbottom, «The Rowbottom diaries», sous la direction de S. W. Jackman, *Saskatchewan History*, vol. 21, n° 1, p. 61 (traduction libre).

par leurs sommets qui atteignent plusieurs milliers de mètres, tel le mont Fairweather (4 660 m), et qui imposent par leur ampleur l'image d'un obstacle infranchissable. En vérité, elles sont effectivement un frein à l'expansion vers l'est, comme nous le verrons plus loin. Elles sont couvertes de pierres, de glaciers, de cours d'eau et de forêts qui en font un excellent habitat pour une importante diversité d'animaux. La province partage sa frontière sud avec les États-Unis et sa frontière nord avec le territoire canadien du Yukon.

Par ailleurs, la province la plus à l'ouest du Canada possède d'autres caractéristiques géographiques telles que les multiples vallées qui longent ses divers cours d'eau riches en ressources pour la pêche. Le fleuve Fraser est le plus important. Ce dernier parcourt la province du nord au sud et se jette dans l'océan Pacifique, qui borde toute la côte ouest de la province. La présence de l'océan, en plus de permettre la pêche, procure à la Colombie-Britannique un climat tempéré. Les hivers y sont doux, et les étés longs et agréables. Par contre, bien que le soleil soit souvent de la partie, les journées sans pluie sont rares, comme en témoigne la figure 10.8.

En plus des forêts luxuriantes, des rivières et de l'océan poissonniers, la Colombie-Britannique jouit d'un sous-sol riche en minéraux, particulièrement dans l'île de Vancouver.

2.2 Les caractéristiques de la vie politique de la côte Ouest

La province de l'Ouest, telle qu'on la connaît de nos jours, a traversé différentes étapes politiques fondamentales, que nous exposerons brièvement.

Figure 10.8 Précipitations totales reçues à Vancouver en 1907*

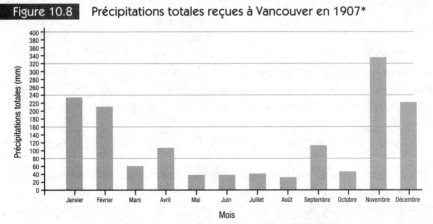

* Environnement Canada (http://www.ec.gc.ca/default.asp?lang=Fr&n=FD9B0E51-1).

2.2.1 L'union des deux colonies britanniques

À la fin des années 1860, les difficultés économiques éprouvées par la colonie de l'île de Vancouver et celle de la Colombie-Britannique (située sur le continent) poussent le gouvernement britannique à les fusionner. La capitale et, par le fait même, le siège du gouvernement seront dorénavant situés à Victoria (dans l'île de Vancouver), et le nom de la nouvelle province sera celui de Colombie-Britannique. À cette époque, la colonie est peu peuplée : les gens d'origine européenne totalisent 11 000 personnes alors que la population amérindienne s'élève à 26 000 (Brown, 1987). Bien que les premiers, majoritairement britanniques, soient minoritaires à ce moment de l'histoire de la province, ce sont eux qui dominent politiquement.

Par ailleurs, cette fusion des deux colonies ne règle pas les problèmes financiers qui compromettent l'avenir de la nouvelle entité politique. Cette situation économique précaire bloque le développement de la colonie.

Son emplacement sur la carte de l'Amérique du Nord la place également devant quelques dilemmes. En effet, le contexte géopolitique, opposant les adversaires politiques que sont à cette époque les États-Unis et le Canada, fait également pression sur la Colombie-Britannique, laquelle se retrouve coincée entre les deux pays, qui rivalisent pour en faire l'acquisition et asseoir ainsi leur puissance politique, territoriale et économique.

2.2.2 L'entrée dans la Confédération canadienne

Après une longue période d'hésitation, la Colombie-Britannique adhère à la Confédération canadienne en 1871. Ce rattachement au Canada est l'aboutissement d'une longue réflexion menée principalement par les hommes politiques de cette province, d'origine britannique pour la plupart.

En effet, trois choix s'offrent à la colonie autonome. Elle peut demeurer indépendante et assumer seule son développement économique. Mais dans ce cas, elle devra assumer, seule également, l'acquittement de sa dette déjà fort importante qu'elle peine à rembourser. Elle peut également se joindre aux États-Unis, qui viennent tout juste d'acquérir l'Alaska, au nord-ouest de la province. De fait, la Colombie-Britannique est déjà flanquée de deux États américains. À l'époque, les États-Unis représentent le principal partenaire commercial de la Colombie-Britannique, et les échanges économiques vont croissant. Les États-Unis offrent également certains services à la Colombie-Britannique, par exemple un service de poste (Francis, Jones et Smith, 1996 : p. 32). De plus, les populations étatsuniennes et canadiennes se connaissent, car plusieurs colons américains sont installés dans la province. Or, lorsque vient le temps de choisir son camp, ces derniers ne parviennent pas à peser dans la balance, car ils sont peu représentés dans le gouvernement de la Colombie-Britannique.

Enfin, comme troisième choix, la Colombie-Britannique peut accepter l'offre canadienne de se joindre à la fédération. Or, l'achat récent de la terre de Rupert par le Canada en fait dorénavant son voisin immédiat. De plus, le Canada possède un avantage indéniable sur les États-Unis aux yeux des colons britanniques : son lien politique encore fort avec la couronne britannique. En effet, le sentiment de loyauté des colons d'origine britannique est encore très fort, suffisamment en tout cas pour faire pencher la balance en faveur du Canada, d'autant plus que le gouvernement de la province fonctionne déjà selon les règles des institutions britanniques. La décision est donc importante et lourde de conséquences. Finalement, les sentiments patriotiques l'emportent sur les intérêts économiques.

Néanmoins, les habitants de la Colombie-Britannique ne sont pas prêts à accepter si facilement une offre d'union lancée par le Canada. Ils posent certaines conditions : le gouvernement fédéral devra assumer la dette de la Colombie-Britannique, qui s'élève à 1 million de dollars ; il devra également aider à l'instauration d'un gouvernement responsable dans la province, prendre en charge certains travaux publics (comme la construction d'un port, etc.) et construire une route reliant la province au reste du Canada. Comme le Canada accepte toutes les demandes et en offre même davantage en promettant de rallonger le chemin de fer jusqu'à la province, cette dernière finit par accepter l'offre canadienne et entre dans la Confédération le 20 juillet 1871 (Francis, Jones et Smith, 1996 : p. 33).

2.2.3 La vie politique provinciale

Comparativement aux autres provinces, la Colombie-Britannique résistera longtemps à la politique partisane. En effet, durant les trente années qui suivent l'entrée de la colonie dans la Confédération, aucun des premiers ministres de la province n'est associé à un parti politique particulier. Les dirigeants se consacrent principalement aux relations avec le gouvernement central, ainsi qu'à l'épineuse question autochtone. La gestion de cette dernière question est «facilitée» du fait que les différentes tribus s'affrontent entre elles et n'arrivent pas à proposer une vision commune de ce qui doit être fait concernant la possession des territoires.

À partir de 1901, les libéraux et les conservateurs dirigent en alternance la politique provinciale (Veyron, 1989 : p. 166). À ce moment, seuls ont le droit de vote les hommes blancs (d'origine britannique) de 21 ans et plus et propriétaires. Il s'agit d'environ 20 % de la population (Roy, 1989). Les femmes, les Amérindiens et les immigrants n'ont pas ce droit et se trouvent ainsi soumis aux volontés de ce groupe minoritaire (voir le tableau 10.12, section 3.2).

2.2.4 Les Amérindiens et l'entrée dans la fédération canadienne

Durant les années 1870, la Colombie-Britannique est encore composée majoritairement d'Amérindiens, notamment les Athapascans sur les plateaux intérieurs, les tribus de la famille salishienne dans la vallée du Sud, les Wakashanes sur les côtes de l'île de Vancouver et les Haïdas dans les îles de la Reine-Charlotte, sur la côte Ouest.

Comme ce fut le cas dans les Prairies, les Amérindiens ne sont pas consultés lorsque la décision de se joindre au Canada est prise. Ils sont en fait complètement exclus de la vie commerciale et politique de la province. Les relations avec les colons sont tendues, car les Amérindiens souhaitent que la possession de leurs territoires soit reconnue par le gouvernement de la Colombie-Britannique. D'autant plus que chaque vague d'immigration gruge davantage leur territoire. Ils souhaitent négocier avec les gouvernements canadien et provincial une entente qui confirmerait leur antériorité et, ainsi, leurs droits ancestraux. Malheureusement, les tribus ne s'entendent pas entre elles et fragilisent ainsi leur influence auprès des gouvernements, ce qui a pour conséquence de faire durer indéfiniment les pourparlers à leur détriment.

En réalité, le gouvernement fédéral est disposé à accorder plus de territoire aux Amérindiens, mais une telle décision doit être entérinée par le gouvernement de la Colombie-Britannique également. Or, ce dernier refuse de donner davantage de terres aux Amérindiens, arguant que seuls les Blancs ont le droit d'être propriétaires (Francis, Jones et Smith, 1996 : p. 36). Les Amérindiens se retrouvent ainsi, encore une fois, relégués au rang des laissés pour compte de l'histoire canadienne. On leur réserve de petites parcelles de territoire, avec quelques droits spécifiques, et on les décourage de demander davantage. Malgré cela, leurs revendications ne cesseront de revenir dans l'actualité. Encore aujourd'hui, bien que les choses se soient passablement améliorées entre les Amérindiens et le reste des habitants de la province, les conditions de vie difficiles et les revendications des Premières Nations de l'ouest du Canada font régulièrement les manchettes.

2.3 Les caractéristiques sociales et démographiques de la côte Ouest

Au moment de sa fondation, en 1858, la Colombie-Britannique est peuplée principalement d'Amérindiens et de Britanniques. Toutefois, déjà à ce moment, les possibilités économiques qu'offre la province attirent quelques immigrants d'origine américaine et asiatique, qui commencent à affluer sur la côte Pacifique (Roy, 1989).

C'est dans le sud de la province que se concentrent les emplois et, par conséquent, c'est là aussi que s'installe la majorité de la population de la Colombie-Britannique (tableau 10.6). En 1871, la Colombie-Britannique compte 36 000 habitants (dont 12 000 Blancs et 24 000 Amérindiens), alors qu'en 1901 sa population totalise 179 000 habitants (Veyron, 1989 : p. 165) et qu'en 1911 elle atteint presque les 400 000 habitants (Statistique Canada, 1912).

Tableau 10.6   Évolution de la population canadienne entre 1901 et 1911*

	POPULATION 1901	POPULATION 1911	AUGMENTATION (%)
Canada	5 371 315	7 294 772	34
Manitoba	255 211	455 614	78,5
Saskatchewan	91 279	492 432	439,5
Alberta	73 022	374 663	413
Colombie-Britannique	178 657	392 480	119,5

* Statistique Canada, *Collection historique de l'Annuaire du Canada*, <http://www65.statcan.gc.ca/acyb_r000-fra.htm>.

Comme l'illustre le tableau 10.7, partout au pays la population augmente appréciablement. C'est que les politiques d'immigration ne profitent pas seulement aux Prairies. Le tableau renseigne sur l'origine des habitants de la province.

En Colombie-Britannique, en 1901, la population se compose principalement de Canadiens (56 %) – dont la majorité est de descendance britannique et quelques autres de descendance française – et de sujets britanniques (17 %), d'Amérindiens (16 %), d'Étatsuniens (9,6 %) et de Chinois (8 %). La langue anglaise prédomine ainsi largement, mais on y entend également le français, le chinois, le japonais, l'hindi et plusieurs langues amérindiennes.

Les Canadiens britanniques sont majoritaires dans la province. Leur langue, l'anglais, et leur religion, l'anglicanisme, prédominent ainsi également. Cette domination n'est d'ailleurs pas que culturelle, comme nous le verrons plus loin.

Le tableau 10.8 montre que d'autres religions sont pratiquées en Colombie-Britannique en 1901. Les religions chrétiennes comptent le plus d'adeptes, mais on note également la présence de divers cultes amérindiens et de philosophies orientales apportées par les immigrants chinois, japonais et indiens.

2.3.1 La vie urbaine

La population de la Colombie-Britannique est très urbaine. Les villes de Vancouver et de Victoria sont les plus populeuses, comme le montre le tableau 10.9. Sur la côte Ouest, les gens peuvent donc s'installer à la campagne et pratiquer l'agriculture. Ils ont également la possibilité de vivre le long de la côte pour vivre de la pêche, dans l'île de Vancouver pour travailler dans les mines et la forêt, ou encore à Vancouver même, la plus grande ville de la province, pour s'engager dans les saumoneries ou les autres industries.

Tableau 10.7   Origines* de la population de la Colombie-Britannique (Colombie anglaise) en 1901**

	POPULATION TOTALE	ORIGINE CANADIENNE	ORIGINE BRITANNIQUE	ORIGINE AMÉRICAINE	ORIGINE CHINOISE	ORIGINE AUSTRO-HONGROISE	ORIGINE RUSSE	ORIGINE ALLEMANDE	ORIGINE MÉTISSE OU AMÉRINDIENNE
Canada	5 371 315	4 671 815	390 019	127 899	17 043	28 407	21 231	27 300	127 932
Colombie-Britannique	178 657	99 612	30 630	17 164	14 576	1 151	1 007	1 478	28 949

* Lieu de naissance.

** Statistique Canada, *Collection historique de l'Annuaire du Canada*, <http://www65.statcan.gc.ca/acyb_r000-fra.htm>.

Tableau 10.8   Religions présentes au Canada et en Colombie-Britannique selon le recensement de 1901*

	CANADA	COLOMBIE-BRITANNIQUE
Catholiques romains	2 229 600	33 639
Méthodistes	916 886	25 047
Presbytériens	842 442	34 081
Anglicans	680 620	40 689
Baptistes	316 477	6 500
Luthériens	92 524	5 335
Mennonites	31 797	–

* Statistique Canada, *Collection historique de l'Annuaire du Canada*, <http://www65.statcan.gc.ca/acyb_r000-fra.htm>.

Tableau 10.9	Population de quelques villes canadiennes en 1901 et en 1911*	

	1901	1911
Québec	68 840	78 190
Montréal	267 739	470 480
Winnipeg	43 340	136 035
Regina	7 708	70 556
Saskatoon	7 157	51 145
Calgary	4 392	43 704
Edmonton	2 626	24 900
Vancouver	27 010	100 401
Victoria	20 919	31 660

* Statistique Canada, *Collection historique de l'Annuaire du Canada*, <http://www65.statcan.gc.ca/ acyb_r000-fra.htm>.

Le phénomène de l'urbanisation est ainsi bien enclenché sur la côte Ouest en 1905. L'économie diversifiée de la province y joue un très grand rôle. Créée en 1886, Vancouver compte déjà 27 010 habitants en 1901 et près de quatre fois plus 10 ans plus tard. Sa position stratégique entre la terre, desservie par le train du Canadien Pacifique, et la mer, munie d'un important port maritime, offre à la ville les moyens de commercer avantageusement avec maints partenaires. Plusieurs entreprises s'y installent rapidement et créent ainsi de nombreux emplois. Pour sa part, Victoria, la capitale de la Colombie-Britannique, qui jouit elle aussi d'un port de mer, est le centre de la vie politique provinciale.

Dans les faits, la population vit davantage en ville, notamment à Vancouver, dont les habitants proviennent de différents pays car, l'emploi étant abondant, l'immigration l'est également. Ainsi, la Colombie-Britannique est peuplée en particulier d'habitants provenant de trois continents : l'Amérique, avec les immigrants provenant des États-Unis, l'Asie, avec les immigrants chinois, japonais ou indiens, et surtout l'Europe, avec les immigrants britanniques principalement. Tous ces nouveaux arrivants sont là pour trouver un travail que leur refusait leur pays d'origine. C'est donc encore une fois l'espoir de trouver une vie meilleure qui les fait se déplacer jusque dans les terres de l'Ouest canadien.

Malgré tout, les habitants de la Colombie-Britannique sont relativement isolés du reste du Canada. Le train permet, bien sûr, de traverser le pays, mais le voyage est long. Bien que le sentiment loyaliste soit fort chez les Canadiens d'origine britannique, le sentiment d'appartenance au Canada se développe plus lentement qu'ailleurs, surtout chez les immigrants.

Vers 1905, la présence francophone en Colombie-Britannique est margi-nale. Les Canadiens français représentent moins de 5 % de la population de la province.

2.3.2 Un visage différent du reste du Canada

L'arrivée massive d'immigrants étrangers en Colombie-Britannique crée une dynamique ethnique tout à fait originale au Canada. En effet, du fait que les Chinois, les Indiens et les Japonais s'installent en grand nombre sur le terri-toire, il leur est possible de conserver leur religion et parfois même leur langue d'origine. Ainsi, à Vancouver, on peut entendre parler le mandarin, le japo-nais et l'hindi. Cette réalité ne va pas sans entraîner certains problèmes.

2.3.3 Le nationalisme canadien-anglais, ou une province pour l'homme blanc

La présence de plus en plus importante d'immigrants d'origine étrangère (autre que britannique) contribue à la montée, chez les Canadiens anglais, d'un nationalisme « nativiste », qui discrimine selon la naissance. C'est que la majorité canadienne-anglaise craint que tous ces nouveaux venus s'intègrent mal à la culture anglo-protestante dominante.

Le projet des dirigeants de la Colombie-Britannique de cette époque est ainsi de « construire une province d'hommes blancs »: « British Columbia must be kept white […] We have the right to say that our own kind and color shall enjoy the fruits of our labour » (Richard McBride, 1912, cité dans Roy, 1989: p. 229). Ils se basent donc sur le degré de proximité des arrivants avec la Grande-Bretagne pour juger de leur qualité. Ainsi, les Européens du Centre ou du Sud sont perçus comme pouvant mieux s'intégrer à la vie politique et économique qu'un immigrant asiatique ou d'Italie du Sud, par exemple. Même la politique fédérale d'immigration de l'époque, que ce soit celle de Macdonald ou de Laurier, de Sifton ou d'Oliver à partir de 1905, est teintée de ce régime de « sélection », qui fonctionne bien dans les Prairies, mais qui ne réussit pas à freiner totalement l'arrivée de nouveaux immigrants asiatiques.

2.3.4 La discrimination à l'égard des Asiatiques

En dépit des tentatives d'Oliver, au fédéral, et des dirigeants de la province de limiter l'immigration en provenance de Chine ou d'autres pays asiatiques, les immigrants de ces régions du monde continuent d'affluer sur la côte ouest du Canada. Certes, les quelques centaines de dollars réclamés par le gouver-nement pour la venue d'un immigrant contribuent fortement à diminuer les entrées. Cependant, les compagnies travaillant à la construction du Canadien Pacifique y gagnent au change en engageant des travailleurs chinois plutôt que canadiens, car les Chinois, en position précaire, travaillent plus longtemps et plus durement pour moins cher. C'est pourquoi elles paient volontiers la

« taxe d'immigration » de plusieurs Chinois, ou les font venir illégalement, afin qu'ils se chargent des tâches dangereuses que les autres travailleurs refusent (Francis, Jones et Smith, 1996 : p. 68).

Cette présence étrangère crée un sentiment d'inconfort, voire d'hostilité, dans la population, surtout après la période faste de la ruée vers l'or (Roy, 1989). Pour se protéger, les Chinois s'installent souvent dans les mêmes quartiers, forment des petits « Chinatown » et sont ainsi accusés de ne pas s'intégrer à la société. Pour d'autres, cela n'est pas nécessairement un problème, puisque l'intégration des Asiatiques entraînerait un mélange de « races ».

À cette époque, la croyance voulant que les hommes de couleur soient inférieurs aux hommes blancs est courante au Canada, comme en témoigne cet extrait d'un journal local à propos du mariage entre un Chinois et une femme blanche : « C'est au moment où nous contemplons ces unions contre nature que nous touchons au cœur du problème asiatique – la mixité des races. La mixité des races est le principal danger de l'occupation asiatique de notre pays, car mixité des races signifie détérioration de la race » (*Saturday Sunset*, 17 avril 1909, cité dans Roy, 1989 : p. 18, traduction libre). Ce type d'union n'est pas fréquent, même si le nombre de femmes d'origine chinoise en Colombie-Britannique est très faible, en raison notamment de la taxe d'entrée imposée aux Chinois, qui ne peuvent ainsi faire venir leurs femmes et leurs enfants. Notons au passage que les unions entre hommes blancs et Amérindiennes n'ont pas meilleure presse dans la société britannique (Perry, 2001).

Ainsi, en réaction à un article de journal londonien dans lequel le journaliste décrit la grande ouverture et la tolérance dont jouissent les immigrants chinois en Colombie-Britannique avant 1870, l'auteure Patricia E. Roy soutient que la situation change :

> Au début des années 1870, cependant, les Chinois de la Colombie-Britannique n'étaient pas « bien traités » , ils n'avaient pas les mêmes droits, libertés et privilèges que les autres, « la grande majorité de la population » s'opposait à leur venue dans le pays et certainement, la peur des Chinois était plus qu'un spectre ressenti seulement par « quelques âmes nerveuses » (Roy, 1989 : p. 3, traduction libre).

Pendant la période suivant l'entrée de la province dans la fédération canadienne, les voix de la population d'origine britannique se font entendre de plus en plus fort et les critiques se multiplient. L'ambiance générale est à la xénophobie. Le premier ministre canadien sir John A. Macdonald tient des propos racistes à l'égard des Chinois :

> As early as 1882, in Parliament and on the Ontario hustings, Macdonald referred to the Chinese as « an inferior race », « semi-barbarians », or « machines with whom Canadians could not compete » but whose labour was necessary for railway construction[8].

---

8. Extraits tirés des discours de Macdonald, Commons, *Debates*, 12 mai 1882, p. 1471 ; *Colonist*, 23 juin 1882 ; *Standard*, 7 juin 1882 ; *Mainland Guardian*, 8 juillet 1882 ; Commons, *Debates*, 30 avril 1883, p. 905 ; et reproduits dans Roy, 1989, p. 63.

Bref, les Canadiens ont besoin de cette main-d'œuvre bon marché prête à occuper les pires emplois, mais ils ne souhaitent pas voir le Canada changer de visage. Aussi les Chinois sont-ils accusés de maints torts. Ils sont jugés immoraux et improductifs. Les jeux de hasard qui vident les poches des jeunes Britanniques, les pipes d'opium qui brouillent les esprits, la prostitution des jeunes esclaves chinoises de Chinatown et les habitudes dites malpropres des Chinois sont décriés par les réformateurs moraux de la fin du siècle. De même, ironiquement, leur mode de vie frugal et leur tendance à vouloir retourner dans leur pays sont perçus comme peu utiles à la vie économique de la province (Roy, 1989).

Plusieurs actes de discrimination contre les immigrants d'origine asiatique sont perpétrés en Colombie-Britannique à cette époque. On casse les vitrines de boutiques dont le propriétaire est asiatique, on trace des graffitis injurieux à leur endroit sur les murs de la ville, etc. Parallèlement à ces actes isolés de vandalisme violent, des habitants créent l'Union anti-Chinois et l'Union anti-mongoliens (qui englobe à la fois les Chinois et les Japonais). L'Union anti-Chinois vise à réduire la présence chinoise par des actions dites «pacifiques» telles que des propositions interdisant l'immigration des Chinois et favorisant leur départ, l'organisation de discours publics antichinois ou encore l'appel au boycottage des entreprises engageant des travailleurs chinois (Roy, 1989: p. 59-61). Malgré cela, le flot d'immigrants asiatiques se maintient. Tellement qu'en 1911, 10 % de la population de la Colombie-Britannique est d'origine asiatique (Francis, Jones et Smith, 1996: p. 68).

Même si leur poids démographique est important, les habitants d'origine asiatique sont victimes d'un racisme institutionnel. Bien qu'ils soient protégés par les lois et traités en vigueur, certains droits civiques leur sont interdits. Par exemple, ils sont victimes du «Chinese immigration Act» imposé partout au Canada par le gouvernement de Macdonald, et ceux qui restent au pays n'auront pas le droit de voter avant 1950, tant au provincial qu'au fédéral (Veyron, 1989).

2.4 | Les caractéristiques économiques de la côte Ouest

Tout comme c'est le cas au Québec et dans les Prairies, l'agriculture est une activité importante en Colombie-Britannique. Toutefois, contrairement aux Prairies, la province du Pacifique jouit d'une grande diversité économique. La variété de son territoire et ses caractéristiques géographiques particulièrement avantageuses lui offrent plusieurs possibilités de développement économique. Ses vallées sont fertiles. Ses côtes et ses cours d'eau riches en poissons et espèces marines de toutes sortes favorisent l'activité de la pêche. Ses forêts comptent une multitude d'arbres de différentes espèces propices à l'industrie forestière et ses sols sont riches en or, en charbon et en fer, ce qui ne manque pas d'intéresser rapidement les promoteurs de l'industrie minière. En fait, au début du XXe siècle, la société de la côte Ouest est bel et bien une société industrielle.

2.4.1 L'agriculture

Les activités agricoles de la province se concentrent le long de la vallée du fleuve Fraser. Le blé, l'avoine et le foin sont, tout comme au Québec et dans les Prairies, les principales cultures exploitées. Le climat, plus doux que celui des Prairies, favorise les récoltes abondantes, permet la culture des fruits et facilite le travail des agriculteurs.

2.4.2 La prospérité par la pêche

Les habitants de la Colombie-Britannique peuvent également se consacrer aux pêcheries qui, en raison de l'abondance des cours d'eau et de la richesse de l'océan, prospèrent rapidement. C'est toutefois principalement dans la vallée du Fraser et le long des côtes que la pêche est le plus souvent pratiquée. Le phoque, le hareng, le flétan et surtout le saumon sont les principales espèces chassées ou pêchées dans cette région.

D'ailleurs, l'abondance du saumon sur les côtes et dans les rivières entraîne la création de plusieurs saumoneries, autour desquelles émergera un important commerce d'exportation de produits transformés, qui est d'ailleurs toujours en exploitation de nos jours.

2.4.3 La foresterie

Si la Colombie-Britannique se construit grâce à la ruée vers l'or, c'est au commerce du bois qu'elle doit, dès 1871, la constance de son développement économique (Roy, 1989).

En plus de ses terres fertiles et de ses eaux poissonneuses, la Colombie-Britannique bénéficie d'une forêt luxuriante offrant de grandes possibilités à l'industrie forestière, aux usines de pâtes et papiers et à toute une population de bûcherons, dont certains sont des Canadiens français venus du Québec (figure 10.9). Au début du XXe siècle, le marché du bois est en pleine expansion au Canada et la Colombie-Britannique en profite allègrement. D'autant plus que le chemin de fer, le Canadien Pacifique, qui atteint la côte Ouest depuis le 27 novembre 1885, favorise le transport des marchandises autant que celui des personnes. Les Prairies, qui n'exploitent pas la forêt, sont l'acheteur principal du bois de la côte Ouest (Robinson, 2011).

2.4.4 Les ressources minières

La côte Pacifique de même que l'île de Vancouver sont, comme nous l'avons mentionné, riches en minéraux tels que l'or, l'argent, le zinc, le fer, le charbon et le plomb. À cette époque, au début du XXe siècle, les demandes en ressources minérales sont constantes. Le développement économique favorise

Figure 10.9 Ressource économique inestimable, le sapin Douglas de la
Colombie-Britannique est reconnu pour sa taille énorme.

la consommation de grandes quantités de charbon comme source d'énergie.
Les industries, les manufactures et les usines de la province, mais aussi du reste
du Canada et même, de plus en plus, de l'étranger, éprouvent également un
grand besoin de ces matières premières.

Cette forte demande contribue à la croissance de l'industrie minière.
Malgré l'extrême difficulté du travail dans les mines, de nombreux ouvriers se
ruent pour y trouver un emploi. La classe ouvrière ne craint pas la dure
besogne. D'abord, il faut creuser les tunnels permettant l'accès aux gisements. Cette opération se fait par dynamitage et ce sont les travailleurs,
souvent d'origine chinoise, qui doivent manipuler ce dangereux explosif.
Plusieurs de ces ouvriers trouvent la mort au cours de cette étape. D'autres
encore meurent lors d'un coup de grisou ou d'un effondrement des parois.
Bref, le métier de mineur est un métier des plus ardus et des plus dangereux.

2.4.5 La ruée vers l'or

La présence de gisements d'or dans les sous-sols de la province attire, depuis les années 1850, de nombreux travailleurs et aventuriers. Ces derniers, provenant d'un peu partout au Canada et des États-Unis, entreprennent le voyage dans l'espoir de faire fortune. Les gisements s'épuisent toutefois assez rapidement, ce qui pousse les chercheurs d'or vers le nord de la province. En fait, la plupart d'entre eux continuent leur route jusqu'au Yukon, où les gisements sont plus abondants. Ces déplacements massifs de gens rêvant de richesse justifient l'expression « ruée vers l'or » qui désigne cette époque. Il n'empêche que cette affluence de travailleurs, majoritairement des hommes, transforme le visage de la Colombie-Britannique.

2.4.6 Les Amérindiens et la ruée vers l'or

En effet, les chercheurs d'or traversent dans le désordre le plus complet les territoires autochtones. Ils chassent où et quand bon leur semble, détruisent les pièges des Amérindiens, sont bruyants, peu respectueux, etc.

Les Amérindiens, qui sont peu nombreux à profiter de la richesse issue de l'exploitation des mines d'or, s'offusquent du manque de respect de ces « Blancs » pour la nature et leur mode de vie. Ils s'inquiètent également des conséquences de ce trafic intense des ressources naturelles essentielles à leur survie (Francis, Jones et Smith, 1996).

2.4.7 L'arrivée du Canadien Pacifique en Colombie-Britannique

L'entrée de la Colombie-Britannique dans la fédération canadienne était conditionnelle au prolongement du chemin de fer transcontinental jusque dans l'ouest de la province. La promesse est tenue et plusieurs emplois d'ouvriers ferroviaires sont créés. Ce labeur est lui aussi très difficile, car il faut traverser les Rocheuses, qui constituent ni plus ni moins de véritables murs de pierre. Il faut donc recourir ici encore aux explosifs. Des ponts doivent aussi être construits sur les vallées et les failles. Ces travaux hautement risqués font plusieurs morts dont un certain nombre sont des travailleurs immigrants.

Bref, établir une communication entre le reste du Canada et la Colombie-Britannique représente une tâche colossale. Néanmoins, les efforts surhumains des travailleurs portent des fruits. L'exploit est accompli en 1885. Le transport et les communications entre l'est et l'ouest, entre l'Atlantique et le Pacifique, sont désormais facilités.

Les choses ne sont pas aisées pour autant, car les compagnies ferroviaires, conscientes d'être indispensables pour les marchands et les fermiers, demandent des tarifs exorbitants pour le transport des marchandises. Faute de solution de rechange, les fournisseurs se voient dans l'obligation de payer les prix exigés. Cette période est donc très prospère pour les compagnies de chemin de fer (figure 10.10).

Figure 10.10 Le réseau de chemin de fer vers 1905

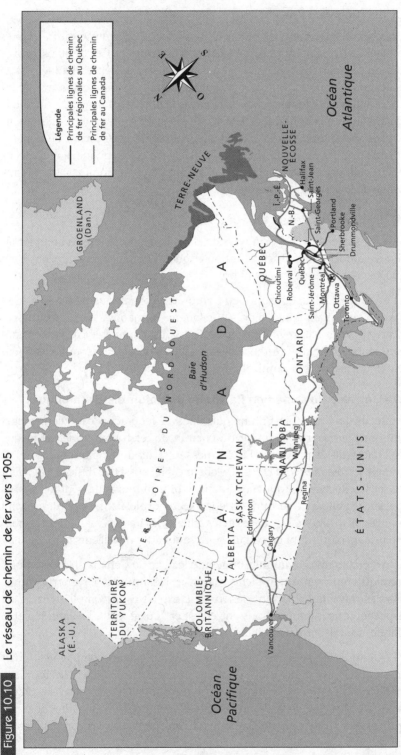

Les ouvriers chinois qui travaillent à la construction du chemin de fer du Canadien Pacifique mènent une vie pénible et dangereuse (figure 10.11). Sur les 5 000 ouvriers chinois de 1880, 3 500 meurent à la tâche (selon Canadiana. org). Les Chinois ne sont toutefois pas les seuls travailleurs étrangers. Les Italiens, les Indiens et plusieurs autres groupes d'immigrants ont contribué à l'édification de cet indispensable outil de développement économique du pays.

2.4.8 L'océan Pacifique comme horizon économique

Le transport par bateau se développe rapidement au XIXe siècle et la Colombie-Britannique devient une ouverture portuaire sur un tout nouveau marché. L'activité portuaire n'y est toutefois pas entièrement nouvelle, car c'est depuis la moitié du XIXe siècle que des navires étasuniens y accostent et se chargent de denrées pour les acheminer vers les régions situées plus au sud.

Au tournant du XXe siècle, en revanche, le transport par bateau est géré par la province, avec l'aide du Canada, et l'objectif n'est pas seulement d'écouler les marchandises par la mer, mais aussi de créer un réseau d'échange avec d'autres pays. En effet, le continent asiatique se trouve de l'autre côté de l'océan et abrite toute une population prête à acheter les denrées.

Flairant la bonne affaire, le gouvernement fédéral achète de la Grande-Bretagne, en 1889, trois paquebots qui font la navette mensuellement entre Vancouver, le Japon et la Chine. C'est ainsi que prend forme un commerce très actif qui persiste toujours aujourd'hui (Brown, 1987 : p. 430).

Figure 10.11   Travailleurs chinois du chemin de fer

Le développement des ports et des voies navigables contribue, tout comme c'est le cas dans la province de Québec, à l'émergence d'une économie plus spécialisée. Des industries et les sièges sociaux des compagnies de transport commencent à s'installer tout autour de ces ports. Elles jouissent ainsi d'une proximité avec les autres moyens de transport et profitent plus rapidement des produits qui débarquent des navires. L'industrialisation de la Colombie-Britannique va ainsi bon train.

2.4.9 La condition ouvrière

Les conditions de vie des travailleurs de la Colombie-Britannique sont tout aussi difficiles que celles des autres travailleurs au Canada. En effet, les propriétaires d'industries écartent de leur mieux toutes les tentatives de syndicalisation. Ils gardent les salaires au plus bas et font travailler leurs salariés un nombre effarant d'heures chaque jour. Il n'existe alors aucune loi efficace pour protéger les prolétaires.

Cependant, les disparités entre la riche minorité possédante et la majorité ouvrière outrageusement pauvre provoquent tranquillement, dans la deuxième moitié du XIXᵉ siècle, l'apparition d'une conscience de classe chez les salariés (Couturier, 1996). Cela dit, selon Warburton (1989), les frontières sociales et économiques en Colombie-Britannique ont résulté davantage des différences de « race » que des différences de classe.

Quoi qu'il en soit, les ouvriers de la fin du XIXᵉ siècle commencent à se reconnaître un droit à une vie meilleure et souhaitent se donner les moyens d'y parvenir. Ils se regroupent donc en syndicats. Les rangs de ces derniers gonflent rapidement, donnant lieu aux premiers rassemblements ouvriers de la province. En 1890, la Colombie-Britannique compte 25 unités syndicales, et en 1902, près de 140 (Couturier, 1996 : p. 138).

La majorité des femmes de Colombie-Britannique qui sont mariées à des ouvriers travaillent elles aussi, afin de procurer un revenu d'appoint à leur famille. Tout comme dans les autres villes canadiennes et ailleurs en Occident, les femmes gagnent moins cher que les hommes. C'est que la répartition des rôles entre les sexes est encore bien définie à cette époque et il est difficile d'en sortir. Les femmes doivent normalement rester à la maison. Si elles entrent dans les usines, c'est qu'elles ne sont pas mariées, qu'elles n'ont pas encore d'enfants ou qu'elles doivent aider leur mari. Dans tous les cas, elles ne gagnent pas le même salaire qu'un homme, et cela même pour un emploi similaire. L'homme est le chef de famille, le pourvoyeur économique. Comme c'est lui qui doit apporter l'argent à la maison, c'est donc à lui que revient le plus haut salaire. Il faudra aux femmes multiplier les luttes pour corriger cette injustice.

De même, les enfants, dès qu'ils sont assez grands, travaillent eux aussi plutôt que d'aller à l'école. Du moins cela est-il vrai jusqu'en 1872, année où le premier ministre provincial Amor de Cosmos proclame l'éducation obligatoire pour tous les enfants de 7 à 15 ans. Cette loi aidera grandement à abolir le travail des enfants dans cette province. Au Québec, la loi interdisant le travail des enfants de moins de 14 ans n'est proclamée qu'en 1911 (Veyron, 1989).

3 | COMPARAISON ENTRE LES SOCIÉTÉS DU QUÉBEC, DES PRAIRIES ET DE LA CÔTE OUEST VERS 1905

Nous étudierons ici divers tableaux comparatifs qui mettent en relation les trois sociétés citées dans le présent chapitre. Chacune de ces régions a son histoire propre. Le Québec est une société ancienne comparativement aux deux autres. La colonisation de son territoire par les Européens date déjà de 300 ans. Les Prairies sont également fréquentées depuis longtemps par les voyageurs et les coureurs des bois, mais leur colonisation intensive est très récente. Bien sûr, des Amérindiens et des Métis étaient déjà installés sur ces terres depuis longtemps. Néanmoins, en 1905, la société des Prairies est encore balbutiante. Enfin, la côte Ouest est pour sa part habitée par les peuples amérindiens et, depuis 1858, officiellement, par une communauté de descendants britanniques qui sont en général très attachés à la couronne d'Angleterre, à ses valeurs et à sa culture. L'immigration dans cette région commence à se faire plus intense à la fin du XIXe siècle, mais la provenance des arrivants est bien différente dans cette province faisant face à l'océan Pacifique.

3.1 | Les atouts et contraintes des territoires des trois sociétés vers 1905

Le territoire sur lequel évoluent les sociétés du Québec, des Prairies et de la côte Ouest présente des différences importantes. Les tableaux 10.10 et 10.11 illustrent ces différences en ce qui a trait aux caractéristiques physiographiques et climatiques.

Les trois sociétés possèdent des terres fertiles propices à l'agriculture et un sous-sol riche en minéraux. Toutefois, comme nous le verrons plus loin dans le tableau 10.17, les produits cultivés et les minéraux diffèrent d'une région à l'autre. De même, le Québec, la partie orientale de l'Alberta et la côte Ouest sont couverts en partie de chaînes de montagnes. Le Québec et la côte Ouest présentent plusieurs similitudes quant à leurs atouts : accès à l'océan, terres fertiles, réseau hydrographique important. Mais leur position géographique, leur histoire et leur population font en sorte que des systèmes politiques et économiques différents s'y développent.

Tableau 10.10   Caractéristiques physiographiques des trois sociétés

	CHAÎNE MONTAGNEUSE	PLAINES	BASSES-TERRES	TERRES ARABLES	COURS D'EAU ABONDANTS	ACCÈS À L'OCÉAN	SOUS-SOL RICHE EN MINÉRAUX
Québec	X	–	X	X	X	X	X
Prairies	–	X	–	X	–	–	X
Côte Ouest	X	–	–	X	X	X	X

Tableau 10.11   Caractéristiques climatiques des trois grandes villes canadiennes de Montréal (1905), de Calgary (1908) et de Vancouver (1907)

	PRÉCIPITATIONS MOYENNES EN ÉTÉ (mai à août)	PRÉCIPITATIONS MOYENNES EN HIVER (novembre à février)	TEMPÉRATURES MOYENNES EN JANVIER	TEMPÉRATURES MOYENNES EN JUILLET
Montréal	300 mm de pluie	410 cm de neige	−13	22 °C
Calgary	380 mm de pluie	15 cm de neige	−6	17 °C
Vancouver	160 mm de pluie	1000 mm de pluie	−3	17 °C

Le climat des trois régions diffère beaucoup. Les températures moyennes des Prairies et de la côte Ouest sont comparables en hiver comme en été, mais il en va autrement pour le Québec, qui connaît des écarts de température plus importants. L'interprétation des moyennes peut toutefois prêter à confusion, car les Prairies et la côte Ouest, bien qu'ayant des moyennes effectivement comparables, ne présentent pas du tout les mêmes caractéristiques climatiques. Par exemple, le climat des Prairies est beaucoup plus aride que celui de la Colombie-Britannique, beaucoup plus tempéré. L'agriculture des Prairies est toujours fragilisée par des étés courts et secs, parfois marqués de sécheresses rigoureuses. Les hivers y sont également très durs. L'absence d'arbres expose les habitations des paysans, souvent précaires, aux forts vents du nord, ce qui n'en facilite pas le chauffage. L'hiver, le Québec se couvre d'une moyenne de 400 cm de neige et Vancouver reçoit 1 000 mm de pluie. Au contraire, les précipitations sont plutôt rares dans les Prairies pendant l'hiver. Par ailleurs, en 1905, les précipitations estivales semblent avoir été abondantes dans les Prairies et au Québec, alors qu'elles le sont moins à Vancouver pour cette période. Cela dit, les Prairies sont souvent aussi victimes de grandes sécheresses pendant cette saison. Aussi faut-il garder à l'esprit qu'une comparaison climatique sur une seule année ne donne pas nécessairement des renseignements généralisables.

3.2 La vie politique – le droit de vote

Les trois régions sont parties prenantes de la Confédération canadienne. Elles sont assujetties aux mêmes lois fédérales. Cependant, toutes les provinces ont leur propre gouvernement et votent des lois qui ne s'appliquent qu'à leurs citoyens. Dans la présente section sur la vie politique, nous examinerons l'évolution du droit de vote au Québec, dans les Prairies et en Colombie-Britannique.

Bien que le Canada soit une démocratie représentative depuis sa fondation, il ne s'ensuit pas que tous les habitants aient le droit de prendre part à la vie politique du pays. Par exemple, aux élections fédérales du 26 octobre 1908, sur les 5 371 000 Canadiens, seuls 1 463 593 ont le droit de voter et seulement 1 180 820 se prévaudront de ce droit (Élections Canada). C'est donc 27 % de la population qui a le droit de décider de l'avenir du pays à ce moment. C'est qu'au moment de la création du Canada, seuls les hommes de race blanche, de plus de 21 ans et propriétaires (ou ayant un certain revenu) jouissent de ce droit (Élections Canada). En 1867, 16 % de la population canadienne répond à ces critères.

Les luttes pour l'obtention du droit de vote des minorités canadiennes ont commencé au XIXe siècle, mais les résultats ont été parfois lents à survenir. Le tableau 10.12 indique l'année d'obtention du droit de vote de ceux qui en avaient été privés jusque-là : les femmes, les Amérindiens et certains immigrants (ceux d'origine asiatique, dans ce cas-ci).

Tableau 10.12　Évolution de l'attribution du droit de vote au Canada*

	FEMMES	AMÉRINDIENS	CANADIENS D'ORIGINE ASIATIQUE
Canada	1918	1960	1948
Colombie-Britannique	1917	1949	1949
Manitoba	1916	1952	–
Saskatchewan	1916	1960	–
Alberta	1916	1967	–
Québec	1940	1969	–

* D'après les sites Élections Canada (www.elections.ca) et AlbertaSource.ca (www.albertasource.ca/).

Il aura fallu le mouvement des suffragettes et des combattantes comme Idola Saint-Jean, Thérèse Casgrain, Nellie McClung et Mary Two-Axe Early pour modifier les mentalités et ouvrir les portes de la démocratie canadienne au plus grand nombre de citoyens. Les provinces de l'Ouest sont les premières à accorder le droit de vote aux femmes en 1916 et 1917. La pression que l'effort de guerre fait peser sur le système politique canadien pousse le Canada à emboîter le pas aux provinces de l'Ouest en 1918. Le Québec, soumis à l'idéologie ultramontaine, puis clérico-conservatrice, résiste longtemps avant d'octroyer le même droit aux Québécoises, qui devront attendre jusqu'en 1940 avant de pouvoir se présenter aux urnes. Pour leur part, les Amérindiens, les premiers habitants du territoire, ont été les derniers à recevoir ce droit. Là encore, le Québec arrive bon dernier. Enfin, les immigrants asiatiques, surtout les Chinois, ont été pendant longtemps victimes de lois discriminatoires, parmi lesquelles l'interdiction de voter fut levée seulement quelques années après la Seconde Guerre mondiale. Ainsi, longtemps les lois et les politiques qui ont régné sur les sociétés canadiennes ont été celles des seuls hommes blancs.

3.3 | La société

Les sociétés des trois régions comparées présentent elles aussi quelques similitudes et différences. Toutes trois se composent d'habitants aux origines et aux cultures diverses, mais le portrait de chacune est bien particulier. Nous étudierons plus en détail les données relatives à la population, à son évolution, à l'origine de ses habitants, aux principales langues parlées et aux principales religions.

Ainsi que nous l'avons vu plus tôt, la population canadienne croît de manière exponentielle entre la fin du XIXe siècle et le début du XXe. Cette croissance est toutefois inégale d'une province à l'autre, comme le montre le tableau 10.13. C'est dans les provinces des Prairies que la population augmente de la manière la plus spectaculaire : plus de 400 % pour l'Alberta et la Saskatchewan. Ces dernières sont au centre des campagnes publicitaires du ministère de l'Immigration du Canada. Les efforts déployés ont des résultats phénoménaux. Cela dit, la côte Ouest reçoit elle aussi énormément de nouveaux arrivants. La croissance démographique du Québec est moins impressionnante, mais demeure tout de même élevée, en raison de l'immigration, mais également d'un taux de natalité favorable.

Le tableau 10.14 indique la composition de la population canadienne selon l'origine en 1901. La grande majorité des habitants canadiens sont nés au pays : c'est le cas de 95 % des Québécois, de 66 % des gens des Prairies et de 56 % des habitants de la Colombie-Britannique. Il faut cependant noter qu'en 1901, la marée migratoire commence seulement à déferler sur les Prairies. Ce mouvement prendra de l'expansion et se diversifiera beaucoup

Tableau 10.13	Évolution de la population canadienne entre 1901 et 1911*		
	POPULATION 1901	**POPULATION 1911**	**AUGMENTATION (%)**
Canada	5 371 315	7 294 772	34
Québec	1 648 898	2 002 712	21,5
Manitoba	255 211	455 614	78,5
Saskatchewan	91 279	492 432	439,5
Alberta	73 022	374 663	413
Côte Ouest	178 657	392 480	119,5

* Statistique Canada, *Collection historique de l'Annuaire du Canada*, <http://www65.statcan.gc.ca/acyb_r000-fra.htm>.

dans la décennie suivante. Il est également intéressant de noter la présence appréciable des groupes métis et amérindiens dans les provinces des Prairies et sur la côte Ouest, alors qu'au Québec leur présence est déjà marginalisée par des siècles d'immigration européenne.

La diversité des immigrants entraîne nécessairement une diversification des sociétés sur le plan culturel. Plusieurs langues sont parlées et maintes religions sont pratiquées au Canada, comme l'illustrent les tableaux 10.15 et 10.16. Vers 1905, l'anglais domine largement dans toutes les provinces canadiennes, sauf au Québec, où la langue française est la langue maternelle de 80 % de la population. Le tableau 10.15 montre bien la dualité historique du Québec. Les deux peuples colonisateurs, français et britannique, représentent encore en 1905 la quasi-totalité des habitants de la province. Dans les Prairies et sur la côte Ouest, la présence francophone devient marginale, alors que l'anglais y domine, mais dépasse tout juste la moitié de la population dans les Prairies. En Colombie-Britannique, les Britanniques et les Canadiens d'origine britannique forment la majorité dominante à 64 %. Dans cette région, l'immigration étrangère est de plus en plus importante, mais la présence autochtone l'est tout autant. Aussi les régions à l'ouest de l'Ontario commencent-elles déjà à prendre un visage différent.

La présence de longue date d'immigrants d'origine européenne, française ou britannique, s'illustre par ailleurs dans les manifestations religieuses, comme nous pouvons le constater dans le tableau 10.16. En 1901, le Canada est un pays chrétien. Ses habitants adhèrent principalement au catholicisme romain (42 %) et à une forme ou l'autre du protestantisme (54 %). Les catholiques romains sont le groupe dominant au Québec (87 %) et dans ce qui est ici nommé les Prairies (18 %). Les presbytériens dominent au Manitoba (26 %). Enfin, les anglicans, en provenance de l'Angleterre, sont les plus nombreux dans la province de la côte Ouest (23 %).

Tableau 10.14   Origines* de la population du Québec, des Prairies et de la côte Ouest en 1901**

	POPULATION TOTALE	ORIGINE CANADIENNE	ORIGINE BRITANNIQUE	ORIGINE AMÉRICAINE	ORIGINE CHINOISE	ORIGINE AUSTRO-HONGROISE	ORIGINE RUSSE	ORIGINE ALLEMANDE	ORIGINE MÉTISSE OU AMÉRINDIENNE
Canada	5 371 315	4 671 815	390 019	127 899	17 043	28 407	21 231	27 300	127 932
Québec	1 648 898	1 560 190	42 603	28 405	1 043	–	2 670	1 543	10 142
Manitoba	255 211	180 859	33 093	6 922	–	11 570	8 854	2 285	16 277
Prairies (territoires)	158 940	91 535	17 347	13 877	–	13 407	14 585	2 170	26 304
Côte Ouest	178 657	99 612	30 630	17 164	14 576	1 151	1 007	1 478	28 949

* Lieu de naissance.

** Statistique Canada, *Collection historique de l'Annuaire du Canada*, <http://www65.statcan.gc.ca/acyb_r000-fra.htm>. L'annuaire présente les données du Manitoba à part, bien sûr. L'Alberta et la Saskatchewan sont rassemblées dans l'appellation « territoires » , qui correspond à la superficie des Territoires du Nord-Ouest.

Tableau 10.15   Principales langues parlées au Québec, dans les Prairies et sur la côte Ouest en 1911*

	QUÉBEC (1905)	PRAIRIES	CÔTE OUEST
Anglais	18 %	54 %	64 %
Français	80 %	5,6 %	2,5 %
Chinois	–	–	5 %
Autres	2 %	40,4 %	28,5 %

* <Recitus.qc.ca> (pour le Québec et la côte Ouest) et Statistique Canada, *Collection historique de l'Annuaire du Canada*, <http://www65.statcan.gc.ca/acyb_r000-fra.htm> (pour les Prairies).

Tableau 10.16   Principales religions présentes au Canada (Québec, Manitoba, Prairies, Colombie-Britannique) selon le recensement de 1901*

	CANADA	QUÉBEC	MANITOBA	PRAIRIES	COLOMBIE-BRITANNIQUE
Population totale	5 371 315	1 648 898	255 211	164 301	178 657
Catholiques romains	2 229 600	1 429 260	35 672	30 073	33 639
Protestants	2 880 746	191 712	377 626	92 896	111 652
– Méthodistes	916 886	42 014	49 936	22 151	25 047
– Presbytériens	842 442	58 013	65 348	27 866	34 081
– Anglicans	680 620	81 563	44 922	25 366	40 689
– Baptistes	316 477	8 480	9 166	5 416	6 500
– Luthériens	92 524	1 642	16 542	12 097	5 335

* Statistique Canada, *Collection historique de l'Annuaire du Canada*, <http://www65.statcan.gc.ca/acyb_r000-fra.htm>.

Au début du XXe siècle, les sociétés canadiennes sont encore très soumises aux prescriptions de leurs religions. D'ailleurs, plusieurs des communautés qui peuplent l'Ouest, comme les mennonites et les doukhobors, ont choisi de s'établir au Canada afin de pouvoir vivre leur foi en paix. De même, plusieurs grands hommes politiques, tant au Québec que dans les Prairies ou sur la côte Ouest, sont également des hommes d'Église ou des ministres du culte. Cette réalité n'est pas sans conséquence à la fois pour la vie politique et les idéologies souvent conservatrices qui guident les décisions et orientent d'une certaine manière le développement économique.

3.4 L'économie

En 1905, le Canada entre dans l'ère industrielle. Le Québec est dans sa seconde phase d'industrialisation et son économie tourne principalement autour de l'exploitation mécanisée des ressources naturelles, qui sont de plus en plus transformées. Les Prairies sont principalement agricoles, mais leurs installations jouissent également des avancées technologiques existantes, alors que sur la côte Ouest, l'industrie occupe, comme au Québec, la plus grande part des activités économiques de la province. Partout au pays, l'économie est encore très liée à l'exploitation des ressources naturelles.

Le tableau 10.17 offre une comparaison des ressources naturelles présentes sur les territoires des trois régions.

Tableau 10.17   Ressources naturelles présentes au Québec, dans les Prairies et sur la côte Ouest

	QUÉBEC	PRAIRIES	CÔTE OUEST
Terres fertiles	Oui	Oui	Oui
Mines	Oui	Oui	Oui
Forêts	Oui	Non	Oui
Eau (Poissons)	Oui	Non	Oui

Ce qui frappe dans ce tableau, c'est l'absence de forêts et de cours suffisamment importants pour ouvrir l'économie des Prairies à la foresterie et à l'industrie de la pêche. Ces dernières se retrouvent, du coup, dépendantes de leurs voisins pour ce qui est de l'approvisionnement en bois et en certaines denrées alimentaires, bien que leur spécialité soit la production agricole.

Les trois régions possèdent des terres fertiles propices à l'agriculture, mais les productions diffèrent selon les types de sols et le climat. Ainsi, le Québec, après une crise agricole importante due en partie à l'appauvrissement du sol, passe à une agriculture industrielle axée sur la production laitière, bien qu'on y trouve également des fermes céréalières, des porcheries et des élevages de volaille. Les Prairies, quant à elles, exploitent industriellement surtout le blé et d'autres céréales. Néanmoins, on dénombre là-bas quelques fermes d'élevage de porcs, de bœufs et de volaille. Sur la côte Ouest, l'agriculture est aussi présente à l'intérieur du continent, notamment dans la vallée de l'Okanagan pour la production des fruits, mais n'occupe pas une place centrale dans l'économie provinciale.

Ensuite, comme nous l'avons constaté, toutes les régions jouissent d'un sous-sol riche. Le charbon, si utile à l'industrie ferroviaire, est la principale ressource exploitée dans les Prairies en 1905, bien qu'on y trouve également des gisements de gaz et de pétrole encore inexploités. Le Québec développe grandement l'exploitation minière. Le cuivre, le zinc, l'argent, le calcaire ne sont que quelques exemples des minéraux qui y sont extraits. La Colombie-Britannique exploite également ses ressources minières, principalement le charbon, comme dans les Prairies.

L'ÉCONOMIE DES SOCIÉTÉS CANADIENNES DES PRAIRIES ET DE LA CÔTE OUEST VERS 1905

Compétences développées
Lire l'organisation d'une société sur son territoire.
S'ouvrir à la diversité des sociétés et de leur territoire.

Techniques développées en géographie
Lecture et interprétation de cartes.
Localisation d'un lieu sur un plan, sur une carte, sur un globe terrestre, dans un atlas.
Repérage d'informations géographiques dans un document.

Techniques développées en histoire
Utilisation de repères chronologiques (mois, saison, année, décennie, siècle, millénaire).
Repérage d'informations historiques dans un document.

Description
Les élèves doivent mener une recherche. Pour les y préparer, on situe dans le temps et l'espace les deux sociétés à l'étude et on leur montre des images des paysages naturels et humains de chacune de ces sociétés. Cela fait, on leur pose la question suivante : « Comment expliquer la différence de développement entre les sociétés canadiennes des Prairies et de la côte Ouest vers 1905 ? » En émettant des hypothèses, les élèves font émerger leur représentation du concept d'économie. Afin de réunir toute l'information nécessaire à l'étude des deux sociétés, ils recueillent des cartes, des images et des textes issus du matériel didactique auquel ils ont accès, dont des photos d'affiches de la campagne de colonisation de l'Ouest canadien du début du XXe siècle (voir la banque d'images en univers social du site Récit Univers social*). Ils compilent les données brutes dans des tableaux comparatifs qu'ils développent en cours de recherche, puis articulent, dans un texte, une explication de la question de recherche. Celle-ci doit établir des liens entre les atouts et les contraintes des deux territoires qui facilitent ou non les activités économiques. Elle met également en relief la façon dont l'économie se manifeste dans les deux sociétés, à savoir par la production, la distribution et la consommation de richesses, rendues possibles grâce aux ressources disponibles, aux réseaux de transports établis et aux populations en place. Les élèves sont conduits à créer, à partir de leur explication, des affiches de promotion pour la colonisation des Prairies et de la côte Ouest, inspirées de celles observées en cours de recherche.

---

* Récit Univers social, Banque d'images en univers social, site consulté le 30 octobre 2010 à l'adresse <http://images. recitus.qc.ca/main.php>.

Idée d'activité pédagogique : Isabelle Laferrière.

L'industrie forestière connaît un essor important au Québec et en Colombie-Britannique, où les forêts sont denses à souhait, ce qui n'est pas le cas des Prairies, qui ne bénéficient donc pas de cette possibilité de développement.

Enfin, l'abondance des cours d'eau au Québec et sur la côte Ouest y engendre un autre secteur d'exploitation économique : les pêcheries. Les pêcheurs de la côte Ouest se consacrent à la pêche commerciale du saumon, surtout, mais également d'une diversité importante de poissons, de crustacés et de mammifères marins, grâce à la proximité de l'océan Pacifique et des fjords.

Ces quelques données statistiques permettent de comprendre les principales différences et ressemblances observables entre les sociétés du Québec, des Prairies et de la côte Ouest vers 1905. Évidemment, de telles comparaisons, basées sur des tableaux et des statistiques, gagneront à être étayées de recherches sur les groupes humains qui se cachent derrière les chiffres et qui, en témoignant de leur expérience historique, apporteront certainement des nuances au tableau que nous avons brossé.

4 DÉBATS HISTORIOGRAPHIQUES

Le nationalisme canadien-anglais, que d'autres nomment l'impérialisme canadien-anglais (Couturier, 1996 ; Francis, Jones et Smith, 1996), est un courant de pensée dominant au sein de la population d'origine britannique vers 1905. Nous avons vu qu'à cette époque, seuls les hommes d'origine britannique et propriétaires fonciers ont le droit de vote. C'est parmi eux que se trouvent ceux qui possèdent la majorité des moyens de production et qui prennent les décisions pour le reste de la population. Ce sont eux qui, se croyant supérieurs, votent des lois discriminatoires à l'endroit des Asiatiques, des peuples autochtones, etc. Par ailleurs, ces mêmes individus stimulent l'économie et favorisent la colonisation et le développement de l'Ouest et en profitent.

Le rôle du nationalisme canadien-anglais dans les décisions politiques ou économiques canadiennes représente-t-il un obstacle ou un moteur au développement du Canada et des Canadiens ? Les historiens ne s'entendent pas sur la réponse à donner à cette question. Afin d'illustrer ces divergences de points de vue, il est utile d'observer la manière dont les historiens ont traité deux personnages illustres qui ont sans contredit contribué à forger les institutions canadiennes : Louis Riel et John A. Macdonald, au sujet desquels les divergences ont été nombreuses au sein de la communauté historienne du Canada. Leurs cas illustrent également les différends qui opposent les divers groupes composant la population canadienne. Ils invitent l'individu d'aujourd'hui à une réflexion historique et morale sur une période intrigante du passé canadien.

4.1 Louis Riel : traître à la nation ou héros défenseur des droits des Métis et des francophones ?

En 1885, Louis Riel, Métis francophone, est accusé de trahison et pendu par la justice canadienne. En 1870, il avait défendu les intérêts et la sécurité des siens en créant un gouvernement provisoire. Macdonald avait alors dit à Cartier, le 27 novembre, lors de l'achat de la terre de Rupert : « Tout ce que ces pauvres gens savent, c'est que le Canada a acheté le pays […] et qu'on nous les refile comme un troupeau de moutons ; et on leur dit qu'ils perdent leurs terres […]. Dans ce contexte, il ne faut pas s'étonner qu'ils soient insatisfaits et qu'ils montrent leur mécontentement » (propos cités par Johnson et Waite, 2000). À ce moment, le gouvernement canadien avait négocié, peut-être à contrecœur, d'égal à égal avec le chef métis. La province du Manitoba avait alors été créée. Encore aujourd'hui, les Manitobains reconnaissent Louis Riel comme le fondateur de la province, et la mémoire de l'homme survit dans les communautés métisses.

Après l'épisode victorieux de 1870, Riel tente de faire la même chose en Saskatchewan en 1885, mais cette fois, le gouvernement, qui possède maintenant davantage de moyens d'intervenir et d'imposer sa loi, a changé sa stratégie et ne veut pas négocier avec Riel et son groupe, désormais nommés les « rebelles ». Louis Riel est alors fait prisonnier et accusé d'être un traître à la nation, prétendument parce qu'il aurait, notamment, mis la population en danger. Il subit un procès régulier, malgré son état d'esprit divagant. Le jury, composé essentiellement d'anglophones, conclut à sa culpabilité et recommande la peine de mort par pendaison. À ce moment, malgré la contestation provenant des Métis et du Québec, le gouvernement Macdonald affirme vouloir respecter le jugement de la cour et n'intervient pas.

Au Québec, les leaders politiques et la population jugent que le procès a été truqué et que le gouvernement Macdonald a simplement souhaité plaire aux Ontariens, qui demandaient un tel jugement. Telle est l'analyse qui a cours au Québec, où Riel est considéré comme l'un des leurs. Des pétitions avaient été envoyées aux ministres francophones à Ottawa pour leur demander d'intervenir en faveur du condamné. Même le premier ministre québécois, Honoré Mercier, avait demandé à son ami le ministre Chapleau de démissionner si Riel était accusé. Il lui avait promis son appui : « Je serai à tes côtés pour t'aider de mes faibles efforts et bénir ton nom avec notre frère Riel, sauvé de l'échafaud » (Dufour et Hamelin, 2011). Les Canadiens français du Québec voient dans cet événement une injustice commise contre eux-mêmes et contre le catholicisme. Bref, ils y voient un acte de racisme.

Qui était donc réellement Louis Riel ? Un héros défenseur des intérêts des victimes du gouvernement central, à savoir les Amérindiens, les Métis et même les Canadiens français ? Ou était-il plutôt un rebelle cherchant seulement à semer la violence et dont les actions mettaient en danger la population ?

4.2 | John A. Macdonald : grand bâtisseur de la nation canadienne ou raciste rétrograde ?

Tous les 11 janvier depuis 2002, la Journée Sir John A. Macdonald est célébrée au Canada. Parmi les projets d'envergure réalisés sous la gouverne de sir John, notons, par exemple, son engagement décisif dans la création de la Confédération canadienne, la construction du chemin de fer intercolonial, la colonisation de l'Ouest, la politique nationale et les négociations destinées à l'expansion du territoire canadien. Ses réalisations sont considérées comme des preuves de son esprit visionnaire, qui a contribué à la construction de la nation canadienne.

Or, des historiens comme Patricia Roy gardent de lui le souvenir d'un homme attaché à la culture britannique et croyant à la supériorité des siens sur les autres « races », d'un conservateur limitant sciemment l'accès au droit de vote d'une large partie de la population et approuvant des lois limitant l'immigration d'individus sur le seul critère de l'origine ethnique. Il a également été accusé de racisme et tenu responsable de la mort injustifiée de Louis Riel par les Canadiens francophones. D'autres historiens associent son règne à une période de corruption, illustrée par le scandale du chemin de fer dans l'est du pays. D'autres encore insistent sur les travers moraux de l'homme et son alcoolisme. Macdonald mérite-t-il d'être célébré pour sa contribution à l'érection d'un pays et d'une identité canadienne ? Mais alors que le Canada se targue de défendre les valeurs universelles de justice, d'égalité, de liberté, de tolérance, etc., les Canadiens ont-ils tort de célébrer la mémoire d'un homme taxé de racisme, d'alcoolisme et de discrimination ?

Conclusion

Sur le plan politique, la création des provinces ne se réalise pas sans heurts. Le Canada étend son emprise sur les territoires jusque-là habités par les peuples autochtones, qui refusent de se laisser envahir par de nouveaux venus. Mais en 1905, les provinces sont établies, la vie politique est dominée par les hommes d'origine britannique. Les politiques d'immigration du gouvernement fédéral visaient surtout à peupler les Prairies, et le succès à cet égard est sans précédent. Des milliers de nouveaux immigrants, principalement venus d'Europe centrale et d'Europe de l'Est, peuplent les plaines de l'Ouest, cultivent les terres et contribuent au développement économique de la région. Rapidement, les fermiers s'organisent politiquement pour défendre leurs intérêts. Les Prairies sont ainsi habitées par une mosaïque composée de maintes religions, cultures et langues. Malgré la grande diversité qui caractérise les plaines de l'Ouest, c'est l'anglais, parlé par la majorité d'origine britannique, qui s'impose comme langue commune.

Le développement des Prairies est rendu possible par la construction du chemin de fer intercolonial qui relie toutes les provinces du Canada de l'océan Atlantique à l'océan Pacifique. C'est le chemin de fer qui permet l'arrivée des colons. C'est le train qui permet le développement économique en transportant les denrées agricoles ou minières produites vers les consommateurs. C'est également grâce au chemin de fer que les villes se développent et que les gens peuvent communiquer plus facilement les uns avec les autres.

La société de la côte Ouest présente les caractéristiques d'une société industrielle relativement prospère, majoritairement urbaine et pluraliste. La vie politique provinciale est monopolisée par les hommes d'origine britannique au détriment des immigrants, asiatiques surtout, des femmes et des membres des Premières Nations. La société se compose de différents groupes ne partageant pas nécessairement les mêmes valeurs, les mêmes pouvoirs, ni la même culture. Cela occasionne certaines frictions et engendre une discrimination dont les Chinois sont les principales victimes. Malgré cela, tous ces individus contribuent à l'édification d'une société plutôt florissante, dont l'industrie est principalement bâtie sur l'exploitation des ressources du milieu : les cours d'eau, les forêts et le sous-sol.

Exercices

1. Décrivez les atouts et contraintes inhérents aux caractéristiques territoriales des Prairies.
2. Nommez les modes d'occupation du sol de la société des Prairies.
3. Nommez les modes d'occupation du sol de la société de la côte Ouest.
4. Comparez les modes d'occupation du sol de ces deux sociétés avec ceux de la société du Québec.
5. Comparez le territoire et l'occupation du sol des Prairies avec ceux de la société canadienne de la côte Ouest et de la société québécoise, pour la même époque.
6. Énumérez les principales étapes de l'évolution politique des Prairies.
7. Comparez ces étapes avec celles de l'évolution politique de la société québécoise.
8. Expliquez les raisons de la révolte métisse et les revendications formulées par le gouvernement provisoire, dirigé par Louis Riel.

9. Expliquez les répercussions de la révolte métisse sur l'unité canadienne et comparez les réactions québécoise et canadienne.

10. Énumérez les principales activités économiques de la société des Prairies.

11. Dégagez les atouts et les contraintes de l'économie de la société des Prairies.

12. Dégagez les atouts et les contraintes de l'économie de la société canadienne de la côte Ouest.

13. Comparez la situation économique de ces deux sociétés avec celle de la société du Québec.

14. Montrez comment John A. Macdonald et, après lui, Wilfrid Laurier ont contribué au développement des industries canadiennes.

15. Brossez le portrait de la population des Prairies (sa composition linguistique, culturelle et religieuse ainsi que sa répartition sur le territoire).

16. Comparez le portrait de la population des Prairies avec celui de la population du Québec.

17. Montrez les conditions dans lesquelles s'est effectuée la colonisation du territoire des Prairies.

18. Faites ressortir les difficultés et les avantages du mode de colonisation de la société des Prairies.

19. Montrez comment la société des Prairies s'est adaptée aux caractéristiques de son territoire.

20. Comparez la colonisation de la société des Prairies avec la situation québécoise.

Pour en savoir plus

BUMSTEAD, J. M. (1992). *The Peoples of Canada. A Post-Confederation History*, Don Mills, Oxford University Press.

Ce livre fait partie d'une série de deux volumes. Le premier explore l'histoire du Canada avant la Confédération et le deuxième relate cette histoire après la Confédération. Plusieurs thèmes y sont abordés, dont les populations autochtones, l'histoire des femmes ou les minorités ethniques.

BUMSTEAD, J. M. (2005). *Louis Riel : les années rebelles*, Saint-Boniface, Plaines, 367 p.

Cet ouvrage ne relate pas seulement la vie de Louis Riel, mais aborde de façon très vivante et accessible tout le contexte social et politique qui a façonné la montée de ce défenseur des droits métis et francophones dans l'Ouest canadien.

CHARLAND, J.-P. (2007). *Une histoire du Canada contemporain*, Québec, Septentrion.

Ce livre généraliste et récent retrace l'histoire du Canada à partir de 1850. Accessible, le texte raconte le contexte socioéconomique de cette période en passant par la Confédération, les deux guerres mondiales, la crise de 1929 et les relations avec les États-Unis.

COUTURIER, J.-P. (1996). *Un passé composé. Le Canada de 1850 à nos jours*, Moncton, Éditions d'Acadie.

Le chapitre 12 de cet ouvrage de synthèse sur la période contemporaine relate l'histoire de différents groupes ethniques et sociaux qui s'entrecroisèrent dans les provinces de l'ouest du Canada.

■ Internet

Sociétés et territoires. Ce site propose différentes ressources spécialement conçues pour l'enseignement au primaire. Vous y trouverez des textes informatifs, des cartes et des images, le tout dans une présentation agréable et colorée. Pour les Prairies : <http://primaire.recitus.qc.ca/sujets/11/territoire/3802>; pour la côte Ouest : <http://primaire.recitus.qc.ca/sujets/12/territoire/3840>.

Pour obtenir de plus amples informations, les auteurs encouragent le lecteur à consulter les sites Internet suivants : *Encyclopédie canadienne* et *Dictionnaire biographique du Canada*.

Bibliographie

BERKOWITZ, N., N. DUNCAN et B. STEWART (2011). « Exploitation du charbon », dans *L'Encyclopédie canadienne* : <http://www.thecanadian encyclopedia.com/index.cfm?PgNm=TCE&Params=f1ARTf0001708>.

BROWN, C. (1987). *Histoire générale du Canada*, Montréal, Éditions du Boréal.

BUMSTEAD, J. M. (1992). *The Peoples of Canada. A Post-Confederation History*, Don Mills, Oxford University Press.

COOK, Ramsay (1988). *Le Canada : étude moderne*, Montréal, Guérin éditeur.

COUTURIER, J.-P. (1996). *Un passé composé. Le Canada de 1850 à nos jours*, Moncton, Éditions d'Acadie.

DUFOUR, Pierre, et HAMELIN, Jean (2011). « Honoré mercier », *Dictionnaire biographique du Canada en ligne* : <http://www.biographi.ca/009004-119.01-f.php?&id_nbr=6295>. Page consultée le 18 septembre 2011.

EATON, D., et F. NEWMAN (1995). *Regards sur le Canada. De la Confédération à aujourd'hui*, Montréal, Éditions de la Chenelière.

FORAN, M. L. (2011). « Calgary », *L'Encyclopédie canadienne* : <http://www.thecanadianencyclopedia.com/index.cfm?PgNm=TCE&Params=F1ARTF0001173>.

FRANCIS, D. R., R. JONES et D. B. SMITH (1996). *Destinies, Canadian History Since Confederation*, Toronto, Harcourt Brace, 537 p.

GOUVERNEMENT DU CANADA, DÉFENSE NATIONALE (2011). « Les religions au Canada ». En ligne : <http://www.cmp-cpm.forces.gc.ca/pub/rc/tc-tm-fra.asp> (page consultée le 18 septembre 2011).

JOHNSON, J. K., et P. B. WAITE (2000). « Sir John A. Macdonald », dans le *Dictionnaire biographique du Canada en ligne* : <http://www.biographi.ca>.

KIMLICKA, Will (1998). *Finding Our Way. Rethinking Ethnocultural Relations in Canada*, Don Mills, Oxford University Press.

MACPHERSON, I. (2011). « Fermiers Unis du Canada », dans *L'Encyclopédie canadienne* : <http://www.thecanadianencyclopedia.com/index.cfm?PgNm=TCE&Params=f1ARTf0008227>.

PERRY, A. (2001). *On The Edge of Empire. Gender, Race and the Making of British Columbia, 1849-1871*, Toronto, Buffalo, London, University ofToronto Press Incorporated.

ROBINSON, J. L. (2011). « Colombie-Britannique », dans *L'Encyclopédie canadienne* : <http://www.thecanadianencyclopedia.com/index.cfm?PgNm=TCE&Params=F1ARTF0000995>.

ROY, P. E. (1989). *A White Man's Province. British Columbia Politicians and Chinese and Japanese Immigrants, 1858-1914*, Vancouver, UBC Press.

SMITH, S. A. (2011). « Terre de Rupert », dans *L'Encyclopédie canadienne* : <http://www.thecanadianencyclopedia.com/index.cfm?PgNm=TCE&Params=f1ARTf0007006>.

STAMP, R. M. (2011). « Alberta », dans *L'Encyclopédie canadienne* : <http://www.thecanadianencyclopedia.com/index.cfm?PgNm=TCE&Params=F1ARTF0000113>.

STATISTIQUE CANADA (1912), *Annuaire du Canada, 1911*, Ottawa, Ch. Parmele imprimeur, 1912.

TARAZOFF, K. J. (2006). « Doukhobors Settlement », dans *The Encyclopedia of Saskatchewan* : <http://esask.uregina.ca/entry/doukhobor_settlement.html>.

THOMAS, L. H. (2000). « Louis Riel », dans le *Dictionnaire biographique du Canada en ligne* : <http://www.biographi.ca>.

TOUSSAINT, I. (2011). « Louis Riel », dans *L'Encyclopédie canadienne* : <http://www.thecanadianencyclopedia.com/index.cfm?PgNm=TCE&Params=F1ARTF0006837>.

VEYRON, M. (1989). *Dictionnaire canadien des noms propres*, Québec, Larousse Canada.

WARBURTON, R. (1989). « Race and Class in British Columbia : A Comment », dans Patricia E. Roy (dir.), *A History of British Columbia. Selected Readings*, Toronto, Copp Clark Pitman.

CHAPITRE 11

La société québécoise vers 1980

Martin Pâquet

vienne vienne le temps des vivants
le vrai visage de notre histoire
Gilbert Langevin, « Le temps des vivants », Poévie.

Introduction
1. Les dynamiques économiques
2. Les dynamiques socioculturelles
3. Les dynamiques politiques
4. Historiographie et controverses
Conclusion
Exercices
Pour en savoir plus
Bibliographie

SOMMAIRE

Introduction

Saisir le Québec au tournant des années 1980 dans son histoire, c'est tout d'abord l'appréhender sous une série de repères chronologiques. Grâce à leur charge symbolique faisant consensus dans l'espace public, certains de ces repères sont fort connus, car ils occupent une place importante dans la mémoire collective. D'apparence plus anodine, d'autres repères chronologiques ne s'imposent pas d'emblée aux souvenirs d'une grande partie des citoyens et citoyennes. Et pourtant, leur signification prend une tout autre valeur lorsque des faits historiques y sont accolés et qu'ils révèlent des changements sociohistoriques d'ampleur. D'où les objectifs du présent chapitre. Certes, il s'agira d'acquérir des connaissances de base sur l'histoire de la société québécoise autour des années 1980, de la fin de la Révolution tranquille à la tuerie de Polytechnique. De plus, nous y explorerons des objectifs de formation prescrits par le programme de géographie, histoire et éducation à la citoyenneté : localisation de la société québécoise dans l'espace et dans le temps, incidences sur l'aménagement du territoire, influences des personnages et des événements sur l'organisation sociale et territoriale, éléments de continuité avec le présent. Toutefois, il y a plus encore, à la fois sur le plan cognitif et sur un autre plus temporel.

Dès lors, en suivant une démarche de dévoilement des changements sociohistoriques, ce chapitre propose une sensibilisation et une interrogation sur la pluralité au Québec des années 1980. Une pluralité des dynamiques sociohistoriques d'abord : il importera de voir comment les différences – de genres, de générations, de groupes ethniques et linguistiques, de classes sociales et de revenus économiques, de régions métropolitaines et périphériques, d'idéologies politiques, etc. – contribuent à la singularité de cette collectivité tout comme à sa similitude avec les autres sociétés contemporaines. Puis, une pluralité des temps, vu que, selon la perspective privilégiée par les individus, les années 1980 apparaissent comme des moments de continuités ou de ruptures, de fondations ou d'aboutissements, de crises ou d'apaisements, etc., donc comme autant de conceptions plurielles des temporalités. L'historien se fait particulièrement sensible à ces pluralités sociohistoriques et temporelles. Elles lui rappellent que les sociétés humaines ne sont en rien univoques, ni dans l'espace, ni dans le temps, ni dans leur rapport à Soi et à l'Autre.

Aussi, dans un premier temps, le regard se portera sur des moments à caractère plutôt économique, avec l'événement symbolisant le mieux les difficultés des années 1980 – l'annonce de la fermeture de la mine de Schefferville le 2 novembre 1982 –, puis avec les tensions du monde du travail et l'adoption de la loi 111 le 17 février 1983. Dans un deuxième temps, il se tournera vers des dimensions plus socioculturelles, examinant les rapports entre les hommes et les femmes sous l'ombre du tristement célèbre 6 décembre 1989, et sur les mutations de la famille et de la culture bien représentées par la télédiffusion de l'émission *Passe-Partout* dès le 15 novembre 1977. Dans un troisième temps, notre regard s'intéressera aux enjeux politiques, ceux des questions nationales et constitutionnelles avec le moment du référendum québécois du 20 mai 1980, ceux plus fondamentaux encore avec l'ouverture à la diversité et la redéfinition du lien civique qui se manifestent le 25 novembre 1978 par l'accueil fait aux réfugiés indochinois. Enfin, en explorant davantage les contraintes et les possibilités de l'histoire immédiate, ce chapitre offrira un aperçu des débats historiographiques relatifs aux années 1980, en s'intéressant particulièrement à celui qui a trait à l'américanité québécoise.

1 | LES DYNAMIQUES ÉCONOMIQUES

1.1 | Mondialisation des échanges et déclin des régions : la fin d'un modèle de développement économique

Le 2 novembre 1982, le président de la compagnie Iron Ore du Canada, Brian Mulroney, annonce la cessation des activités minières à Schefferville et leur déplacement à Labrador City (figure 11.1). Pour B. Mulroney, la décision de fermer la mine de Schefferville se fonde sur la baisse de la demande mondiale en fer, et en particulier la demande américaine. Bien que l'Iron Ore connaisse à l'époque d'importants profits, la rentabilité des opérations de production sur la Côte-Nord du Québec chute considérablement au moment de la récession du début des années 1980, pour atteindre un creux de 2 millions de tonnes en 1982. La nouvelle de la fermeture sonne comme le glas de cette ville qui, fondée en 1955 dans la prospérité de l'après-guerre, ne compte plus que 3 270 habitants blancs en 1980. Dès lors, ceux et celles qui, comme dans la chanson de Michel Rivard, voient « mourir ma ville sous le soleil du nord », entament un exode massif vers le sud, cette localité perdant 83,9 % de sa population entre 1981 et 1986. À la fermeture définitive de la ville, en 1987, seules quelque 250 personnes, surtout les membres de deux communautés naskapies – celle de la nouvelle réserve de Kawawachikamach établie en 1981 et celle de Matimekosh – demeurent sur les lieux, administrant des pourvoiries de chasse et pêche qui useront des installations de Schefferville comme base d'exploitation.

| Figure 11.1 | Schefferville et sa mine
À gauche : Schefferville avant la fermeture de sa mine (1980);
à droite, la même ville dépeuplée en 2007. |

La fermeture de Schefferville témoigne bien de la fin d'un rêve dans plusieurs régions au Québec, celui de l'atteinte de la prospérité économique grâce à l'exploitation des ressources naturelles. Déjà, les signes annonciateurs de cette tendance apparaissent à la fin des années 1970. La période de la construction des grands barrages hydroélectriques achève avec l'inauguration de la centrale LG-2 – aujourd'hui centrale Robert-Bourassa – le 27 octobre 1979. Région fondée sur l'exploitation minière et forestière, la Côte-Nord est particulièrement frappée. La multinationale américaine ITT-Rayonier ferme sa papetière de Port-Cartier en 1979, entraînant la perte de près de 1 700 emplois directs. En dépit de conditions fort avantageuses en concessions forestières et en permis de coupe, malgré le versement de plusieurs dizaines de millions de dollars en subventions, ITT-Rayonier ne peut faire face à la fluctuation des marchés internationaux du papier et aux conséquences d'un climat de travail particulièrement délétère – quinze grèves éclatent en cinq années d'exploitation. Deux années plus tard, en pleine récession économique, la compagnie Iron Ore met la clé dans la porte de son concentrateur de Sept-Îles, poussant au chômage près de 700 personnes. Après Schefferville, c'est au tour de la ville de Gagnon de disparaître le 1er juillet 1985, à la suite de la fin des activités minières de la Sidbec-Normines au gisement de Fire Lake.

D'autres régions n'échappent pas à ce cycle de fermetures et à l'exode de leurs forces vives. Dans son rapport sur le développement social en 1989, le Conseil québécois des affaires sociales n'hésite pas à voir en ce mouvement de déclin économique et démographique la scission du Québec en deux : une partie relativement plus prospère se concentrant dans les centres urbains, l'autre en profonde décroissance dans les régions. Ainsi, malgré un investissement de 190 millions de dollars de la compagnie Donohue-Normick pour la réalisation d'une usine intégrée de sciage et de fabrication de papier journal à Amos en avril 1980, la situation en Abitibi-Témiscamingue n'est pas rose.

Les tensions en matière de relations de travail, le choc de la récession et la ressource forestière suscitent une restructuration des entreprises, entraînant parfois des mises à pied. Il en est de même au Saguenay-Lac-Saint-Jean, où les Produits forestiers du Saguenay ferment en 1982 la scierie Samoco de Sacré-Cœur. Ici, toutefois, plusieurs actionnaires locaux, dont une partie des travailleurs, rachètent les équipements pour rouvrir les portes de l'entreprise en mars 1985 sous le nom de Boisaco.

La décision de l'Iron Ore est douloureusement ressenti puisque le Québec, tout comme le Canada, traverse à ce moment une sévère récession économique, la plus importante depuis la Grande Dépression des années 1930. Les années de prospérité de l'après-guerre sont désormais choses du passé. À la suite du deuxième choc pétrolier en 1979 et de l'élection de gouvernements adeptes du libéralisme économique à tout crin, les États-Unis et le Royaume-Uni adoptent des mesures monétaristes afin de réduire l'infla-tion, tout en diminuant l'intervention étatique dans la sphère économique. Le Canada n'est pas en reste, puisque la Banque du Canada institue, elle aussi, une politique monétaire restrictive, fondée sur de hauts taux d'intérêt. Quant à la dette budgétaire canadienne, elle explose littéralement au cours des années 1980, obligeant l'État fédéral à adopter de strictes politiques fiscales pour se délivrer du poids du service de la dette. Partant, ces politiques et les difficultés économiques internationales engendrent un ralentissement écono-mique prononcé qui plonge le Québec et le reste du Canada dans une grave récession. Le produit intérieur brut (PIB) canadien chute de 6,7 % en 18 mois et les taux de chômage atteignent des sommets : 13,8 % de la main-d'œuvre active au Québec, dont 23,1 % des jeunes entre 15 et 24 ans, sont privés d'emploi en 1982. Le chômage, d'ailleurs, demeurera endémique au Québec jusqu'au moment de la récession des années 1990-1993, et les taux ne chute-ront guère sous la barre des 10 % de la population active. La récession de 1982 se manifeste enfin sur d'autres points, dont la paralysie des investissements et la réduction de la consommation de biens durables ne sont que des exemples.

Schefferville, tout comme nombre d'industries en région, subit les contre-coups de cette spirale de faillites, de restructurations financières, de perte de pouvoir d'achat et d'emplois. Quant aux centres métropolitains, ils n'échappent pas davantage aux effets de la récession. Ainsi, pas moins de quatre raffine-ries pétrolières – Texaco en 1982, Esso Impériale et British Petroleum en 1983, puis Gulf en 1985 – mettent fin à leurs activités à Montréal-Est. La brutale restructuration de l'industrie pétrochimique montréalaise provoque la perte de 2 000 emplois directs et de plus de 14 000 emplois indirects.

Par la nature des motifs invoqués pour la fermeture de la mine, Schefferville reflète aussi l'étroite intégration économique générale au voisin du sud et la tumultueuse mise en place d'une politique qui marquera les années 1980 : le libre-échange avec les États-Unis d'Amérique. C'est le ralentissement de l'industrie américaine, notamment dans le domaine de l'automobile, qui entraîne la chute de la demande du minerai de fer. La récession faisant rage, les responsables politiques étatsuniens favorisent le repli sur soi avec des mesures protectionnistes. Cette tendance a de graves conséquences sur le principal partenaire commercial des États-Unis, soit le Canada. Aussi, le gouvernement de Pierre-Elliott Trudeau met sur pied en 1982 la Commission royale sur l'union économique et les perspectives de développement du Canada, dite Commission Macdonald, du nom de son président, l'ancien ministre des Finances Donald Macdonald. Le mandat de la Commission est vaste, car elle doit examiner les perspectives économiques du pays et l'efficacité de ses institutions politiques. Déposant son rapport en 1985, la Commission Macdonald prône une plus grande confiance dans les mécanismes du marché et l'instauration d'un accord de libre-échange avec les États-Unis. Brian Mulroney, l'ancien président d'Iron Ore devenu premier ministre progressiste-conservateur du Canada en 1984, se fait alors l'avocat de ce projet de libre-échange. Dès 1985, les négociateurs étatsuniens et canadiens entament une longue ronde de discussions pour aboutir à un accord le 2 janvier 1988. Devant la féroce opposition nationaliste au Canada anglophone, surtout en Ontario, le gouvernement Mulroney déclenche des élections sur cet enjeu à l'automne 1988. Les progressistes-conservateurs l'emportent, notamment avec un bon appui parmi l'électorat du Québec, plus sensible à l'autre projet de B. Mulroney, celui de la reconnaissance de la société distincte québécoise.

Bien que l'accord de libre-échange favorise plusieurs entreprises québécoises grâce au resserrement de leurs relations commerciales avec leurs partenaires étatsuniens et bientôt mexicains à partir de 1993, il demeure que certains secteurs plus fragiles éprouvent des difficultés importantes, notamment ceux du bois d'œuvre et surtout du textile et de la confection. Ainsi, au tournant des années 1990, plusieurs entreprises manufacturières de la Mauricie, de Portneuf et des Bois-Francs, incapables de soutenir la concurrence, ferment leurs portes. C'est le cas de l'Associated Textile de Louiseville, de la Wabasso, à Grand-Mère et à Shawinigan ; de la Fruit of the Loom à Trois-Rivières ; du fabricant de *jeans* Le Culottier à Batiscan ; de la Rubin et de l'Utex à Victoriaville. Entre 4 000 et 6 000 emplois disparaissent ainsi dans ce secteur.

1.2 | La doctrine du néolibéralisme et le désengagement de l'État

Le 17 février 1983, à une heure trente du matin, l'Assemblée nationale du Québec adopte en troisième lecture la *Loi assurant la reprise des services dans les collèges et les écoles du secteur public*, dite loi 111. Convoqués d'urgence le mardi 15 février pour venir à bout de la grève illégale des 65 000 enseignants et enseignantes de la Centrale de l'enseignement du Québec (CEQ) – laquelle a éclaté le 27 janvier –, les députés délibèrent pendant 22 heures pendant que les parties patronale et syndicale se livrent à un blitz de négociations. Faisant connaître son opposition à la médiation d'un tiers, le premier ministre René Lévesque conclut à l'impasse. Dès ce moment, les jeux sont faits : la Chambre adopte en troisième lecture, par 64 voix contre 35, le projet de loi imposant le retour au travail et suspendant la Charte québécoise des droits et libertés. Les peines sont sévères pour les contrevenants, car ils risquent des congédiements collectifs discrétionnaires, la perte de leur ancienneté, la suspension de leurs droits syndicaux et la diminution de 20 % de leurs salaires. Pendant deux jours encore, les syndiqués de la CEQ poursuivent leurs moyens de pression, puis abandonnent la partie. La désillusion est amère et nombre de syndiqués désavouent les candidats du Parti québécois au moment des élections de 1985.

Comment le gouvernement du Parti québécois, à qui plusieurs attribuent un préjugé favorable aux travailleurs, en est-il venu à l'imposition d'une loi si draconienne ? Entrent d'abord en cause les effets de la récession économique, avec ses taux de chômage élevés et surtout l'importance de la crise budgétaire. De l'avis de nombreux responsables politiques, les finances publiques connaissent une période de crise qui met en question l'interventionnisme économique de l'État québécois. Depuis les années 1975-1976, les déficits budgétaires provinciaux dépassent chaque année le milliard de dollars, pour atteindre un seuil de 3 milliards au cours de la récession de 1982-1983. Partant, se développe toute une culture de la dette qui imprègne la plupart des partis politiques québécois, où les orientations invoquent la rentabilité économique au détriment des impacts sociaux, où l'objectif à court terme sera l'assainissement des finances publiques par l'entremise du désengagement de l'État, de la réduction du fardeau fiscal, de la liberté du marché privé et de la responsabilisation individuelle (Martin et Savidan, 1994). Entre ensuite en ligne de compte le contexte international. Sous les décombres du keynésianisme, le néolibéralisme fleurit dans les officines gouvernementales, se nourrissant d'une rhétorique farouchement antisyndicale. Aux États-Unis de Ronald Reagan, 11 359 contrôleurs aériens sont ainsi congédiés par l'administration présidentielle à la suite d'une grève nationale en 1981. Quant à la longue grève des mineurs britanniques contre le gouvernement de Margaret Thatcher, elle se termine sur un échec retentissant en 1984.

Ces exemples trouvent des échos au Québec. Dans une déclaration en 1982, le président du Conseil du trésor Yves Bérubé estime que les travailleurs du secteur public jouissent de conditions de travail supérieures à ceux du secteur privé pour des emplois équivalents. De plus, les grèves précédentes du Front commun ont laissé de graves séquelles sur le plan du capital de sympathie dans l'opinion publique. Les résultats d'un sondage en mars 1982 indiquent que 89 et 85 % des personnes interviewées s'opposent à l'exercice du droit de grève dans les institutions hospitalières et dans le domaine de l'enseignement (Rouillard, 1989: p. 392). Aussi, le gouvernement du Parti québécois a les coudées franches en 1982. Un an avant l'échéance des conventions collectives, il convie les syndicats des secteurs public et parapublic à renoncer aux augmentations de salaire prévues. Puis, au mois de juin, le gouvernement impose par une série de décrets un gel des salaires à ses 320 000 employés. Ces employés débraient à l'automne 1982, mais, la division interne des forces syndicales et les injonctions judiciaires jouant, la mobilisation se brise. Seuls les syndiqués de l'enseignement demeurent rétifs et poursuivent le mouvement de grève en janvier 1983. Ils subissent dès lors les foudres de la loi 111.

L'adoption de la loi 111 constitue l'acte de naissance d'un mouvement idéologique qui s'enracine promptement au Québec contemporain, celui du néolibéralisme. Répandue dans l'espace public, la culture de la dette prend les allures d'une obsession parmi maints responsables politiques, tant fédéraux que provinciaux, ce qui alimente d'autant les critiques à l'égard du modèle de l'État-providence et des idéaux de la Révolution tranquille. Pour lutter contre le spectre de la dette, il importerait pour certains d'assurer la liberté et la responsabilité individuelles, garantes du conservatisme fiscal. Après son élection en décembre 1985, le gouvernement libéral de Robert Bourassa mandate trois députés – Paul Gobeil, Pierre Fortier et Reed Scowen – pour évaluer le rôle de l'État québécois. Bien que leurs conclusions ne soient pas adoptées intégralement, les rapports Gobeil sur la restructuration de l'organisation étatique et de ses programmes, Fortier sur la privatisation de certaines entreprises publiques et Scowen sur la déréglementation ont des répercussions symboliques importantes, puisqu'ils considèrent maintenant l'intervention de l'État comme un problème plutôt que comme une solution. Ce faisant, ils annoncent le programme idéologique d'un État se voulant plus efficient, plus réduit, moins bureaucratique. Le virage néolibéral de l'État québécois des années 1980 a pour objectif non plus de soutenir la demande de biens, visée valorisée naguère par les politiques keynésiennes, mais bien plutôt l'offre de biens en apportant son appui à l'entreprise privée. Dès lors, il importe de créer les meilleures conditions possible pour favoriser l'essor du secteur privé. Aussi, suivant les préceptes du néolibéralisme, les responsables provinciaux et fédéraux mettent sur pied toute une série de stratégies réorientant le rôle de l'État en matière de déréglementation, de privatisation de sociétés d'État, d'élimination des droits de douane avec, entre autres, le libre-échange, d'allégement de la fiscalité pour les entreprises, de réduction des programmes sociaux et de recul des politiques de redistribution des revenus. Les rapports Gobeil, Fortier et Scowen s'inscrivent de plain-pied dans le programme du néolibéralisme. Par la suite, plusieurs politiques de l'État québécois s'inspirent de ce programme, des mesures de réforme de l'aide sociale en 1986 – avec les agents chargés de dépister les éventuels fraudeurs, les célèbres «bouboumacoutes» – à l'instauration du «déficit zéro» en 1996.

En parallèle, le néolibéralisme bénéficie de l'ascendant de l'*entrepreneurship* privé. Plusieurs entrepreneurs, de Pierre Péladeau à Jean Coutu en passant par les frères Bernard, Laurent et Alain Lemaire des Papiers Cascades, acquièrent une grande renommée grâce à leur réussite en affaires et leur image de *self-made-men*. Personnage emblématique des années 1980 avant sa chute financière, le propriétaire de la chaîne des hôtels Universel, Raymond Malenfant, devient ainsi le favori des médias avec une série d'acquisitions qui agrandiront son patrimoine immobilier – dont le fameux manoir Richelieu dans Charlevoix – et avec son discours militant valorisant la libre entreprise et flétrissant vivement les syndicats.

La loi 111 révèle enfin une mutation des stratégies syndicales. Désormais, la confrontation directe avec l'employeur n'est plus le recours privilégié. Dans les secteurs public et parapublic, cette stratégie s'avère non seulement impopulaire, mais souvent improductive. Le gouvernement de Robert Bourassa renoue avec une longue tradition de lois spéciales au moment des négociations de 1989, en imposant la loi 160 qui supprime le droit de grève des employés de l'État et modifie le contenu des conventions collectives. Dans le secteur privé, plusieurs employeurs allèguent la rigueur des conditions économiques pour promouvoir la flexibilité de leurs travailleurs. Certains usent des lacunes du Code du travail. Ainsi, Raymond Malenfant refuse de reconnaître le syndicat du Manoir Richelieu, arguant que l'achat de l'entreprise ne signifie pas la reconnaissance de la convention collective. Ce faisant, la grève éclate en 1987 parmi les employés rattachés à la Confédération des syndicats nationaux (CSN). Dans un climat d'extrême tension, les conflits avec les forces de l'ordre dégénèrent et causent une mort d'homme, avec le décès de l'époux d'une gréviste, Gaston Harvey.

Déçus des résultats, les syndicats élaborent d'autres stratégies. L'une des plus usitées est le recours aux tribunaux, favorisé entre autres par la référence aux chartes des droits et libertés. Les syndicats se prévalent de cette option, notamment dans leur volonté de régler l'épineux problème de l'équité salariale. Autre stratégie, celle de l'intervention directe dans l'investissement. Au Sommet économique de Québec en 1982, Louis Laberge, de la Fédération des travailleurs et travailleuses du Québec (FTQ), prône la création d'un fonds de relance de la construction domiciliaire. Financé par les travailleurs et les employeurs du secteur de la construction, ainsi que par l'État québécois, le programme Corvée-Habitation prête aux nouveaux acheteurs de maison, qui profitent ainsi de taux d'intérêt avantageux. Dès 1983, s'inspirant ici de l'exemple des centrales syndicales allemandes, la FTQ met sur pied un fonds de solidarité destiné à investir dans des entreprises pour maintenir ou sauver des emplois. La mesure est bien accueillie dans le contexte de la récession, l'État provincial accordant au Fonds des exemptions fiscales. Le Fonds de solidarité de la FTQ investit ainsi dans de nombreuses entreprises québécoises, dont les Nordiques de Québec en 1988, tout en opérant une capitalisation fort rentable.

APPRENTIS CITOYENS

Compétences développées
Lire l'organisation d'une société sur son territoire.
Interpréter les changements dans l'organisation d'une société et sur son territoire.

Technique développée en histoire
Repérage d'informations historiques dans un document.

Description
L'activité «Apprentis citoyens»* permet de découvrir cinq contextes historiques de la ville de Montréal, de 1830 à nos jours, ainsi que les positions et les idées des cinq maires qui ont marqué ces époques et pour lesquels ils peuvent voter. C'est en incarnant les idées et les positions du maire de leur choix que les élèves se familiariseront avec les étapes de préparation d'une campagne électorale. L'activité initie les écoliers à la démocratie municipale montréalaise et aux comparaisons sur de plus longues périodes.

Pour compléter cette activité, les élèves pourraient monter un dossier de presse sur le maire actuel de leur ville ou sur son opposition, à partir de la presse locale. Ils pourraient ensuite comparer les enjeux actuels avec ceux des années 1980.

Par ailleurs, une fois l'élection terminée, il serait intéressant de demander aux élèves comment les historiens font pour connaître les positions attribuées aux maires. Il serait également pertinent de les laisser s'exprimer à propos de ce qu'ils éprouvent concernant le processus électoral dont ils ont fait l'expérience et de leur demander en quoi ils trouvent leur participation nécessaire et utile. On peut aussi leur demander pourquoi certains commentateurs émettent des critiques à l'endroit de ce processus et ce qui peut être fait pour l'améliorer.

Enfin, on pourra demander aux élèves quels autres facteurs ou moyens (grèves, pétitions, etc.) influent sur la manière dont la société est organisée.

---

* Voir le site de la Ville de Montréal, *Apprentis citoyens*, consulté le 1er novembre 2010 à l'adresse <http://www2.ville.montreal.qc.ca/archives/democratie/democratie_fr/apprentis/index.shtm>.

Idée d'activité pédagogique : Vincent Boutonnet. Inspirée du site internet mentionné ci-dessus.

2 | LES DYNAMIQUES SOCIOCULTURELLES

2.1 | Des Yvettes à Polytechnique : les femmes au cœur du changement social et politique

Le 6 décembre 1989, Marc Lépine entre muni d'une arme semi-automatique à l'École polytechnique de Montréal. Dans une salle où se donne un cours en génie, il sépare les hommes des femmes, hurle sa haine des féministes et commence la tuerie des femmes présentes. Tout au long de son macabre parcours, il assassine ainsi 14 femmes – Geneviève Bergeron, Hélène Colgan, Nathalie Croteau, Barbara Daigneault, Anne-Marie Edward, Maud Haviernick, Maryse Laganière, Maryse Leclair, Anne-Marie Lemay, Sonia Pelletier, Michèle Richard, Annie St-Arneault, Annie Turcotte et Barbara Klucznik Widajewicz –, en laissant de nombreuses autres blessées avant de retourner l'arme contre lui (figure 11.2). Dans une note découverte après sa mort, il attribue au féminisme les échecs de sa vie et fournit une liste de 14 femmes œuvrant dans des métiers non traditionnels – journalistes, policières, etc. – qu'il projetait d'abattre. Le geste profondément haineux de M. Lépine traumatise non seulement les proches et témoins – en particulier quatre personnes qui se suicideront par la suite – mais toute la société québécoise et canadienne, dont les premières visées : les femmes. Par son onde de choc, la tuerie de Polytechnique déclenche une plus grande sensibilisation à la question des femmes, notamment sur les problèmes relatifs à l'équité salariale et à la violence. Elle incite aussi les responsables politiques à établir un contrôle plus strict des armes à feu. Elle s'inscrit enfin dans la mémoire collective, par toute une série de stratégies de commémoration, dont l'instauration de la Journée nationale de commémoration et d'action contre la violence faite aux femmes, promulguée en 1991 par le Parlement canadien.

| Figure 11.2 | Monument funéraire des victimes de la tuerie de Polytechnique |

En dépit du voile de deuil qui clôt cette décennie, la situation des femmes connaît des avancées majeures pendant les années 1980. Sur le plan politique, elles prennent de plain-pied leur place dans l'espace public. Déjà, les années 1980 se sont ouvertes sur un événement symbolique révélant leur présence active en politique, soit celui de l'épisode référendaire des Yvettes. À la suite des propos quelque peu maladroits de la ministre Lise Payette au sujet de Madeleine Ryan, l'épouse du chef de l'opposition libérale, assimilée à une petite fille soumise, la polémique éclate au début de la campagne référendaire. Choquées de ces propos, de nombreuses militantes se réunissent d'abord à Québec, puis près de 15 000 femmes convergent vers le Forum de Montréal le 7 avril 1980. Manifestant leur attachement au Canada et surtout exprimant une prise de parole publique comme femmes, elles adoptent alors l'appellation d'«Yvette».

Par ailleurs, la participation féminine devient plus importante au cours de la décennie. Sur le plan institutionnel et quantitatif, le nombre des députées de l'Assemblée nationale passe de 8 en 1981 à 23 en 1989; leurs consœurs des 75 circonscriptions québécoises à la Chambre des communes voient leurs effectifs augmenter de 4 en 1979 à 13 en 1988; les rangs des mairesses et des conseillères municipales augmentent respectivement de 21 et de 339 en 1980, à 97 et 1 622 en 1990. Certes, le nombre n'est pas garant de l'influence, puisque de nombreux obstacles se dressent toujours sur le chemin de l'accès à la prise de décisions.

Aussi, la participation politique féminine adopte des moyens différents de ceux privilégiés par les hommes. Selon la politologue Chantal Maillé (2002), la majorité des interventions des femmes dans les débats constitutionnels de cette période ont vu le jour à la faveur des organisations féminines. À l'exemple de la Fédération des femmes du Québec ou du mensuel *La vie en rose*, ces organisations cherchent à promouvoir l'amélioration concrète et quotidienne des conditions de vie féminine. De plus, se situant souvent à l'extérieur du débat partisan, leurs prises de position privilégient des principes d'égalité réelle entre les hommes et les femmes.

Qui plus est, les femmes mettent le doigt sur des problèmes politiques qui, à l'origine, étaient relégués à la sphère privée, voire à celle de l'intime. C'est notamment le cas du délicat dossier de l'avortement. Dans la foulée de l'ouverture de la première clinique privée en 1970 et de l'instauration de cliniques étatiques de planification des naissances en 1978, la question fait l'enjeu d'une guérilla judiciaire qui se termine avec les jugements de la Cour suprême du Canada en 1988 et en 1989. Le premier jugement, mettant en cause Henry Morgentaler, déclare l'inconstitutionnalité de l'article 251 du Code criminel canadien : l'avortement n'est désormais plus considéré comme un crime. Opposant Chantale Daigle et Jean-Guy Tremblay, le second jugement ne confère pas de personnalité juridique au fœtus et ne permet pas à un tiers, ici le père présumé, de s'opposer à une interruption de grossesse.

La participation politique des femmes atteste leur présence accrue dans les autres champs sociaux. Déjà, même si les femmes se concentrent dans des disciplines comme les lettres, les sciences de l'éducation et celles la santé, elles bénéficient d'un accès plus général à l'éducation postsecondaire, entre autres aux disciplines scientifiques et aux programmes de sciences appliquées. Il en va aussi de leur présence dans les postes de direction. Malgré leur sous-représentation, les femmes occupent des places plus importantes dans les entreprises privées et dans la haute fonction publique.

Enfin, la participation des femmes implique de profonds changements dans la conception des rôles domestiques. L'industrialisation et l'urbanisation incitent une majorité de femmes mariées à rester, à l'instar de leurs conjoints, sur le marché du travail. Dès lors, la société québécoise passe d'une représentation fondée sur l'époux soutien de l'épouse à une autre, axée sur le partage des tâches, qui devient l'image dominante au cours des années 1980. Ainsi, l'égalité, valeur importante dans la culture québécoise, définit davantage les relations entre les hommes et les femmes. Parachevée en 1991, la réforme du Code civil érige en principe la pleine égalité des sexes devant la loi. Évidemment, la valorisation d'un principe ne signifie pas sa réalisation complète, la tuerie de Polytechnique le rappelant ici cruellement.

2.2 De la famille à la planète : les mutations des réalités culturelles

Le 15 novembre 1977, l'émission pour enfants *Passe-Partout* entre en ondes à la chaîne Radio-Québec. Produite par une filiale de Télé-Métropole sous l'égide du ministère québécois de l'Éducation, *Passe-Partout* s'adresse aux enfants entre 3 et 5 ans, avec une attention plus particulière pour ceux et celles vivant dans un milieu défavorisé. Pendant une demi-heure tous les jours de semaine, les petits s'installent devant l'écran cathodique pour suivre assidûment les histoires des marionnettes Cannelle et Pruneau ; les péripéties de Passe-Carreau (Claire Pimparé), de Passe-Montagne (Jacques L'Heureux) et de Passe-Partout (Marie Eykel) ; ou encore les témoignages d'enfants de leur âge (figure 11.3). Se plaçant résolument à partir du point de vue de l'enfant, les saynètes présentent diverses mises en situation familiale et offrent des exercices de motricité destinés à un public qui découvre progressivement son corps. La série compte 125 émissions qui sont télédiffusées de 1977 à 1987.

Par ses différentes saynètes et par son projet éducatif qui reflètent les préoccupations familiales du moment, l'émission *Passe-Partout* est un indicateur des mutations de la famille dans la société québécoise au cours des années 1980. Deux phénomènes majeurs influent sur ces changements (B.-Dandurant, 1990). Signalons d'abord la baisse de la fécondité, avec des taux de 1,4 enfant par famille en 1986. Cette baisse s'observe depuis la fin du baby-boom au moment des années 1960. Elle ne détonne guère par rapport aux autres pays occidentaux, dont quelques rares exceptions maintiennent des taux supérieurs à 2 enfants par famille. On note ensuite le phénomène plus brutal de la désaffection à l'égard du mariage depuis la décennie 1970. Désormais, les vies sont plus longues, et le parcours des conjoints ne se conçoit plus dans le cadre d'une union matrimoniale stable et permanente. Dans les années 1980, le divorce est l'aboutissement de deux mariages sur cinq, car cette option est facilitée par la maîtrise de la fécondité et par la levée des contraintes juridiques : la loi québécoise de 1989 sur le patrimoine

Figure 11.3   Les trois comédiens qui ont incarné les personnages de l'émission pour enfants *Passe-Partout*, qui fut très populaire à la fin des années 1970 et au début des années 1980 : Marie Eykel (Passe-Partout), Jacques L'Heureux (Passe-Montagne) et Claire Pimparé (Passe-Carreau).

familial joue là un rôle majeur. En corollaire à cette tendance, deux autres se manifestent tout aussi nettement, celles de l'augmentation de la monoparentalité et de la croissance tout aussi forte des unions libres. Selon la sociologue Renée B.-Dandurand, « le paysage matrimonial est ainsi devenu une véritable mosaïque : mariage religieux ou civil, union consensuelle suivie ou pas d'un mariage ; divorce, séparation ou désunion libre, chacun pouvant être suivi ou pas d'un remariage, ou de recohabitation » (1990 : p. 53).

Dès lors, la baisse de la fécondité et la désaffection à l'égard du mariage agissent puissamment sur la vie des enfants, des jeunes et des aînés. Perçus comme une source de plaisir plutôt qu'un bâton de vieillesse, les enfants s'insèrent dans des relations familiales plus permissives, moins autoritaires. Les fratries étant réduites, ils vivent davantage entourés d'adultes. Les jeunes, eux, entrent plus lentement dans l'âge adulte, du fait de leur scolarisation tardive et de la précarité du travail. Quant aux aînés, leur situation reste délicate. Si plusieurs connaissent une longévité plus grande et une retraite sans aléas majeurs de santé – l'amélioration des conditions de vie jouant –, il n'en demeure pas moins que les cadres de la famille élargie sont moins solides et que les rapports formels de l'État ou des associations à l'égard des clubs de l'âge d'or suppléent aux relations affectives de leurs enfants.

Dans un tout autre ordre d'idées, l'émission *Passe-Partout* reflète, grâce notamment à la fidélisation de son auditoire, l'omniprésence de la société de communication de masse. Les médias, au premier chef la télévision, s'inscrivent nettement comme références de la vie quotidienne des Québécois et des Québécoises. La télévision connaît une diffusion exponentielle avec la multiplication des services offerts par la câblodistribution à la fin des années 1970. Le paysage télévisuel se modifie de manière importante avec le développement de la télévision payante dès 1982, l'implantation de Télé Quatre-Saisons (aujourd'hui appelée V) en 1986, l'acquisition de Télé-Métropole (aujourd'hui appelée TVA) par Vidéotron la même année et surtout l'apparition des chaînes spécialisées à partir de 1987.

Les habitudes des téléspectateurs changent également, avec la popularisation des magnétoscopes au milieu des années 1980. Elles évoluent aussi avec la diffusion d'émissions sachant capter massivement leur attention, à l'exemple des 3 021 000 personnes se remémorant les solidarités du passé à l'occasion de l'épisode des Fêtes de 1986 du *Temps d'une paix* ou des quelque 2 millions d'assidus appréciant la mythologie du gagnant mise en valeur dans la télésérie *Lance et compte* entre 1986 et 1989. C'est aussi le cas de productions culturelles qui transitent de la scène vers la télévision, avec l'essor considérable de l'humour au Québec, dont les *Lundis des Ha! Ha!* avec Ding et Dong (Serge Thériault et Claude Meunier) dès 1981, le festival *Juste pour rire* à partir de 1983 et *Rock et Belles Oreilles* à TQS en 1986. Vers la fin des années 1980, le paysage télévisuel se fragmente avec le foisonnement des chaînes spécialisées dans les domaines du sport, de la musique ou de l'information. Étant donné sa mission éducative, le télédiffuseur de *Passe-Partout*, Radio-Québec, trouve là une niche particulière.

Enfin, la spécialisation et la fragmentation observées dans le monde de la télévision n'empêchent pas l'émergence au Québec de véritables phénomènes culturels ayant une dimension planétaire. Ainsi en est-il de la diva Céline Dion, dont la carrière internationale prend son envol en 1987, du Cirque du Soleil, qui amorce ses activités en 1984, et des films de Denys Arcand, *Le déclin de l'empire américain* en 1986 et *Jésus de Montréal* en 1989.

3 | LES DYNAMIQUES POLITIQUES

3.1 | Les politiques de l'identité : les déclinaisons de la question nationale

Le 20 mai 1980, les citoyennes et citoyens québécois décident s'ils accordent au gouvernement du Parti québécois le mandat de négocier un nouvel accord politique avec le Canada. Ce mandat impliquerait la négociation d'égal à égal entre les deux ordres de gouvernement et la mise sur pied d'un projet de souveraineté-association. Faisant suite à la promesse que René Lévesque a faite en 1976 de consulter les citoyens et citoyennes avant d'entreprendre tout changement fondamental du statut politique, la campagne référendaire du printemps 1980 se déroule dans un contexte d'effervescence nationaliste, où partisans de la souveraineté québécoise et militants fédéralistes pour le maintien de la province dans la fédération canadienne font valoir passionnément leurs arguments. Dans une intervention publique au centre Paul-Sauvé le 16 mai, le premier ministre canadien Pierre-Elliott Trudeau déclare solennellement mettre son siège en jeu pour entreprendre des changements. La promesse en convainc plusieurs et, le soir du 20 mai, après une journée où 85,61 % des citoyens et citoyennes inscrits ont fait valoir leur opinion, 59,55 % du suffrage se prononce pour l'option du « Non » contre 40,45 % pour celle du « Oui ».

Moins que la fin d'une époque, le référendum de 1980 marque le début d'une autre, en amorçant un débat majeur qui touche aux politiques de l'identité au cours de la décennie 1980, soit celui de la joute constitutionnelle. Après l'échec de la conférence de Victoria en 1971, qui entrave la réalisation de son projet de rapatriement de la constitution – constitution qui est encore une loi britannique –, le gouvernement de Pierre-Elliott Trudeau perd l'avantage. La défaite du projet de souveraineté-association relance la donne. Dès le lendemain du référendum, P.-E. Trudeau entreprend les démarches nécessaires pour un rapatriement unilatéral de la constitution. L'opposition de la majorité des provinces ainsi qu'un jugement de la Cour suprême en septembre 1981 incitent le gouvernement fédéral à légitimer son initiative par une négociation avec les États provinciaux. L'effondrement du front commun des provinces opposantes en novembre 1981 permet un ralliement autour du rapatriement de la constitution et de l'enchâssement d'une charte des droits et libertés. Bien qu'elle soit l'acte fondateur du nouveau nationalisme canadien, l'opération du rapatriement laisse « une fois de plus, le Québec [...] tout seul », selon les propos amers de René Lévesque (1987 : p. 449).

Aussi, exprimant une volonté de réconciliation au moment de la campagne électorale fédérale de 1984, le candidat progressiste-conservateur Brian Mulroney invite ses compatriotes du Québec à se joindre aux autres Canadiens « avec honneur et enthousiasme » autour de la nouvelle Loi constitutionnelle. Son élection débloque le processus, qui s'accélère avec l'arrivée des libéraux de Robert Bourassa au pouvoir à Québec. Axées sur cinq points – la reconnaissance du Québec comme société distincte, l'octroi d'un droit de veto à l'égard d'amendements importants à la constitution, le droit de retrait avec compensation, une reconnaissance accrue des compétences québécoises en matière d'immigration, la nomination de trois juges québécois à la Cour

LES PARLEMENTAIRES

Compétences développées
Lire l'organisation d'une société sur son territoire.

Interpréter les changements dans une société et sur son territoire.

Techniques développées en histoire
Utilisation de repères chronologiques (mois, saisons, années, décennies, siècles, millénaires).

Interprétation de documents iconographiques.

Repérage d'informations historiques dans un document.

Description
Cette activité consiste à analyser l'évolution de la reconnaissance des droits au Québec de 1905 à 1980 à l'aide d'une ligne du temps. Bien que l'objet d'étude soit assez précis, il pourrait s'élargir à d'autres thèmes.

Par exemple, pour étoffer cette activité, l'enseignante pourrait répartir la classe en plusieurs groupes représentant chacun un ministère provincial ou fédéral : éducation, langue, immigration, travail, condition féminine, affaires indiennes. Chaque groupe serait alors chargé de documenter et de rapporter les événements marquants pour la même période. La production finale consisterait à présenter les événements, sous la forme d'une assemblée parlementaire simulée, et à démontrer en quoi ils sont marquants. Les autres ministères délibèrent ensuite sur la présentation de ces événements et décident s'ils pourront être ajoutés à la ligne du temps.

L'enseignante pourrait également demander aux élèves pourquoi il était possible d'acquérir ces droits à cette époque, pourquoi ils n'ont pas été acquis plus tôt, qui les revendiquait, comment ils s'y sont pris, qui était opposé à leur acquisition et quelles autres revendications devraient être satisfaites aujourd'hui.

Idée d'activité pédagogique : Vincent Boutonnet. Inspirée du site Récit Univers social, *Reconnaissance des droits au Québec en 1980*, consulté le 1er novembre 2010 à l'adresse <http://recitus.qc.ca/sae/primaire/droits>.

---

suprême –, les négociations débouchent en juin 1987 sur un accord, celui du lac Meech. Dès lors, le compte à rebours est déclenché pour l'obtention du consentement unanime de tous les Parlements provinciaux et fédéral, et ce, trois ans après son adoption. Très rapidement, l'accord du lac Meech rencontre une opposition acharnée parmi de nombreux nationalistes canadiens, au premier chef Pierre-Elliott Trudeau lui-même, et de la part des groupes autochtones, exclus de la négociation. Le 23 juin 1990, les Assemblées législatives du Manitoba et de Terre-Neuve n'apposent pas leur accord unanime. L'accord du Lac Meech meurt donc et son avis de décès provoque une onde de choc considérable.

Cette onde de choc, elle se manifeste sur le plan des nationalismes, des nationalismes dans leur pluralité et leur diversité. La décennie 1980 est une période de profonde effervescence nationaliste au Québec et au Canada, et le référendum de 1980, malgré les apparences, en donne davantage le coup d'envoi que le botté de dégagement. Certes, le mouvement souverainiste qui, depuis les États généraux du Canada français en 1967 et la création du Parti québécois en 1968, mobilise une frange importante des francophones québécois – environ 50 % d'entre eux ont appuyé l'option du «Oui» – entre dans une période de relative léthargie, certains assimilant même cette torpeur à un syndrome postréférendaire (Bonhomme et coll., 1989). Les aléas du gouvernement du Parti québécois, sa défaite aux mains des libéraux de Robert Bourassa, puis la promotion de l'affirmation nationale par le successeur de René Lévesque, Pierre-Marc Johnson, ne suscitent guère l'enthousiasme parmi les tenants de la souveraineté qui doivent revoir leur conception de la nation québécoise pour la rendre plus inclusive. Toutefois, à la fin de cette période, l'échec de l'accord du lac Meech revigore fortement l'option souverainiste puisque, au lendemain du 23 juin 1990, 66 % des Québécois affirment vouloir l'indépendance.

D'autres nationalismes traversent les années 1980 en occupant davantage l'espace politique. Il en va ainsi de cette vaste coalition des nationalistes militants pour la reconnaissance et l'affirmation du statut distinct du Québec à l'intérieur de la Confédération canadienne. Leurs principaux leaders – les Claude Ryan et Robert Bourassa – contestent le rapatriement de la constitution en 1982, rapatriement qui donne un dur coup à ce mouvement en mettant fin à leur conception des rapports nationaux, à la thèse du pacte entre les deux peuples fondateurs au Canada. Aussi, ils se montrent particulièrement sensibles aux gestes d'ouverture qu'ils perçoivent de la part du Canada anglophone : la volonté exprimée par le gouvernement de Brian Mulroney de réintégrer le Québec, les effets positifs du bilinguisme pancanadien – à l'instar de l'adoption de la loi 8 sur les services en français en Ontario – et surtout l'accord du lac Meech.

Le désarroi des promoteurs de la société distincte québécoise au moment de l'échec de l'accord constitutionnel est proportionnel à leur méconnaissance de la profonde implantation d'un troisième mouvement nationaliste au Canada anglophone et, dans une mesure moindre, au Québec : celui fondé sur une nationalité distinctement canadienne et multiculturelle, garantie par un État fédéral fort et une charte des droits et libertés. Promue par Pierre-Elliott Trudeau au cours de la décennie précédente, la stratégie d'unité nationale rend pour un grand nombre d'Anglo-Canadiens «les exigences perpétuelles du Québec inintelligibles», selon le politologue Kenneth McRoberts (1999 : p. 254). Plus encore, elle annihile au Canada anglophone «une fois pour toutes […] la notion de pacte» entre les deux peuples fondateurs (McRoberts, 1999 : p. 254). Entre Clyde Wells[1] et Sharon Carstairs[2] d'une

---

1. Premier ministre de Terre-Neuve, à l'époque.
2. Chef du Parti libéral du Manitoba, à l'époque.

L'ÉTAT DANS LA SOCIÉTÉ QUÉBÉCOISE VERS 1980

Compétence développée
Lire l'organisation d'une société sur son territoire.

Techniques développées en géographie
Lecture et interprétation de cartes.
Localisation d'un lieu sur un plan, sur une carte, sur un globe terrestre, dans un atlas.
Repérage d'informations géographiques dans un document.

Techniques développées en histoire
Utilisation de repères chronologiques (mois, saison, année, décennie, siècle, millénaire).
Repérage d'informations historiques dans un document.

Description
Les élèves doivent mener une recherche. Pour les préparer, on situe dans le temps et dans l'espace la société à l'étude et on leur montre des images de ses paysages humains et naturels. Le concept d'État – autorité qui administre et dessert un peuple et un territoire déterminés – est brièvement décrit et illustré par l'exemple de l'État québécois avec son drapeau, son Parlement et son chef. Cela fait, on pose la question suivante : « Quel est le rôle de l'État dans la société québécoise vers 1980 ? » En émettant des hypothèses, les élèves font émerger leurs représentations du concept en jeu. Afin de réunir toute l'information nécessaire à la construction de l'explication, ils recueillent des cartes, des images, des textes et des productions audiovisuelles issus du matériel didactique auquel ils ont accès. En équipe et avec l'aide de la professeure, ils évaluent ces sources, puis en dégagent les données brutes pertinentes, pour ensuite les organiser dans un schéma articulant mots-clés, définitions et illustrations. Leur schéma doit présenter l'État québécois comme intervenant dans différents domaines pour aider les citoyens, avec ses principales institutions : politiques, économiques, sociales et culturelles. L'enseignante peut aussi demander aux élèves de comparer ce rôle avec celui que tenait l'État québécois avant cette période et avec celui qu'il joue maintenant, d'identifier les acteurs sociaux ainsi que de déterminer leurs intérêts et points de vue respectifs.

Idée d'activité pédagogique : Isabelle Laferrière.

part, et Gil Rémillard[3] et Jean Allaire[4] de l'autre, l'incompréhension est totale en 1990. Les tentatives de relancer le dialogue échouent également, les référendums canadien et québécois sur l'accord de Charlottetown en 1992 montrant clairement les lignes de rupture.

3. Ministre des Affaires intergouvernementales du Québec, à l'époque.
4. Membre du Comité constitutionnel du Parti libéral du Québec, à l'époque.

3.2 Les politiques de la reconnaissance : diversités ethnoculturelles et linguistiques

Le 25 novembre 1978, après avoir transité par un camp de Malaisie, le premier groupe des 604 réfugiés vietnamiens du *Hai Hong*, un cargo rouillé ayant gîté pendant 45 jours sur les eaux tumultueuses de la mer de Chine, descend sur la piste de l'aéroport militaire de Longue-Pointe. Faisant partie des premiers contingents des réfugiés de la mer, 159 personnes descendent, souffrant de carences alimentaires et d'affections diverses après leur voyage au cœur des ténèbres – la guerre, les persécutions, l'exode, la misère, la mort. Entre 1979 et 1981, près de 60 000 réfugiés en provenance du Vietnam seront reçus au Canada, dont 13 000 au Québec. De ce nombre, 7 847 bénéficient du programme spécial de parrainage mis sur pied dès juillet 1979 par le ministère québécois de l'Immigration (figure 11.4). Le ministre Jacques Couture encourage ainsi toute association privée sans but lucratif et tout groupe de cinq personnes ou plus à parrainer ces réfugiés et à subvenir pendant un an à leurs besoins essentiels. Ils se voient également assigner «la mission de recevoir avec chaleur et dignité des individus ou des familles» ayant vécu «dans des conditions infrahumaines» (Pâquet, 2005 : p. 235). De juillet 1979 à mars 1981, avec l'assistance des Centres d'orientation et de formation des immigrants (COFI), 518 groupes parrains, répartis dans 215 municipalités au Québec,

| Figure 11.4 | Réfugiés vietnamiens accueillis dans un centre d'immigration de Montréal pendant l'épisode des *boat-people* de la fin des années 1970 |

participent au programme. Selon une enquête ultérieure du ministère de l'Immigration auprès des différents intervenants, l'adaptation des réfugiés, une fois passé le choc culturel initial, demeure fonction de l'obtention d'un emploi et de la connaissance du français. Quant aux groupes parrains, les deux tiers d'entre eux se montrent disposés à accueillir de nouvelles familles.

L'épisode de l'accueil des réfugiés du Vietnam, du Laos et du Cambodge n'est pas une première dans l'histoire québécoise. Signalons le cas des orphelins irlandais au moment de la Grande Famine en 1847, des *displaced persons* (personnes déplacées) après 1945 et des ressortissants hongrois en 1957. Décennie particulièrement tumultueuse, les années 1970 voient une augmentation de la fréquence des accueils, avec ceux des Haïtiens ou des Chiliens échappant à la férocité des régimes Duvalier et Pinochet, ou encore des Libanais fuyant la guerre civile dans leur pays dès 1975. La période suivante est marquée également par les mouvements de réfugiés provenant de Pologne, du Sri Lanka, du Guatemala, du Salvador et du Nicaragua, puis de zones de conflits larvés comme l'Algérie à la fin des années 1980. L'épisode des *boat-people* témoigne néanmoins de deux phénomènes majeurs de la société québécoise qui touchent aux politiques de la reconnaissance : l'ouverture au pluralisme ethnoculturel et la redéfinition des valeurs du lien civique.

Au-delà du mouvement des réfugiés, le pluralisme ethnoculturel se manifeste d'abord avec l'immigration. Là, les tendances observées dans les flux migratoires depuis le début des années 1970 se maintiennent. L'amélioration des moyens de transport et de communication ainsi que les politiques fédérale et québécoise de l'immigration – qui ont levé depuis les années 1960 les critères de discrimination ethnique pour leur préférer le regroupement familial et une sélection des immigrants fondée sur leur capital d'investissement, leur qualification professionnelle et leur connaissance d'une des langues officielles – ont permis l'élargissement des bassins migratoires. Provenant d'Europe du Sud et de l'Est après la Seconde Guerre mondiale, les migrants sont désormais originaires d'Asie du Sud-Est, des Antilles, d'Amérique latine, d'Afrique et du Proche-Orient. Ainsi, Haïti, le Vietnam, le Kampuchéa-Cambodge, le Liban, le Salvador, le Sri Lanka, la France et, surtout vers la fin de la décennie, Hong Kong fournissent les principaux contingents de l'immigration au Québec. Ces immigrants se fixent massivement dans la région montréalaise. Au début des années 1980, le ministère québécois des Communautés culturelles et de l'Immigration estime que 80 % des nouveaux venus au Québec font de cette région leur choix de résidence : cette proportion passe à plus de 90 % en 1987. Enfin, il ne faut pas oublier que, grâce au maintien des relations avec les aires de départ, étant donné aussi les objectifs économiques des immigrants, la migration souvent n'est pas permanente.

À l'instar des flux migratoires des siècles antérieurs, plusieurs ne font que passer au Québec pour s'installer ailleurs en Amérique du Nord afin d'accroître leurs chances de prospérer. C'est notamment le cas de maints investisseurs chinois de Hong Kong, qui migreront vers les centres financiers de Toronto et de Vancouver, voire jusqu'en République populaire de Chine. Ces migrants accompagnent souvent des ressortissants québécois eux-mêmes, dont un nombre appréciable d'Anglo-Québécois qui tendent à partir vers le centre et l'ouest du Canada – quoique dans une proportion moindre que durant les années 1970. Dès la fin de la décennie, on observe aussi des mouvements de retour vers l'aire de départ, comme celui des *Viêt Kiêu*, rapatriés vietnamiens qui retournent dans leur pays désormais pacifié.

L'ouverture au pluralisme culturel s'exprime aussi par l'intégration mutuelle : une intégration des groupes migrants à la société d'accueil, une intégration des apports de l'immigration de la part de l'ensemble de la communauté québécoise. Cette intégration se développe d'abord dans le marché du travail, notamment dans les secteurs de la transformation et des services, où la présence immigrante demeure forte. Elle se reflète également dans la force de leur contribution économique, les immigrants investisseurs – dont environ 40 % de ressortissants d'Extrême-Orient – injectant pour près d'un milliard de dollars au Québec entre 1983 et 1987. Elle se traduit aussi par la transformation des familles, avec la présence appréciable des unions exogames – en 1991, 27 % des hommes immigrés et 18 % des femmes immigrées appartiennent à un ménage de ce type, soit une proportion similaire à celle de l'Ontario (Benjamin, 2001 : p. 599) –, et avec la croissance de l'adoption internationale – de 40 adoptions par année en 1982, leur nombre éclate à 876 en 1991, avec près de la moitié des enfants provenant de la République populaire de Chine (Gouvernement du Québec, 1999 : p. 54). Elle se manifeste nettement dans les échanges culturels, de la *World Music* jouée dans les différents festivals d'été au métissage de la gastronomie, mariant le bagel, le *smoked meat* et les rouleaux de printemps au pâté chinois et aux cretons. Enfin, l'ouverture au pluralisme demeure un phénomène aux rythmes variables. L'intégration se fait plus rapide lorsqu'il s'agit d'un mouvement de mode ; elle prend une génération ou deux dans le cas de l'acquisition d'une langue, à l'exemple de cette première génération des « enfants de la loi 101 » qui se scolarise au cours des années 1980.

L'accueil des *boat-people* marque finalement un épisode dans la redéfinition du lien civique au Québec durant la décennie 1980, phénomène qui débute dès la Révolution tranquille et s'accélère avec les Chartes des droits et libertés de la personne et la Charte de la langue française. Ce lien est toutefois multiforme : il acquiert des significations variables selon qu'on est Québécois de fraîche extraction ou originaire d'un peuplement plus ancien, qu'on vive en région ou dans la métropole montréalaise, qu'on s'identifie comme Canadien résidant au Québec ou exclusivement comme Québécois, qu'on parle français, anglais ou une autre langue.

Refusant le modèle multiculturel canadien jugé niveleur et idéologique, les responsables politiques québécois, de quelque allégeance partisane que ce soit, privilégient la voie d'une société francophone à composantes pluriculturelles. Déjà, l'entente conclue entre les ministres québécois et fédéral de l'Immigration, Jacques Couture et Bud Cullen, accorde à l'État provincial les pleins pouvoirs en matière de sélection des immigrants – hormis en ce qui concerne l'octroi des statuts et la délivrance des visas. Adoptée en 1983 sous le ministre des Communautés culturelles et de l'Immigration Gérald Godin, la politique *Autant de façons d'être Québécois* promeut pour les nouveaux venus une double appartenance, en encourageant le maintien de leur patrimoine originel et en les incitant à converger vers la culture majoritaire, celle des francophones. L'accord du lac Meech, souligne à l'envi le gouvernement de Robert Bourassa, fournit les outils essentiels pour assurer cette mainmise sur l'immigration et le maintien de la nature distincte de la société québécoise.

Cependant, cette culture de convergence, jugée assimilatrice sous les oripeaux du respect des différences, fait l'objet de critiques. Au début de la décennie 1990, avec l'énoncé politique *Au Québec pour bâtir ensemble*, les responsables politiques insisteront davantage sur la promotion de l'interculturalisme, fondé sur une culture publique commune et des valeurs comme la démocratie, le pluralisme et la langue française. Avec sa proposition d'un « contrat moral » entre la société d'accueil et les nouveaux arrivants, l'État québécois prône alors l'échange intercommunautaire, le dialogue interculturel, la réciprocité et la reconnaissance mutuelle. Pour nombre de nouveaux venus en 1995, un élément fondamental du lien civique réside alors, ainsi que le notent les anthropologues Denise Helly et Nicolas van Schendel, dans « un bien-être à vivre au sein d'une société civile plus pacifique et égalitaire que toute autre en Amérique du Nord, et dans un milieu urbain exceptionnel, Montréal » (2001 : p. 200).

Le lien civique est redéfini dans le sens d'un déclin relatif de la référence ethnique, particulièrement parmi les francophones. Un élément sert de révélateur de ce déclin, soit celui des crises linguistiques. Au début de la Révolution tranquille, le clivage linguistique se doublait d'une discrimination économique et de fortes tensions ethniques, tensions qui éclatent au moment des affaires de Saint-Léonard, du mouvement McGill français et de la contestation de la loi 63 à la fin des années 1960. La loi 22, établissant le français comme langue officielle au Québec, et surtout la Charte de la langue française, lui assurant la reconnaissance comme langue publique, contribuent puissamment à créer un sentiment de sécurité pour les francophones, ces derniers se limitant de moins en moins au seul groupe ethnique des Canadiens français. Qui plus est, les francophones semblent combler l'écart avec les anglophones en ce qui touche aux disparités de revenus, le français étant considéré de plus en plus comme un instrument de promotion sociale. Aussi, en dépit des contestations juridiques de la loi 101 par le groupe de pression anglo-québécois Alliance Québec et par l'émergence épisodique en 1989 d'un parti politique aux accents fortement ethniques, le parti Égalité

(Equality Party), la question linguistique ne polarise plus autant les passions. En réponse au jugement de la Cour suprême en 1988, l'adoption de la loi 178, modifiant la Charte de la langue française sur l'affichage, alimente certes les tensions, mais elles se dissipent assez rapidement au début des années 1990, laissant la place au débat constitutionnel et à la question nationale.

La résurgence de l'ethnicité se produit plutôt sur un autre front à la fin des années 1980, celui de la question amérindienne. En dépit des diverses mesures de l'État-providence canadien depuis les années 1940, la situation économique, sociale, culturelle et politique des Amérindiens demeure toujours aussi lamentable au cours de la décennie. De plus, vivant dans 54 villages et réserves répartis sur le territoire québécois, la population amérindienne et inuite augmente rapidement, passant de 50 000 en 1981 à près de 140 000 en 1991 (Robitaille et Guimond, 1994). Le rapatriement de la Constitution canadienne en 1982 laisse en plan des leviers importants pouvant assurer l'épanouissement de ces communautés, dont ceux du respect des traités, des revendications territoriales et de l'autonomie gouvernementale. Bien que la Convention de la Baie-James et du Nord québécois assure partiellement le développement des communautés cries depuis 1975, quoique le gouverne-ment de René Lévesque ait reconnu en 1985 les onze nations vivant en territoire québécois – les Inuits, les Mohawks, les Innus, les Cris, les Algonquins, les Attikameks, les Micmacs, les Hurons-Wendats, les Abénaquis, les Malécites et les Naskapis –, les quelques gestes d'apaisement ne suffisent guère pour résoudre les problèmes. Plusieurs se tournent donc vers les tribunaux, à l'exemple des frères Régent, Conrad, George et Hughes Sioui, qui vont en 1990 jusqu'en Cour suprême du Canada pour la reconnaissance du droit d'exercer leurs coutumes ancestrales dans le parc provincial de la Jacques-Cartier. Avec la crise d'Oka en 1990, les tensions éclatent vivement, remet-tant à l'ordre du jour la question amérindienne et, ce faisant, mettant sérieusement en doute l'établissement de liens civiques communs au Québec et au Canada.

4 | HISTORIOGRAPHIE ET CONTROVERSES

Période historique relativement proche, la décennie 1980 appartient au champ de l'histoire immédiate. Aussi, elle offre à l'historien et à l'histo-rienne une série de problèmes précis qui ne font pas dans la décennie 2010 l'objet de controverses majeures, exception faite de la question de l'américanité de la société québécoise.

D'emblée, ces problèmes ne sont pas ceux du recul historique : l'objectivité de l'historien et de l'historienne n'est pas garantie par la distance temporelle – des enjeux comme ceux de la Conquête et des insurrections de 1837-1838 montrent bien que ces événements sont souvent réinterprétés sous l'angle des passions contemporaines – mais par cette nécessaire distance entre l'objet d'étude et l'analyste, qui doit chercher avec la plus grande impartialité possible.

Les problèmes de l'histoire immédiate renvoient plutôt à la cohabitation avec les autres disciplines des sciences sociales – les sciences économiques et politiques, la sociologie, l'anthropologie, etc. Malgré des objets d'étude qui peuvent être partagés, le regard diverge, car les visées de ces disciplines restent différentes de celle de l'histoire. En effet, la saisie des temporalités n'est pas de leur ressort : un politologue ou une sociologue se contentent volontiers d'une mise en contexte historique du phénomène étudié dans le temps actuel ; l'historien et l'historienne doivent comprendre ce phénomène dans une durée plus ou moins longue pour échapper au présentéisme, ce culte du présent. Là, la pratique de l'histoire immédiate exige de bien jauger la teneur du phénomène historique : un événement peut apparaître exceptionnel dans l'actualité – un événement *historique* dira-t-on banalement – mais perdra de sa signification lorsqu'il sera mis en relation avec d'autres temporalités.

Autre problème de l'histoire immédiate, celui des sources. Plusieurs documents d'archives ne sont pas encore accessibles à la recherche ; les enquêtes orales et les interviews exigent des protocoles rigoureux pour assurer au témoignage la valeur la plus authentique et la plus pertinente possible ; la surabondance de sources diverses, produites sur des supports allant de l'électronique à l'imprimé en passant par l'audiovisuel, impose une grande maîtrise des méthodes variées de collecte et de traitement de l'information. Certains domaines de l'histoire immédiate, comme ceux de l'histoire sociale, pâtissent du fait de cette prodigalité documentaire. Ne pouvant être pleinement exhaustives, leurs interprétations demeurent dès lors fort limitées, sinon générales.

Ces complexités de l'histoire immédiate rebutent plusieurs historiennes et historiens québécois, qui préfèrent ne pas pousser plus loin que la période de la Révolution tranquille ou se complaire dans des disputes de distinction sociale (Rudin, 1998). Aussi, peu de débats historiographiques traitent des années 1980 et, le cas échéant, font une place importante aux praticiens et praticiennes d'autres disciplines.

Cependant, un débat peut être cerné, notamment dans un domaine de la discipline parmi les plus féconds depuis 1985 : l'histoire culturelle (Burgess, 2002 : p. 44). Il relève de ce que d'aucuns appellent l'américanité du Québec, ce trait culturel jugé prédominant au cours des années 1980. Deux thèses s'affrontent autour de cet objet. Il y a d'abord celle qui, débusquant les indices de l'américanité principalement dans des textes littéraires et des essais intellectuels, notamment ceux des années 1980, la perçoit généralement de manière positive. L'historien du littéraire Yvan Lamonde ainsi que le sociologue et historien du social Gérard Bouchard en sont les principaux promoteurs. Ces derniers voient dans l'américanité un «concept d'ouverture et de mouvance qui dit le consentement [du Québec] à son appartenance continentale» (Lamonde, 1996: p. 11). Ainsi, comme lieu d'expression d'une «collectivité neuve», la culture québécoise s'inscrirait «dans cet espace culturel [des Amériques], comme substitut aux référentiels européens traditionnels» (Bouchard et Lamonde, 1995: p. 7-8). Dans un procédé commun aux typologies et à l'établissement d'une hypothèse de travail en sociologie, G. Bouchard établit une distinction implicite entre deux cultures, entre une dite «populaire», jugée plus ouverte sur le continent américain, et une autre, celle des élites, tournée vers l'Europe (1993). Puisant à une histoire politique de la pensée intellectuelle, une autre thèse, celle du sociologue Joseph-Yvon Thériault, se fait beaucoup plus critique à l'égard de l'américanité. Soucieux de clarté conceptuelle, J.-Y. Thériault la considère comme «un concept-poubelle», dans le double sens d'un «ramassis hétéroclite d'énoncés» et d'un concept à rejeter, «car inutile sinon dangereux, pour comprendre le parcours historique de la nation française d'Amérique» (2002: p. 23). Insistant sur la présence d'une tradition politique du Canada français que les penseurs de la Révolution tranquille et les tenants de l'américanité ont eu tendance à oblitérer, le sociologue plaide pour d'autres interprétations que celle de l'intégration au géant américain, afin de comprendre les dynamiques d'une «petite société» comme celle du Québec contemporain.

Conclusion

Pluralité des dynamiques, pluralité des temps. Le parcours du Québec des années 1980 est complexe puisqu'il renvoie à des dynamiques variées: celles de l'économie avec le choc de la récession, des dysfonctionnements régionaux et de l'émergence du modèle néolibéral flétrissant l'intervention de l'État; celles du socioculturel avec la place des femmes, la transformation des familles et l'hégémonie d'une société de communication de masse; celles du politique avec les enjeux nationaux et constitutionnels, l'ouverture au pluralisme culturel et la redéfinition du lien civique. Pluralité des temps en ce sens que ces différents événements marquent la continuité ou la rupture, l'accélération ou la léthargie, le commencement ou la fin d'une époque. Pour reprendre le mot de Fernand Dumont à Serge Cantin, mais dans une autre perspective, l'historien et l'historienne doivent, dans leur interprétation du passé, la «porter comme on porte un enfant, la tête haute » (Cantin, 1997 : p. 15). Ainsi ceux et celles qui la reçoivent peuvent la saisir sous une perspective plus large, et en dégageront ensuite plus clairement les lignes de force et les chemins de traverse, les liens entre les phénomènes et leur spécificité, les aspects plus permanents et ceux qui sont éphémères. Comme historien et historienne, mais surtout comme citoyen et citoyenne, comprendre les temporalités dans leur pluralité devient ainsi un moyen de s'habiliter à participer pleinement au débat civique.

Exercices

1. Situez, sur des cartes à différentes échelles, le territoire occupé par la société québécoise.

2. Situez, sur des lignes du temps graduées à différentes échelles, des faits et des personnages liés à l'histoire de cette société.

3. Indiquez des changements survenus dans la société québécoise entre 1905 et 1980.

4. Décrivez la répartition de la population.

5. Nommez des expressions de l'art.

6. Décrivez des éléments liés à la vie quotidienne.

7. Nommez des disparités économiques et régionales.

8. Décrivez des facteurs de changements en matière d'économie et de conditions de travail.

9. Relevez des motifs de conflits politiques au cours des années 1980 et décrivez leurs incidences.

10. Décrivez les mutations sociales et culturelles des années 1980.

11. Comment a évolué le rôle de l'État en matière de protection sociale et d'intervention économique ?

12. Comment les mesures visant à surmonter certaines des pratiques discriminatoires contre les Québécois de langue française ont-elles évolué ?

13. Comment le reflux international des luttes pour l'égalité a-t-il touché la conscience des Québécois ?

14. Quels facteurs ont amené les femmes à lutter contre la discrimination ?

15. Quelles sont les limites des gains en ce qui concerne la situation des femmes ?

16. Comment la situation des travailleurs et l'orientation des syndicats ont-elles évolué ?

17. Comment la culture a-t-elle évolué ? Quels rôles les médias ont-ils joués ?

18. Comment les politiques de l'identité ont-elles influé sur la société québécoise au cours des années 1980, notamment sur le plan de la question nationale ?

19. Comment les politiques de la reconnaissance ont-elles influé sur la société québécoise au cours des années 1980, notamment dans sa gestion de la diversité ethnique et culturelle ?

20. Comment le nationalisme autochtone s'est-il développé au cours des années 1980 ?

Pour en savoir plus

Histoire immédiate, l'histoire du Québec des années 1980 reste à faire en grande partie. Les grandes synthèses historiques demeurent encore une fois pertinentes pour un regard général. Mentionnons la somme de Paul-André Linteau, René Durocher, Jean-Claude Robert et François Ricard (1989), *Histoire du Québec contemporain*, t. 2 : *Le Québec depuis 1930* ; celle de John A. Dickinson et Brian Young (2003), *Brève histoire socio-économique du Québec* ; ainsi que le survol interprétatif de Jocelyn Létourneau (2004), *Le Québec, les Québécois : Un parcours historique.*

Les sciences sociales suppléent aux lacunes de la discipline historique. Ainsi, on pourra consulter avantageusement des synthèses sociologiques et politologiques telles que *Le Québec en jeu : Comprendre les grands défis*, sous la direction de Gérard Daigle et Guy Rocher (1992), ou encore les deux tomes du *Québec, État et société*, sous la direction d'Alain-G. Gagnon (1994 et 2003).

Sur des thèmes plus précis, d'autres synthèses s'avèrent adéquates, entre autres dans les domaines de l'histoire des régions (publiés depuis 1981 à l'Institut québécois de recherche sur la culture (IQRC), les recueils de la collection « Les régions du Québec » constituent de très bons outils de référence), du travail (Rouillard, 2004), des femmes (Collectif Clio, 1992), des médias (Desaulniers, 1996 ; Raboy, 2000), des mouvements migratoires et de l'inclusion de l'Autre (Helly, 1996 ; Pâquet, 2005), des enjeux amérindiens (Beaulieu, 1997 ; Dupuis, 1997), de la question linguistique (Levine, 1997 ; Martel et Pâquet, 2010 ; Plourde, 2000) ou de l'État (Gagnon, 1994, 2003 ; Lachapelle, Bernier, Salée et Bernier, 1993 ; McRoberts, 1999).

Enfin, il est possible de consulter de bons recueils de sources. Dirigé par Simon Langlois, *La société québécoise en tendances, 1960-1990* (1990) propose des tableaux statistiques et des textes explicatifs utiles pour tout chercheur. Sous la direction de Réal Bélanger, Richard Jones et Marc Vallières, *Les grands débats parlementaires, 1792-1992* (1994) possèdent l'insigne avantage de présenter un large éventail de questions sociales, économiques, culturelles et politiques couvrant entre autres les années 1980. Sous la direction de Micheline Dumont et Louise Toupin, *La pensée féministe au Québec. Anthologie (1900-1985)* (2003) offre une série de textes pertinents sur l'évolution des féminismes au cours de la décennie 1980.

■ Internet

Plusieurs sites internet couvrent désormais de manière exhaustive les années 1980. De ce lot, signalons :

- celui de la Bibliothèque nationale du Québec (qui comprend aussi les Archives nationales du Québec) : <http://www.banq.qc.ca/accueil/> ;
- celui des archives de Radio-Canada : <http://archives.radio-canada.ca/> ;
- et le site *Bilan du siècle* de l'Université de Sherbrooke, dont la richesse documentaire se marie heureusement avec une présentation intelligente du propos : <http://www.bilan.usherb.ca/>.

Bibliographie

B.-DANDURANT, R. (1990). « Peut-on encore définir la famille ? », dans F. Dumont (dir.), *La société québécoise après trente ans de changements*, Québec, Presses de l'Université Laval/Institut québécois de recherche sur la culture.

BEAULIEU, A. (1997). *Les Autochtones du Québec : des premières alliances aux revendications contemporaines*, Montréal/Québec, Fides/Musée de la civilisation.

BÉLANGER, R., R. JONES et M. VALLIÈRES (1994). *Les grands débats parlementaires, 1792-1992*, Québec, Presses de l'Université Laval.

BENJAMIN, C. (2001). « La participation des immigrants et de leurs descendants à la société québécoise », dans *Portrait social du Québec : Données et analyses*, Québec, Institut de la statistique du Québec, p. 575-611.

BONHOMME, J.-P., et coll. (1989). *Le syndrome postréférendaire*, Montréal, Éditions internationales Alain Stanké.

BOUCHARD, G. (1993). « Une nation, deux cultures : Continuités et ruptures dans la pensée québécoise traditionnelle (1849-1960) », dans *La construction d'une culture : Le Québec et l'Amérique française*, Québec, Presses de l'Université Laval, p. 3-47.

BOUCHARD, G., et Y. LAMONDE (1995). *Québécois et Américains : La culture québécoise aux XIXᵉ et XXᵉ siècles*, Montréal, Fides.

BURGESS, J. (2002). « L'histoire du Québec : tendances récentes et enjeux », dans *Traité de la culture*, Québec, Presses de l'Université Laval/Institut québécois de recherche sur la culture.

CANTIN, S. (1997). *Ce pays comme un enfant*, Montréal, L'Hexagone.

COLLECTIF CLIO (1992). *L'histoire des femmes au Québec depuis quatre siècles*, Montréal, Le Jour.

DAIGLE, G., et G. ROCHER, dir. (1992). *Le Québec en jeu: Comprendre les grands défis*, Montréal, Presses de l'Université de Montréal.

DESAULNIERS, J.-P. (1996). *De la famille Plouffe à La Petite Vie*, Québec, Musée de la civilisation.

DICKINSON, J. A., et B. YOUNG (2003). *Brève histoire socio-économique du Québec*, Québec, Septentrion.

DUMONT, M., et L. TOUPIN (2003). *La pensée féministe au Québec: Anthologie (1900-1985)*, Montréal, Éditions du Remue-ménage.

DUPUIS, R. (1997). *Tribus, peuples et nations: Les nouveaux enjeux des revendications autochtones au Canada*, Montréal, Boréal.

GAGNON, A.-G. (tome 1: 1994, tome 2: 2003). *Québec, État et société*, Montréal, Québec Amérique.

GOUVERNEMENT DU QUÉBEC (1999). *Un portrait statistique des familles et des enfants au Québec*, Québec, Gouvernement du Québec.

HELLY, D. (1996). *Le Québec face à la pluralité culturelle, 1977-1994: Un bilan documentaire des politiques*, Québec, Presses de l'Université Laval/Institut québécois de recherche sur la culture.

HELLY, D., et N. VAN SCHENDEL (2001). *Appartenir au Québec: Citoyenneté, nation et société civile. Enquête à Montréal, 1995*, Québec, Presses de l'Université Laval/Institut québécois de recherche sur la culture, coll. «Les régions du Québec».

LACHAPELLE, G., G. BERNIER, D. SALÉE et L. BERNIER (1993). *The Quebec Democracy: Structures, Processes, and Policies*, Toronto, McGraw-Hill-Ryerson.

LAMONDE, Y. (1996). *Ni avec eux, ni sans eux: Le Québec et les États-Unis*, Québec, Nuit blanche.

LANGLOIS, S. (1990). *La société québécoise en tendances, 1960-1990*, Québec, Presses de l'Université Laval.

LÉTOURNEAU, J. (2004). *Le Québec, les Québécois: Un parcours historique*, Montréal, Fides.

LÉVESQUE, R. (1987). *Attendez que je me rappelle...*, Montréal, Québec Amérique.

LEVINE, M. V. (1997). *La reconquête de Montréal*, Montréal, VLB éditeur.

LINTEAU, P.-A., R. DUROCHER, J.-C. ROBERT et F. RICARD (1989). *Histoire du Québec contemporain, tome II: Le Québec depuis 1930*, Montréal, Boréal.

MAILLÉ, C. (2002). *Cherchez la femme : Trente ans de débats constitutionnels au Québec*, Montréal, Éditions du Remue-ménage.

MARTEL, M., et M. PÂQUET (2010). *Lanque et politique au Canada et au Québec de 1539 à nos jours : Une synthèse historique*, Montréal, Boréal.

MARTIN, P., et P. SAVIDAN (1994). *La culture de la dette*, Montréal, Boréal.

McROBERTS, K. (1999). *Un pays à refaire. L'échec des politiques constitutionnelles canadiennes*, Montréal, Boréal.

PÂQUET, M. (2005). *Tracer les marges de la Cité : Étranger, immigrant et État au Québec*, Montréal, Boréal.

PLOURDE, M., dir. (2000). *Le français au Québec : 400 ans d'histoire et de vie*, Montréal, Fides.

RABOY, M. (2000). *Les médias québécois : Presse, radio, télévision, inforoute*, 2e éd., Montréal/Paris, Gaëtan Morin.

ROBITAILLE, N., et É. GUIMOND (1994). « La situation démographique des groupes autochtones du Québec », *Recherches sociographiques*, no 35, p. 433-454.

ROUILLARD, J. (1989). *Histoire du syndicalisme québécois des origines à nos jours*, 1re éd., Montréal, Boréal.

ROUILLARD, J. (2004). *Le syndicalisme québécois : Deux siècles d'histoire*, Montréal, Boréal.

RUDIN, R. (1998). *Faire de l'histoire au Québec*, Sillery, Septentrion.

THÉRIAULT, J.-Y. (2002). *Critique de l'américanité : Mémoire et démocratie au Québec*, Montréal, Québec Amérique.

12

La société cubaine vers 1980

Claude Morin

Introduction – Une nécessaire mise en contexte

1. **Cuba, une île dans la mer des Caraïbes**

2. **La Révolution cubaine et ses orientations**

3. **Une trajectoire singulière : Cuba de 1959 à 1990**

4. **La Révolution cubaine vers 1990 : une tentative de bilan**

5. **Révolution et nationalisme**

6. **De quelques controverses**

Conclusion

Exercices

Pour en savoir plus

Bibliographie

Introduction

UNE NÉCESSAIRE MISE EN CONTEXTE

En mai 1980, Cuba faisait les manchettes. L'invasion de l'ambassade du Pérou à La Havane par quelque 10 000 Cubains, puis l'émigration de 125 000 insulaires semblait traduire une crise profonde. Un éditorial du *New York Times* affirmait le 19 mai : « Il est clair que M. Castro est chancelant. » Cet épisode, pour dramatique qu'il fût, n'eut pourtant pas les conséquences annoncées (Morin, 1980). Il est à l'image de ces autres moments où l'on a pronostiqué la fin prochaine de Fidel Castro et de la Révolution cubaine. Ainsi l'effondrement de l'Union soviétique et du « bloc socialiste » au début de la décennie 1990 devait préluder à l'isolement de Cuba et à l'étouffement de cette expérience de socialisme sous les tropiques. Rares étaient les analystes qui croyaient que la Révolution cubaine pourrait survivre à la perte d'alliés jugés aussi décisifs. Pourtant elle le fit, manifestant ainsi une résilience admirable. L'implosion annoncée n'eut pas lieu.

Cuba n'a cessé, depuis un demi-siècle, d'occuper une place marquante dans les médias et, par ricochet, dans nos consciences. Une place étonnante quand on considère qu'elle n'a connu aucune guerre civile, qu'elle affronte annuellement (ou presque) avec prévoyance et efficacité les ouragans, qu'elle n'a pas de pétrole à exporter, etc. Trois facteurs, entre autres, expliquent cet intérêt soutenu. La Révolution qui triompha en 1959 en est le premier ingrédient. Que de révolutions dans l'histoire récente qui ont déraillé, dévoyées qu'elles étaient par les conflits internes ou sous le coup de pressions ou d'interventions extérieures ! La Révolution cubaine a pour sa part gardé le cap quant à ses idéaux, tout en se donnant des objectifs adaptés à l'évolution du monde. Fidel Castro, son dirigeant suprême, a, par sa stature de rebelle international, mobilisé et retenu l'attention, faisant de Cuba un acteur de premier plan sur la scène internationale. Sa longévité politique en a fait le dirigeant le plus expérimenté de la planète, un combattant infatigable pour toutes ces causes qui ont une valeur universelle (la promotion de l'éducation, de la santé, de la paix, de la solidarité, de la justice, de l'environnement ; le combat contre l'hégémonisme, l'endettement, le néolibéralisme). Dernier ingrédient : l'hostilité invétérée des États-Unis qui n'ont jamais renoncé à récupérer l'hégémonie qu'ils détenaient sur ce territoire entre 1898 et 1959 et dont la base de Guantánamo demeure un vestige.

L'antagonisme de Washington – auquel a répondu la résistance à saveur de défi de La Havane – a beaucoup fait pour polariser la vision qu'on a de Cuba, y compris au Canada, qui n'a jamais rompu les ponts avec La Havane (Kirk et Mckenna, 1997). Pour les uns, la Révolution cubaine a fait figure d'épouvantail avant d'être perçue comme un anachronisme. Pour d'autres, Cuba a été un phare, un modèle ; sa survie en a fait un exemple de détermination et une source d'espoir. Malgré le développement d'internet, les Cubains ont moins de poids que les étrangers sur ce qui se discute hors de Cuba, une situation unique en Amérique latine. L'image de Cuba que l'on a à l'étranger est ainsi davantage façonnée par la présentation qu'en font les États-Unis, le gouvernement, des chercheurs, des médias de ce pays. Cette présentation unilatérale tend à s'imposer à l'échelle planétaire en raison de la force des moyens de diffusion états-uniens et des pressions qu'exercent les institutions étatsuniennes.

L'étude universitaire de la Cuba révolutionnaire porte la marque de cette polarisation active dans le champ politique. Elle prend donc une coloration polémique, soit ouvertement, soit subrepticement. Cela fait de la « cubanologie » un objet relevant de la sociologie de la connaissance. Comment le discours politique influe-t-il sur l'analyse scientifique ? Quelle est la portée des valeurs qui habitent le chercheur sur son travail ? Quelle position occupe-t-il dans la société susceptible de colorer ses interrogations et ses jugements ? Quelles sont les limites de l'objectivité ? L'historien que je suis n'échappe pas à ce dilemme. La sympathie que je confesse pour cette expérience se fonde sur une connaissance du passé cubain, sur une observation longue d'une trentaine d'années et sur une comparaison avec d'autres situations en Amérique latine. Elle ne m'empêche pas de reconnaître des erreurs, des problèmes. Mais face à un dossier aussi unilatéralement biaisé, j'ai tendance à expliquer et à défendre ce que la majorité des voix entendues ici ont tendance à condamner. La critique honnête nécessaire achoppe sur cette situation comme le reconnaissait l'écrivain espagnol M. Vázquez Montalbán (2001) : « La critique de la Révolution cubaine est toujours une entreprise embarrassante, parce qu'elle est rejetée avec discipline par l'appareil cubain et instrumentée avec opportunisme par l'anticastrisme militant. »

Ce chapitre vise avant tout à rendre compte de cette expérience originale, mal comprise et déformée que sont la Révolution cubaine et Cuba dans la seconde moitié du XXe siècle. La synthèse qu'il propose participe d'une interprétation que l'auteur considère comme juste. Elle tient compte des objections et des oppositions que la Révolution cubaine a fait naître. Ce chapitre, en raison des polémiques qui l'alimentent, se prête bien à une introduction sur la manière dont nos opinions se forment. Notre connaissance d'une situation étrangère est doublement médiatisée, indirecte. Nous l'appréhendons à travers les médias et ces médias sont eux-mêmes étrangers aux pays et aux situations qu'ils commentent. S'agissant de Cuba, ce regard est biaisé par une démarche de rejet à l'endroit d'une expérience décriée par les États-Unis à partir de la lecture qu'ils font de leurs intérêts. Il en résulte que les médias déforment l'histoire du passé et celle qui est en train de se faire.

L'examen de l'expérience cubaine cadre bien avec les objectifs du programme, particulièrement à l'étape de la comparaison avec la société québécoise. Les deux sociétés ont vécu une période de transformations marquantes qui ont trait au rôle de l'État, au mode de développement du territoire, à l'application de programmes sociaux avancés, à la participation citoyenne, à l'affirmation culturelle, à l'avenir de la nation dans ses rapports avec l'extérieur.

Quatre objectifs orientent ce chapitre. Il convient d'abord de rendre compte d'un processus révolutionnaire et d'en expliquer les orientations. Comme ce chapitre décrit une situation étrangère aux lecteurs et aux élèves, il ne peut se limiter à traiter de Cuba dans les années 1980. Un retour sur la Révolution s'impose, qu'on fera suivre d'un survol des années 1960-2000. Le second objectif est de dresser un bilan de la Révolution cubaine vers 1990 afin d'exposer les principales réalisations qui caractérisent cette expérience originale. Le troisième objectif est de discuter de la relation qu'entretient la Révolution avec le nationalisme, laquelle explique à la fois la force du sentiment anti-impérialiste et l'adhésion générale et durable du peuple cubain à un projet à la fois social et national. Nous voulons enfin, en abordant certaines controverses, illustrer la polarisation évoquée plus haut, particulièrement celle ayant trait à la démocratie. Pourra-t-on encore classer Cuba parmi les sociétés non démocratiques sans s'interroger sur le sens du concept de «démocratie»? Le chapitre propose quelques exercices et matériaux destinés aux apprentissages.

1 | CUBA, UNE ÎLE DANS LA MER DES CARAÏBES

La Révolution s'est produite dans un espace singulier, soit une île à 150 km au sud des États-Unis (figure 12.1). La plus grande île des Antilles (sa taille – 110 860 km² – équivaut à 14 fois la superficie de l'île d'Anticosti), très largement ouverte sur deux grandes plaines, Cuba est l'un des pays les plus homogènes d'Amérique latine, sans grandes barrières géographiques faisant obstacle aux communications. Les terres argileuses cubaines sont remarquablement fertiles, résistantes à l'érosion et à l'épuisement, bien arrosées par les précipitations, concentrées pour les trois quarts entre mai et octobre, et sillonnées par plus de 200 rivières. Comptant peu de zones déficientes en humidité, Cuba bénéficie de températures mensuelles uniformes comprises entre 25 °C en hiver et 26,5 °C en été. Son climat la destine à la production de cultures tropicales, telle celle du sucre. Elle doit en revanche importer les denrées propres aux zones tempérées, tel le blé. Deux fléaux naturels l'affligent périodiquement : des tremblements de terre (particulièrement dans l'Oriente, face à Haïti), mais surtout des ouragans, dont certains peuvent être dévastateurs. L'ouragan Flora, en 1963, fit des dommages estimés à 500 millions de dollars et trois ouragans successifs en 2008 infligèrent des pertes estimées à 10 milliards de dollars.

L'insularité a ouvert Cuba à des invasions, à des raids sur les villes à l'époque des pirates et des corsaires. Elle lui a épargné en revanche les querelles frontalières qui ont scandé l'histoire des républiques continentales, à l'origine de plusieurs guerres entre voisins. L'insularité a facilité la consolidation de la révolution, puisque la contre-révolution ne pouvait venir que de la mer et du ciel. Elle a pu limiter l'exode des opposants dont plusieurs, incités par la promesse d'un accueil généreux, se sont néanmoins aventurés dans une traversée maritime favorisée par des courants et des vents qui les ont portés vers les côtes de Floride.

Figure 12.1   L'île de Cuba

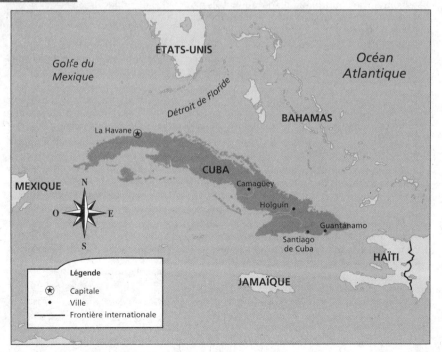

Cuba occupe une position stratégique décisive. L'île contrôle l'accès à l'Atlantique, au golfe du Mexique et à la mer des Caraïbes, à l'intersection des voies maritimes de l'empire espagnol, en direction et hors des Caraïbes. Les Espagnols avaient désigné Cuba la «Forteresse des Indes», la «Clé du Nouveau Monde». La Grande-Bretagne occupera La Havane pendant plusieurs mois et la restituera à la faveur du traité de Paris en 1763. Cette position fera que les États-Unis s'intéresseront à Cuba au début du XIXᵉ siècle au point d'offrir à l'Espagne de lui acheter l'île. Plusieurs planteurs créoles rêveront

ŒUVRE FICTIVE ET HISTOIRE

Compétences développées
Lire l'organisation d'une société sur son territoire.
S'ouvrir à la diversité des sociétés et de leur territoire.

Technique développée en histoire
Repérage d'informations historiques dans un document.

Description
Le roman *Le journal de Zoé Pilou à Cuba** relate, sous la forme d'un journal intime illustré, l'histoire d'un enfant qui va retrouver sa mère à Cuba et découvre en même temps cette île où règnent la samba, les cigares, les automobiles américaines des années 1950 et les maisons colorées de La Havane.

Bien que ce récit soit fictif, il permet aux élèves de se familiariser avec cette société par l'entremise d'un personnage auquel ils peuvent s'identifier. L'activité consiste à recueillir de l'information dans une œuvre fictive, à la vérifier et à la compléter par d'autres sources.

Demander à chaque élève d'analyser le contenu d'un chapitre sous différents angles : gouvernement, culture, religion, alimentation, etc. On veillera à ce que tous les chapitres soient également répartis entre les élèves. Les élèves devront noter leurs observations dans un tableau.

Ils devront également y ajouter une colonne supplémentaire pour y consigner, selon leurs connaissances ou d'autres sources (par exemple, leur manuel ou tout autre document), les données correspondantes concernant la société québécoise.

Une fois ces deux exercices terminés, l'élève dresse le bilan de ce qu'il a appris grâce à ce livre et surtout note toutes les informations qui lui manquent.

Les élèves se groupent ensuite en équipes de quatre pour comparer leurs observations et se faire part des informations manquantes. Pour compléter ces informations, animer un retour en grand groupe destiné à vérifier la pertinence des observations et la compréhension générale de chaque groupe.

Cet exercice comparatif pourrait porter sur un objet autre que ce récit fictif, si jamais le temps manque pour le faire lire aux élèves. Il s'agirait alors de simplement leur fournir les informations se rapportant aux différents aspects et de leur demander de dresser une comparaison avec la société québécoise.

---

* Christelle Guénot, *Le journal de Zoé Pilou à Cuba*, Paris, Mango Jeunesse, collection «J'ai la Terre qui tourne», 2007, 95 p.

Idée d'activité pédagogique : Vincent Boutonnet.

alors d'une annexion. Cette proximité des États-Unis a pu constituer un avantage économique sur le plan du commerce et des frais de transport. Elle a eu en conséquence une influence colossale à tous les points de vue. Le nationalisme cubain n'a pu endiguer l'attraction qu'exerce la culture étatsunienne, d'autant plus forte en raison de l'importance accrue de la diaspora cubaine en Floride depuis 1960, qui dépasse actuellement le million d'insulaires.

2 | LA RÉVOLUTION CUBAINE ET SES ORIENTATIONS

En décembre 1958, un dictateur tombe sous les coups d'une lutte armée combinée à des actions civiles. Un nouveau gouvernement se met en place : Fidel Castro et les rebelles en sont la colonne vertébrale. Une révolution commence sous la forme d'un train de réformes sociales, économiques, politiques. En avril 1961, Fidel déclare que la révolution en marche est « socialiste ». L'URSS apporte bientôt un concours indispensable à la survie de cette expérience aux portes de la forteresse capitaliste. Cet enchaînement soulève trois questions auxquelles j'apporterai une réponse.

2.1 | Pourquoi une révolution à Cuba ?

La Révolution cubaine n'est pas un accident : elle est le produit d'une histoire qui s'inscrit dans le temps long et dans le temps court. C'est d'abord une lutte contre une dictature. Fulgencio Batista s'est assuré le pouvoir en 1952 par un coup d'État. La corruption atteint des sommets. Cuba est une extension de l'économie étatsunienne en raison du quota sucrier, du traité de réciprocité et des intérêts que détiennent des entreprises continentales. La lutte contre Batista et son régime rassemble des opposants, y compris dans la bourgeoisie. Fidel Castro en prend la direction, mais d'autres dirigeants l'animent également. Vue dans le temps long, la Révolution couronne une série de révolutions réprimées dont 1868, 1898, 1933 forment autant de jalons. De grandes causes avaient animé ces luttes : d'abord la quête de l'autonomie, puis celle de l'indépendance nationale, enfin la résistance à l'intervention des États-Unis. De 1898 à 1959, les États-Unis furent en effet un important facteur de l'échec des tentatives cubaines de définir une voie autonome. Parallèlement, au nom de la justice sociale, des générations de Cubains et de Cubaines avaient combattu l'esclavage, la discrimination raciale, l'exclusion et la pauvreté. Les révolutionnaires, Fidel en tête, se voyaient comme les héritiers d'une tradition de luttes, poursuivant l'œuvre des héros tombés au front : Martí (figure 12.2), Maceo, Mella, Guiteras (Pérez, 2005).

Figure 12.2

Statue de José Martí (révolutionnaire anti-impérialiste et poète cubain, 1853-1893), à La Havane

2.2 Pourquoi une révolution « socialiste » ?

Le socialisme à Cuba n'est pas une greffe étrangère, importée sans plus, ni une aberration dans cette Amérique. Le socialisme y serait « aussi cubain que le palmier royal » (l'arbre national). Une longue tradition radicale court dans l'île depuis Martí et ouvre la voie au marxisme-léninisme (Liss, 1987). En 1959, à Cuba, on ne pouvait être révolutionnaire sans être marxiste. Le dilemme de Fidel Castro était de faire tout (et de rompre le nœud gordien) ou de ne rien faire (et d'accepter le compromis avec l'oligarchie cubaine et Washington). Or, Fidel était un caudillo révolutionnaire, dans la tradition des caudillos latino-américains, mais différent, parce qu'il était à la fois visionnaire, incorruptible, anti-impérialiste, sans être anticommuniste. Avec l'effondrement d'une solution modérée, d'une troisième voie entre Batista et Castro, proposée par Washington trop tardivement pour qu'elle soit viable, le processus se radicalise par la dynamique que lui insufflent les acteurs. Une relation dialectique s'instaure entre Fidel et le peuple cubain. D'un côté, Fidel est impatient et sa volonté de transformation se heurte à des oppositions en haut. Il doit mobiliser pour s'assurer une base et survivre; il doit donner satisfaction aux attentes populaires qu'il stimule. De l'autre, de nombreux Cubains projettent leurs aspirations de changement dans une personne qu'ils croient dotée d'un pouvoir illimité, Fidel. Mais radicaliser le programme, c'est provoquer la réaction des

Figure 12.3 De gauche à droite : Fidel Castro (né en 1926), Raul Castro (né en 1931) et Ernesto Guevara (1928-1967), trois dirigeants de la Révolution cubaine, réunis ici en 1961

élites, des classes moyennes, des États-Unis. Fidel mettra du temps, jusqu'en avril 1961, pour qualifier la révolution en marche et annoncer qu'elle est « socialiste ». Il ne voulait pas fournir d'autres armes aux adversaires. Mais les adversaires ne s'étaient pas fait d'illusion. Dès 1960, la contre-révolution fourbissait ses armes, dans l'île et sur le continent, en fait de plus en plus à l'extérieur, dans la mesure où l'opposition choisissait de s'exiler en vue d'un retour triomphateur (Pérez, 2005 ; Herrera, 2005).

2.3 | Pourquoi l'alliance avec l'URSS ?

La collision était inévitable avec les États-Unis. L'indépendance effective de Cuba était contraire à la façon dont les États-Unis ont défini et défendu leurs intérêts de sécurité nationale avant et après 1959. À la volonté de domination impériale des premiers s'opposait l'affirmation nationale des Cubains. Le refus des États-Unis de tolérer cette révolution dans leur arrière-cour ne laissait d'autre recours aux révolutionnaires que d'attirer l'URSS, le grand rival des États-Unis à l'échelle planétaire, à soutenir la Révolution cubaine. L'alliance avec l'URSS était une question de survie. L'Europe était trop dépendante des États-Unis en 1960 pour servir de contrepoids. Quand Fidel déclare en décembre 1961 qu'il est « marxiste-léniniste », il entend forcer l'URSS à prendre parti. À la différence de dictateurs africains qui s'affirmaient « marxistes-léninistes » par pur opportunisme, Fidel démontrera qu'il est un marxiste-léniniste authentique.

3 | UNE TRAJECTOIRE SINGULIÈRE : CUBA DE 1959 À 1990

Toute révolution passe par deux étapes, celle qui préside au renversement d'un ordre, puis celle beaucoup plus longue où l'on met en place un nouvel ordre fondé sur une redéfinition des rapports internes. Cette deuxième étape a été à Cuba beaucoup plus difficile à franchir que la première, qui a triomphé dans sa phase armée en 25 mois, soit à partir du débarquement du *Granma* en décembre 1956. La difficulté tenait à la situation néocoloniale, qui exigeait une réorientation des rapports externes. On aura une meilleure idée des défis qui se sont alors posés en parcourant les quatre premières décennies de la révolution en marche.

3.1 | La décennie 1960 : celle des innovations, des hardiesses

La chute de Batista donne lieu à une liesse populaire quasi unanime. Fidel Castro, avec le soutien des foules, neutralise les adversaires : le gouvernement révolutionnaire émet 1 500 décrets et lois en neuf mois. Tout est sur la table : la réduction des tarifs des services publics et des loyers, la réforme agraire, la nationalisation d'entreprises. La campagne d'alphabétisation lancée

Figure 12.4   Fidel Castro prononçant un discours sur la Place de la Révolution (La Havane), le 1er mai 1960

en 1961 se révèle une expérience culturelle retentissante, servant au rapprochement entre citadins et ruraux, de pont entre les générations. Pour faire face au blocus partiel décrété en 1960, puis total à partir de 1962, on courtise d'autres partenaires commerciaux, on impose le rationnement. La défense accapare des énergies, d'abord pour prévenir des attentats, combattre des contre-révolutionnaires, puis pour vaincre la force d'intervention en avril 1961. La défense de la Révolution porte Cuba vers l'étranger en quête d'alliés. Cuba soutient la lutte armée en Amérique latine ou en Afrique et prête son concours à d'autres gouvernements (Algérie, Guinée). L'échec de Guevara en Bolivie portera un coup aux projets cubains en Amérique latine. C'est la décennie des expérimentations en vue de diversifier l'agriculture et d'industrialiser rapidement un pays éminemment agricole. Beaucoup de débats animent la société. On ambitionne de construire «l'homme nouveau» sensible à des stimulants moraux. Dans le cadre des «dimanches rouges», les bureaucrates s'adonnent au travail manuel. Afin de répondre à l'exode des cadres et des techniciens, la jeune révolution investit dans la formation, par l'école et au travail.

3.2 | La décennie 1970 : celle de la consolidation

La décennie s'ouvre sur un objectif mobilisateur : porter la récolte de sucre (*zafra*) à 10 millions de tonnes. Une production record de 8,5 millions bouleverse l'économie. Pour se rétablir, Cuba consolide son alliance avec l'URSS en entrant dans le COMECON en 1972. Des accords «pétrole contre sucre», des ententes de coopération avec plusieurs pays aideront à diminuer l'impact du blocus. Les échanges entraînent une circulation des personnes et des idées : des coopérants de l'Est viennent à Cuba et des Cubains séjournent à l'Est. Des méthodes de gestion «à la soviétique» sont adoptées qui feront mal à la longue. La consolidation s'accompagne d'une institutionnalisation : le Parti communiste tient son premier congrès en 1975, une nouvelle constitution est approuvée en 1976, des élections ont lieu aux divers niveaux du pouvoir populaire, de nouveaux codes encadrent la nouvelle réalité : code de la famille, code criminel, etc. (Demichel, 1979). Cuba envoie des troupes en Angola pour sauver un allié, le gouvernement du Mouvement populaire de libération de l'Angola (MPLA), aux prises avec les guérillas soutenues par l'Afrique du Sud et l'Occident. La stature internationale de Cuba grandit au sein de plusieurs forums, dont le Mouvement des pays non alignés.

3.3 | La décennie 1980 : celle des rectifications

Elle débute par une crise diplomatique, l'exode de 125 000 Cubains en 1980. Fidel retourne la situation. L'agressivité de l'administration Reagan ainsi que les changements induits par la perestroïka en URSS obligent Cuba à réorganiser sa défense en vue de disposer d'une entière autonomie. On s'emploie à développer de nouveaux secteurs : l'industrie touristique, la production pétrolière et les biotechnologies. On autorise les investissements étrangers en partenariat avec l'État. On s'emploie à purger l'économie de déviations qui ont entraîné l'apparition de profiteurs : les marchés paysans sont fermés parce qu'ils avaient servi à l'enrichissement d'intermédiaires. On entend jouer davantage sur les stimulants moraux plutôt que sur les stimulants matériels qui avaient eu la faveur dans les années 1970. Sur le front extérieur, Cuba connaît quelques déceptions en Amérique centrale, où les sandinistes se heurtent à une opposition (les *contras*) soutenue par les États-Unis, alors que les forces révolutionnaires n'arrivent pas à briser l'impasse au Guatemala et au Salvador. En Angola, l'action des troupes cubaines à Cuito Cuanavale en 1987 met fin à l'intervention sud-africaine, ouvrant ainsi la voie à l'indépendance de la Namibie et à l'abolition de l'apartheid.

3.4 | La décennie 1990 : la « période spéciale »

L'ouverture de la République démocratique allemande (la « chute du mur » en 1989) et la disparition de l'URSS (en 1991) auront de graves conséquences économiques pour Cuba. En quelques mois, Cuba perd ses partenaires

Figure 12.5   Affiche du gouvernement, à Santiago de Cuba, sur laquelle on peut lire : « Hier, rebelles. Aujourd'hui, hospitaliers. Toujours héroïques »

commerciaux (pour 85 % de ses échanges), avec qui elle avait des ententes de coopération. Cette perte a pour effet de perturber les livraisons de pétrole, d'équipement, de pièces de rechange, d'aliments. Le pouvoir d'achat diminue brutalement de 75 %. Les importations passent de 8 milliards de dollars en 1989 à 2 milliards en 1992 ; les livraisons de pétrole chutent de 13 à 6 millions de tonnes, provoquant des réactions en chaîne. La capacité de produire est

SLOGANS ET LOGOS

Compétences développées
Lire l'organisation d'une société sur son territoire.
S'ouvrir à la diversité des sociétés et de leur territoire.

Techniques développées en géographie
Repérage d'informations historiques dans un document.
Interprétation de documents iconographiques.

Techniques développées en histoire
Repérage d'informations historiques dans un document.
Interprétation de documents iconographiques.

Description
Pour cette activité, vous devez disposer de plusieurs types de données (cartes, tableaux, photographies, articles, etc.) de diverses provenances (magazine, journaux, manuel, internet, etc.). Vous devez aussi disposer de données statistiques simples.

Invitez les élèves à se grouper en équipes de quatre et distribuez-leur seulement les données statistiques. Dans un premier temps, les équipes travaillent à la formulation d'un slogan à partir de ces seules données. Animez ensuite une discussion en grand groupe pour demander aux équipes les raisons du choix de leur slogan.

Ensuite, distribuez le reste de la documentation. Les élèves doivent concevoir une affiche publicitaire décrivant la société cubaine des années 1980.

À cette fin, ils doivent formuler ou reformuler un slogan accrocheur, sélectionner des photographies, produire un texte descriptif appuyé sur des statistiques et rassembler le tout esthétiquement sur une grande affiche cartonnée.

Les élèves doivent donc premièrement sélectionner l'information pertinente à leurs yeux et deuxièmement l'organiser pour rendre cette information compréhensible et attrayante.

Une fois que toutes les affiches sont produites, demandez à chaque groupe de les présenter et surtout de justifier leurs choix, d'expliquer en quoi leur affiche représente bien la société étudiée et de préciser si leurs représentations ont changé entre la première partie de l'activité (le slogan et les statistiques) et la deuxième (le reste de la documentation).

Cette activité fournit une occasion de discuter des techniques de publicité et de l'exploitation des statistiques.

Idée d'activité pédagogique : Vincent Boutonnet.

frappée de plein fouet. Tous les indicateurs tournent au négatif. Fidel annonce que Cuba entre dans une économie de guerre qu'il baptise «période spéciale en temps de paix». Les dirigeants vont se démener pour trouver des solutions afin d'arrêter la chute et de relancer l'économie. Cuba, qui entend défendre sa voie socialiste, se retrouve isolée alors que ses ex-alliés adoptent des mesures néolibérales. Elle doit repenser sa vision du socialisme: l'État de ce pays en développement ne pouvant procurer un emploi à tous ses citoyens, il autorise le travail autonome. Il faut tenter de sauver le socialisme en y associant des mécanismes du marché. Des entreprises étrangères sont invitées à investir à Cuba dans certains secteurs, en partenariat avec l'État, qui s'efforce de réduire les inégalités sociales. Les réformes, les efforts, les sacrifices porteront fruit, mettant fin à la dégradation des conditions de vie et préparant une reprise à compter de 1995, malgré la multiplication des mesures élaborées par Washington pour isoler et saigner la Révolution cubaine.

4 | LA RÉVOLUTION CUBAINE VERS 1990 : UNE TENTATIVE DE BILAN

Les années 1980 constituent une période charnière dans la mesure où la Révolution a atteint un certain degré de maturité. Les développements à l'échelle internationale, notamment en URSS, l'amènent à définir de façon plus autonome la voie qu'elle s'est donnée, ce qui préparera l'affrontement des défis surgis dans les années 1990 (Habel, 1992). Notre tentative de bilan s'organisera par secteurs. Chemin faisant, nous répondrons à certaines objections et déformations.

L'économie a été décrite comme un désastre que l'assistance soviétique a subventionné généreusement. C'est faire peu de cas des structures déformées dont la Révolution a hérité. Cuba a beau continuer à exporter du sucre, la primauté du sucre n'est plus la calamité qu'elle engendrait avant 1959 avec son chômage saisonnier et ses prix déterminés par le Congrès à Washington. Le troc «sucre contre pétrole soviétique» amortit l'impact des variations des cours. Surtout, la coopération avec le COMECON permet la création d'une base industrielle inimaginable dans le cadre néocolonial d'avant 1959 (textile, ciment, électronique, biotechnologie). Les pénuries sont fréquentes et nombreuses: elles résultent à la fois du blocus et de politiques erronées (lorsqu'on les juge avec le recul du temps). On peut dénoncer le rationnement et les queues qu'il occasionne. Il n'empêche que le carnet (*libreta*) assure un égalitarisme dans la distribution de biens sans égard au pouvoir d'achat. La productivité fut certes inégale, en raison d'un manque de pièces, d'un centralisme excessif, de l'incompétence d'administrateurs qui doivent se former sur le tas. Cuba affiche néanmoins au cours de ces trente années une performance meilleure ou comparable à celle des voisins latino-américains. L'embargo décrété par Washington (que les Cubains appellent «blocus») a représenté un coût énorme, estimé par Cuba en 2005 à 82 milliards de dollars. Le Canada, malgré les pressions de la Maison-Blanche, n'a jamais adhéré à l'embargo. Comptant généralement parmi les cinq principaux partenaires commerciaux de l'île, il s'est cependant refusé à servir de canal pour le contourner.

Les plus belles réussites s'inscrivent dans le domaine social. Le débat se limite dans ce cas à l'ampleur des progrès. L'universalité et la gratuité des services en constituent le principe. La réduction des écarts entre les classes, les races, les régions, les villes et les campagnes est une grande réalisation dans un continent où les écarts trop souvent croissants sont la règle. L'île fut et demeure une nation-école offrant une scolarisation complète, y compris pour les adultes. L'accès universel et gratuit aux soins médicaux de la meilleure qualité a représenté la deuxième grande conquête de la Révolution cubaine. Cuba a mis en place un système performant, avancé, reposant sur la médecine intégrale et le médecin de famille (un médecin pour 120 familles). C'est une médecine occidentale adaptée aux conditions cubaines. Les résultats sont probants et se mesurent par une mortalité infantile très basse (inférieure à 6 pour mille) et une espérance de vie élevée (supérieure à 77 ans). Cuba a supprimé la faim, même si l'alimentation, suffisante en quantité, demeure déficiente en qualité (trop de féculents et de gras) et manque de variété, mais ces défauts doivent être jugés à l'aune des réalités régionales. Le logement est désormais presque gratuit, mais se caractérise par un déficit important qui impose des cohabitations et de l'inconfort ainsi que par la vétusté du bâtiment, principalement dans la capitale. La condition féminine a été grandement améliorée par l'éducation et la législation de même que l'accès au travail hors du foyer. Les femmes occupent en nombre croissant des postes de direction au sein des administrations et des entreprises. Des tensions sont toutefois apparues entre les anciennes responsabilités de la maison mal partagées entre les conjoints et les nouvelles responsabilités nées du travail à l'extérieur. La discrimination raciale institutionnelle a pris fin, mais les préjugés ont la vie plus dure, en raison d'une longue tradition esclavagiste (l'esclavage fut aboli seulement en 1886). Les gens de couleur ont pu améliorer leur position par l'éducation et l'emploi, mais ils continuent de souffrir de la pauvreté de façon disproportionnée.

Le système politique cubain a fait l'objet des critiques les plus acerbes. Le maintien de Fidel Castro à l'avant-scène jusqu'en 2006 et la règle du parti unique ont été les principales cibles. Ces deux éléments suffisent-ils pour faire de Cuba une dictature? Nous y reviendrons dans la section consacrée aux controverses. Pendant une quinzaine d'années, la participation a pris la forme de rassemblements à l'occasion d'événements ou à la faveur des déplacements de Fidel. À partir de 1976, les Cubains ont été conviés à des élections à périodicité fixe afin d'élire des délégués ou des députés aux assemblées municipales, provinciales et nationale. D'autres aspects font également problème au chapitre des libertés et des droits de la personne. On a parlé d'un «goulag tropical». L'accusation est excessive et surtout ne tient pas compte d'un contexte de guerre larvée avec les États-Unis. Cuba distingue les droits socioéconomiques et les droits civiques. Elle fait tout ce qui est en son pouvoir pour rendre effectif l'accès universel à l'éducation, à la santé, au logement, au travail, à la culture. Les droits civiques, à caractère individuel, qu'elle reconnaît, sont assortis de devoirs déterminés par les intérêts collectifs. Ils ne doivent pas servir à promouvoir la contre-révolution. Dans le contexte d'une société qui se perçoit comme une forteresse assiégée, il n'y a pas de place pour une dissidence ou une opposition organisée qui ferait figure de «cheval de Troie» ou de «cinquième colonne».

La Révolution s'est nourrie d'une culture identitaire forte qu'elle a consolidée. Elle a jeté les bases d'une industrie du livre, du disque et du cinéma qui a fait des Cubains un peuple de lecteurs, de musiciens, de danseurs et de cinéphiles, transformant l'île en un festival culturel perpétuel. Ce sont les expressions graphiques porteuses d'un message de résistance qui ont eu la vedette. Les affiches et les grands panneaux appellent à l'héroïsme, au combat, à la lutte. Ils sont comme la publicité commerciale ici. Cuba est également devenue puissance sportive à l'échelle du tiers monde et même du monde, d'abord au niveau de l'olympisme, où elle a toujours figuré dans les dix premières places entre 1976 et 2004.

La politique étrangère militante a fait d'une petite nation, dotée de ressources très limitées, un acteur international. Cuba fait figure de franc tireur. Deux principes animent sa politique étrangère : préserver l'indépendance (ou la «contre-dépendance», pour reprendre le terme de Michael Erisman, soit s'opposer à toute dépendance afin de prévenir l'ingérence extérieure) et l'internationalisme. Le second découle du premier puisqu'il lui gagne des alliés, mais vise aussi à diffuser les valeurs universelles dont est porteuse la Révolution : la justice sociale, l'émancipation nationale, un humanisme vécu dans la fraternité et par l'égalité dans un développement fondé sur l'accès universel et effectif à l'éducation, à la santé, à la culture. Cette politique, fondée sur des principes et des idéaux, tient aussi compte de l'intérêt national identifié à ces principes. L'alliance avec l'URSS fut équilibrée, profitable aux deux partenaires. La Havane trouvait un protecteur et un partenaire, permettant ainsi à Moscou de se présenter dans le tiers monde comme une puissance bienveillante. Cuba ne fut jamais un pion ou un satellite au service de Moscou. La solidarité internationale consiste désormais dans l'envoi à l'étranger de personnel médical et d'éducateurs et dans la formation à Cuba de médecins et d'entraîneurs sportifs du tiers monde.

5 | RÉVOLUTION ET NATIONALISME

La Révolution cubaine a survécu. À la différence d'autres révolutions dans les Amériques, la Révolution cubaine n'a pu être dévoyée ni renversée. Le destin commun des autres révolutions en Amérique latine au XXe siècle (au Mexique, en Bolivie, au Guatemala, au Chili, au Nicaragua, à Grenade) fut de s'en tenir à des réformes plus ou moins profondes, de succomber rapidement à l'usure, aux divisions, aux pressions des États-Unis ou d'être renversées par des coups d'État.

La survie de la Révolution cubaine tient à notre avis à deux facteurs primordiaux. Le premier serait la performance de la Révolution, ce qu'elle a donné de concret et de palpable, les fameuses «conquêtes sociales», à commencer par l'éducation et le système de santé. Le second est de nature idéologique ou psychoculturelle : c'est la dignité nationale. La Révolution s'inscrit dans un mouvement de décolonisation. Elle fait corps avec la «patrie» enfin libre. Fidel Castro et les autres dirigeants ont su, par la parole et l'action, identifier révolution et nation, s'alimentant au nationalisme profond et le stimulant à la fois. Le nationalisme cubain s'explique par l'espace et l'histoire. Cuba est l'un des pays les plus homogènes d'Amérique latine, sans grandes barrières géographiques faisant obstacle aux communications. L'insularité l'a préservée des querelles frontalières qui ont affligé d'autres nations. Elle facilitera la consolidation de la révolution, puisque la contre-révolution ne pourra venir que de la mer et du ciel. Le passé a fait des Cubains un peuple porteur d'une tradition héroïque. Fidel Castro est le produit d'une société pétrie par une histoire combative qu'il connaissait et qu'il a enseignée à l'occasion de ses fréquents et longs discours. Résister est devenue une valeur collective. L'hostilité des États-Unis n'a fait qu'amplifier ce sentiment de résistance. Les dirigeants disposent d'une légitimité parce qu'ils ont su interpréter, canaliser, accentuer cette volonté populaire de défendre la souveraineté nationale. Les sanctions imposées par Washington, loin d'affaiblir cette détermination, l'ont fouettée. C'est David contre Goliath. Les Cubains ne sont pas dupes. Ils savent que l'intérêt que leur portent les États-Unis est motivé par le désir d'abattre le gouvernement révolutionnaire afin de restaurer leur hégémonie sur une île qu'ils ont convoitée dès les années 1800, à l'époque où l'Espagne était la métropole. Aucune autre révolution dans les Amériques n'a été aussi consciente de son histoire et n'a bénéficié de la préoccupation des dirigeants d'en faire un patrimoine partagé par tous (Morin, 1996 ; Pérez, 2003).

Dans ce contexte, il a été facile pour Fidel Castro de faire de tous les opposants des agents de l'impérialisme. Les premiers opposants ont en effet choisi, à partir de 1959, de s'exiler aux États-Unis afin de préparer depuis le continent leur retour. Ils ont compté pour ce faire sur le soutien de Washington. Identifiés à la lutte anticommuniste, ils ont profité d'avantages refusés à d'autres immigrants. Beaucoup des exilés n'ont jamais abandonné leur rêve de rentrer à Cuba, de reprendre leurs biens et leur pouvoir, d'effacer les transformations, sans égard aux opinions et intérêts des onze millions d'insulaires. Ils ont cherché à rallier leurs compatriotes à leur refus de tout accommodement avec la Révolution, contribuant ainsi, par leur mobilisation, à entretenir une politique d'hostilité entre Washington et La Havane (Morin, 2005).

LES CITOYENS DES SOCIÉTÉS QUÉBÉCOISE ET CUBAINE VIVAIENT-ILS EN DÉMOCRATIE VERS 1980?

Compétence développée
S'ouvrir à la diversité des sociétés et de leur territoire.

Technique développée en géographie
Localisation d'un lieu sur un plan, sur une carte, sur un globe terrestre, dans un atlas.

Techniques développées en histoire
Utilisation de repères chronologiques (mois, saisons, années, décennies, siècles, millénaires).
Repérage d'informations historiques dans un document.

Description
L'enseignant situe d'abord dans le temps et dans l'espace le Québec et Cuba vers 1980, après quoi il présente aux élèves quelques images de leurs paysages humains et naturels respectifs et anime un remue-méninges consistant à comparer les deux sociétés en ce qui a trait au partage du pouvoir. Il décrit et définit avec simplicité la notion de démocratie et trois de ses attributs: liberté, égalité, représentativité. Il leur pose ensuite des questions visant à leur faire illustrer les caractéristiques de ces concepts (par exemple: «À quoi reconnaît-on des citoyens libres?»). Les élèves notent leurs représentations initiales. Enfin, il pose la question de recherche: «Les citoyens des sociétés québécoise et cubaine vivaient-ils en démocratie vers 1980?»

Par la suite, les élèves consultent différentes sources pour répondre à la question, organisent les données brutes recueillies autour des trois attributs de la démocratie, puis les transposent dans un texte suivi. Cet écrit compare les régimes politiques du Québec et de Cuba vers 1980 et justifie le point de vue défendu quant à la nature démocratique de ces régimes.

Au cours de la phase d'intégration, l'enseignant guide ses élèves dans un exercice de réflexion sur les stratégies cognitives utilisées au fil de la démarche, sur les compétences développées, les réussites et difficultés de chacun, ainsi que les réinvestissements possibles. Il les invite également à comparer leurs représentations initiales du concept à construire et le contenu de leur production finale. Enfin, en guise d'ouverture, il fait émerger d'une discussion des suggestions de participation sociale allant dans le sens de cette nouvelle compréhension, plus fine, du concept de démocratie.

Idée d'activité pédagogique: Isabelle Laferrière.

« *Patria o Muerte. Venceremos* » (La patrie ou la mort. Nous vaincrons),
c'est par ce slogan que Fidel Castro rappelle à la fin de tous ses discours l'enjeu (défendre la patrie) et proclame sa confiance dans la victoire.

6 | DE QUELQUES CONTROVERSES

La controverse la plus importante concerne l'orientation socialiste de la
Révolution. Fidel Castro avait annoncé en 1959 une « révolution huma-
niste ». L'orientation socialiste passera donc pour une « trahison ». C'est la
thèse soutenue par Washington dans le livre blanc sur Cuba préparatoire à
l'attaque du 17 avril 1961 (le débarquement) et par anticipation à la déclaration de Fidel sur le caractère socialiste de la Révolution. Plusieurs auteurs
reprendront cette thèse qui fait de Fidel un fourbe ou un usurpateur (Draper,
Halperin, Weyl). D'autres auteurs feront du virage socialiste une réponse à
l'incompréhension et à l'hostilité des États-Unis (Wright Mills, Huberman et
Sweezy). Or, pour les dirigeants cubains, bien informés des attitudes étatsuniennes et de l'histoire, il était clair qu'une révolution digne de ce nom à
Cuba devait être anti-impérialiste et socialiste, mais il fallait en retarder le
plus longtemps possible l'annonce, afin de se donner les moyens de faire face
aux conséquences (Leonard).

La seconde grande controverse a trait à la figure de Fidel Castro. L'homme
est une obsession pour les États-Unis et les anticastristes, un symbole de leur
échec. Washington a fait du départ des Castro (Fidel et Raul) le signe d'une
mutation et une exigence pour une « normalisation ». Les projets pour l'assas-
siner se comptent par centaines, dont certains ont été ourdis, de l'aveu même
des sources officielles, par les appareils de sécurité étatsuniens. On a diabo-
lisé Castro. Que d'auteurs en ont fait un despote capricieux, mégalomane
qui contrôlerait tout à Cuba (Szulc, 1987) ! Tout indique que la majorité des
Cubains ont une affection particulière et spontanée pour Fidel, à qui ils
s'identifient. Il jouit d'une adhésion populaire qu'on voue à un leader historique. On en comprend mieux les raisons en lisant l'ouvrage qui rassemble les
entretiens de Fidel Castro avec Ignacio Ramonet (Ramonet, 2007).

Une autre controverse majeure concerne la démocratie et les libertés.
Pour la majorité des Occidentaux, gouvernements ou citoyens, la démocratie
n'existe pas à Cuba parce que son système politique ne correspond pas au
modèle de démocratie libérale. On a même parlé de dictature et de totalitarisme (Machover, 2004). Une vie démocratique se déploie à Cuba même si elle
prend d'autres formes que celles que nous connaissons ici, avec des élections

contestées par plusieurs partis, des médias multiples, des associations diversifiées. Elle met l'accent sur une participation régulière et diversifiée des citoyens dans le cadre d'une démocratie sociale. Ainsi les Cubains élisent parmi plusieurs candidats des délégués aux diverses assemblées. L'affiliation au Parti communiste n'est pas une condition pour la mise en candidature. Les citoyens ont voix au chapitre dans de nombreuses réunions dans les quartiers et sur les lieux de travail. Le gouvernement est attentif aux intérêts du peuple (Harnecker, 1976 ; August, 1999). La « démocratisation » demeure un processus ouvert dans toute société. La démocratie cubaine évolue aussi, au gré de réformes périodiques et selon une culture propre. Pour des raisons à la fois historiques, culturelles et géopolitiques, elle ne met pas de l'avant l'unité nationale, le consensus et rejette toute formule qui repose sur la fragmentation, la compétition, qu'elle considère comme contraire aux intérêts collectifs et au maintien de la souveraineté nationale. La volonté des États-Unis d'intervenir dans les affaires cubaines en vue d'en finir avec la Révolution et d'imposer leur vision de l'avenir cubain fixe des limites à l'expérimentation.

Conclusion

Si Cuba n'est pas le paradis rêvé par les uns, elle n'est pas non plus l'enfer décrit par les autres. Elle défend une autre voie vers le développement en investissant dans l'homme et la femme par l'éducation et la culture, en prônant la solidarité interne et internationale, en dénonçant vigoureusement les maux de notre société (le matérialisme, la drogue, la guerre, les armements, la dégradation environnementale, etc.) et les ambitions hégémoniques des États-Unis (« l'Empire »). Elle est peut-être en 2011 le seul pays qui ait un développement à la fois acceptable et durable. Elle applique des solutions à sa portée : le vélo, les pesticides biologiques, la phytopharmacie, la recherche biomédicale, les ampoules et les autocuiseurs écoénergétiques, etc. Cuba est une construction humaine, jalonnée d'erreurs certes, mais porteuse d'enseignements sur la capacité d'élaborer une société plus fraternelle. Voilà pourquoi Cuba continue à exercer une attraction ici et ailleurs chez ceux qui acceptent de la découvrir sur place dans son quotidien. Et encore plus chez ceux qui s'efforcent de la comprendre à la lumière de son histoire et de son environnement géopolitique.

Exercices

1. Indiquez des caractéristiques de Cuba, ainsi que des ressemblances et des différences entre cette société et la société québécoise en ce qui concerne

   a) le mode de gouvernement ;

b) les activités économiques ;

c) le territoire ;

d) la composition de la population ;

e) la manière de prendre les décisions politiques ;

f) les relations internationales ;

g) les conditions de vie ;

h) les droits et libertés.

2. Dans quelle mesure la Révolution cubaine a-t-elle contribué à réorganiser l'économie et les relations sociales et dans l'intérêt de qui ?

3. Peut-on dire que la Révolution cubaine a démocratisé la société cubaine ?

4. La chute des régimes staliniens a-t-elle été une bonne ou une mauvaise chose pour la Révolution cubaine ?

5. Pourquoi la Révolution cubaine s'est-elle radicalisée ?

6. Comment la Révolution cubaine a-t-elle exprimé sa solidarité avec les travailleurs et les agriculteurs d'autres pays ?

7. Quel impact la Révolution cubaine a-t-elle eu dans le monde ?

Pour en savoir plus

De nombreux ouvrages écrits par des acteurs de la Révolution cubaine ont été traduits en français et publiés ces dernières années, notamment aux éditions Pathfinder, par exemple :

• *Les première et deuxième déclarations de La Havane. Manifestes de la lutte révolutionnaire dans les Amériques adoptés par le peuple de Cuba.* Ces déclarations ont été adoptées en 1960 et 1962 par des assemblées du peuple de Cuba et présentées sous la forme de discours dans lesquels Fidel Castro explique les buts, les enjeux et les défis de la Révolution cubaine.

• *Le socialisme et l'homme à Cuba,* paru en 1965, est l'un des écrits les plus connus d'Ernesto Che Guevara. Il y explique les fondements idéologiques propres au socialisme cubain, les étapes décisives de la lutte révolutionnaire ayant conduit Cuba à renverser l'économie capitaliste, les défis de la transition d'un régime à un autre et les résistances contre les mouvements de contre-révolution et de réaction.

• Luis Martínez-Fernández, D. H. Figueredo, Louis A. Pérez et Luis González, dir. (2003). *Encyclopedia of Cuba : People, History, Culture,* Greenwood, 760 p. Une somme sur une grande variété de sujets.

On pourra également regarder des documentaires, dont certains sont accessibles en DVD :

- *Moi, Fidel* est un long entretien réalisé en 2003 par le journaliste et essayiste français Ignacio Ramonet avec l'ex-président cubain qui, à cette occasion, lègue son testament politique en exposant sa vision de la marche révolutionnaire, de son rôle dans l'histoire, de la géopolitique internationale et du passé, du présent et de l'avenir de Cuba.

Bibliographie

Instrument de recherche

PÉREZ, Louis A., jr. (2005). *Cuba : Between Reform and Revolution*, 3ᵉ éd., New York, Oxford University Press. Cette synthèse remarquable comporte un imposant appareil bibliographique commenté.

Autres ouvrages, articles ou textes disponibles en ligne

AUGUST, Arnold (1999). *Democracy in Cuba and the 1997-98 Election*, La Habana, Editorial José Martí.

BOVY, Yannick, et Éric TOUSSAINT, dir. (2001). *Cuba. Le pas suspendu de la Révolution*, Cuesmes (Mons), Éditions du Cerisier.

CANTÓN NAVARRO, José (2000). *Histoire de Cuba. Le défi du joug et de l'étoile*, La Havane, Editorial SI-MAR.

CASTRO, Fidel (1976). *Bilan de la révolution cubaine : rapport central au 1ᵉʳ Congrès du Parti communiste cubain, suivi des discours de clôture*, Paris, F. Maspero.

DEMICHEL, André et Francine (1979). *Cuba*, Paris, Librairie générale de droit et de jurisprudence.

HABEL, Janette (1992). *Ruptures à Cuba : le castrisme en crise*, 2ᵉ éd. augm., Montreuil-sous-Bois, La Brèche-Pec.

HARNECKER, Marta (1976). *Cuba : dictature ou démocratie ?* Paris, F. Maspero.

HERRERA, Remy, dir. (2003). *Cuba révolutionnaire*, t. 1 : *Histoire et culture*, Paris, Éditions L'Harmattan.

HERRERA, Rémy (2005). « Cuba n'est pas un fragment de l'URSS oublié aux Caraïbes », *La Pensée libre*, nᵒ 6, juin 2005. En ligne : <http://www.voltairenet.org/IMG/pdf/LPL-2005-06-no5.pdf>.

KIRK, John M., et Peter MCKENNA (1997). *Canada-Cuba Relations : The Other Good Neigor Policy*, Gainesville, University Press of Florida.

LAMORE, Jean (1983). *Le castrisme*, Paris, PUF, « Que sais-je ? », nᵒ 2073.

LEMOINE, Maurice, dir. (1994). *Cuba*, Paris, Autrement Revue.

LINARD, André (1999). *Cuba, réformer la révolution*, Bruxelles, Coédition GRIP-Complexe.

LISS, Sheldon B. (1987). *Roots of Revolution : Radical Thought in Cuba*, Lincoln, University of Nebraska Press.

MACHOVER, Jacobo (2004). *Cuba, totalitarisme tropical*, Paris, Buchet Chastel.

MENEY, Florence, Sophie-Hélène LEBEUF, Anne BERGEROT et Aïda ZENOVA (2008). « Cuba sans Fidel », Dossier *En profondeur* élaboré par Radio-Canada. En ligne : <http://www.radio-canada.ca/nouvelles/International/2006/12/21/008-castro-accueil.shtml>.

MORIN, Claude (1980, 5 et 6 août). « Cuba : un nouveau départ », *Le Devoir*. En ligne : <http://www.hst.umontreal.ca/U/morin/pub/Cuba80.htm>.

MORIN, Claude (1990). « La Révolution cubaine et son impact sur les comportements démographiques », dans E. Vilquin (dir.), *Révolution et population : aspects démographiques des grandes révolutions politiques. Chaire Quetelet 1989*, Louvain-la-Neuve, Academia. En ligne : <http://www.hst.umontreal.ca/U/morin/pub/Cubdemo.htm>.

MORIN, Claude (1995). *La désinformation, ou comment peser sur le cours des événements à Cuba*. En ligne : <http://www.hst.umontreal.ca/U/morin/pub/Cubdesinf.htm>.

MORIN, Claude (1996). *Le rôle de l'histoire dans la culture politique à Cuba*. En ligne : <http://www.hst.umontreal.ca/U/morin/pub/Cubhst.htm>.

MORIN, Claude (2005). *Les droits de la personne à Cuba : des conceptions opposées*. En ligne : <http://www.hst.umontreal.ca/U/morin/pub/droitspersonne.htm>.

PÉREZ, Louis A., jr. (2003). *Cuba and the United States : Ties of Singular Intimacy*, 3e éd., Athens, University of Georgia Press.

RAMONET, Ignacio (2007). *Fidel Castro. Biographie à deux voix*, Paris, Fayard, 700 p.

SAMIDEI, Manuela (1968). *Les États-Unis et la révolution cubaine, 1959-1964*, Paris, Colin.

SZULC, Tad (1987). *Fidel Castro : trente ans de pouvoir absolu*, Paris, Payot.

TRENTO, Angelo (1998). *Castro et la révolution cubaine*, Paris/Firenze, Casterman/Giunti.

VÁSQUEZ MONTALBÁN, Manuel (2001). *Et Dieu est entré dans La Havane*, Paris, Le Seuil.

13

Les sociétés inuite et mi'gmaque vers 1980

Stéphanie Demers

Introduction
1. **La société inuite vers 1980**
2. **La société mi'gmaque vers 1980**
3. **Historiographie et controverses**
Conclusion
Exercices
Pour en savoir plus
Bibliographie

S O M M A I R E

Introduction

Les deux sociétés qui font l'objet de ce chapitre se trouvent de part et d'autre du territoire de la société québécoise, l'une au sud-est (les Mi'gmaqs[1]), l'autre au nord-ouest (les Inuits). Elles sont toutes les deux formées d'une population dont les ancêtres respectifs ont peuplé le territoire actuel de la province de Québec il y a fort longtemps, mais leur histoire et leur culture diffèrent grandement.

Les relations entre les historiens et les sociétés inuites[2] du Québec sont plutôt récentes. En effet, bien que ces sociétés aient longtemps été objet d'études anthropologiques et sociologiques, ce n'est que dans la deuxième moitié du XXe siècle qu'elles ont été soumises au même traitement historique que les sociétés des grandes familles algonquienne et iroquoienne. En outre, la nature des rapports entretenus entre les divers ordres de gouvernement et les sociétés inuites, étroitement liée à la mise en valeur du territoire qu'elles occupent, a éloigné ces populations du regard historique pendant une période importante. Tout cela explique que les débats historiographiques concernant cette société soient absents du présent chapitre.

Au contraire, les documents historiques traitant des Mi'gmaqs nous viennent des premiers contacts européens. Les missionnaires, tel LeClercq, parlent de Gaspésiens, alors que les *Relations* des Jésuites les désignent du nom de *Souriquois*.

Ce chapitre décrira donc ces deux sociétés, inuite et mi'gmaque, vers 1980, afin de permettre de les comparer à la société québécoise de la même époque.

1 | LA SOCIÉTÉ INUITE VERS 1980

D'abord mobilisé par le désir d'affirmer sa souveraineté sur le territoire nordique et arctique, puis par l'appât des ressources minières, pétrolières et gazières, le gouvernement fédéral a depuis l'après-guerre multiplié ses interventions sur le territoire inuit (Martin, 2003). Cet intérêt pour le Nord

---

1. « L'Office de la langue française recommande que le pluriel des noms et adjectifs se forme suivant les règles du français, c'est-à-dire par l'adjonction d'un s lorsque la dernière lettre du mot le permet. » (Office de la langue française, 1998, à l'article *Micmac*.)

2. « Pour favoriser l'intégration de l'emprunt au système linguistique du français, l'adjectif et le nom *inuit* s'accordent en genre et en nombre. Exemples : *une Inuite, des enfants inuits, des valeurs inuites.* » (Office de la langue française, 2004.)

et les répercussions considérables des efforts d'intégration de la population inuite à la population canadienne et québécoise a contribué à combler le vide de connaissances allochtones par un foisonnement d'études de nature historique. Les premières de ces études sont le produit d'expéditions danoises datant de 1921-1924 (cinquième expédition de Thulé), à partir de laquelle de nombreuses expéditions archéologiques (qui connaissent une croissance marquée à partir des années 1960) nourrissent l'interprétation des historiens.

1.1 Une brève histoire des sociétés inuites du Québec

Selon les sources archéologiques, les sociétés inuites du Canada et du Québec auraient commencé l'occupation de leur territoire actuel il y a environ 1 000 ans. Nomades, ils se déplacent graduellement de la Sibérie vers l'est en suivant les mammifères marins, tels les phoques annelés, les morses, les narvals et les caribous qui sont à la base de leur mode de subsistance, s'établissant ainsi aussi loin qu'au Groenland (Danemark). À leur arrivée sur le continent nord-américain, ils rencontrent les Tuniits (les «géants»), fort probablement des Paléo-Esquimaux de Dorset[3], établis dans la région depuis environ 1500 avant notre ère (McGhee, 2001). Au fil de leurs activités et de leurs déplacements, et probablement en raison d'un réchauffement climatique qui transforme les conditions de chasse, les Inuits déplacent les Tuniits qui peuplent leurs légendes et leur tradition orale comme bâtisseurs du territoire inuit. On crédite en outre aux Paléo-Esquimaux de Dorset la construction des lignes de cairns[4] qui orientent les déplacements du caribou vers les traverses de rivières où les chasseurs les attendent (McGhee, 2001).

Les vestiges archéologiques dressent le portrait d'une société qui construisait des habitations semi-permanentes, regroupées dans un village. Ces habitations étaient construites de pierres et d'un toit de tourbe, isolées l'hiver par des blocs de neige. Les groupes se composaient de 12 à 50 personnes qui se déplaçaient en suivant les trois sources principales de nourriture : le printemps, ils chassaient le phoque, l'été apportait le caribou en abondance et l'automne était consacré à la chasse à la baleine. L'été permettait également à divers groupes de se rencontrer près des territoires de chasse au caribou, favorisant ainsi les échanges commerciaux.

Jusqu'aux premiers contacts durables avec les Européens, au XIXᵉ siècle, le mode de vie des Inuits demeure inchangé. Ce sont les expéditions britanniques successives, commençant avec celle de Frobisher en 1570, qui encouragent le commerce des produits baleiniers. Cette activité prend de l'expansion

---

3. L'appellation *Paléo-Esquimaux de Dorset* est un terme archéologique qui désigne les premiers habitants de l'Arctique qui se sont établis sur le territoire de l'actuel Labrador il y a 2 500 ans. Ce peuple est disparu du territoire canadien il y a environ 600 ans.

4. Un cairn est un amas de pierres érigé pour marquer le passage ou recouvrir les sépultures.

dans la deuxième moitié du XIXe siècle et au début du XXe, alors que les baleiniers européens embauchent les Inuits pour la chasse et s'installent parmi eux de façon saisonnière. Ces contacts accrus contribuent, d'une part, à la propagation de maladies infectieuses parmi les Inuits et, d'autre part, à la dépendance progressive des chasseurs inuits par rapport à la technologie européenne (les fusils, par exemple) et de la population en général à l'égard des denrées telles que la toile nécessaire aux tentes, la farine, les ustensiles, le tabac et l'alcool (Morrison et Germain, 2009).

Avec le temps, les produits baleiniers sont remplacés par des denrées d'origines diverses. La décroissance de cette activité économique s'effectue toutefois parallèlement à la croissance du commerce de la fourrure, les peaux de phoque étant particulièrement recherchées sur le marché mondial. Le commerce de la fourrure dans l'Arctique canadien est à l'époque pour une bonne part sous l'hégémonie de la Compagnie de la Baie d'Hudson, bien que d'autres entreprises y participent également. La période qui suit la Première Guerre mondiale voit l'établissement de postes de traite d'un bout à l'autre du Grand Nord québécois et canadien, et la présence allochtone permanente entraîne à son tour l'arrivée de la Gendarmerie royale du Canada (GRC) et de divers groupes missionnaires des Églises anglicane et catholique (Morrison et Germain, 2009). Les pratiques, coutumes et croyances traditionnelles sont dès lors marginalisées et l'appel à la sédentarisation contribue au début d'acculturation des sociétés inuites. Le gouvernement fédéral, toutefois, demeure indécis quant au rôle qu'il doit jouer auprès des communautés inuites, oscillant entre le déplacement massif de ces populations vers les villes du Sud et une politique de non-intervention (Duffy, 1988). Cette indécision contribue à tenir les fonctionnaires loin de l'Arctique pour un certain temps.

Si les Inuits avaient jusqu'alors échappé aux efforts étatiques d'occidentalisation qui affligeaient les populations amérindiennes au sud depuis l'occupation européenne, l'essor du commerce de la fourrure dans la première moitié du XXe siècle et les découvertes de ressources exploitables dans le sous-sol du territoire arctique après la Deuxième Guerre mondiale allaient les placer directement dans la mire du gouvernement fédéral (Martin, 2003).

1.2 L'histoire contemporaine des sociétés inuites du Québec

Le commerce de la fourrure connaît un déclin marqué dès la fin de la Deuxième Guerre mondiale. À la même époque, ce que la plupart des historiens ont coutume d'appeler la guerre froide pousse les gouvernements des camps de l'OTAN et du Pacte de Varsovie à affirmer leur souveraineté sur les territoires de l'Arctique et à y établir des postes militaires. Au Canada, l'intervention de l'État s'accroît aussi substantiellement. La possibilité d'exploitation géologique, conjuguée au mouvement de militarisation de l'Arctique, place les fonctionnaires du gouvernement fédéral face aux populations inuites. Ces dernières sont alors aux prises avec les répercussions dévastatrices de l'effondrement du commerce de la fourrure et, devant la misère profonde de ces communautés (on relève dans les rapports fédéraux plusieurs cas de famine), l'intervention souhaitée par le gouvernement revêt une certaine urgence. Ottawa se résigne enfin à adopter une politique de « protection » des populations autochtones. Cette politique consiste à encourager la sédentarisation et le regroupement des Inuits dans des villages où l'aide et les services devront leur être dispensés (Martin, 2003). Ces villages leur offrent des maisons construites par le gouvernement, ainsi que des emplois dans le secteur tertiaire et celui des ressources naturelles (Duhaime, 1985). Alors que certains groupes choisissent de se déplacer vers ces centres de services, d'autres y sont contraints par les agents du gouvernement canadien. C'est le cas notamment de la communauté inuite d'Inukjuak, à Grise Fjord et Resolute Bay, dans l'extrême Nord, où Ottawa tente d'affirmer sa souveraineté (Martin, 2003).

L'intervention étatique vise à faire passer le territoire et ses ressources sous la mainmise du fédéral, tout en transformant les rapports de pouvoir entretenus avec les Inuits. La sédentarisation et l'acculturation se présentent alors comme la solution aux problèmes sociaux, en visant à intégrer les communautés inuites à l'économie de marché. L'établissement d'écoles financées par Ottawa contribue ainsi considérablement à la christianisation et à l'imposition de l'anglais comme langue seconde.

Les anthropologues considèrent les interventions du fédéral en ce sens comme des éléments déclencheurs de la dislocation sociale et de la désintégration des réseaux traditionnels sur lesquels reposaient la culture et le mode de vie des Inuits (Martin, 2003 ; Morrison et Germain, 2009 ; Tester et Kulchyski, 1994).

L'intervention du gouvernement québécois auprès des communautés inuites est plus récente et relève particulièrement des négociations relatives à la Convention de la Baie James de 1975. Le gouvernement Lesage s'était engagé dès 1963 à appuyer le mouvement coopératif inuit et à établir un réseau scolaire provincial de langue française. Son approche se démarquait de l'approche fédérale par la place qu'il accordait à l'inuktitut, enseigné dès la troisième année du primaire dans les écoles du réseau québécois.

Bien que la Loi sur l'extension territoriale de 1912 ait étendu les frontières de la province de manière à inclure des territoires inuits, c'est la crise énergétique du début des années 1970 qui pousse les gouvernements à chercher des énergies de rechange pour propulser le Nouveau-Québec (aujourd'hui le Nunavik) à l'avant-plan des projets de l'État québécois. Le gouvernement de Robert Bourassa dévoile en 1971 son programme de construction de barrages hydroélectriques de la baie James sans avoir au préalable consulté les populations autochtones touchées, soit les Inuits, les Cris et les Naskapis. Or, la Loi sur l'expansion territoriale contraint le gouvernement québécois à obtenir la remise des droits autochtones sur les territoires visés avant de les mettre en valeur (Dickason, 1996). Le gouvernement québécois est donc forcé de négocier au préalable une entente avec ces nations. Ainsi, la Convention de la Baie James (qui inclut notamment les Cris et les Inuits), signée en 1975, précise le cadre d'indemnisation des sociétés autochtones, qui cèdent leurs droits ancestraux sur le territoire, et la Convention officialise par le fait même les structures sociales, politiques et économiques qui entraînent une subdivision en divers territoires et déterminent leur gestion, l'éducation, le système de santé et l'administration du droit. La signature de la Convention par l'Association des Inuits du Nouveau-Québec est fortement contestée et rejetée par certaines communautés. Malgré cette opposition, toutefois, les barrages sont construits et le gouvernement provincial se substitue au fédéral dans la gestion des services publics. Québec procède à la création d'organismes régionaux, tels la Commission scolaire Kativik et le Conseil de la santé et des services sociaux du Nunavik (Simard, 1996).

Comme le souligne Martin (2003), les Inuits sont désormais contraints à un rôle bien précis dans leurs communautés : ils collaborent à leur administration sans pouvoir agir sur leurs fondements ou leur structure. Alors qu'ils espéraient de cette entente une plus grande autonomie dans la gestion de leurs communautés, les Inuits se voient aux prises avec « un modèle de développement étranger à leurs aspirations » (Martin, 2003 : p. 38).

Les communautés inuites se mobilisent et revendiquent tout au long des années 1980-1990 une plus grande autonomie gouvernementale. En 1984, une Commission spéciale de l'Assemblée nationale du Québec mandate un comité spécial pour formuler des propositions concrètes pour l'établissement d'un gouvernement autonome. Les travaux du Comité de rédaction de la Constitution du Nunavik (CCK) commencent cinq ans plus tard, mais il faudra attendre – l'Accord de principe sur le gouvernement du Nunavik est signé par l'Assemblée nationale le 5 décembre 2007 – pour que les revendications aboutissent à un changement dans la gestion du territoire du Nunavik (Dickason, 1996).

1.3 Aspects de la société inuite vers 1980

Vers 1980, la société inuite est façonnée par son histoire, son désir de combattre l'acculturation et la tension entre la modernité et la tradition.

1.3.1 Les aspects démographiques (composition et répartition de la population, langues)

En 1981, l'Institut de la statistique du Québec établit à 5 026 la population des treize villages inuits du Québec. Dans tout le reste du Québec, on comptait environ 300 personnes inuites (Robitaille et Choinière, 1988). Les treize villages principaux sont répartis le long des rives de la baie et du détroit d'Hudson et de la baie d'Ungava.

Les taux de fécondité et de mortalité des Inuits sont alors nettement plus élevés que dans la population québécoise générale, et leur taux d'accroissement démographique naturel est trois fois plus élevé que dans l'ensemble du Québec.

Le tableau 13.1 indique que la structure démographique est beaucoup plus jeune dans ces villages que dans l'ensemble du Québec et que les conditions socioéconomiques (revenus moyens, éducation, emplois et logements) sont particulièrement difficiles pour les Inuits du Nouveau-Québec dans les années 1980.

Tableau 13.1	Quelques caractéristiques démographiques et socioéconomiques de la population inuite du Nouveau-Québec et de l'ensemble de la population du Québec	
	POPULATION INUITE DU NOUVEAU-QUÉBEC	**POPULATION DE L'ENSEMBLE DU QUÉBEC**
Effectif de la population (1981)	5 047	6 438 403
Indice synthétique de fécondité	(1979-1983) 4,3 enfants	(1981) 1,62 enfant
Taux de mortalité infantile	(1979-1983) 42 p. 1 000	(1981) 8,5 p. 1 000
Âge médian (1981)	16,5 ans	29,7 ans
Taux d'accroissement naturel	(1979-1983) 25,7 p. 1 000	(1981) 8,2 p. 1 000
Personnes de langue d'usage Inuktitut (1981)	97 %	0,1 %
Personnes de 15 ans et plus ayant un niveau de scolarité universitaire (1981)	3 %	13,5 %
Taux d'activité (1981)	33 %	61,3 %
Revenu moyen des personnes ayant un revenu (en $ 1980)	7 892 $	12 457 $
Pourcentage des familles monoparentales (1981)	17 %	12,5 %
Pourcentage de logements nécessitant des réparations majeures (1981)	16 %	5,6 %

* Robitaille et Choinière, 1984 ; Statistique Canada, *Statistiques de l'état civil*, 1981 ; Statistique Canada, *Recensement du Canada*, 1981.

L'inuktitut est la langue que parlait 97 % de la population inuite en 1981. Composé de vingt dialectes différents, il représente un des quatre ensembles linguistiques des Inuits. C'est une langue de tradition orale, mais les missionnaires chrétiens du début du xxᵉ siècle ont mis au point un système syllabique écrit leur permettant d'initier les Inuits à la Bible.

1.3.2 Les caractéristiques du territoire occupé

Sur le plan géographique, le territoire occupé par les Inuits du Québec est le Nouveau-Québec (qui devient le Nunavik en 1988), lequel représente le tiers de la superficie totale de la province. Il est délimité à l'ouest par la baie d'Hudson, à l'est par la baie d'Ungava et le Labrador, et il s'étend sur un demi-million de kilomètres carrés.

La physiographie du territoire se caractérise par la toundra, divisée en deux selon la profondeur du pergélisol, avec plus au sud la toundra forestière et au nord la toundra arctique arbustive, où les arbres ne peuvent pousser. À l'extrême nord du territoire se trouve la toundra herbacée. Les zones géologiques qu'on y distingue témoignent des cycles de glaciation, des activités tectoniques et volcaniques et de l'érosion. Il en résulte un paysage accidenté de montagnes et de vallées, marqué par le mouvement des glaciers (les eskers sont des dépôts de sédiments laissés par les glaciers, les cirques sont des vallées creusées par l'érosion des glaciers). Sur le plan hydrographique, le territoire est sillonné d'un réseau complexe de cours d'eau qui se jettent dans les baies d'Ungava et d'Hudson.

Quatre écozones se distinguent par les particularités de leurs ressources naturelles (figure 13.1). Au sud du territoire se trouve la taïga du bouclier, associée au climat continental subarctique. Ses forêts discontinues, surtout composées d'épinette noire et de bosquets d'aulnes, de saules et de mélèzes en zones marécageuses, ainsi que l'abondance des lichens abritent une faune diverse, parfois saisonnière, où figurent en bonne place le caribou, l'orignal, le loup, le lièvre d'Amérique, le renard arctique, l'ours noir, le carcajou, la bernache du Canada, le huard à collier et le huard à gorge rousse. Les mammifères marins des baies d'Ungava et d'Hudson sont principalement le morse, le phoque et l'épaulard.

Au nord-est de la taïga du bouclier se situe la cordillère arctique, dont le climat froid et aride explique la quasi-absence de végétation. Outre les mammifères marins, qui incluent le bélouga, on y trouve quelques gravelots et bruants.

Le Bas-Arctique se situe au nord de la taïga. Son climat arctique se caractérise par des hivers longs et froids et des étés courts et frais. Sa flore se compose surtout du bouleau glanduleux, d'une variété de saule ainsi que de plantes herbacées et de lichen typiques de la toundra. La faune qui occupe le territoire est surtout saisonnière : caribou, loup, renard arctique, ours polaire, lièvre arctique, lemming d'Ungava et mammifères marins des baies d'Ungava et d'Hudson.

Figure 13.1   Les écozones du Nunavik

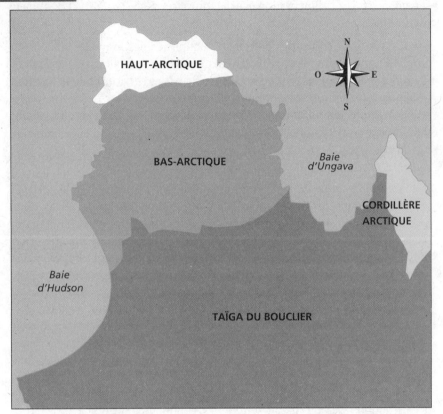

Le pergélisol continu du Haut-Arctique lui confère un paysage dépourvu d'arbres, où seuls poussent les lichens et les plantes herbacées qui nourrissent le caribou, le lemming et le lièvre arctique. La faune marine y est sensiblement la même qu'ailleurs.

Le cuivre, le cobalt et le nickel, plus abondants dans l'écozone du Haut-Arctique, ainsi que le gaz naturel, constituent les ressources géologiques les plus importantes du territoire (Hamelin, 1980; Ressources naturelles Canada, 2009).

1.4 | Les activités économiques

Depuis leur occupation du territoire arctique québécois, les Inuits dépendent des activités de chasse et de pêche pour leur subsistance, ainsi que pour la production de denrées échangeables. Ces activités revêtent une importance culturelle et identitaire profondément ancrée, mais ne créent pas d'emplois salariés.

Le caribou, l'oie, le bélouga, le phoque, le saumon et l'omble chevalier servent à la fois à l'alimentation et à la fabrication des vêtements et des objets traditionnels.

Il n'y a pas d'industries de transformation (usines) dans les villages du Nunavik, ni de véritables emplois dans le secteur primaire, les possibilités d'emploi se limitant surtout au secteur tertiaire des services et de la fonction publique. Par surcroît, ces emplois sont réservés en majeure partie à la population instruite, ce qui fait que la population inuite occupe majoritairement des emplois sous-rémunérés et souvent précaires.

L'intégration des Inuits à l'économie de marché a bouleversé leurs activités économiques traditionnelles, bien que les valeurs traditionnelles qui ont favorisé la survie de leurs communautés, tels la solidarité et le partage, se reflètent dans le rôle prépondérant que jouent les coopératives dans leur organisation économique. Encouragé par le gouvernement fédéral, qui souhaitait en faire un mode de transition vers l'économie de marché et un outil d'apprentissage des règles du marché, le mouvement coopératif est adopté par les communautés inuites, qui y voient un rapprochement avec leur mode de fonctionnement traditionnel (Frideres, 1998). Comme les coopératives favorisent une juste répartition des recettes du travail de la collectivité et offrent aux communautés la possibilité de gérer les leviers du pouvoir économique, elles connaissent un vif succès auprès des Inuits dès les années 1950. Les coopératives de production artisanale, plus particulièrement dans le domaine de la sculpture, fournissent un exemple éloquent du développement de la coopération comme mode de production, de commercialisation et de distribution des profits au sein des communautés du Nunavik (Martin, 2003; Simard, 1982).

En 1980, la chasse au phoque demeure une activité traditionnelle en mesure de fournir revenus et nourriture, mais elle est sérieusement entravée à partir de 1983 par le boycottage des produits des mammifères marins par les pays membres de l'Union européenne. L'impact en fut considérable : au Nunavik, les ventes de fourrures de phoque passèrent de 336 278 $ en 1980 à 46 964 $ en 1991 (Martin, 2003).

1.5   Les aspects culturels

1.5.1 Croyances et spiritualité

La culture inuite traditionnelle est structurée par les saisons et les particularités de l'environnement. La conception de l'univers (*silajjuaq*) s'organise autour de trois mondes : celui des êtres vivants (humains, faune, flore), celui des animaux et des défunts et celui des esprits. Le rôle du chaman consiste à servir d'intermédiaire entre les trois mondes et à veiller à ce que l'équilibre règne entre eux. Il est accompagné dans sa tâche par les esprits auxiliaires protecteurs.

Bien que la conversion des Inuits par les missionnaires chrétiens ait modifié leur système de croyances, certaines d'entre elles persistent. La réincarnation de l'âme des défunts chez les nouveau-nés, par exemple, guide encore le choix de leur prénom. Comme les enfants sont ainsi considérés comme sages dès la naissance, ils grandissent avec une plus grande liberté et autonomie que les enfants allochtones en général.

Les mythes sont transmis par les aînés des communautés inuites selon la tradition orale. Le mythe de la création (mythe de Sedna ou *Uinigumasuittuq*) des êtres vivants est sans doute le mieux connu. On y trouve des éléments thématiques communs aux mythologies autochtones, soit les notions de pouvoir transformateur de la nature, de rôle adjuvant des animaux et d'interdépendance des êtres vivants. Source d'alimentation et d'outils du quotidien, les animaux occupent, chez les Inuits, une place centrale dans leur conception du monde et leur organisation sociale. Le respect de l'animal, qui offre sa chair pour nourrir les humains, permet d'assurer la pérennité de la faune et de maintenir l'équilibre des écosystèmes.

La relation que les Inuits entretiennent avec le caribou est un exemple de cette croyance dans l'interdépendance des hommes et des animaux. Essentiel pour l'alimentation et pour la fabrication de vêtements, le caribou, qui occupe une place de premier plan dans les mythes et légendes, est l'animal le plus fréquemment représenté dans les œuvres d'art inuites.

L'écrivain inuit Taamusi Qumaq explique l'importance du caribou dans la culture inuite : « Le caribou est un marcheur et un gibier. Il était autrefois énormément utilisé par nos ancêtres et leurs descendants : sa peau était considérée comme vêtement, sa viande comme nourriture, ses nerfs étaient des fils, sa peau était considérée comme des tentes par nos ancêtres » (QUMAQ, 1991 : p. 224 [traduction de l'inuktitut]).

Le caribou est toujours important aujourd'hui et toutes les parties de l'animal sont utilisées : on mange sa viande, crue, gelée, séchée ou bouillie ; sa peau sert encore à fabriquer des vêtements comme les moufles, et ses os et andouillers sont sculptés.

1.5.2 Les fêtes

Suivant le rythme des saisons, les fêtes et rituels inuits traditionnels étaient surtout axés sur la chasse et la pêche. Le festin d'hiver (*Quviasukvik*), par exemple, qui avait lieu lors du solstice d'hiver, consistait à évoquer Sedna, déesse des mammifères marins, autour d'un repas communautaire qui commençait le soir et se poursuivait toute la journée du lendemain, le chaman étant alors chargé de prier pour la communauté. Chaque membre de la communauté apportait un morceau de viande à partager et, à son tour, se nommait et se désignait comme un enfant de l'hiver (appartenant au groupe des ptarmigans, une sorte de perdrix de l'Arctique) ou de l'été (associé au groupe des canards). Un échange de présents avait ensuite lieu (Laugrand et Oosten, 2002). Ce rituel a été intégré à la célébration chrétienne de Noël. À la mi-janvier, le retour du soleil (*Igloolik*) est célébré avec des jeux traditionnels. Au printemps, la saison de la chasse à la baleine est célébrée dans un rituel (*nalukataq*) censé libérer les âmes des mammifères marins ayant sacrifié leur vie pour nourrir les êtres humains.

1.5.3 Les arts

L'art inuit a une valeur pédagogique considérable, puisqu'il permet de faire revivre l'histoire et de représenter la tradition orale. Le mode de vie tradition-nel, les animaux, les chamans, ainsi que les esprits sont les principaux sujets des sculptures, des estampes et des gravures des artistes inuits. Ils sont sur-tout reconnus pour leurs gravures colorées, ainsi que la sculpture. Les sculp-teurs utilisent l'ivoire, le bois, les os de baleine ou encore la stéatite pour personnaliser les êtres vivants et ainsi témoigner du respect qu'ils accordent à leurs caractéristiques individuelles.

Les Inuits sont également connus pour leurs chants de gorge appelés *katajjaits*. Il s'agit en fait d'un jeu où deux femmes imitent des voix animales et des sons naturels tels que le bruit des pas marchant sur la glace, le souffle du vent ou la rumeur de la mer. Elles racontent une histoire selon un rythme alterné, combinant sons et mots. Lors de festivités, ces chants sont souvent accompagnés de danses du tambour.

Les inukshuks sont devenus un symbole de la culture inuite. Selon Paaliin Pilip, auteure inuite d'Iqaluit (citée dans Maire, s.d.), il existe deux types d'inukshuks, soit ceux qui ressemblent aux hommes et ceux qui sont de simples empilements de pierres. Certains servent de caches pour la viande, de repères pour un site de chasse ou de pêche, ou d'indicateurs d'un lieu sacré, alors que d'autres, placés sur les berges, facilitent la navigation et mettent les pêcheurs en garde contre les récifs et autres obstacles. Enfin, «ceux qui n'étaient que des empilements de pierres avaient aussi une autre fonction à l'intention des gens qui ne connaissaient pas le territoire. Si tu arrives vers un inukshuk, tu peux en voir un, puis un autre. Si tu les suis tout simple-ment, tu pourras rejoindre les camps» (*Nunavimiutituulitiqsugit uqausignit* [tra-duction de l'inuktitut], Graburn, 2004, *passim*, cité dans Maire, *op. cit.*).

1.5.4 Les jeux

Les jeux inuits traditionnels ne requièrent aucun équipement, car il s'agit de jeux de force physique, d'agilité et d'endurance. Selon Glassford (1976), cer-tains jeux traditionnels ont été apportés d'Asie lors de la migration orientale de communautés inuites de Sibérie, alors que d'autres sont nés du contact avec les sociétés autochtones situées plus au sud, avec lesquelles les Inuits pratiquaient des échanges commerciaux.

Dans le jeu de lutte *Una Tar Tuq*, par exemple, deux adversaires se tiennent debout face à face, les pieds au sol, et s'engagent dans un corps-à-corps consistant à soulever l'autre. Dans d'autres jeux, la lutte se fait avec les jambes. Deux joueurs sont allongés sur le côté, se faisant face, leurs pieds les uns contre les autres. Le pied d'un des joueurs doit toucher le talon du pied de l'autre, pendant que le second pied est accroché à celui de l'opposant. En gardant les mains sous les genoux, chacun des joueurs doit renverser l'autre.

D'autres jeux nécessitent un équipement. Le jeu de la couverture, par exemple, se pratique au moyen d'une couverture faite de peaux de phoques ou de morses. Elle doit être suffisamment résistante pour recevoir les joueurs qui retombent après avoir été lancés en l'air. Le gagnant est le joueur qui rebondit le plus haut (figure 13.2).

Les jeux de traction sont également très populaires lors des célébrations et des fêtes inuites. Parmi ceux-ci, le tir aux oreilles se pratique avec une bande de cuir fin enroulée autour de l'oreille de chacun des adversaires: quand ils «tirent» ou «luttent», ils changent de position. Dans un autre jeu de traction inuit appelé *Aksalak,* les adversaires se font face, assis par terre, jambes droites, les pieds d'un joueur touchant les pieds de l'autre. Chacun tente de faire bouger l'autre et de le lever du sol.

Figure 13.2   **Le jeu de la couverture**

Le jeu de *Inukat* se compose d'un sac contenant une variété d'os communs tels que ceux des nageoires des phoques, des oiseaux ou des ours polaires (figure 13.3). Le jeu comporte plusieurs variantes, dont celle où les joueurs doivent étaler les os en rangées puis reconstituer le squelette de la nageoire d'un phoque. Le premier à y arriver remporte la partie. On peut compliquer le jeu en y mêlant les os d'autres animaux ou en interdisant d'utiliser certains os.

| Figure 13.3 | Un casse-tête fait de pièces fournies par la nature |

UN ÉCHANGE CULTUREL ENTRE LES SOCIÉTÉS MI'GMAQUE ET INUITE

Compétences développées

Lire l'organisation d'une société sur son territoire.

S'ouvrir à la diversité des sociétés et de leur territoire.

Relever les ressemblances ou les différences que présentent les sociétés inuite et mi'gmaque et leurs territoires sur divers plans:
• les principales causes de ces différences ou ressemblances;
• les conséquences de ces différences ou ressemblances.

Techniques développées en géographie

Lecture et interprétation de cartes.

Localisation d'un lieu sur un plan, sur une carte, sur un globe terrestre, dans un atlas.

Repérage d'informations géographiques dans un document.

Techniques développées en histoire

Interprétation de documents iconographiques.

Repérage d'informations historiques dans un document.

Description

Les élèves de la classe se divisent en deux groupes, chacun représentant l'une des deux sociétés à l'étude. Chacun est chargé de monter un stand d'information pour ses visiteurs. Ce stand devra offrir des informations relatives aux caractéristiques de la société (composition, langue, culture) et du territoire qu'elle occupe. Les membres du groupe devront ainsi répondre aux questions suivantes : « Qu'est-ce qui distingue la société inuite de la société mi'gmaque ? » et « Qu'est-ce qui les unit ? »

Afin de préparer leurs stands, les élèves se diviseront en équipes et effectueront ensemble une recherche à partir des documents qui leur seront fournis ou qu'ils trouveront eux-mêmes*. Ces documents devraient inclure des cartes géophysiques et politiques situant les principales communautés des deux sociétés, ainsi que des informations de nature historique (les articles de journaux des années 1980 et les reportages de Radio-Canada accessibles en ligne). Il importe que le dossier comprenne des documents dont la source est inuite et mi'gmaque.

Encouragez les élèves à inclure des éléments visuels dans leur présentation. Une fois les stands installés, chaque groupe visite le stand de l'autre en prenant des notes lui permettant de répondre à la question. Une fois la visite terminée, les élèves répondent en traçant un diagramme de Venn. Ils écrivent ensuite un court texte qui explique les origines de ces différences et ressemblances.

Une fois les réponses consignées, les élèves peuvent les mettre en commun avec l'aide de l'enseignante. Le diagramme de Venn peut être reproduit au tableau et rempli à l'aide des réponses des élèves.

Variante : Il est également possible pour les élèves de produire un dépliant d'information portant sur la société qu'ils étudient et de les échanger entre eux par la suite.

---

* Il importe que les élèves soient outillés pour déterminer si une source est fiable ou non et que, à cette fin, ils sachent comment relever les informations qui permettent d'évaluer cette source (origine, parti pris, etc.). Enfin, il faudra aussi s'assurer que les élèves soient en mesure de fournir les références de ces sources.

Idée d'activité pédagogique : Stéphanie Demers.

2 | LA SOCIÉTÉ MI'GMAQUE VERS 1980

2.1 | L'histoire des Mi'gmaqs

Les Mi'gmaqs font partie de la grande famille linguistique algonquienne. Nomades vivant de la chasse et de la pêche, ils se sont graduellement établis dans la péninsule gaspésienne, au Québec, le long du littoral est du Nouveau-Brunswick et en Nouvelle-Écosse. Vers les années 1500, ils étendent leurs activités à l'île de Terre-Neuve et, ce faisant, contribuent au déplacement des Béothuks (Reid, 2004). Avant le contact européen, les Mi'gmaqs occupaient le sud et l'est de l'embouchure du Saint-Laurent. Ce territoire était divisé en sept régions administratives qui correspondaient à des zones de chasse saisonnière. Ces régions, qui avaient chacune un chef local, relevaient du chef guerrier qui habitait l'île du Cap-Breton (Onamag). Les Mi'gmaqs faisaient partie de la confédération Wabanaki, qui incluait également les Malécites et les Abénaquis.

Le site d'Oxbow, au Nouveau-Brunswick, renferme des vestiges de plus de 3000 ans d'activités de pêche continue pratiquées par les ancêtres de la Première Nation mi'gmaque (Allen, 1980). Selon les découvertes archéologiques, les Mi'gmaqs (dont le nom signifie «les alliés») occupent leur territoire (Mi'gma'ki) depuis environ 10 000 ans (Leavitt, 1996). Ils auraient migré d'ouest en est à la recherche de gibier (figure 13.4).

Figure 13.4 **Territoire ancestral et division des régions administratives de la nation mi'gmaque avant le contact européen**

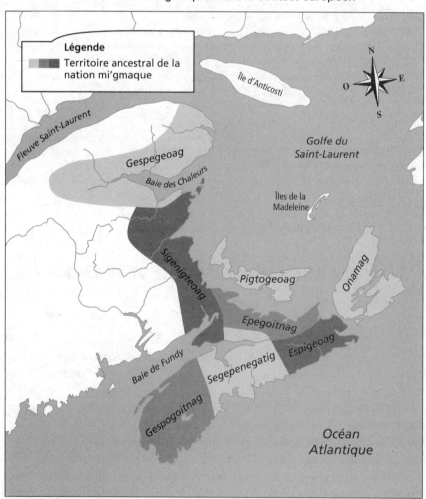

Comme les Mi'gmaqs avaient l'habitude de nommer les lieux selon les ressources qui s'y trouvaient (Whitehead, 1991), il est possible de reconstituer leur mode de subsistance d'avant le contact. L'hiver, les Mi'gmaqs chassaient le phoque, l'élan et le caribou, alors qu'en été, les activités de pêche fournissaient poissons et fruits de mer. Les groupes se déplaçaient vers l'intérieur des terres pendant l'hiver et le long du Saint-Laurent et de la côte Atlantique pendant l'été. Les javelots, les arcs et les harpons étaient confectionnés de bois, d'os, de pierres et de coquillages. Les canots d'écorce de bouleau permettaient aux Mi'gmaqs de naviguer en mer et sur les rivières.

Le site archéologique de Cap-Chat a permis de conclure que les Mi'gmaqs de la péninsule gaspésienne étaient en conflit avec les Iroquoiens, en expansion vers le golfe du Saint-Laurent (Wright, 1999 ; Barré, 1975).

Les Mi'gmaqs ont été parmi les premières nations autochtones à entrer en contact avec les Européens, dont les pêcheurs basques sur les côtes de l'Atlantique. Déjà, à l'arrivée des Français, ils pratiquaient le commerce avec des Européens. Les relations qu'ils entretiennent dès les premiers contacts avec les Français sont positives et permettent les échanges commerciaux (Paul, 2000). L'arrivée de Jacques Cartier dans la baie des Chaleurs est accueillie par 40 à 50 canots Mi'gmaqs chargés d'environ 5 personnes chacun et prêts au commerce. Ils signent en 1610 une entente avec l'Église catholique attestant leur droit de pratiquer la religion catholique tout en conservant leurs pratiques traditionnelles. Selon les écrits missionnaires, une telle entente fait des Mi'gmaqs des alliés convaincus des Français. Après la perte de l'Acadie en 1710, les Mi'gmaqs affrontent les forces britanniques à maintes reprises, mais se résignent à signer des traités de paix entre 1725 et 1779, n'y gagnant cependant aucune concession territoriale. L'arrivée des Britanniques sonne ainsi la perte des territoires traditionnels et les Mi'gmaqs doivent en référer à la couronne britannique pour obtenir les réserves qui existent aujourd'hui.

Comme ailleurs en Amérique, le contact avec les Européens est suivi du choc microbien. Les épidémies qui frappent les communautés mi'gmaques aux XVIIe et XVIIIe siècles réduisent la population totale des membres de cette nation à environ 1 800 personnes à la fin du XIXe. Menacés d'un sort analogue à celui des Béothuks de Terre-Neuve, les Mi'gmaqs sont également aux prises avec les politiques assimilationnistes du gouvernement fédéral, qui interdisent notamment l'usage de leur langue maternelle, ainsi que les rites traditionnels.

2.2 | Aspects de la société mi'gmaque vers 1980

2.2.1 Les aspects démographiques (composition et répartition de la population, langues)

Les Mi'gmaqs du Québec habitent trois communautés dans la péninsule gaspésienne, soit Gesgapegiag, Listuguj et Gespeg. Gesgapegiag, dont le nom signifie « là où la rivière s'élargit », est une réserve de 535 acres située sur la rive nord de la baie de Cascapédia. En 1981, 476 personnes y habitent. La réserve de Listuguj, dont le nom signifie « tu as désobéi à ton père », occupe une superficie de 9 703 acres sur la rive nord de la rivière Restigouche. En 1981, elle était habitée par 2 042 personnes. Le conseil de bande de Gespeg, dont le nom signifie « la fin du territoire », a refusé le statut de réserve et fait aujourd'hui partie de la ville de Gaspé. Environ 483 membres sont inscrits sur la liste fédérale et 275 membres le sont sur la liste de la bande. Dans le reste du Canada, les 57 réserves attribuées aux bandes de la nation mi'gmaque se situent dans les provinces maritimes, le plus souvent le long de la mer, et constituent en superficie l'équivalent de 0,25 % du territoire ancestral de ces bandes.

Les Mi'gmaqs parlent l'algonquien de l'Est (lnuisimk), qui se distingue de l'algonquien central et des plaines par son contact avec les langues iroquoiennes (Wright, 2004). Les missionnaires français ont adapté le lnuisimk à l'alphabet latin, créant ainsi une langue écrite (Paul, 2000; Whitehead, 1991).

Avec le Rapport Parent des années 1960, les enfants mi'gmaqs, qui avaient bénéficié de l'enseignement primaire dans leur langue et sur leur réserve entre 1920 et 1950 (Mimeault, 2002), doivent quitter la réserve et s'intégrer à la communauté blanche pour avoir accès à l'éducation. Certaines écoles où travaillaient des enseignants mi'gmaqs offrent des cours dans la langue maternelle des élèves mi'gmaqs. Pour leur part, les enfants de la réserve Gesgapegiag ont droit à leur propre école depuis 1984, sur la réserve, où les aînés sont invités à contribuer à l'éducation traditionnelle. Dès la troisième secondaire, cependant, ils doivent se rendre à la polyvalente de Bonaventure, où deux enseignants autochtones leur offrent un soutien scolaire. À Listuguj, il faudra attendre la fin des années 1990 avant que les enfants ne puissent fréquenter une école à leur image sur la réserve (Mimeault, 2002).

2.2.2 Les caractéristiques du territoire occupé

Les communautés mi'gmaques se situent dans la région physiographique du plateau des Appalaches, dans les sous-ensembles des monts Notre-Dame et des bas plateaux des Chaleurs. Les sols de cette région sont pauvres en nutriments, ce qui y limite le développement de l'agriculture, alors que le climat froid et humide et l'acidité des sols y favorisent la croissance des conifères (épinette noire, épinette blanche, sapin baumier, pin rouge, mélèze laricin) et quelques espèces décidues telles que le bouleau blanc, le bouleau jaune, le peuplier faux-tremble et le peuplier baumier. Ces forêts mélangées abritent l'original, le caribou, le cerf de Virginie, ainsi que le saumon et l'omble de fontaine.

Le réseau hydrographique de la péninsule gaspésienne est complexe. Les rivières les plus vives – les rivières Madeleine, Cap-Chat et Sainte-Anne – s'écoulent le long du versant nord des Appalaches, mais elles demeurent canotables vers l'amont malgré leurs rapides. Les rivières qui se déversent dans la baie de Gaspé – soit les rivières Dartmouth, York et Saint-Jean – sont moins torrentueuses et donc plus faciles à remonter. La Grande-Cascapédia est la rivière la plus longue, avec ses 58 kilomètres.

L'embouchure de ces cours d'eau est particulièrement profonde, ce qui y a favorisé l'exploitation des ressources halieutiques. Les rivières Bonaventure et Restigouche, de plus, regorgent de saumon.

2.3 | Les activités économiques

Depuis la colonisation française du territoire mi'gmaq, les activités économiques pratiquées par cette nation suivent les tendances de la population en général. Ainsi, après la pêche hauturière (où les embarcations passent plus de 96 heures en mer), les Mi'gmaqs se tourneront vers l'industrie du bois, au début du XIXe siècle, en devenant d'abord bûcherons, puis travailleurs de la construction. La pêche au saumon demeure toutefois centrale tant sur le plan social qu'économique (Reid, 2004 ; Paul, 2000). Une «guerre du saumon» éclate d'ailleurs en 1981, alors que les Mi'gmaqs de Listiguj décident de reprendre en main la gestion de la pêche sur leurs rivières ancestrales. Devant les protestations des pêcheurs allochtones, 550 agents de la Sureté du Québec détruisent tous les filets de pêche et fouillent toutes les maisons des 150 habitants, à la recherche de preuves de «pêche illégale» (Tremblay, 1982). Avec l'appui des communautés innues et attikameks, qui partagent les mêmes rivières à saumon et qui y lanceront aussi leurs filets, la population de Listuguj arrive à signer, en 1982, une entente avec le gouvernement du Québec lui reconnaissant le droit d'appliquer son propre plan de pêche (Secrétariat aux affaires autochtones, 2009).

Du côté de Gesgapegiag, après certains affrontements, les Mi'gmaqs et certains allochtones établissent la Société de gestion de la rivière Cascapédia en 1982, afin d'assurer la conservation du saumon («Guerre du saumon: Lévesque rencontre les chefs indiens», *L'Évangéline*, 3 mai 1982). Cette société génère des emplois pour certains Mi'gmaqs, alors que d'autres tirent des revenus de la coopérative d'artisanat.

La chasse au phoque et la pêche au homard sont également des activités économiques pratiquées par les Mi'gmaqs de la péninsule gaspésienne. Ces activités ont parfois placé les communautés mi'gmaques en conflit avec les chasseurs de phoque et les pêcheurs allochtones de la Gaspésie et du Nouveau-Brunswick, où les droits ancestraux reconnus aux Mi'gmaqs sont parfois remis en question par les allochtones en raison des quotas limitant les quantités chassées et, par le fait même, les profits à tirer de la chasse et de la pêche. Au cœur du débat se trouve la définition de ce qui constitue une activité de subsistance, définition fortement contestée par les allochtones lorsqu'elle inclut l'activité commerciale (ainsi que le revendiquent les Mi'gmaqs et que le reconnaît l'arrêt Marshall, décrété en 1999).

UNE SEMAINE D'ACTUALITÉS

Compétences développées

Lire l'organisation d'une société sur son territoire.

S'ouvrir à la diversité des sociétés et de leur territoire.

Relever les ressemblances ou les différences que présentent les sociétés inuite et mi'gmaque et leur territoire sur divers plans:
- les principales causes de ces différences ou ressemblances;
- les conséquences de ces différences ou de ces ressemblances.

Techniques développées en géographie

Lecture et interprétation de cartes.

Localisation d'un lieu sur un plan, sur une carte, sur un globe terrestre, dans un atlas.

Repérage d'informations géographiques dans un document.

Techniques développées en histoire

Interprétation de documents iconographiques.

Repérage d'informations historiques dans un document.

Description

Chaque élève doit rédiger un numéro d'un hebdomadaire fictif des années 1980 de l'une ou l'autre des sociétés inuite et mi'gmaque. Il doit nommer son journal et créer des rubriques lui permettant de répondre à la question suivante: «Comment vivent les Inuits et les Mi'gmaqs vers 1980?»

Afin de rédiger les diverses rubriques, les élèves devront effectuer une recherche documentaire et accompagner leurs textes de documents iconographiques pertinents. Les rubriques devraient porter sur les actualités démographiques, les prévisions météorologiques, les activités culturelles, la conjoncture économique, les découvertes historiques, les nouveautés artistiques. Le journal devra également comprendre un éditorial portant sur les revendications exprimées vers 1980.

Les élèves peuvent publier leur journal sur un support de papier ou le mettre en ligne sur internet.

Les élèves peuvent ensuite distribuer leur journal aux autres élèves de la classe. Chaque élève doit lire et annoter au moins deux journaux de chacune des sociétés. Demandez ensuite aux élèves de remplir un tableau comparatif des deux sociétés à partir des rubriques publiées. En plénière, effectuez un retour sur la question en sollicitant leurs réponses.

---

* Afin de bien outiller les élèves pour la rédaction de ce type de texte, présentez-leur des exemples de rubriques de ce type pris dans un quotidien de votre région.

Idée d'activité pédagogique: Stéphanie Demers.

Dès les années 1980, des mouvements s'opposant à la chasse aux phoques s'organisent, particulièrement en Europe. La rentabilité de cette activité économique connaît par conséquent une réduction marquée. En 2009, l'Union européenne interdit l'exportation des produits du phoque sur son territoire. La pêche hauturière connaît également des difficultés, alors que la surexploitation des poissons de fond par la pêche commerciale à grande échelle (morue et sébaste, par exemple) mène le gouvernement fédéral à imposer des moratoires, puis des quotas très limitatifs.

Au cours des années 1980, les quatre communautés mi'gmaques de la Gaspésie ont mis sur pied des activités touristiques en construisant des centres d'interprétation culturelle.

2.4 | Les aspects culturels

La culture mi'gmaque se rapproche des cultures algonquiennes de l'Est et en partage certaines caractéristiques.

2.4.1 Les croyances

Les croyances mi'gmaques traditionnelles ont connu de grandes modifications à la suite de la conversion au catholicisme des diverses communautés à l'exemple du chef Membertou en 1610. En 1980 encore, une forte proportion de Mi'gmaqs se disent de confession catholique, bien que le mouvement de revalorisation des croyances ancestrales qui débute dans les années 1960 ait mené à un éloignement par rapport à l'Église.

Les croyances traditionnelles sont ancrées dans la spiritualité du Grand Cercle, qui s'appuie sur le principe d'interdépendance de tous les êtres et accorde la même valeur à tous. Certains éléments de la culture matérielle revêtent une importance particulière sur le plan spirituel ; c'est notamment le cas du tambour cérémonial, qui représente les battements du cœur de la Terre mère et qui ponctue les diverses cérémonies de la nation. C'est aussi le cas du tabac, utilisé dans les cérémonies funèbres pour faciliter le passage du défunt vers le monde des esprits, et également du « foin d'odeur », nom populaire du mélilot, dont la fumée sert à purifier l'esprit. La tresse de « foin d'odeur » représente les cheveux de la Terre mère.

Au sommet de la cosmogonie mi'gmaque trône le Grand Créateur (Kji-niskam), qui est invisible, mais dont la présence est manifeste dans le Soleil, la Lune et les autres astres. C'est un dieu tout-puissant qui régit le destin de tous les êtres animés et de tous les objets inanimés. Il est assisté dans sa gestion de l'univers par des médiateurs qui communiquent avec les êtres humains, notamment les astres, les points cardinaux et les phénomènes physiques tels que le tonnerre.

2.4.2 Les arts

Les Mi'gmaqs sont reconnus dans le monde entier pour leur vannerie. Les paniers de lanières de frêne et de mélilot sont très prisés (Dupont, 1994). Ils reproduisent également des objets de tous les jours en miniature, pour des raisons spirituelles, la miniature incarnant les mêmes pouvoirs que l'objet de pleine taille.

L'art touristique occupe une place importante dans l'économie mi'gmaque depuis la vogue victorienne des objets d'origine exotique. Bien que le caractère commercial de la production artistique destinée aux touristes soit la cible de critiques, les objets d'art offerts à la clientèle sont les mêmes que ceux qui étaient d'usage traditionnellement. Parmi les objets les plus populaires figurent les panneaux d'écorce ornés de piquants de porcs-épics teints de diverses couleurs.

2.4.3 Les fêtes

La fête la plus importante est sans doute le rassemblement du Grand Conseil, qui a lieu annuellement à la Sainte-Anne le 26 juillet à Chapel Island (Mniku) en Nouvelle-Écosse. Bien que cette célébration comprenne aujourd'hui une messe, la tenue du Grand Conseil en ce lieu est antérieure à l'arrivée des missionnaires français. L'acculturation des pratiques traditionnelles aux pratiques catholiques est caractéristique des fêtes célébrées par les Mi'gmaqs (Whitehead, 1991). Lamontagne (2008) émet l'hypothèse que l'importance qu'accordent les Mi'gmaqs aux ancêtres a contribué au choix de sainte Anne, la mère de Marie, comme sainte patronne de la nation.

2.4.4 Les jeux

Le jeu traditionnel du « waltes », dont on possède des vestiges, consiste à mélanger six dés circulaires en frappant une écuelle en bois sur le sol. Des bâtonnets sculptés représentant des valeurs différentes enregistrent la marque.

Le lancer du serpent de bois sur la neige était également populaire. La plus longue distance atteinte désignait le gagnant (figure 13.5).

Figure 13.5 Pièce de bois utilisée dans le jeu du « Serpent de neige »

SAUVEGARDONS NOTRE EAU

Compétences développées
Lire l'organisation d'une société sur son territoire.
S'ouvrir à la diversité des sociétés et de leur territoire.

Techniques développées en géographie
Lecture et interprétation de cartes.
Localisation d'un lieu sur un plan, sur une carte, sur un globe terrestre, dans un atlas.

Techniques développées en histoire
Interprétation de documents iconographiques.
Repérage d'informations historiques dans un document.

Description
Cette activité se déroule en trois étapes. Premièrement, les élèves lisent la légende mi'gmaque «Koluscap et le monstre d'eau»*. Cela fait, recueillez les réactions des élèves et dégagez leur compréhension générale de cette légende. Le but est de faire ressortir l'idée de protection des ressources hydrographiques et la nature des différents personnages représentés.

Deuxièmement, travaillez avec les élèves sur une carte du Canada représentant les ressources hydrographiques. Demandez aux élèves d'y situer les différents barrages hydroélectriques présents sur le territoire québécois.

Troisièmement, séparez la classe en petits groupes de quatre élèves et demandez-leur de se prononcer pour ou contre la morale de la légende, selon laquelle l'eau ne peut appartenir à personne, en établissant un lien avec la répartition des barrages hydroélectriques sur le territoire. Faites un retour en grand groupe pour discuter des avantages et des limites de l'industrie hydroélectrique.

---

* Jardin botanique de Montréal, *Le jardin des jeunes branchés*, «Koluscap et le monstre d'eau», site consulté le 1er décembre 2010 à l'adresse <http://www2.ville.montreal.qc.ca/jardin/jeunes/naturaliste/ami_andawa/koluscap_page1.htm>.

Idée d'activité pédagogique: Vincent Boutonnet. Inspirée du site mentionné ci-dessus.

3 | HISTORIOGRAPHIE ET CONTROVERSES

Peu de controverses de nature historiographique sont à souligner en ce qui concerne l'histoire des Mi'gmaqs depuis 1980. Certaines controverses persistent toujours, toutefois, quant au sens à donner à l'alliance Mi'gmaqs-Français pendant les guerres coloniales qui affligent la région atlantique jusqu'en Gaspésie au XVIIIᵉ siècle. L'importance accordée aux sources missionnaires françaises ou aux sources militaires britanniques peut provoquer des divergences dans l'interprétation du rôle joué par les uns et les autres auprès de la nation mi'gmaque. La tradition historique française (et catholique) (Lescarbot, De Clerq, Maillard) présente une version selon laquelle les Acadiens, les Canadiens et les Mi'gmaqs s'étaient alliés afin de défendre des intérêts communs de nature religieuse ou commerciale et avaient ainsi résisté aux forces britanniques dès le début du XIXᵉ siècle. Lescarbot, fortement inspiré par Montaigne, dressait par ailleurs le portrait du «noble sauvage» lorsqu'il décrivait la société mi'gmaque (Trigger, 1985). Les sources britanniques, pour leur part, dépeignent les Mi'gmaqs comme une population asservie à la hiérarchie de l'Église et utilisées comme pions par les gouverneurs français (Finn, 1977). Enfin, les historiens mi'gmaqs considèrent que l'alliance qui les unissait aux Acadiens était sacrée (consacrée, en outre, par l'échange de wampums diplomatiques et par les mariages interculturels) et que leur opposition aux forces britanniques s'inscrivait dans cette optique (Paul, 2000). Quelques escarmouches entre les colons britanniques du Maine et les Mi'gmaqs au XVIIe siècle auraient, par ailleurs, convaincu ces derniers que les Britanniques étaient des ennemis, puisque ceux-ci avaient à certaines reprises vendu comme esclaves les Mi'gmaqs capturés (Paul, 2000; Reid, 2004).

Trigger (1985), dans son survol des courants historiographiques ayant marqué l'histoire des peuples autochtones au Canada, souligne la division encore évidente aujourd'hui entre les interprétations eurocentriques et celles qui reconnaissent les peuples autochtones comme acteurs historiques à part entière. Parmi les obstacles à l'intégration de l'histoire autochtone à l'histoire canadienne, il signale principalement les courants en faveur d'une histoire nationaliste, au Québec, et le rejet des approches interdisciplinaires chez les historiens du Canada anglais (Trigger, 1985: p. 47).

Conclusion

Dans ce chapitre, nous avons vu que la composition et la répartition de la population des Inuits et des Mi'gmaqs, de même que les caractéristiques du territoire occupé, les activités économiques exercées et les langues parlées distinguent les deux sociétés. Le mode de vie traditionnel et l'identité culturelle des deux sociétés subissent toutefois les mêmes pressions externes, du fait que les activités économiques des allochtones empiètent sur leur territoire et les ressources qui en font la richesse. Dans les années 1980, la résistance des nations autochtones à cet empiètement territorial et économique s'organise, et les Inuits et Mi'gmaqs y participent activement. Cette résistance se manifeste également sur le plan culturel. Ainsi, dans les deux sociétés, les fêtes et cérémonies, l'artisanat, le calendrier traditionnel, la danse et les sports occupent une place importante, bien que ces activités et coutumes s'expriment très différemment.

Exercices

1. À quand l'occupation du territoire des Inuits remonte-t-elle?

2. Quel était le mode de vie des Inuits avant le contact avec les Européens?

3. Quelle était la composition de la population inuite vers 1980 ?

4. Quelles sont les caractéristiques du territoire occupé par les Inuits ?

5. Comment la population y est-elle répartie ?

6. Quelles étaient les principales activités économiques des Inuits vers 1980 ?

7. Nommez les principales manifestations culturelles des Inuits dans les domaines suivants :

   a) langue ;

   b) croyances, fêtes et cérémonies ;

   c) arts, danse ;

   d) sports et jeux.

8. À quand l'occupation du territoire gaspésien par les Mi'gmaqs remonte-t-elle ?

9. Quelle était la composition de la population mi'gmaque vers 1980 ?

10. Quelles sont les caractéristiques du territoire occupé par les Mi'gmaqs ? Comment la population y est-elle répartie ?

11. Quelles étaient les principales activités économiques des Mi'gmaqs vers 1980 ?

12. Nommez les principales manifestations culturelles des Mi'gmaqs dans les domaines suivants :

    a) langue ;

    b) croyances, fêtes et cérémonies ;

    c) arts, danse ;

    d) sports et jeux.

13. Comment le contact avec les Européens a-t-il modifié le mode de vie des communautés inuites ?

14. Expliquez l'impact de la guerre froide sur les communautés inuites.

15. Quels facteurs expliquent l'intervention du gouvernement québécois auprès des communautés inuites ?

16. Comment les Inuits ont-ils adapté les diverses interventions gouvernementales à leurs propres besoins ?

17. Qu'est-ce qui explique leurs revendications dans les années 1980 ?

18. Comment les Mi'gmaqs ont-ils adapté les institutions d'origine européenne à leur propre culture et leurs activités ?

19. Qu'est-ce qui explique la précarité économique chez les deux nations ?

20. Comment les caractéristiques du territoire occupé par ces nations ont-elles contribué à leur culture et à leurs activités économiques ?

Pour en savoir plus

Société inuite

MARTIN, T. (2003). *De la banquise au congélateur. Mondialisation et culture au Nunavik*, Québec, Presses de l'Université Laval.

Cet ouvrage relate l'histoire récente des Inuits du Québec en mettant un accent particulier sur le processus de création du territoire autonome du Nunavik. Il comprend des informations sur la démographie, les activités économiques, l'impact des interventions gouvernementales et la résistance des communautés inuites.

MORRISON, D., et G.-H. GERMAIN (2009). *Inuit – Les peuples du froid*, Gatineau, Musée canadien des civilisations.

Rédigé par des archéologues du Musée canadien des civilisations, cet ouvrage abondamment illustré relate la vie quotidienne du peuple inuit par l'entremise de la narration de deux enfants. Issus de recherches scientifiques, les textes abordent les thèmes suivants : la survie et le froid, les mariages de raison, l'échangisme et les mondanités, la chasse, la faim, la vie spirituelle, la pêche et la famille. Contient des illustrations de Frédéric Back.

QUMAQ, T. (1991). *Inuit uqausillaringit. Les véritables mots Inuit/The genuine Inuit words*, Québec, Association Inuksiutiit Katimajiit/Inukjuaq et Montréal, Institut Culturel Avataq.

Un dictionnaire du vocabulaire inuktitut du Nunavik, particulièrement intéressant pour explorer la toponymie et son rapport avec la culture.

SALADIN D'ANGLURE, B., dir. (2002). *Entrevues avec des aînés inuits : La cosmologie et le chamanisme inuits*, Iqaluit, Nunavut Arctic College.

Cet ensemble de cinq ouvrages sur la tradition orale inuite, qui rassemble les entrevues réalisées par des étudiants du collège Nunavut Arctic auprès d'aînés de tous les coins du Nunavut, porte sur la connaissance traditionnelle, les pratiques éducatives, la cosmologie et le chamanisme, le bien-être physique et psychique et les perspectives relatives au droit traditionnel.

SIMARD, J.-J. (1996). *Tendances nordiques, les changements sociaux 1970-1990 chez les Cris et les Inuit du Québec : une enquête statistique exploratoire*, Québec, Gétic, Université Laval.

Explorant les données socioéconomiques relatives à la situation des Cris et des Inuits du Québec, cet ouvrage fournit d'importantes informations démographiques ainsi que de nombreux indicateurs de santé publique, d'activités économiques et d'enjeux sociaux.

Société mi'gmaque

DUPONT, J.-C. (1994). *Les Amérindiens du Québec : culture matérielle*, Sainte-Foy, Éditions Dupont.

Cet ouvrage anthropologique présente divers objets de la culture matérielle des Amérindiens du Québec, dont les Mi'gmaqs, et explique en quoi ces objets constituent des manifestations culturelles.

LAMONTAGNE, D. (2008). « Sainte Anne, une marginale qui résiste », *Port Acadie : revue interdisciplinaire en études acadiennes/Port Acadie : An Interdisciplinary Review in Acadian Studies*, 2008-2009, p. 91-102.

Étude anthropologique portant sur l'importance de sainte Anne dans les traditions mi'gmaques, cet ouvrage explique comment les Mi'gmaqs ont adapté la religion catholique à leurs propres croyances.

MIMEAULT, M. (1996). *Guide de formation pour les animateurs-interprètes du village micmac Gespeg*, Gaspé, Conseil de bande micmac de Gaspé, 152 p.

MIMEAULT, M. (2002). «Les peuples autochtones du Canada et la place des Micmacs», *Histoire régionale – L'être humain dans son environnement*, document n° 147-CRQ-05, Gaspé, Cégep de la Gaspésie.

Ces deux ouvrages retracent l'histoire des Mi'gmaqs de la Gaspésie et brossent un portrait de leur vie quotidienne et de leurs relations avec les allochtones de la région.

PAUL, D. (2000). *We Were Not The Savages*, Halifax, Fernwood.

Cet ouvrage raconte l'histoire des Mi'gmaqs et de leurs relations avec les Européens et leurs descendants. Il explique les fondements historiques des revendications actuelles.

■ Internet

Les écozones du Nunavik. Musée virtuel du Canada:

<http://www.museevirtuel.ca/Exhibitions/Nunavik/f-nunavik-0101.html>

Musée virtuel des jeux Elliott Avedon de l'Université de Waterloo:

<http://www.gamesmuseum.uwaterloo.ca/VirtualExhibits/Inuit/french/fbagbone.html>

Musée canadien des civilisations, collection digitale; culture matérielle des Mi'gmaqs et des Malécites:

<http://epe.lac-bac.gc.ca/100/205/301/ic/cdc/objects/mi%27kmaqgames.htm>

Bibliographie

ALLEN, P. (1980). *The Oxbow Site: Chronology and Prehistory in Northern New Brunswick*, mémoire de maîtrise en anthropologie (inédit), St. John's, Memorial University.

BARRÉ, G. (1975). «Cap-Chat (Dg Dq-1): un site du sylvicole moyen en Gaspésie. Québec», Ministère des Affaires Culturelles, Direction Générale du Patrimoine, Service d'Archéologie et d'Ethnologie. VIII, 63, (49) p. (28 cm). Les Cahiers du Patrimoine n° 1. Carte et 19 feuillets de planches.

DICKASON, O.P. (1996). *Les premières nations*, Sillery, Septentrion.

DUFFY, R.Q. 1988. *The road to Nunavut*, Montréal, McGill-Queen's University Press.

DUHAIME, G. (1985). *De l'igloo au HLM – Les Inuits sédentaires et l'État-providence*, Québec, Centre d'études nordiques, coll. «Nordicana», Université Laval.

DUPONT, J.-C. (1994). *Les Amérindiens du Québec: culture matérielle*, Sainte-Foy, Éditions Dupont.

FINN, G. (1977). « Jean-Louis LeLoutre vu par les historiens », *Cahiers de la Société historique acadienne,* Moncton (N.-B.), vol. 8, n° 108.

FRIDERES, J. (1998). *Aboriginal Peoples in Canada: Contemporary Conflicts,* Scarborough, Prentice Hall Allyn and Bacon Canada.

GLASSFORD, R. G. (1976). *Application of a Theory of Games To The Transitional Eskimo Culture,* New York, Arno Press.

GRABURN, N. (2004). « *Inuksuk : Icon of the Inuit of Nunavut* », *dans Études/ Inuit/Studies,* n° 28, vol. 1, p. 69-82.

HAMELIN, L.-E. (1980). *Nordicité canadienne,* LaSalle, Québec, Éditions Hurtubise.

HOXIE, Frederick E., dir. (1996). *Encyclopedia of North American Indians,* New York, Houghton Mifflin Harcourt, p. 376-378.

JOHNSON, E. (1990). « Mi'kmaq Tribal Consciousness in the Twentieth Century », dans Stephanie Inglis, Joy Mannette et Stacey Sulewski, *Paqtatek,* Halifax (Nova Scotia), Garamound Press.

KNOCKWOOD, I. (1992). *Out of the Depths,* Lockport (Nova Scotia), Roseway Publishing.

LAMONTAGNE, D. (2008). « Sainte Anne, une marginale qui résiste », *Port Acadie : revue interdisciplinaire en études acadiennes/Port Acadie : An Interdisciplinary Review in Acadian Studies,* 2008-2009, p. 91-102.

LATHROP, T. H. (1969). « Eskimo Games and the Measurement of Culture Change : Fieldwork at Rankin Inlet », *The Musk-Ox,* vol. 5, s.p.

LAUGRAND, F., et J. OOSTEN (2002). « Quviasukvik. The celebration of an Inuit winter feast in the central Arctic », *Journal de la société des américanistes,* vol. 88, p. 203-225.

LEAVITT, R. (1996). *Micmac and Maliseet,* Fredericton (Nouveau-Brunswick), The Micmac-Maliseet Institute, Université du Nouveau-Brunswick, Canada.

MACDONALD, M. (1998). *The Arctic sky : Inuit Astronomy, Star Lore, and Legend,* Iqaluit, Nunavut Research Institute.

MAIRE, A. (s.d.). *Main Themes in Inuit Art. Inuit Art Zone.* En ligne : <http://www.inuitartzone.com/Articles.asp?ID=7>.

MARTIN, T. (2003). *De la banquise au congélateur. Mondialisation et culture au Nunavik,* Québec, Presses de l'Université Laval.

McGHEE, R. (2001). *Ancient People of the Arctic,* Vancouver, UBC Press.

MIMEAULT, M. (1996). *Guide de formation pour les animateurs-interprètes du village micmac Gespeg,* Gaspé, Conseil de bande Micmac de Gaspé.

MIMEAULT, M. (2002). « Les peuples autochtones du Canada et la place de Micmacs », *Histoire régionale – L'être humain dans son environnement,* document n° 147-CRQ-05, Gaspé, Cégep de la Gaspésie.

MORRISON, D., et G.-H. GERMAIN (2009). *Inuit – Les peuples du froid*, Gatineau, Musée canadien des civilisations.

PAUL, D. (2000). *We Were Not The Savages*, Halifax, Fernwood.

QUMAQ, T. (1991a). *Inuit uqausillaringit. Les véritables mots Inuit/ The genuine Inuit words*, Québec, Association Inuksiutiit Katimajiit/ Inukjuaq et Montréal, Institut Culturel Avataq.

QUMAQ, T. (1991b). *Inuit uqausillaringit: ulirnaisigutiit*, Kupaimmi, Inuksiutikkunullu Avatakkunullu Nuitartitait, 660 p.

REID, J. G. (2004). *The « Conquest » of Acadia, 1710: Imperial, Colonial, and Aboriginal Constructions*, Toronto, University of Toronto Press.

RESSOURCES NATURELLES DU CANADA. « Écozones forestières », *L'Atlas du Canada*, Gouvernement du Canada. En ligne: <http://atlas.nrcan.gc.ca/ auth/francais/maps/environment/forest/forestcanada/ forestedecozones/1>.

ROBITAILLE, N., et R. CHOINIÈRE (1984). *Aperçu de la situation démographique et socio-économique des Inuit du Canada*, Ottawa, Direction de la recherche, Orientations générales, Affaires indiennes et du Nord Canada, 116 p.

ROBITAILLE, N., et R. CHOINIÈRE (1988). « The Inuit population of Northern Québec: present situation, future trends », *Anthropologica*, p. 137-154.

SALADIN D'ANGLURE, B., dir., (2002). *Entrevues avec des aînés inuit: La cosmologie et le chamanisme inuit*, Iqaluit, Nunavut Arctic College.

SECRÉTARIAT AUX AFFAIRES AUTOCHTONES (2009). *Profil des nations: les Micmacs*, Québec, Gouvernement du Québec.

SIMARD, J.-J. (1982). *La révolution congelée: Coopération et développement au Nouveau-Québec Inuit*, thèse de doctorat, Université Laval.

SIMARD, J.-J. (1996). *Tendances nordiques, les changements sociaux 1970-1990 chez les Cris et les Inuit du Québec*, une enquête statistique exploratoire, Québec, Gétic, Université Laval.

TESTER, F.J., et P. KULCHYSKI (1994). *Tammarniit (Mistakes): Inuit Relocation in the Eastern Arctic, 1939-1963*, Vancouver, USC Press.

TREMBLAY, M. A. (1982). « Études amérindiennes au Québec, 1960-1981: État des travaux et principales tendances », *Culture*, vol. 2, n° 1, p. 83-106.

TRIGGER, B. (1985). *Natives and Newcomers: Canada's « Heroic Age » Reconsidered*, Montréal, McGill-Queen's University Press.

UPTON, L. F. S. (1979). *Micmacs and Colonists: Indian White Relations in the Maritime Provinces 1713-1867*, Vancouver, University of British Columbia Press.

WHITEHEAD, R. (1988). *Stories from the Six Worlds*, Halifax, Nimbus Publishing.

WHITEHEAD, R. (1989). *Micmac, Maliceet and Beothuk Collections in Europe and the Pacific*, Halifax, Nova Scotia Museum.

WHITEHEAD, R. (1991). *The Old Man Told Us: Excerpts from Micmac history 1500-1950*, Halifax, Nimbus Publishing.

WRIGHT, J. (1999). *A History of the Native People of Canada*, vol II., Seattle, University of Washington Press.

ZUK, W. M. (1967). *Eskimo Games*, Ottawa, Education Division, Northern Administration Branch, Department of Indian Affairs and Northern Development.

CONCLUSION

L'intention du présent ouvrage était d'offrir aux maîtres, aux étudiants en enseignement, à leurs formateurs ou à tout autre lecteur un exposé complet du contenu prescrit par le *Programme de formation de l'école québécoise* pour le champ disciplinaire de l'univers social aux deuxième et troisième cycles du primaire. Chacun des chapitres étudiés, traitant d'une société en particulier, constitue une interprétation de ce programme officiel. Construite au fil d'un processus de recherche, cette interprétation repose d'abord sur l'étude d'artefacts et de sources notamment textuelles et iconographiques. Nous espérons que les lecteurs ont non seulement approfondi leur compréhension de ce contenu – à savoir les repères temporels, les personnages, les groupes sociaux, les paysages, les territoires occupés, etc. –, mais aussi qu'ils ont envisagé pour leurs élèves des activités visant le développement des compétences afférentes, comme la problématisation des représentations, l'acquisition de connaissances, l'appropriation de savoirs, le débat argumenté, l'analyse des discours, « historique » ou non. Nous croyons que ces activités sont nécessaires pour que les savoirs disciplinaires trouvent une signification aux yeux des élèves dans le cadre scolaire avec le concours des enseignants, et pour que ces savoirs contribuent à habiliter les élèves à réfléchir sur le monde et à agir de façon juste, libre, raisonnée et opérante.

Plus que la connaissance déclarative des produits du travail collectif de géographes et d'historiens, certaines attitudes et opérations mentales caractérisent la pensée géographique et historique, notamment la problématisation, l'enquête méthodique et critique, la mise au jour de ressemblances, de différences et de changements entre l'ici et l'ailleurs, entre l'hier et l'aujourd'hui. Ce sont ces savoirs disciplinaires qui donnent leur légitimité intellectuelle à l'enseignement des matières au programme et que les auteurs de chacun des chapitres ont tenté de modéliser ici. Mais de quelle manière déclencher chez les élèves les comportements mentaux visés en univers social et travailler avec eux sur les documents de façon à perfectionner ces comportements ?

Ce que le présent ouvrage n'a pu traiter sert donc de tremplin pour la production d'autres manuels de formation contenant des contributions explicitement didactiques, c'est-à-dire axées sur l'enseignement de la « démarche de recherche et de traitement de l'information en géographie et en histoire[1] », sur l'apprentissage par concepts de l'histoire-géographie et sur les types d'outils qui soutiennent un enseignement adapté, de même que sur le développement de techniques relatives au temps, à l'espace et à l'étude des sociétés.

---

1. Ministère de l'Éducation du Québec (2001). *Programme de formation de l'école québécoise. Éducation préscolaire et enseignement primaire*, Québec, Gouvernement du Québec, p. 186.

SOURCES DES IMAGES

Première page des chapitres (filigrane): iStockphoto.com, fatihhoca.

Chapitre 1
Figure 1.2: Bibliothèque et Archives Canada, C-113066. *Figure 1.3*: Alamy, Bert Hoferichter.

Chapitre 3
Figure 3.3: Claude Morin. *Figure 3.4*: Dessin tiré de l'œuvre de Guamán Poma de Ayala. *Figure 3.5*: Alamy, Mary Evans Picture Library.

Chapitre 5
Figure 5.1: Alamy, North Wind Picture Archives. *Figure 5.3*: Bibliothèque et Archives Canada, nlc003444-v6. *Figure 5.4*: Bibliothèque et Archives Canada, R13133-178. .

Chapitre 6
Figure 6.2: North Wind Picture Archives. *Figure 6.5*: Alamy, North Wind Picture Archives.

Chapitre 7
Figure 7.2: Alamy, North Wind Picture Archives.

Chapitre 8
Figure 8.2: Bibliothèque et Archives Canada, c-000057. *Figure 8.3*: Musée McCord, M984.273.

Chapitre 9
Figure 9.2: Musée McCord, I-15123.1. *Figure 9.4*: Bibliothèque et Archives Canada, PA-010400. *Figure 9.5*: Bibliothèque et Archives Canada, H.J. Woodside, PA-123707. *Figure 9.6*: (*à gauche*): Musée McCord, 00816003; (*à droite*): Bibliothèque et Archives Canada, William James Topley, PA-135241. *Figure 9.7*: (*à gauche*): Musée McCord, View1332; (*à droite*): Musée McCord, V3212-p1.

Chapitre 10
Figure 10.2: Bibliothèque et Archives Canada, C-021290. *Figure 10.3*: (*à gauche*): Bibliothèque et Archives Canada, O. B. Buell, C-001875; (*à droite*): Bibliothèque et Archives Canada, O. B. Buell, C-001873. *Figure 10.4*: (*à gauche*): Bibliothèque et Archives Canada, William James Topley, PA-025967; (*à droite*): Bibliothèque et Archives Canada, William James Topley, C-001971. *Figure 10.5*: Bibliothèque et Archives Canada, C-027521. *Figure 10.6*: (*à gauche*): Bibliothèque et Archives Canada, PA-066540; (*à droite*): Bibliothèque et Archives Canada, John Woodruff, PA-21277. *Figure 10.7*: Archives du Chemin de fer Canadien Pacifique. *Figure 10.9*: Bibliothèque et Archives Canada, ministère de l'Intérieur du Canada, PA-047736. *Figure 10.11*: Bibliothèque et Archives Canada, Ernest Brown, C-006686B.

Chapitre 11
Figure 11.1: (*à gauche*): CCDMD, *Le monde en images*, Compagnie Minière I.O.C.; (*à droite*): © 2007 Pierre Bouchard Indico. *Figure 11.2*: CP Images, Paul Chiasson. *Figure 11.3*: CP Images, Dimitri Papadopoulos. *Figure 11.4*: Corbis, Oewn Franken.

Chapitre 12
Figure 12.2: iStockphoto.com, Steven Miric. *Figure 12.3*: Alamy, Salas Archive Photo. *Figure 12.4*: Alamy, Keystone Pictures USA. *Figure 12.5*: Alamy, Mireille Vautier.

Chapitre 13
Figure 13.2: Alamy, Alaska Stock. *Figure 13.3*: Musée canadien des civilisations, C-Z-A-293. *Figure 13.5*: Musée canadien des civilisations, III-F-212.